Y0-AGQ-446

오만과 편견

오만과 편견

| 임지현 · 사카이 나오키 |

사카이 나오키 서문

식민주의적 죄의식을 넘어서

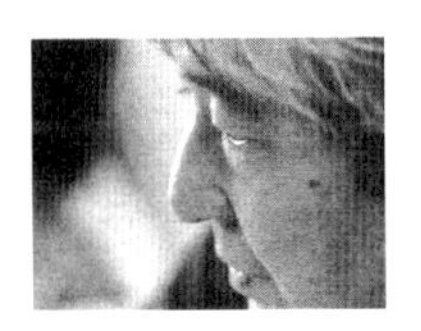

독자 여러분! 안녕하십니까?

'한국 독자들께' 나 '일본 독자들께' 라고 시작하지 않고 굳이 '독자 여러분께' 라고 시작한 데에는 나름의 이유가 있습니다. 여러분은 저와 임지현 선생의 대담이 한국에서는 한국어로 휴머니스트 출판사가, 일본에서는 일본어로 이와나미 쇼텐(岩波書店)이 출판하므로, 한국어와 일본어 두 가지로 나누는 구분 방식이 당연하다고 여기실지 모르겠습니다. 하지만 저는 한국어로 일본 독자에게 말을 거는 경우, 일본어로 중국 독자에게 말을 거는 경우, 나아가 한국어로 호주 독자에게, 일본어로 싱가포르 독자에게 말을 거는 경우 등—실제 그 독자는 극소수일지도 모르지만—우리가 미처 예상하지 못한 화자와 독자의 조합, 그런 만남의 가능성을 저버릴 수 없습니다. 이 대담이 오로지 한국인과 일본인, 즉 한 나라의 국민과 다른 나라의 국민이 나눈 대화로만 표상·이해되고 만다면 어쩌나 하는 두려움도 있고, 한국어를 읽지 못하는 한국인, 일본어로 이야기하지 못하는 일본인에게 말을 걸 가능성도 배제하고 싶지 않아서입니다.

대담 초입에서도 말씀드렸듯이, 임 선생이나 저는 이번 대담이 국적과 민족의 동일성에서 일탈할 수 있도록 끊임없이 노력해왔습니다. 그런 점에서 이 대담은 저에게 '이(異)언어적인 청자(聽者)에게 말걸기(heterolingual address)'의 구체적 실천이었습니다. 제가 이 대담을 끝까지 이어올 수 있었던 것은 임 선생에게서 '이언어적 청자에게 말걸기'의 이상적인 청자를 발견했기 때문입니다. 임 선생은 동유럽 노동사, 특히 폴란드 역사를 연구하셨고 폴란드어 외에도 영어와 독일어를 구사합니다. 저는 한국을 연구하는 사람도 아니고 동유럽에 대해서도 잘 모르지만, 우연히 임 선생과 영어로 대화를 나누고부터는 늘 영어를 사용하여 대화와 서신 교환을 해왔습니다. 관심사가 서로 겹치는 경우도 많았지만, 학문 분야나 사용 언어로만 보면 서로에게 전적으로 '외인(外人)'이었습니다. 그래서 통역을 해주신 와타나베 나오키(渡辺直紀), 박유하, 박경희, 이타가키 류타(板垣竜太), 후지이 다케시(藤井豪) 선생 등 여러 분이 안 계셨더라면 이 대담은 전부 영어로 진행되었을 것입니다. 만약 그랬다면 실제 대담 현장에서는 한국어와 일본어만이 아니라 영어까지 어지러이 뒤섞였을 것이고, 그런 다언어적 상황을 두 언어 간 커뮤니케이션으로서 쌍-형상화로 재구성하는 데에는 회의를 느낄 수밖에 없었을 겁니다.

생각해보면 20세기 이전까지만 해도 조선의 지식인과 일본 열도에 사는 지식인은 한국어와 일본어라는 대-형상적으로 배치된 대화 관계를 맺을 필요가 없었습니다. 한문을 사용하면 그만이었고 이른바 필담(筆談)이란 것도 가능했습니다. 민족언어라는 사고 방식이 아직 발달하지 않았기 때문이지요. 또한 당시 지식인들은 민족의 자부심이라는 것도 없었으며 국어 혹은 국민어의 무게도 느끼지 않았습니다. 그런데 100년 후 지금은 상황이 달라졌습니다. 이 대담을 한국어와 일본어로 출판하려는 시도 자체에 이미 국민국가의 역사가 각인되어 있습니다. 거기에는 최근 100년 동안 국민어의 발명과 보급·교육만이 아니라, 한쪽 국민어가 다른 쪽 국민어를 억압하는 따위의 식민주의의 폭력적인 과정도 포함되어 있습니다. 더욱이 일본 제국이 해체된 후, 한국·조선 민족과 일본이라는, 쌍-형상적으로 구성되는 국민의 대비에 의해 한국인과 일본인이라는 주체적 입장이 규정되기에 이른 것입니다. 그런 이유로 이 대담은 그러한 국민국가의 틀을 어떻게 벗어날 수 있을까 하는 문제 의식을 내걸지 않을 수 없었습니다. 그러다 보니 일견 상반되어 보이는 계기를 함께 끌어안으면서 진행될 수밖에 없었습니다. 이 점에서 임 선생과 저는 견해가 조금 달랐는데, 그런 어긋남을 대담 여기저기에서 발견하실지도 모르겠습니다.

저는 우리 두 사람이 같은 나라 사람일 필요는 없다고 생각했지만, 그래도 한국 국민과 일본 국민으로 이야기를 나누는 것에는 혐오감을 갖고 있었습니다. 한국 사람 앞에서 제가 일본인이라는 사실을 새삼 자랑하고 싶지도 않았지만, 여태껏 일본인으로 보인다는 사실이 부끄럽게 생각되었기 때문입니다. 이는 합중국 사람이라는 사실이 한국이나 필리핀, 베트남, 멕시코, 이라크, 니카라과 등 미제국주의의 폭력에 고통을 받아온 사람들뿐만 아니라, 북미

지역의 원주민들 앞에서도 부끄러운 것과 유사한 경우입니다. 그러나 그렇다고 해서 과거 식민주의적인 행위 때문에 저 자신이 한국 사람 앞에서 유죄라고 인정해야 한다고는 생각지 않습니다. 한국 사람들이 저를 식민주의자가 아닐까 의심의 눈초리로 보는 것은 당연하며, 저 사람이 식민주의자 특유의 우월의식을 갖고 우리를 대하는 것은 아닐까 하는 의심을 받는다 해도 어쩔 수 없다고 생각합니다. 그런 식민주의 역사가 엄존했으며 지금도 계속되고 있기 때문입니다. 이는 자유주의 사관을 부르짖는 일본인의 행동, 합중국 정부가 아프가니스탄과 이라크에서 저지른 행동을 보면 분명히 드러나지요.

동시에 임 선생이나 한국 사람들로부터, 제가 식민주의자가 아니며 식민주의의 유제(遺制)를 내면화한 일본인이 아니라는 사실을 말과 행동으로 확실히 증명하도록 강요받는다는 느낌도 사실 듭니다. 식민주의의 유제를 내면화한 일본인이 아직 다수 존재하는 이상, 저는 일본인 일반으로 간주되고 싶지 않습니다. 저에게는 식민주의 유산을 조상으로부터 계승해야 할 이유가 전혀 없으며, 일본 국민으로서의 명예를 회복해야 한다고도 느끼지 않기 때문입니다. 그렇기 때문에 '일본인 됨을 나누는 것', 즉 아직도 식민주의가 부여한 우월의식에서 벗어나지 못한 일본인을 탄핵함으로써 국민적 동일성에 균열을 내는 일이 저 자신을 과거의 역사로부터 해방시키기 위해 필요하다고 생각한 것입니다. 만일 일본인이라는 사실 자체가 식민주의의 은혜를 계승함으로써 국민으로서의 자긍심을 지켜내는 일이라면, 저는 일본인이기를 그치기 위해 노력하는 사람이라는 점을 끊임없이 호소해야 한다고 생각하기 때문입니다.

임지현 선생께서는 저를 덮고 있는 식민주의라는 과거의 무게를 덜어주기 위해 세심한 배려를 아끼지 않으셨습니다. 그것은 구식민지 종주국의 대표와 구식민지 대표의 대화라는 식으로 저희의 대담이 진행되어버릴 때, 구식민지 측의 민족주의가 무조건 긍정되고 마는 결과를 피하려고 했기 때문이기도 합니다. 또 거기에는 구식민지 종주국의 인간이 종종 빠지는 기제(機制), 즉 식민주의적 죄의식을 통해 우월의식을 보존하는 그런 역설적인 기제에 대한 통찰도 들어 있었습니다. 위안부 문제에 '양심적으로' 관여해온 일본 자유주의자들의 언동에서도—그들이 얼마만큼 의식하고 있었는지는 알 수 없지만—식민주의적인 죄의식을 통한 우월의식의 보존이라는 의도가 언뜻언뜻 보였습니다. 저는 임 선생의 배려를 절실히 느낄 수 있었으며 그 판단 또한 정당하다고 생각했습니다. 임 선생의 배려 덕택에 우리 두 사람이 자유로이 이야기할 수 있는 공간이 마련되었습니다.

하지만 저는 다음과 같은 사태도 질릴 정도로 많이 보아왔습니다. "언제까지 백인은 흑인에게 죄책감을 가져야 하는가!" "조상들이 한 짓에 대해 우리가 책임을 져야만 하는가!"라는 외침과 주장에는, 이제는 백인이 피해자이고 식민주의나 인종주의의 과거는 묵살해도 좋다는 편의주의적인 논리가 들어 있습니다. 9·11 이후 영어권 대중매체를 보면, 식민주의의 역사를 묵살하는 그런 식의 태도가 만연해 있고, 그 결과 식민주의의 폭력이 원초적인 잔학성과 함께 회귀하고 있습니다. 역사적인 과거를 간과한 순간, 과거의 가장 잔학한 측면이 반복되는 셈입니다. 2001년 이후 합중국 정부의 정책이 소름끼칠 만큼 식민주의적 인종주의를 상기시키고 나치의 이민정책을 상기시키는 것은 우연이 아닙니다.

우리는 식민주의적인 죄의식이 없는 관계를 모색하였습니다. 국민국가에 의해 규정되지 않는 공간에서 대화하고 싶다는 우리의 바람도 그 모색 과정의 일환입니다. 하지만 우리가 그러한 상황을 아직 만들지 못했다는 인식을 떨쳐버릴 수는 없겠지요. 국민국가를 철저히 의문에 부치고 그 계보학을 수행하는 일이 국민국가의 존재를 간과하는 것은 아닙니다. 가까운 장래에 국민국가가 소멸할 턱이 없기 때문에 우리는 이러한 역사적 조건을 계속 살아가지 않으면 안 됩니다. 두 국민국가의 과거사를 지금껏 질질 끌어온 과거에 대한 책임을 피할 수는 없지만, 그렇다고 해서 책임을 짐으로써 국민적 주체의 재구성에 가담할 수도 없습니다. 일본인 전체나 한국인 전체라는 형태로 뭉뚱그리는 방식이 아니라, 일본인 중에 죄있는 사람과 죄없는 사람을 죄의 정도에 따라 처벌하는 것, 한국국민 중에 피해를 본 사람과 보지 않은 사람을 피해의 역사적 고유성에 따라 인지하는 데서부터 출발하지 않을 수 없습니다. 이런 저의 태도가 모순된 것으로 비칠지도 모르겠습니다.

임 선생의 따뜻한 배려에 제가 충분히 부응하지는 못했지만, 선생의 호의가 없었더라면 이 대담이 계속 진행되지도 못했을 것입니다. 선생의 호의는 우연적인 것이었다는 것이 제 생각입니다. 저도 이 대담에 충실했지만, 그 방식은 도박과도 같은 것이었습니다. 대담의 진행 과정에서 서로의 우연적인 호의가 공명하는 것을 느낄 수 있었습니다. 임 선생과 번역자 여러분, 휴머니스트 출판사 편집장 선완규 씨와 김학원 대표 그리고 이와나미 쇼텐의 고지마 기요시(小島潔) 씨 등, 국민도 아니고 민족도 아닌 공동체가 생겨났다고 느낄 수 있었던 것은, 이들의 우연적인 호의 덕분입니다. 이것을 씨알〔核〕삼아, 우연적으로 이루어진 공동체가 독자 여러분께도 퍼져가기를 바랄 뿐입니다.

코넬에서

사카이 나오키

임지현 서문

세습적 희생자의식을 넘어서

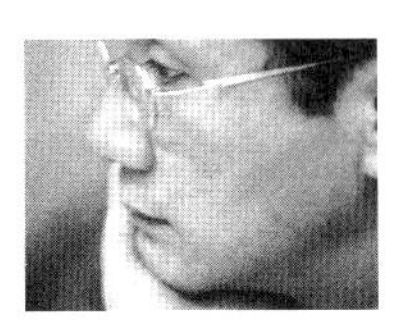

힘든 대담이었다. 공부가 모자라니, 당연하다. 그에 못지 않게 어려운 것은, 나를 짓누르는 과거의 무게였다. 대담 초두에, 사카이 나오키와 임지현의 대담이라는 점, 그래서 각자가 갖고 있는 다양한 정체성들 간의 대화라는 성격 규정을 분명히 한 것도, 실은 과거의 무게에 대한 염려 때문이었다. 그럼에도 그 무게로부터 자유롭지 못했다는 것을 솔직히 고백해야겠다. 더 솔직히 말하자면, 내 잠재의식 속에서는 과거의 무게를 즐겼는지도 모르겠다.

일본에 대한 피상적 지식에도 불구하고 나는 거칠게 말을 던졌고, 사카이 선생은 상대적으로 더 신중한 편이었다. 덜 익은 벼와 잘 익은 벼의 차이도 있겠지만, 서로가 느끼는 역사의 무게감이 달랐기 때문이리라. 한국의 지식인 대 일본의 지식인, 혹은 구식민지 지식인 대 구제국 지식인의 대담으로 환원되는 것을 극도로 경계했지만, 제국-식민지의 역사적 경험으로부터 완전히 자유로울 수는 없지 않았나 싶다. 구체적이고 복합적인 개인을 추상적이고 단일한 범주로 단순화하는 것을 경계하고, 그래서 '집합적 유죄(collective guilt)' 개념에 비판적이면서도 동시에 그 개념을 복합적으로 끌어안을 수밖에 없다는 사카이 선생의 딜레마에서 나는 그를 짓누르는 과거의 무게를 읽었다.

나 역시 한반도를 지배하고 있는 집단적 기억에서 자유롭지는 못했다. 한반도의 전후 세대가 식민지의 과거를 전유하는 전형적인 방식은 국가권력에 의해 조장된 '세습적 희생자의식(hereditary victimhood)'이다. 대담 내내 과거의 무게에 가위눌리면서도 다른 한편으로는 어딘지 모르게 그 무게를 즐긴 데에는 '세습적 희생자의식'이 내 잠재의식 속에 숨어 있었기 때문일 것이다. 그것이 자동적으로 담보해주는 자기 정당화가 내 거친 언어와 사고를 가능케 한 것은 아닌가 하는 자책감이 크다. 그렇다면 내 의도에서 크게 벗어난 셈이다.

'세습적 희생자의식'은 식민지 세대가 겪은 고통을 담보로 한반도의 전후 세대가 손쉽게 면죄부를 획득하는 근거가 된다. 팔레스타인 소년들의 참담한 주검 앞에서 이스라엘의 젊은 군인들이 그토록 당당한 것도 자신을 여전히 홀로코스트의 세습적 희생자라 여기기 때문이다. 식민주의의 희생자가 되지 않기 위해서면 어떠한 행위든 도덕적으로 정당하며, 살아남기 위해 국가를 강화하는 길만이 정치적으로 옳다는 그것은 한반도 내셔널리즘과 논리를 같이한다. 그것이 강대국에 둘러싸인 한반도의 지정학적 위치라는 한국판 '포위된 요새' 신드롬과 연결될 때, 한반도 내셔널리즘의 국가주의적 성격은 한번 더 강화된다. '세습적 희생자의식'을 축으로 만들어진 집단적 기억은 결국 한반도의 국가주의 또는 국가주의적 내셔널리즘을 정당화하는 정서적 기제이다.

이 점에서 홀로코스트와 식민주의라는 역사적 경험의 차이에도 불구하고, 전후 한반도의 내셔널리즘과 이스라엘의 국가 시온주의는 놀라울 정도로 유사하다. 기본적으로 '세습적 희생자의식'과 '포위된 요새' 신드롬을 공유하기 때문일 것이다. 6일 전쟁 직후 남한에서 이스라엘 담론이 유행한 것도 이 점에서 시사적이다. 레드 콤플렉스를 자신의 헤게모니적 기제로 삼았던 남한의 박정희 정권이 '좌파(?)' 노동당 정권의 이스라엘을 자기 정당화의 모델로 삼은 역설을 이해하는 열쇠도 여기에 있다. 그것은 박정희 정권의 국가주의적 동원논리를 뒷받침하는 훌륭한 재료였던 것이다. 이스라엘의 건국/전쟁 신화가 남한을 풍미한 데 반해, 그것과 시차는 있지만 홀로코스트 부정론이 불쑥 일본에서 고개를 내민 것도 예사롭지만은 않다. 동아시아의 이념적 지형에서 이스라엘 신화와 홀로코스트 부정론의 이 대치선은 여러 모로 상징적이다.

희생이 세습된다면, 가해도 세습된다. 세습적 희생자는 세습적 가해자를 대쌍 개념으로 전제할 때만 가능하다. 그래서 한반도의 '세습적 희생자의식'은 일본의 전후 세대가 세습적 가해자임을 전제하고, 모든 일본인에 대해 '집합적 유죄'라고 준엄하게 선고를 내린다. 이에 대해 패전국 일본은 가해의 세습성이 아니라 역사적 가해 사실 자체를 부정하고 자신도 희생자임을 강조한다. 일본의 홀로코스트 부정론은 바로 이러한 맥락에서 읽을 수 있지 않을까 한다. 그것은 일부 유대계 학자들이 주장하듯이, 유럽의 반유대주의 모듈(module)이 동아시아로 확산된 결과라기보다는, 일본의 내셔널리즘이 홀로코스트의 기억을 전유하는 방식이 아닐까? 데이비드 어빙(David Iring)의 논리에서 드레스덴 폭격이 홀로코스트의 비극을 상대화하고 끝내는 부정하듯이, 히로시마와 나가사키가 남경 학살을 상대화하고 끝내는 부정할 위험성은 상존(常存)한다.

그러나 유대인의 역사적 기억을 전유하는 남한의 내셔널리즘과 일본 내셔널리즘의 담론전략이 이처럼 팽팽한 대치선을 긋는다고 해서 반드시 적대적인 것만은 아니다. 일본의 내셔널리즘이 역사적 가해 사실 자체를 부정하면 할수록, 전후 일본이 식민주의의 세습적 가해자이며 그래서 모든 일본인은 '집합적 유죄' 라는 심증은 더 굳어진다. 그 결과, 한반도 내셔널리즘의 '세습적 희생자의식' 은 더욱더 정당화된다. 동아시아의 역사담론 속에 세습된 식민주의의 과거는 이렇게 해서 한국의 내셔널리즘과 일본의 내셔널리즘이 기생하는 숙주가 된다. '집합적 유죄' 와 '세습적 희생자의식' 을 축으로 구성된 역사담론이 해체되어야 하는 이유도 여기에 있다. 그것이야말로 일본의 내셔널리즘과 한반도의 내셔널리즘이 서로를 강화하는 적대적 공범 관계의 중요한 담론적 고리이기 때문이다.

나는 식민지나 한국 전쟁을 경험하지 못한 전후 세대이다. 전후 한국에서 태어나 자라고 공부했다. 근대화의 물결 속에서 자라나 그 혜택을 입고 근대의 문제점을 피부로 느낄 수 있었던 거의 첫 세대이다. 근대화의 혜택을 입었기 때문에, 역설적으로 근대를 향한 부모 세대의 욕망으로부터 다소간 자유로울 수 있었는지도 모르겠다. 인도의 서벌턴 연구가 잘 보여주듯이, 근대의 욕망으로부터 자유로울 때 비로소 포스트콜로니얼 상황의 복합성에 대한 이해가 가능하지 않나 한다. 성장 배경이 다른 만큼, 내가 읽는 식민주의의 교훈은 식민지 세대와는 다를 수밖에 없다. 어차피 모든 사회사상은 자서전적인 요소를 가질 수밖에 없는 것 아닌가?

식민주의가 내게 주는 교훈은, 또다시 식민주의의 희생자가 되어서는 안 되겠다는 부모 세대와는 달리 우리도 식민주의의 가해자가 될 수 있다는 것이다. 팔레스타인 난민촌의 폐허 위에 펄럭이는 이스라엘의 국기에서 나는, 아직 드러나지 않은 한반도의 자화상을 읽는다. 한반도의 전후 지식인인 내게 '세습적 희생자의식'이 무서운 것도 그 때문이다. 그로 인해 우리도 식민주의의 가해자가 될 수 있다는 그 어두운 자화상에 쉽게 눈을 감아버릴 수 있는 것이다. 이처럼 오늘날 한반도의 집단적 기억 속에 깊이 각인되어 있는 세습적 희생자라는 자기 규정은 잠재적 식민주의의 위험성에 대한 자기 성찰을 근원적으로 가로막는다. 자기 성찰을 포기한 도덕적 정당성만큼 위험한 것은 없다.

그 바탕에는 식민지의 경험을 규정했던 제국-식민지의 구도를 밑에서부터 뒤집어엎는 방식이 아니라, 자리를 뒤바꾸어서 우리가 제국이 되어도 좋지 않느냐는 의식이 도사리고 있지 않나 한다. 식민주의와 내셔널리즘의 적대적 문화 변용의 산물인 그 잠재의식은, 세습적 희생자의식이 제공하는 도덕적 정당성의 보호막 안에서 이미 부분적으로 현실화되고 있다. 동남아시아나 중앙아시아, 아프리카 혹은 동유럽을 바라보는 동시대인들의 시선에서 나는 20세기 초 한반도를 바라보던 제국 지식인의 재현된 시선을 읽는다. 그러나 자신들이 식민지 세대의 희생을 세습한 희생자라는 자기 규정에 갇혀 있는 한, 잠재적 식민주의에 대한 자기 성찰은 여전히 기대하기 힘들다.

나 또한 '세습적 희생자의식'에서 완전히 자유롭지는 못하지만, 이 대담이 그것에서 벗어나는 작은 계기가 되기를 희망한다.

약간의 우려도 있다. 한반도의 집단적 기억을 구성하는 세습적 희생자라는 자기 규정에 대한 비판이 식민주의를 정당화하는 논리로 오해될 가능성이다. 만에 하나라도 그런 오해가 있다면, 그것은 탈식민적 조건에 대한 무지에서 비롯되는 것이 아닌가 한다. 소프트웨어 식민주의라 할 수 있는 포스트콜로니얼리즘의 상황에서 제국/식민지를 가르는 잣대는 하드웨어 식민주의처럼 명백하지 않다. 하드웨어 식민주의의 대쌍 관계에서처럼, 어느 하나에 대한 비판이 다른 하나를 자동적으로 정당화하거나, 어느 하나에 대한 지지가 다른 하나를 반사적으로 비판하는 결과를 기대할 수는 없다. 내 비판이 겨냥하는 바는, 성찰적 자기 비판을 통해 동아시아의 정치적 지형에서 한일 내셔널리즘이 공모하고 있는 적대적 공범 관계를 해체하는 데 있다.

중심과 주변이 서로 포섭하고 배제하는 탈식민주의의 복잡한 상황에서, 정의는 미리 정해진 잣대에 따라 판정되지 않는다. 오히려 잣대 자체가 끊임없이 움직이는 하나의 과정인 것이다. 정해진 잣대에 따라 사유하고 재단하기보다는, 항상 긴장된 시선으로 맥락의 변화를 좇아가는 자세가 요구되는 것도 이 때문이다. 그것은 사카이 선생께서 대담 내내 보여준 자세이기도 하다. 그는 참으로 좋은 대담자였다. 그의 집요한 성찰은 내 무의식의 심층에 자리잡은 '민족적 범주'의 사고 방식을 끊임없이 일깨워 주었다. 내 안에도 근대 민족국가의 헤게모니가 침투되어 있다는 소중한 자각은 사카이 선생의 집요한 성찰과 비판 덕분이다. 대담을 통해 배운 바도 많았지만, 무엇보다도 그는 말걸기를 통해 많은 것을 느끼게 해주었다. 무심코 뱉은 거친 말들을 검토하면서, 내 자신이 '세습적 희생자의식'에서 완전히 자유롭지 못하다는 부끄러움을 갖게 된 것도 그의 말걸기 덕분이다. 그와의 대담을 통해 바우만(Zygmunt Bauman)이 말한 '부끄러움의 해방적 역할'을 느낄 수 있었다면, 너무 부끄러움이 없는 것일까?

대담의 기획 단계에서부터 크고 작은 일 치레를 정성을 다해서 솜씨 있게 처리해준 휴머니스트의 선완규 편집장과 김학원 대표 그리고 일본어 출판을 흔쾌하게 맡아준 이와나미의 고지마 기요시 선생께 우선 감사의 뜻을 전한다. 통역이라는 작업을 통해 우리 대화에 생산적인 오해의 활력을 불어넣어준 이타가키 류타, 후지이 다케시, 박유하, 와타나베 나오키, 박경희 형 그리고 끝없는 열정과 문제 의식으로 항상 나를 따뜻하게 긴장시켰던 그 모든 벗들에게도 깊이 감사한다.

웨일스 카디프에서

임지현

차례

이번 대담의 테마인 '경계짓기로서 근대를 넘어서' 는 근대적인 정체성이 어떻게 선을 긋고 경계를 나누면서 다른 사람들을 차별하고 배제하는 논리 위에 기초해왔는가를 역사적으로 추적해보고, 그 위에서 그것을 넘어서는 작업이 지닌 현대적 의미가 무엇인가를 검토해보는 의미 있는 자리가 되었으면 합니다.

임지현

1장 식민지, 제국의 콤플렉스를 벗다

일본과 한국 사이에는 단지 저희 두 사람이 마주앉아 있다는 것만으로도 예기치 못한 문제들이 생겨날 수 있다고 생각합니다. 이런 복잡한 여러 상황, 그리고 국민국가를 대표하는 하나의 입장이 아닌 복수의 입장들이 있을 수 있다는 점을 놓치지 않으면서 대담이 이어졌으면 좋겠습니다.

사카이 나오키

1장 〈우리는 어디에 서 있는가〉 〈동아시아 역사에 투영된 '제국'의 흔적〉은 휴머니스트 출판사의 초청으로 한국을 방문한 사카이 나오키 선생이 2001년 10월 25일 한양대학교 인문학연구소에서 임지현 선생과 주고받은 첫 번째 대담을 재구성한 것입니다.

우리는 어디에 서 있는가

사카이 오늘의 대담에 대해 제가 생각한 것을 먼저 말씀드리겠습니다. 자칫하면 이 대담이 임 선생은 한국을 대표하는 지식인, 그리고 저는 일본을 대표하는 지식인이라는 식으로 비쳐질 가능성이 있다는 우려가 들었습니다. 물론 저는 지금 미국에서 연구하고 있지만, 일본과 한국 사이에는 단지 저희 두 사람이 마주앉아 있다는 것만으로도 예기치 못한 문제들이 생겨날 수 있다고 생각합니다. 이런 복잡한 여러 상황, 그리고 국민국가를 대표하는 하나의 입장이 아닌 복수의 입장들이 있을 수 있다는 점을 놓치지 않으면서 대담이 이어졌으면 좋겠습니다.

임지현 확실히 언어의 규정성이라는 게 무섭네요. 저희 두 사람이 사석에서 영어로 이야기할 때는 나오키, 지현, 이렇게 불렀는데 막상 한국어와 일본어로 말하려니까 임 센세이, 사카이 선생이라는 호칭이 저절로 튀어나오는군요. 우리의 언어가 얼마나 위계적인지, 또 그 언어 관습에 젖어 있다는 것이 얼마나 무서운지 알겠습니다.

어쨌거나 저도 사카이 선생의 생각에 전적으로 동감합니다. 월드컵처럼 국가대표가 만나 이야기를 나누는 식의, 지금까지의 한일 양국 지식인들의 대화 방식을 넘어서, 민족의 집합적 규정성을 인식하면서도 그것에 갇히지 않고 넘어서려는 문제 의식을 공유하는 두 지식인이 이야기를 나누는 그런 대화의 장이 되었으면 합니다.

우리 두 사람은 그러기에 좋은 조건이죠. 사카이 선생은 미국에서 활동하면서 일본 현대사상을 연구하는 연구자시고, 저는 한국에서 활동하지만 동유럽사를 전공하는 연구자라는 점에서, 국가대표의 멍에에서 벗어나 좀더 넓은 시각에서 우리의 문제를 상대화시켜 바라볼 수 있지 않나 하는 생각이 드는군요.

사카이 일본의 식민주의나 전쟁 책임 문제, 더 나아가 일본과 미국의 관계 속에서 식민주의나 전쟁 책임 문제 등이 지금까지 많은 학술회의나 대담 등을 통해서 발표되어왔습니다. 벌써 20년 가까이 되었지요. 지금까지의 제 경험으로 말씀드리면, 그 과정에서 매우 복잡한 문제가 몇 가지 생긴다는 것을 알게 되었습니다.

예컨대 저는 전후에 태어났습니다. 적어도 일본의 식민지, 이른바 정치제도로서의 식민지체제가 끝난 단계에 태어난 사람이죠. 물론 식민지체제는 그 유제(遺制)를 구(舊)식민지와 구(舊)종주국 양쪽에 남기기 때문에, 아무리 전후에 태어났다고 해도 일본 국적을 가진 자가 갖는 전후 책임 문제를 무시해도 되는 것은 아닙니다.

그렇지만 제가 우려하는 것은 식민지체제 안에서의 가해자와 피해자, 혹은 전쟁을 일으킨 자와 전쟁의 피해자라는 형태로 책임 문제가 제기될 때입니다. 이럴 때는 어쩔 수 없이 책임을 묻는 자와 책임을 지는 자, 혹은 책임에 대한 문책을 받는 자라는 대칭적인 관계 속으로 우리들(대담자)이 들어가버리고 맙니다.

이것은 나름의 타당한 이유가 있습니다만, 이번 대담에서 확인해두고 싶은 것은, 책임이 있다거나 책임에 대한 문책을 받는 상황이 있다는 것을 무시하지 않으면서도, 그 문제에 그밖의 사회 관계나 입장이 복잡하게 관련되어 있다는 점입니다. 관련되어 있는 것들을 빠뜨리거나 무시하거나 단순화시키지 않으면서 이야기를 조금이라도 넓혀갈 수는 없을까 하는 생각입니다.

집단적 규정성을 넘어서

임지현 전적으로 동감입니다. 사실 책임 문제는 그렇게 간단하지 않습니다. 식민주의에 대한 책임이 거론될 때마다, 제국=집합적 유죄, 식민지=집합적 무죄라는 함의가 전제되곤 합니다. 다양한 일본인들을 일본인이라는 추상적 범주로 묶어버리고 이들 전부에게 죄가 있다, 또 다양한 한국인들을 한국인이라는 추상적 범주로 묶어버리고 이들은 모두 피해자라는 식이지요. 이처럼 집합적 유죄와 집합적 무죄의 범주로 접근하다 보니 결국 인간이 살아가는 데서 나타날 수 있는 다양하고 복합적인 삶의 코드들을 제국과 식민지의 관계로 단순화시켜버리는 결과를 가져오는 것 같습니다.

그것은 한일 관계뿐만 아니라 독일인과 유대인, 폴란드인과 유대인 등의 관계에서도 비슷하게 재현됩니다. 영화 〈쇼아(Shoah)〉[1]가 문제를 풀어가는 방식도 전형적으로 그렇지 않나 생각하는데요, 이제 그런 집합적 유죄/무죄를 키워드로 문제를 해결하려는 방식은 지양해야 하지 않을까 생각합니다. 그럴 때야만 비로소 막혀 있던 실마리가 풀리고, 우리의 대담이 현재적 의미를 지닌 대화로

나갈 수 있지 않을까요?

사카이 한국에서 대담이 이루어지는 오늘과 내일, 조금씩 그 문제를 밝혀가고 싶네요. 임 선생 말씀 중에 집합적 유죄라는 대목이 강렬하게 다가오네요. 어떤 역사적 과거 속에서 하나의 차별을 만들어내는 폭력이 기능한 결과 정체성(identity)이 만들어집니다. 그때에는 그 만들어진 정체성을 무시하고 이야기할 수는 없다고 보거든요.

예를 들어 흑인이나 백인 같은 개념은 무척이나 추상적이고 역사적으로 끊임없이 변화하기 때문에, 누가 백인이고 누가 흑인인지 쉽게 말할 수 없는 그러한 정체성이죠. 그럼에도 식민주의를 생각할 땐 어쩔 수 없이 백인 대 흑인, 또는 백인 대 유색인의 입장 차이에서부터 출발할 수밖에 없긴 합니다.

하지만 이번 대담은 그러한 다른 입장을 재생산하는 것보다는 '왜 집합적 유죄가 이제 와서 다양한 차별이나 책임 문제를 물을 수밖에 없는 상황을 만들고 있는지?' 에 대해 논하는 게 목적입니다. 극단적으로 단순화되는 상황에도, 사실은 그밖의 다른 요소들이 여러 형태로 뒤섞여 있지는 않는지?를 파고들고 싶습니다. '집합적 유죄' 가 상식이 되어버린 그 역사적 내력을 풀어나가고 싶습

(1) 〈**쇼아**〉
클로드 란츠만(Claude Lanzmann)의 1985년 작품(566분). '쇼아' 는 히브리어로 '절멸' 을 의미합니다. 란츠만은 8년 간의 촬영과 350시간 분량의 인터뷰를 9시간이 넘는 '대작' 장편 다큐멘터리로 완성합니다. 이 다큐멘터리는 뉴스 필름이나 당시의 기록 필름을 단 한 커트도 사용하지 않았습니다. 유대인 학살의 실상은 화면에 등장하는 인물들의 '말' 로만 존재할 뿐입니다. 강제수용소의 생존자들, 나치 협력자들 그리고 학살에 동원되었던 사람들은 고통스럽게 그들의 과거를 카메라 앞에 드러내는데, 그들 한 명 한 명의 고통스런 체험이 그들이 말 속에 들어 있습니다. '보는' 영화가 아닌 '체험' 으로서의 역사라고 할 수 있습니다.

니다.

그래서 식민주의 유제(遺制) 문제를 좀더 생각해볼 때, 이제 유행어가 되어 일반적으로 널리 사용되고 있습니다만, 포스트콜로니얼리즘(postcolonialism)[2)]이라는 개념이 중요하게 등장하는 것입

(2) **포스트콜로니얼리즘**

포스트콜로니얼리즘(탈식민주의)은 유럽의 제국들이 붕괴한 이후인 20세기 중반에 이르러 세계의 많은 국가들이 경험한 역사의 한 단계를 가리키며, 탈식민주의(脫植民主義) 혹은 후식민주의(後植民主義)라고 합니다. 그런데 탈식민주의가 식민주의로부터 벗어나기라는 명료한 문제의식을 드러내는 데 비해 포스트식민주의는 '포스트(post)' 라는 접두사가 지닌 복수적 의미(후기 또는 벗어나기)로 인해 그 개념이 더 넓어 보일 수 있습니다. 식민주의는 한 국가나 사회가 다른 국가나 사회에 가하는 정치적·경제적 지배를 가리키는데요, 사람들은 이를 선진자본주의 국가의 발전에 필연적으로 따르는 제국주의 단계의 산물로 보았습니다. 2차대전 후 식민지들의 독립운동은 아시아에서 중동·아프리카·라틴아메리카 등으로 번져갔고 그들은 독립을 쟁취했습니다. 이와 같이 제국이 해체되고 식민지체세가 붕괴됨에 따라 아시아·아프리카·카리브연안 여러 나라의 민중은 제국주의 지배 이전의 자국 문화를 회복하고, 식민 지배의 문화적·언어적·법률적·경제적 결과를 분석·검토한 뒤 새로운 정부와 국민적 정체성을 창출해야만 했습니다.

이와 같은 역사적 상황은 탈식민주의 문학으로 나타났습니다. 인도 출신의 영국 작가 샐먼 루시디(Salmon Rushdie), 트리니다드 토바고 출신 작가 V. S. 네이폴(Naipaul), 케냐 출신 작가 응구기 와 시옹오(Ngũgĩ wa Thiong'o) 등은 식민지 이후의 상황에 놓인 개인적 삶의 갈등과 모순을 작품의 주요 주제로 다루었습니다. 또, 프랑스령(領) 마르티니크 섬 출신의 평론가이자 혁명가인 프란츠 파농(Frantz Fanon)의 《지상의 저주받은 사람들(*Les Damnes de la Terre*)》(1961) 같은 저서는 토착민의 관점에서 식민지의 경험을 분석하여 작품화한 것으로, 제3세계의 진보적 정치사상에 큰 영향을 끼쳤습니다.

탈식민주의는 식민주의의 비판과 극복을 위한 담론적 실천이라고 정의할 수 있습니다. 그 실천의 주체를 누구로 상정하느냐에 따라 탈식민주의의 계보나 정체성은 달라집니다. 아프리카의 디아스포라(아프리카에 먼 선조를 두고 영미권에서 활동하는 '흑인')를 근간으로 하는 제3세계가 주체가 될 때 탈식민주의는 피해자의 저항이 되고, 근대의 자기 성찰을 주도하는 서구가 중심이 될 때 탈식민주의는 가해자의 반성이 되지요. 무엇이 진정한 탈식민성이고 올바른 탈식민주의인가에 대해서는 쉽게 결론내릴 수 없습니다. 한 가지 분명한 것은 피해자의 탈식민주의와 가해자의 탈식민주의가 같지 않다는 점입니다. 탈식민주의 담론의 핵심적인 문제는 제국주의와 관련된 주체의 위상이지요. 탈식민주의는 서구의 여러 담론을 차용하되, 비평가 자신을 포함해 민족사적 운명을 이런 문제에 더욱 넓게 관련시켜 개개의 인간 주체를 위한 정체성을 질문하게 합니다.

니다. 이 개념은 연속성이 있습니다. 포스트콜로니얼리즘을 식민지체제가 끝난 후의 문제라는 식으로 생각하는 것에서 벗어나 다른 방식으로 접근하고 사유할 수 있다고 봅니다.

임지현 처음부터 너무 본격적인 이야기로 들어간다는 느낌도 듭니다만, 사실 집합적 유죄·무죄 문제는 사카이 선생께 더 부담스러운 것일 수 있습니다. 우리가 한국과 일본을 대표하는 것은 아니지만, 제국-식민지의 역사적 경험에 속박되어 있는 것 또한 부정할 수 없는 사실입니다. 서로 다른 역사적·사회적 맥락 속에 서 있는 것이지요. 서로가 서 있는 사회적 맥락의 차이를 인정하면서도, 우리 둘의 이야기가 만나는 접점이 무엇일까 하는 문제의식을 갖고 대화에 임하는 것이 중요하지 않을까요?

그 다음에 중요한 것은—지금 사카이 선생께서도 지적하셨지만—우리에게 주어진 기존의 정체성을 현실적으로 인정한다는 것과, 그것이 만들어지는 과정, 그리고 그 안에 내장된 정치적 의도를 뚜렷하게 인식한 다음, 현재의 구속에서 벗어나기가 쉽지 않다는 것을 인정하는 것은 다를 수 있다는 생각입니다.

그렇다면 우리 대화의 초점은 어떻게 그런 것들이 만들어졌는지, 그리고 그것들이 만들어지는 데 사회의 다양한 집단이나 권력의 이해 관계, 또는 국제적 역학 관계가 어떻게 반영되었는가 하는 것 등에 놓여야겠지요.

사카이 제가 구체적인 예를 하나 들어볼까요?

임지현 예, 그러시죠.

사카이 그것은 2001년 9월 11일에 일어난 사건인데요. 뉴욕의 세계무역센터와 워싱턴의 펜타곤에 여객기를 이용한 테러가 발생해 수천 명이 죽었죠. 그런데 그후 미국 매스컴의 동향을 보고 있으면 몇 가지 상징적인 사실을 알아챌 수 있습니다. 물론 한국에도 CNN 등을 통해 미국의 보도가 그대로 전해졌을 겁니다.

이 사건 이후 미국에서 강렬한 내셔널리즘(nationalism)이 한꺼번에 터져나왔는데요. 강렬한 내셔널리즘, 즉 "우리 미국인들이 공격을 당했다, 보복을 해야 한다"는 강렬한 국민주의의 메시지를 담은 매스컴을 보면서—보고 있기만 해도 우울해집니다만—한 가지 깨달은 게 있습니다. 그것은 지금까지 20년 이상 계속되어온 오리엔탈리즘 비판, 서양중심주의 비판, 소수자(minority)에 대한 차별의식 비판, 그리고 유색인종에 대한 차별 비판 등, 매스컴을 통해 여러 차례 행해져온 비판들이 일주일 사이에 단번에 원상태로 되돌아가고 말았다는 점입니다.

이러한 비판들은 모두 식민지 종주국으로서 미국의 죄책감에 관계되는 것입니다. 예를 들면 미국의 선주민(先住民)인 인디언을 집단적으로 살육하는 이야기를 골자로 하는 서부극, 즉 식민지 제국으로서 미국의 건국신화 이야기가 많았는데, 이들은 1960년대 무렵부터 미국의 TV에서 모두 사라졌습니다.

그런데 놀랍게도 9·11사건이 있고 나서 그것이 다 원상복귀돼 버렸습니다. 즉 구식민지 종주국으로서의 죄책감을 떨쳐버리게 된 거죠.

임지현 여담입니다만, 이 테러사건 이후 세계 경제가 침체에 빠졌는데 유일하게 성조기 만드는 공장만이 밤샘 철야작업을 하는 등 난데없는 호황을 누렸다고 합니다. 공화주의의 가면 아래 물밑에서 잠자고 있던 미국 민족주의가 테러사건을 계기로 완전히 전면으로 부상한 것은 틀림없습니다. 특히 지금 말씀하신 것 중 인디언 학살장면이 거리낌없이 TV에 재등장했다는 이야기는 굉장히 충격적입니다. 최근에 〈네이션(Nation)〉지에서 읽은 것입니다만, 미국에서 60년대 이후 인권운동이나 반전운동을 주도해왔던 이른바 좌파들이 9·11테러를 계기로, 미국 민족주의를 부추기는 '부시' 행정부의 지배담론에 별다른 대안 없이 속수무책으로 투항하고, 결국에는 반테러리즘으로 가장한 미국 민족주의에 포박되고 포섭되는 과정을 지켜본다는 것은 씁쓸하기 짝이 없습니다. 그동안의 그들의 저항이라는 것이 지배에 포섭된 저항이 아니었나 하는 의심마저 들 정도였습니다. 말하자면 60년대 이후에 어떤 하나의 대안적 사회체제를 지향하고 그것을 추동해왔던 사람들조차 미국 민족주의에 포섭되어버렸다는 사실이 더 절망적이라는 거지요.

사카이 9·11테러를 떠올리면 앞서 말씀드린 정체성 문제로 돌아가야 한다는 생각이 드는데요. 이 경우, 예를 들어 자신이 일본인이라는 식으로 자기 획정(劃定)하는 작업 속에서, 그런 형태로 자신이 일본인이 되기 위해 은밀한 폭력들이 행사되었고, 그 폭력의 기억이라는 것이 사실은 일본인이라는 긍지의 핵을 만든 게 아닐까요? 자신들이 식민지 주민들보다 선진적이고 우수하다는 확신은 식민주의적인 폭력에서 자기들이 우위에 있었다는 과거의 기억과 결부되어 있죠. 그렇다면 일본인이라는 자기 획정 자체에 과거의 식민지적인 폭력의 기억이 포함되어 있지 않을까요? 저는 그런 과거가 있다고 보거든요.

마찬가지로 미국의 경우에는 미국인이라는 자기 획정, 혹은 서양인이라는 정체성이 사실은 원래부터 있었던 게 아니라 다양한 폭력을 통해서 구성되어왔는데, 이 단계에 들어서서는 폭력의 기억에 대한 억제가 없어져버렸죠. 그 순간 단번에 옛 폭력이 기억나기 시작합니다. 그것이 어떤 것인지 생각해보면, 예를 들어 한국과의 관계에서 생각할 때에는 일본인이라는 자기 획정 자체가 이미 식민지를 가진 제국의 국민이라는 기억과 깊게 결부되어 있습니다.

이렇게 말하는 한에서는 일본인이라는 정체성 그 자체가 바로 포스트콜로니얼한 정체성, 즉 포스트콜로니얼이 식민지체제가 끝났다는 것이 아니라 사실은 포스트콜로니얼 상황에서 일본인이 일본인이고자 하는 실천 속에는 식민지체제의 기억이라는 것이 이미 존재하기 때문에 일본인의 정체성을 다시 한번 긍정하려면 그 폭력의 기억을 긍정할 수밖에 없다는 문제가 포함되어 있습니다.

이런 식으로 과거의 것들이 현존합니다. 이것을 포스트(post)라고 한다면 이는 어떠한 것이 끝났다는 게 아니라, 어떤 폭력행위가 이루어졌을 때 폭력을 당한 사람뿐만 아니라 폭력을 행사한 사람 속에 그것이 지워지지 않는 형태로 남기 때문에, 현재의 일본인이라는 정체성을 세우려면 어쩔 수 없이 과거의 폭력행위를 떠올릴 수밖에 없는데요, 이것을 포스트콜로니얼리티(post-coloniality)라고 표현한 것 같습니다.

경계짓기로서의 근대

임지현 그러나 이런 상황이 일본이나 미국의 문제만은 아니라고

생각합니다. 억압이나 차별을 가하는 주체가 아니라 당한 주체라 해도, 그 당했다는 아픈 기억을 자기 정체성의 구축이라는 목적에 사용하기는 마찬가지입니다. 많은 한국인들에게 식민지의 기억이 '현재화된 과거'의 문제로서 살아 있는 것도 그런 이유 때문일 겁니다. 가령 IMF 위기 이후에 한국에서도 자동차에 태극기를 달고 다녔단 말이에요. 그것이 위기를 극복하는 데 실제로 도움을 주었는지는 모르겠습니다만, 말하자면 자기 존립이 위협받는 상황에서 국민국가적 정체성을 부각시킨다는 점에서는 식민지를 겪은 한국의 경우나, 과거의 폭력을 긍정하는 작업을 통해서 미국적 정체성을 확인하고 재구성하려는 제국의 경우나 방법의 차이를 찾아보기 어렵지요.

인디언에 대한 역사적 억압과, 유색인과 비기독교 문화에 대한 현재적 차별을 정당화하는 9·11테러 이후의 미국 내셔널리즘과, IMF 위기체제가 외국인 노동자에 대한 차별을 정당화하는 계기로 작동한 한국 내셔널리즘 간의 거리는 중심과 주변, 제국과 식민지의 역사적 차이에도 불구하고 그리 큰 것이 아닙니다.

바꾸어 말하면 국민국가적인 카테고리에서의 정체성 형성은 결국 차별과 배제를 전제로 하고, 이미 그 과정 자체가 차별과 배제에 근거한 체계적 억압, 다른 사람에 대한 억압을 전제하고 있는 것이 아닌가 합니다.

이번 대담의 테마인 '경계짓기로서의 근대를 넘어서'가 바로 이와 같은 근대적인 정체성이 어떻게 선을 긋고 경계를 나누면서 다른 사람들을 차별하고 배제하는 그런 논리 위에 기초해왔는가를 역사적으로 추적해보고 그 위에서 그것을 넘어서는 작업이 지닌 현대적 의미가 무엇인가를 검토해보는 그런 자리가 되었으면 합니다.

한나 아렌트(Hannah Arendt)가 이런 이야기를 한 적이 있지요. "한 고양이한테 다른 고양이는 항상 같은 고양이인데, 한 인간에게 다른 인간은 같은 인간이 아니다." 그것은 인간이 특정한 공동체를 만들면서 그 공동체 내부에 포섭되는 사람과 포섭되지 않는 사람을 날카롭게 구분하고, 그 공동체 내부에 포섭되지 않는 사람들을 모두 배제하고 차별하고 타자화하는 그런 과정을 비유적으로 잘 언급한 것이 아닌가 생각합니다. 또 알렌 핑켈크라우트(Allen Finkelkraut)는 이를 더 극단적으로 밀고나가, "인간이라는 종과 동물을 구별짓는 가장 큰 특징은, 동물은 다른 동물을 같은 동물로 생각하는데 인간은 다른 인간을 같은 인간으로 생각하지 않는 데 있다"고까지 이야기한 바 있습니다. 저는 이런 정의들이 인간 존재의 어떤 유적 본질을 이야기하는지, 아니면 근대의 특수한 현상으로 보아야 할지가 궁금합니다.

저는 첫 번째 대담의 주제로 잡은 '국민국가를 근거로 한 경계짓기'에 대해 이야기할 때, 이러한 인간의 경계짓기, 즉 인간이 다른 인간을 같은 인간으로 보지 않는 그런 방식을, 인간의 고유한 유적 본질로 보아야 할지, 아니면 근대 문명의 어떤 전형적인 특징으로 보아야 할지에서부터 이야기를 풀어나갔으면 합니다.

사카이 지금 임 선생께서 타자화, 그리고 타자와의 차이를 만들어내는 것을 통해서만이 자신의 정체성을 확보할 수 있다고 말씀하셨는데요. 한 가지 주의했으면 싶은 점이 있습니다. 그러한 방식으로 타자를 만들어낼 때, 그 타자와 자기, 우리라는 관계에는 매우 복잡하고 모순되는 차이들이 어수선하게 혼재되어 있을 수 있다고 보입니다. 저는 쌍-대상화라는 용어로 이것을 설명하려고 한 적이 있습니다.

미국을 예로 들어 생각해보죠. 아마 미국 밖에서 미국을 보는 사람들에게는 매우 이상할 텐데요, 서부극에서 선주민 역할을 하는, 건국신화 속의 인디언들은 미국민의 타자 역할을 합니다. 그런 경우 선주민 대 '우리'죠. 또한 서양인 대 서양 외 사람들이라는 타자화, 그리고 기독교도와 이교도의 대비라는 식의 타자화 방식을 보면 이 셋은 전혀 다른 타자화 작업인데요. 그런데 이상하게도 이런 식으로 타자화되어 있는 것들이 마치 미국인이라는 동일성 속에 모두 포섭되어 있는 것처럼 자신들의 동일성을 만들어가고 있습니다. 인디언들을 타자화시켜놓고, '성조기 아래 인디언의 자손들은 같은 미국민이다. 흑인도, 멕시코나 아시아에서 온 이민의 자손도 다 미국민이다' 하는 식으로 국민적 단결을 거리낌없이 표방합니다. 그런데 국민적 단결을 구가하려면 국민의 일부인 사람들을 타자화하는 서부극과 같은 이야기가 필요합니다. 이런 아주 기묘한 현상이 존재합니다.

하지만 이러한 일이 미국이 다민족국가이고 세계 여러 곳에서 온 이민들을 포섭해서 만들어졌기 때문에 일어나는 것은 아니라고 봅니다. 이것은 국민이라는 것을 만들 때—민족이라도 상관없습니다만—어디서든 일어나는 일이 아닌가 싶습니다.

그렇다면 이런 가정에서 절대 놓쳐선 안 되는 것은, 정체성을 만들 때에 철저히 배제되는 타자를 다시 한번 제시해야만 그것을 만들 수 있다는 점입니다. 그래서 정체성은, identity라는 영어 단어를 생각해봐도 알 수 있듯이, 반드시 한번은 자신이 아닌 타자를 매개로 하고, 그것을 거치지 않으면 만들어질 수가 없습니다.

임지현 일본의 경우는 자신의 정체성을 어떻게 구성했습니까?

사카이 일본인이라는 정체성을 생각해보아도, 일본인 그 자체가 반드시 일본인 이외의 사람과의 관계를 포함하고 있고, 따라서 자신들이 일본인 이외의 사람들과 어떠한 관계를 맺고 싶은가에 관한 구상이 없으면 일본인이라는 자기 획정 자체가 불가능했을 것입니다. 일본 국민에게 가장 가까운, 참고할 만한 타자는 바로 한국 사람들이었습니다.

1999년에 처음으로 일본의 국가(國歌)와 국기(國旗)가 합법화되고 법적인 제도로 제정되었습니다만, 국가와 국기의 법제화가 일본의 과거 식민지 개척이나 식민지에 행해온 폭력을 모두 잊으려는 움직임과 필연적으로 겹쳐 있다는 사실 또한 간과할 수 없습니다.

앞서 임 선생께서 한국에서의 국기의 사용법에 대해서 말씀하셨는데요, 정말로 진절머리 나는 일입니다. 9·11테러 당시 미국에서는, 제 옆집에도 대형 성조기가 걸려 있었고, 백화점이나 차에도 모두 성조기가 걸려 있었습니다. TV 프로의 맨 처음에도 성조기가 나오고, 또 야구선수 유니폼에도 성조기가 그려져 있는 등 온갖 곳에 성조기가 범람했습니다. 그 성조기가 범람하는 사태와, 아주 다양한 타자화, 서로 다른 종류의 타자화가 미국민이라는 동일성 속에 포섭되어버리는 그런 사태는 아마도 미국에만 한정된 것은 아니라고 생각합니다.

임지현 인디언을 내부에서 타자화시키면서 동시에 미국민과 비미국민이라는 경계를 근거로 미국적 정체성을 만들어나가는 복합

적인 과정을 설명하셨는데요. 제가 알기로 미대륙에 처음 발을 붙인 흑인은 자유인으로 왔단 말이죠. 열등한 인종으로서의 흑인이라는 이미지가 굳어지는 것은 '연기계약노동자'로서의 흑인을 노예로서의 흑인이 대체하는 과정과 거의 일치합니다. 그것은 대략 17~18세기에 일어난 일이 아닌가 기억하고 있습니다. 흑인들에 대한 '삼보(sambo)' 이미지—흑인은 게으르고 무식하고 열등한 인종이기 때문에 노예가 될 수밖에 없고 단순노동에만 적합하다는 이미지—가 만들어지는 과정은 신대륙이 발견되었을 당시, 혹은 자유인으로서 흑인이 미국에 발을 들여놓았던 그때 만들어졌다기보다는, 그 이후에 '백인-앵글로-색슨-프로테스탄트(WASP)' 중심의 미국적인 정체성이 형성되는 과정과 밀접한 연관이 있다고 생각합니다.

인디언의 경우도 대동소이합니다. 신대륙 이주 초기에는 이주민들과 인디언들의 관계가 적대적이지는 않았던 걸로 알고 있습니다. 영국이 프랑스-인디언 연합군과 싸운 '프렌치 인디언 전쟁(the French and Indian war)'[3]이, 앵글로색슨계 이주민들이 인디언을 타자화하는 결정적인 계기가 되지 않았나 생각합니다.

이런 맥락에서 본다면, 사람이 사람을 타자화하는 과정, 아렌트나 핑켈크라우트가 '인간은 다른 인간을 같은 인간으로 보지 않는다'고, 그것을 인간의 유적 본질처럼 이야기했던 것도 실은 어떤 근대적인 정체성의 형성 과정, 특히 근대적인 국민국가의 정체성 형성 과정에서 각별히 부각된 것이 아닌가 하는 생각입니다. 왜냐하면 고대 로마 제국의 경우를 보면 셉티무스 세베루스(Septimius Severus, 169년 비잔틴을 정복한 황제)는 사실 흑인이었거든요. 흑인이 로마 황제였다는 사실은 인종에 대한 사회적·문화적 경계가 그리 굳지 않았음을 의미합니다. 그것은 물론 로마 제국의 관용적인 시민권 정책과도 관련되겠습니다만. 그리고 고대 그리스의 경우에도 '바르바로이(Barbaroe)'는 원래 야만인을 가리키는 말이 아니라 그저 자기가 알아들을 수 없는 말을 쓰는 사람이라는 의미였는데, 페르시아 전쟁을 겪으면서 아이스킬로스(Aeschylos)에 이르러서 비로소 '야만인'이라고 의미가 바뀝니다.

이처럼 고대의 경우에도 자신의 정체성, 즉 그리스인의 정체성은 페르시아라는 타자를 매개로만 가능했습니다. 사실 그전까지 그리스인이라는 정체성은 없었거든요. '나는 아테네인이다' '나는 스파르타인이다' '나는 테베인이다'라는 식의 정체성만이 존재했습니다. 이러한 예는 정체성의 형성 과정이 타자를 매개로 이루어진다는 것을 명백히 보여줍니다.

(3) 프렌치 인디언 전쟁

북미 대륙에 사람들이 살기 시작한 건 아시아에서 지금 인디언의 조상들이 베링 해협(Bering Strait)을 건너오면서부터입니다. 그로부터 20,000년 동안 인디언들은 그들만의 독특한 문화를 이루며 살아왔습니다.

콜롬버스(Columbus)의 항해 이후 북미 대륙은 스페인·포르투갈·영국·프랑스 국적의 탐험가들에 의해 서서히 알려집니다. 처음에 정착지는 신세계에서 일확천금을 벌어 고향으로 돌아가려는 사람들로 붐볐으나, 곧 이들은 영원히 이곳에서 정착하려는 사람들로 바뀝니다.

유럽인의 의한 첫 정착지는 1565년 스페인에 의해 플로리다(Florida) 주 성아우구스틴(St. Augustine)에 세워졌습니다. 프랑스는 1602년 메인 주에, 영국은 1607년 버지니아(Virginia) 주 제임스타운(Jamestown)에 각각 자국인들의 정착촌을 세웁니다. 첫 흑인 노예들은 영국인들에 의해 미국으로 오게 되는데, 청교도들이 종교적 박해를 피해 미국으로 이주하기 1년 전쯤의 일입니다. 1620년 청교도들은 매사추세츠(Massachusetts) 주 플리머드 락(Plymouth Rock)에 첫 정착지를 세우고 유명한 메이플라워 협약(Mayflower Compact)을 체결하고 자치를 선언하죠. 이 협약은 후에 미국 독립선언문과 헌법의 기초가 됩니다.

초기 13개주에 대한 영유권을 놓고 영국은 프랑스와 전쟁(the French and Indian war, 1754~1763)을 치릅니다. 영국이 승리하지만 전비를 과다하게 지출하여 이를 충당하기 위해 새로운 세금들을 부과합니다. 이에 반기를 든 시민들이 보스톤에서 바다에 차를 버리는 데모(Boston Tea Party)를 벌이면서 독립전쟁이 시작됩니다.

사실 근대 국민국가가 형성되기 이전의 정체성은 끊임없이 유동했다고 생각합니다. 페르시아 전쟁을 통해 만들어진 그리스인의 정체성은 페르시아인에 대한 체계적인 차별과 억압으로 발전하지 않았습니다. 만일 그랬다면 페르시아를 정복한 알렉산드로스 대왕이 그리스인과 페르시아인의 통혼과 혼혈정책을 열렬히 추구했다는 사실을 설명하기 어렵지요. 물론 개인적인 차원에서 그러한 차이를 불편하게 느끼고 또 갈등이 있었으리라는 사실조차 부정할 수야 없겠지만, 적어도 권력 차원에선 그리스인과 페르시아인의 차별과 억압을 체계적으로 도모하지는 않았다는 것이지요.

그리고 또 하나는, 그 타자를 매개로 이루어지지만 그와 같은 어떤 타자를 타자화하고 배제하는, 그리고 억압으로 나아가는 배타적 정체성의 형성 과정은, 인간 역사에서 하나의 상수(常數)처럼 변함없이 있어왔던 현상이라기보다는 근대에 이르러 강화된, 혹은 근대에 이르러 나타난 특수한 현상으로 볼 수 있지 않나 싶습니다.

배타적 정체성의 형성 과정

사카이 지금 말씀하신 문제는 구체적인 역사적인 문맥에서 생각하면 몇 가지 중요한 논점을 제시하는 것 같습니다. 인종 형성이라는 이야기가 나왔습니다만, 19세기를 보아도 현재 백인으로 간주되는 민족적(ethnic) 집단의 구성원들이 자신들의 백인성을 늘 의식한 것도 아니었고, 백인이라는 범주 자체도 계속 변해왔습니다.

19세기 미국사를 잠시 살펴보아도, 원래 유대인이나 이탈리아인, 아일랜드인은 백인이라고 생각되지 않았지요. 그들이 사회 저항 과정에서 흑인을 타자화하고 흑인이라는 범주를 변형시킴으로써 자신들이 백인화되고 백인지상주의를 내면화해가는 역사가 있었던 것입니다.

역사적으로 살펴보면 민족이나 인종이라는 형태로 존재하는 정체성이 오래 전부터 있었다는 사고 방식은 진지하게 다룰 만한 가치가 없는데, 그것은 임 선생께서 말씀하신 것처럼 국민국가의 형성과 아주 밀접하게 결부되어 있다고 생각합니다.

더 나아가, 지금 말씀하신 그리스를 보면, 그리스가 서양이라는 정체성의 역사적인 기원이었다고 이야기되기 시작한 것은, 제가 알기에는 기껏해야 18세기 이후이고, 또 민족적으로도 다양한 접촉이 있었기에, 그리스와 근대, 그리스와 17～18세기 이후의 서유럽 사이에 연속성을 설정해야 할 특별한 이유는 없습니다. 역으로 그것은 18세기 이후에 그리스를 고전적인 기원으로 만들어내는 이론이 완성되었다고 생각하는 편이 좋을 것입니다.

우리가 그러한 상식을 무비판적으로 받아들여 정체성을 생각한다면 몇 가지 중대한 오류를 범하게 되는 게 아닌가 싶습니다. 즉 이러한 형태로 민족, 예를 들어 국민으로서의 일본인, 미국인이라는 동일성이 만들어지는 과정에는 다양하고 복잡한 역사적인 교섭 단계가 있었고, 또 배제와 포섭 과정을 몇 번이나 반복하여 가까스로 완성된 동일성을, 마치 원래부터 안정된, 역사적으로 변하지 않는 동일성처럼 생각하고 논의하는 순간, 그 과정에서 저질러진 폭력들이 전혀 보이지 않게 되어버린다고 생각합니다.

임지현 맞습니다. 그리스에서 서양 문명의 기원을 찾으려는 시도, 특히 유럽중심주의 또는 백인우월주의의 함의를 지닌 주장은 사실 미노스 문명이 남긴 크레타 섬의 벽화만 봐도 거짓말이라는 게 드러나거든요. 그 벽화에 그려진 크레타 여인들을 보면 굉장히 매력적인데 피부색이 저처럼 까무잡잡합니다. 백인은 결코 아니지요. 사실 그리스를 서양 문명의 원류로 보기 시작한 것은 아마도 필-헬레니즘(Phil-Hellenism)[4] 운동을 주도한 유럽의 지식인들 사이에서 그리스 독립운동을 전후한 시기에 터키와 기독교 문명을 대립시키는 데서부터 만들어진 것이 아닌가 생각합니다. 물론 역으로 마틴 버널(Martin Bernal)의 《검은 아테네: 고전 문명의 아시아적 뿌리(*Black Athena*)》(1987)에서 보듯이, 고대 그리스 문명이 아프리카에서 비롯되었다는 식의 아프리카중심주의에 대해서도 유보적일 필요가 있습니다.

이 아프리카중심주의는 유럽중심주의에 대한 진정한 거부나 대안이라기보다는 단순한 반작용일 뿐입니다. 우선 고대 이집트 문명이 현대 아프리카와 연결될지도 의문이지만, 더 큰 문제는 그 발상 자체 역시 유럽중심주의라는 틀 속에 갇혀 있다는 것이지요. 즉 그것은 유럽의 역사적 기억을 아프리카의 역사적 기억으로 탈바꿈했을 뿐, '서양'의 고전·고대를 하나의 보편 문명으로 설정한다는 점에서 이미 유럽중심주의와 결을 같이하는 것이지요.

사카이 제 추상적인 이야기를, 역사를 공부하시는 임 선생께서 구체적인 역사적 사실을 매개로 이어주시니, 대담의 리듬이 잘 살아나는 것 같습니다.

(4) **헬레니즘**
알렉산드로스 대제로부터 아우구스투스 황제에 이르는 그리스의 문명시대를 가리키는 헬레니즘은, 넓은 뜻으로는 기원전 5~4세기의 고전적 고대 그리스 문화의 동방화, 동방 문화의 그리스화라는 풍토를 지칭합니다. 헬레니즘은 이성에 의한 합리적 생활에 중점을 두고 인생에 대하여 자신을 갖는 경향인데, 고대 그리스 시대에 성했고, 르네상스 시대에 부활되었습니다.

임지현 조금 더 정리해서 이야기하자면, 지금까지 민족적 정체성을 만드는 과정에서의 경계짓기, 그리고 그 경계 밖에 있는 사람들을 타자화하고 배제하는 과정을 이야기했는데, 그것은 두 가지 측면으로 나누어볼 수 있습니다. 그 하나는 국민국가의 경계를 만들면서 그 틀 안에 들어오기를 거부하는 사람들, 내부자들에 대한 무차별적인 억압 과정입니다.

16세기의 독일 농민전쟁[5)]이 그 한 예가 될 수 있을 것 같습니다. 물론 독일 농민전쟁은 계급 투쟁이라는 입장을 비롯해서 여러 가지로 해석될 수 있습니다만, 자율적 촌락공동체를 자신의 국가권력 속에 포섭시키려는 영방(領邦)국가의 중앙집권화 시도에 대한 농민들의 반란이라는 측면이 강합니다. 또 아직은 추론에 불과하지만, 프랑스 혁명 당시 자코뱅에 대한 지방 농민들의 저항도 같은 맥락에서 볼 수 있지 않을까요? 그것들은 대개 보수혁명이라고 간주되어왔습니다만, 실제로 자코뱅들이 다양한 지방어(local language)들을 말살하는 과정, 또 지방의 자율적인 공동체들을 강제로 중앙권력 속에 흡수하는 과정에서 자신들의 자율적 생활세계를 박탈당한 농민들의 반발이라는 측면은 없겠는가 하는 생각입

(5) **16세기의 독일 농민전쟁**
종교개혁기(1524~25) 독일 지역에서 일어난 대규모 농민봉기를 말합니다. 규모나 지역적 확산, 전투의 치열함 등으로 볼 때 농민전쟁이라고 할 수 있습니다. 13세기부터 장원제도가 무너지자 독일 농민의 자립화가 진행되었습니다. 그래서 부역은 현물이나 금납지대(金納地代)로 바뀌고 농민의 인두세 · 상속세 · 결혼세 등도 저액의 현물 또는 금납 공조(貢租)로 되어 봉건적 지배권이 몹시 흔들렸습니다. 이에 대해 영주계급, 특히 영방국가는 15세기 후반에 들어와 농민을 억압하기 시작하여 부역 부활, 현물 · 금납지대 증액, 농노제 부활, 촌락 공유지 용익 제한, 촌락 자치 제한 등의 정책을 취했고 이것이 봉기의 원인이 되었습니다. 농민전쟁은 1524년 6월 남서독일 슈바르츠발트 슈틸링겐 백작령의 봉기로 시작되는데, 처음에는 무력이 없는 영주측이 교섭에 응했기 때문에 10월에 일시 해산했지만, 겨울 동안에 농민 조직이 강화되어 다음해 봄에는 남서독일 전역으로 퍼졌습니다.

니다. 그러니까 강제로 프랑스인을 만들려는 중앙의 시도와, 프랑스적 정체성을 거부하고 전통적인 자율적 공동체의 정체성을 고수하려는 지방 농민들의 갈등으로 해석할 여지는 없겠는가 하는 것이지요. 여성의 권리선언을 시도한 올림프 드 구주(Olympe de Gouges)[6] 부인에 대한 처형은, 프랑스 혁명의 국민 만들기가 '남성'과 '여성'의 경계를 나누고 여성을 배제하는 과정이었음을 상징하는 좋은 예입니다. 비단 유대인에 대해서뿐만 아니라 독일인 동성연애자나 정신이상자, 선천적 장애인들을 격리시키고 끝내는 처형했던 나치즘의 역사 또한, 국민국가의 형성 과정이 그 경계의 내부에서조차 근대 권력의 욕망에 맞지 않는 사람들을 끊임없이 배제하고 타자화하는 역사라는 사실을 잘 드러내줍니다.

또 다른 한편으로 국민국가의 경계는 그 외부에 있는 집단을 배제하고 부정하는 과정을 통해 단단해지고 강화됩니다. 미국의 여성 역사가 린 헌트(Lynn Hunt)[7]가 잘 지적했듯이, 자코뱅이 마리 앙트아네트(Marie-Antoinette)를 기요틴에 보냈을 때 구체제를 상징하는 왕비라는 측면보다는 정욕에 가득 찬 비애국적 '외국인' '여성'이라는 측면을 강조했다는 점도 주목됩니다. 루이 16세의

(6) **올림프 드 구주 부인**
프랑스의 정치가이자 작가입니다. 그녀는 1789년 프랑스 혁명에서 공표된 '인간의 권리선언'이 여성의 인권을 배제하였다고 비판하고 여성도 인간으로서 남성과 동일하며 공직에서의 참여권, 자유의사에 의한 결혼 및 재산권과 상속권을 가짐을 천명한 '여성의 권리선언'을 발표한 후 기요틴에서 처형당하고 말았습니다.

(7) **린 헌트**
미국 펜실베이니아 대학의 안넨버그 역사학 교수입니다. 아래로부터의 종합사를 지향하는 린 헌트는 문화와 권력, 정치 등을 하나로 종합하려는 흥미진진한 시도를 보여주고 있는 문화사가입니다. 그의 《프랑스 혁명의 가족 로망스》는 이러한 문화사적 역사 연구의 이정표로 평가받고 있습니다. 《프랑스 혁명기의 정치, 문화, 계급》(1984), 《포르노그라피의 발명》, 《새로운 문화사》(1989) 등의 편·저서들이 있습니다.

처형이 구체제를 청산하는 혁명적 상징으로 읽힌다면, 마리 앙트아네트의 처형은 외국인과 여성에 대해 혁명 프랑스가 만들어낸 근대의 새로운 억압을 상징하는 것이 아닌가 합니다. 프랑스 '국민'을 '인간 종'으로 대체하여 혁명의 보편성을 추구했던 아나카르시스 클로츠의 처형은, 이미 여성을 배제한 프랑스 혁명의 '형제애'가 이제는 외국인을 배제한 프랑스 남성 간의 연대임을 분명히 밝힌 것이라고도 하겠습니다. 이처럼 근대 국민국가의 형성 과정은 안팎에서의 이중적인 억압의 역사인 것입니다.

사카이 그렇지만 프랑스 혁명의 경우는 긍정성도 적지 않았을 것 같은데요?

임지현 물론 혁명 프랑스가 최초의 근대 국민국가를 만드는 과정에서 진보적·해방적 측면이 있었다는 점도 부정할 수는 없습니다. 기본적으로 프랑스 혁명기에 나타난 네이션(nation) 개념은 인민주권론에 기초한 네이션입니다. 그것은 구체제의 신분제를 타파하고 법 앞에서 모든 시민들의 평등을 내세웠다는 점에서, 출생과 혈통에 의해 인간의 가치가 결정되는 신분제적 질서보다 진일보한 것임은 부정할 수 없습니다. 그러니까 혁명 프랑스의 네이션 개념은 법 앞에서 평등한 프랑스 시민들에게 국가주권이 있다는 인민주권론에 기초하여 프랑스 영토 안에 사는 모든 사람들을 네이션으로 묶는 것이지요. 무산자나 여성을 배제했다는 한계에도 불구하고 그것은 파리의 상퀼로트(sans-culotte)[8]에게조차 매력적인 사상으로 다가왔을 겁니다. 그것은 '너는 네이션에 속하는가'라는 국민방위군(national guard)의 모토에서도 잘 드러납니다. 심지어는 파리의 과일장수들도 '국민의 자두' '국민의 사과' 하면서 과일을 팔았단 말이죠. 물론 오늘날의 시각에서 하인드사이트(hindsight)로 보니까 혁명 프랑스의 근대국민 형성 과정에 내재된 억압과 배제의 논리가 보이는 것이지만, 18세기의 맥락에서 보면 신분제와 절대왕정을 타파하고 인민주권론에 기초한 국민국가를 전면에 부각시켰다는 점에서 그 긍정적인 측면을 결코 무시할 수 없습니다. 이제는 혁명 프랑스의 네이션 개념이 시간적으로나 공간적으로 확산되고 전파되면서 어떻게 변질되었는가에 대한 이야기가 있어야겠습니다만…….

사카이 맞습니다. 내부의 순수화를 위한 타자화라는 폭력이 국민이 주권 담당자가 되는 제도 속으로 편입되기 위해서는 여러 수단이 필요했다고 생각합니다. 임 선생과의 대담에서 그 수단을 구명해야 한다고 봅니다. 주권이 왕이나 황제에서 인민이라는 집합체로 내려오기 위해서는 국민·민족·인종과 같은 기묘한 구성체가 필요하게 되었습니다. 그 내력을 살펴보기 위해서는 앞에서 말씀드린 포스트콜로니얼 문제로 다시 한번 돌아가봐야 할 것 같군요.

아시다시피 여러 차례의 변경과 순수화 과정을 거쳐서 현재의 민족·인종·국민이라는 동일성이 만들어졌습니다. 동일성이 성립되는 역사적 과정을 살펴보면 원래부터 흠없는 무구한 국민이라는

(8) **상퀼로트**
퀼로트(반바지)를 입지 않은 사람, 곧 긴바지를 입은 노동자라는 뜻입니다. 귀족(후에는 부유한 시민)과 구별하여 사용된 용어입니다. 애국자 또는 수동적 시민(프랑스 혁명 초기에 정권에 가담할 자격이 없었던 무산층)과도 같은 뜻으로 쓰입니다. 프랑스 혁명의 여러 민중운동, 특히 바스티유 습격, 베르사유 행진, 1792년 8월 10일의 민중봉기 등에서 주력을 이루었고, 혁명의 추진력이 된 소시민 이하의 무산층을 가리킵니다.

동일성이 어떤 특정한 시대에 존재했다고 생각하는 것은 불가능합니다. 그것은 국민이나 민족인 한 반드시 배제의 폭력을 포함합니다. 따라서 동일성이라는 것 자체를—일본인이라는 동일성, 혹은 한국인이라는 동일성을 생각해봐도 좋을 것 같습니다—예컨대 2,000년 전이라든가 500년 전에서 찾는 것 자체가 아마 어려울 것 같습니다.

오히려 문제가 되는 것은, 약 200년 전이라는 비교적 가까운 시기부터 여러 형태로 만들어져온 동일성이 그 속에 언제나 타자화 혹은 식민화의 폭력의 기억을 포함하고 있다는 사실입니다. 그래서 다시 한번 동일성에 기초해서 생각해보려 할 때, 한편에서는 어떻게든 그러한 기억을 (에르네스트 르낭[9])이 생각한 것처럼) 망각하는 것이 필요함과 동시에, 다른 한편에서는 그러한 동일성을 만들어온 과정을 신화화해서 긍정하는 과정이 반드시 일어납니다. 왕권이 신화적인 기초를 필요로 했듯이, 인민주권 역시 신화적인 기초를 필요로 합니다.

임지현 인민주권이 신화화하는 과정은 어땠나요?

사카이 그 과정을 잠시 살펴보죠. 예를 들어 일본과 한국의 관계

(9) **에르네스트 르낭**
19세기 프랑스의 문헌학자입니다. 민족은 흔히 혈연·언어·종교·풍습·지역 등 자연적·문화적 기초를 공유한 공동체라고 정의됩니다. 르낭은 이런 정의에 동의하지 않았습니다. 《민족이란 무엇인가》라는 제목의 팸플릿으로 출판된 1882년의 소르본 대학 강연에서 그는 "민족은 영혼이며 정신적 원리"라고 정의했습니다. 르낭에 따르면 "민족은 인종(혈연) 안에도, 언어 안에도, 종교 안에도, 이해 공동체 안에도, 지역 안에도 존재하지 않는다. 민족은 영혼이며 정신적 원리"입니다.

를 생각해볼 때, 이는 하나의 동일성과 또 하나의 동일성으로 단순하게 규정할 수 있는 것이 아니라, 수많은 역사적인 문맥 속에서 이루어져왔다는 점을 알 수 있습니다.

이번 대담에서 임 선생과 제가 할 수 있지 않을까 하고 생각한 것은, 그러한 서로 다른 문맥들을 하나하나 세심하게 들춰내고, 또 그 과정에서 여러 모순들이나 혹은 완전히 지워져버리지 않았던, 현재와는 다른 조건을 가리키는 가능성을 조금씩 발굴해낼 수 있지 않을까 하는 것입니다.

동아시아 역사 속에서 인민주권의 내력을 이해하고 그 한계를 밝힘과 동시에 그러한 과정을 밟는 것이 다시금 식민지에 대한 책

임, 혹은 전쟁에 대한 책임을 생각하는 첫걸음이 아닐까 합니다.

임지현 전적으로 동감합니다. 식민지라는 역사적 경험을 겪었다고 해서 '나는 죄가 없다'는 식의 논리는, 제국의 심장부에서 태어났다는 이유만으로 유죄라는 논리만큼이나 단순합니다. 그러한 단순논리가 만들어진 역사적 맥락을 구체적으로 검토하기에 앞서 먼저 짚어보고 싶은 것은 구제국의 이른바 양심적 지식인 혹은 좌파 지식인들의 심리 상태입니다.

몇 년 전 일입니다만, 영국의 좌파 연구집단인 '유럽의 민족주의와 민족적 정체성(Nationalism and National Identity in Europe)'

그룹이 마련한 학술대회에 참석한 적이 있었습니다. 사나흘 이 친구들하고 같이 지내다, 아주 재미있는 현상을 발견했습니다. 함께 지내다 보니 자기 이야기를 조금씩 털어놓는데, 대부분 "나는 잉글랜드인인데 우리 외가는 아일랜드계다" "나는 잉글랜드인인데 우리 3대조 할아버지는 스코틀랜드계다" "희미하긴 하지만 나에겐 웨일즈인의 피가 흐르고 있다"는 주장을 하고, 심지어 어떤 친구는 "혈통적으로는 잉글랜드인인데 문화적으로는 완전히 스코틀랜드인"이라고 강변하는 거예요.

요컨대 잉글랜드인이면서 자신의 잉글랜드적 정체성을 자꾸 부정하는 식이지요. 그래서 이렇게까지 강변하는 이유가 뭘까 곰곰이 생각해보니, 구제국주의국가 좌파 지식인들이 과거의 주변부 혹은 식민지에 대해서 콤플렉스를 갖고 있는 건 아닌가 싶었습니다. 그리고 바로 그 콤플렉스야말로 주변부 또는 구식민지의 이른바 저항민족주의에 내장된 억압과 차별 그리고 배제의 논리에 대해서 눈을 감아버리게 만드는 주범이 아닌가 싶었지요. 그것은 결국 제국주의의 거울 효과에 불과한 주변부의 저항민족주의를 반사적으로 정당화함으로써 그 대립물인 제국의 공격적 민족주의를 다시 강화하고 정당화하는 부메랑으로 자신들에게 되돌아오게 만드는 위험한 곡예입니다.

사카이 제 안에도 그런 게 전혀 없다면 거짓말이겠죠!

식민지–제국의 콤플렉스

임지현 그렇지는 않을 거라고 믿습니다. 한 20년 전에 발행된 책입니다만, 영국의 버소(Verso) 출판사에서 빌 워렌(Bill Warren)의

《제국주의: 자본주의의 파이어니어(*Imperialism: the Pioneer of Capitalism*)》를 출간한 적이 있습니다. 워렌 사후에 초고를 취합해서 편집한 책인데, 논지는 제국주의가 식민지의 자본주의적인 근대화에 어떻게 기여했는가를 맑스주의 경제학의 논리에 의거해서 추적한 것이었지요. 저는 그 책이 경제사 분야의 자료들을 치밀하게 모으고 분석한 역작이라고 생각했습니다만, 영국의 좌파 역사가들의 반응은 상당히 비판적이었던 걸로 기억합니다. 그 비판의 바닥에 깔려 있는 논리는 '어떻게 제국의 진보적 좌파 지식인이 그런 식으로 이야기할 수 있느냐' 하는 것이었죠.

그것은 토지조사사업을 비롯한 이른바 '식민지 근대화론'에 대한 일본 좌파들의 비판과도 비슷한데요. 사실, 논리의 층위를 한 층만 더 깊이 파고들면, 자본주의적 근대는 진보적이라는 인식이 이 비판적 좌파들의 바닥에 깔려 있다는 것을 쉽게 알 수 있습니다. 만약에 우리가 '자본주의적 근대의 진보성'이라는 전제를 의심하고 부정하기 시작한다면 워렌의 저작에 대한 이들 좌파의 비판은 곧 설 땅을 잃어버립니다.

물론 사카이 선생께서는 그렇지 않다고 생각합니다만, 일본의 좌파나 진보적 지식인들이 구식민지에 대해 제국주의국가의 좌파 지식인들이 일반적으로 갖고 있는 그런 콤플렉스로부터 벗어나는 것이 한일 지식인의 대화에서 중요한 전제라고 생각합니다.

지금까지의 한일 지식인 연대는 대개 일본 좌파와 한국의 우파가 연합해서 일방적으로 일본의 내셔널리즘을 비판하는 데 그쳤다고 봅니다. 그 반면 한반도의 내셔널리즘에 대해서는 '질끈' 눈을 감았지요. 한일 관계의 역사적 맥락에서 본다면, 한반도의 저항민족주의에 대한 동정적인 태도야말로 일본 사회에서 양심적 지식인으로 포즈를 취하기에 더 유리한 면도 있었을 겁니다.

그러나 정작 큰 문제는, 그러한 태도가 결국 지배담론으로서의 한반도 민족주의를 승인하고, 더 나아가서는 일본 우파의 입지를 강화시키는 결과를 가져온다는 점입니다. 제국주의에 대한 비판만이 아니라 지배담론으로서 주변부의 저항민족주의가 갖는 억압과 배제의 논리에 가차없는 시선이 요구되는 것도 같은 이유에서입니다. 그럴 때만이 민족주의를 이용해서 민중을 동원하는 한일 국가권력 간의 담합 구조를 깨고, 참으로 동등한 파트너십에 근거한, 밑으로부터의 연대가 가능하지 않을까 생각합니다.

사카이 임 선생께서 지적하신 것처럼, 제국의 좌파 지식인들은 어떤 약점이라고나 할까, 죄의식 같은 걸 갖고 있죠.

말하자면 식민주의적 죄의식(colonial guilt)을 갖고 있는데, 그것을 상상 속에서 용서해주는 구식민지 주민을 반드시 필요로 한다는 사실입니다. 이 문제는 매우 심각합니다. 그래서 일본에 한국의 진보적인 지식인이 오면 한국의 국민주의는 당연하며 역사적으로 살펴보면 제대로 이해할 수 있다고 말하는 반면에 일본의 국민주의는 좋지 않다고 말합니다. 심지어 일본 독자들에게 한국의 국민주의를 본받으라고까지 이야기합니다. 저도 임 선생의 분석에 동의합니다. 포스트콜로니얼한 문제의 핵심에 그 논의가 있다고 생각합니다.

덧붙이자면 역으로 또 하나의 문제가 있을 수 있습니다. 이것은 현재 여러 곳에서 강렬하게 제기되고 있습니다만, 구식민지의 지식인이 제국의 지식인에게 "제국은 나쁜 일만 한 게 아니라 좋은 일도 했으니 제국 사람들이 자신감을 가졌으면 좋겠다"라는 식의 이야기를 하는 경우가 있습니다. 나비부인형 제국과 식민지의 관계[10] 라고나 할까요. 이는 제국 사람들의 욕망을 식민지에서 온 지식인이 만족시켜준다는 상상의 시나리오입니다.

미국이나 일본의 국민주의가 갖는 성격을 검토하려 할 때 바로 이런 문제가 발생하는 것이죠. 이 문제에 들어가는 실마리로서 지금 임 선생께서는, 국민국가라는 것은 여러 폭력적인 희생을 낳고 또 지방적인 차이를 파괴해가는 과정임에도, 신분제 타파나 인민주권, 즉 주권을 국민이라는 인간의 어떤 공통성 안에서 찾는 가능성을 열었다고 말씀하셨습니다. 이 경우의 주권에 대해 묻고 싶은데요, 일본이나 한국의 경우는 주권과 국민이 결부되는 상태를 이상적이라고 생각하고 있습니다. 그것에 도달하기 위해서 지식인들은 시민운동이나 시민의 권리를 옹호하는 운동을 전개해왔고, 봉건적인 신분체제를 뒤집고 진정한 의미의 인민주권을 확립하려고 많은 노력을 해왔습니다. 현재 일본이나 한국의 국민주권 논의 속에 담긴 긍정적인 측면을 생각한다면, 이 '인민과 주권의 결부 상태를 어떻게 만들려고 하는지' 가 가장 중요한 논제가 아닌가 싶습니다.

역사적으로 그처럼 지향되어온 주권 혹은 인민주권 개념이 반세

(10) **나비부인형 제국과 식민지의 관계**
푸치니의 오페라 〈나비부인〉을 연상하면 될 겁니다. 푸치니는 이국적인 일본을 배경으로 했고, 관현악곡뿐만 아니라 테마와 보컬 라인에서도, 약간 어색하면서도 동양적인 음정을 잡아내기 위해 상당한 시간과 노력을 투자했고, 조사 또한 철저하게 했다고 합니다. 그의 작품 중에 처음으로 극의 전체 중심을 한 명의 중심 인물에게 부여했습니다. 10대의 일본인 게이샤 소녀, 치오치오상의 복잡하면서도 치밀한 감정과 성격 묘사로 가장 사랑받는 오페라이자 세계에서 가장 널리 알려진 타이틀로 꼽히고 있습니다. 또한 이 오페라의 줄거리는 어떤 형태의 연출을 해도 관객들의 사랑을 받아 미스 사이공(Miss Saigon)과 같이 새롭게 만들어진 작품의 원천이 되기도 했습니다.

기 정도 지난 지금 한국이나 일본에서 더욱 많이 달성되었을까요? 임 선생께서는 어떻게 생각하시는지 궁금합니다.

임지현 관념 속에서는 가능하다고 보지만, 현실 속에서 달성된 적이 있나요? 오히려 현실 속에서는 '인민의 뜻' 또는 '인민의 의지'라는 이름으로 독재권력을 정당화하는 논리로 더 자주 이용되

지 않았나 합니다. '국민'으로 균일하게 만들어진 국민이 적극적으로 참여하는 참여형의 독재가 되는 거지요. 그것이야말로 전제정과 근대 독재를 구분하는 중요한 계기이기도 합니다. 이 점에서 **카를 슈미트**(Carl Schmitt)[11]의 '주권독재'론이 바로 인민주권론에 의거하고 있다는 사실은 무척 의미심장합니다.

앞서 국민국가의 형성 과정과 인민주권론을 결부시킨 것은—그 위험성을 전제한다고 해도—신분제의 폐지와 법 앞에서의 시민 평등의 선포가 프랑스 혁명 당시의 역사적 맥락 속에선 그 긍정적 의미가 평가되어야 한다는 취지에서 말씀드린 것입니다. 적어도 19세기 프랑스를 보면 블랑제 사건이나 드레퓌스 사건이 일어나기 전까지는, 혹은 적어도 1870년 파리 코뮌 때까지는 민주주의자들과 사회주의자들의 연합 구도 속에서 네이션에 관한 공화주의적 담론은 좌파의 애국주의담론이었다는 거죠. 그 점에서 일정한 역사적 평가가 가능하지 않나 생각합니다.

그러나 또 다른 한편에서 보면, 좌파들이 국민국가의 논리에 포섭됨으로써 당대의 맥락에서는 진보적이었던 좌파적 애국담론이 앞으로의 역사적 전개·발전 과정에서 스스로를 포박하고 재갈을 물리는 역사의 역설에 발목잡혀 있었다는 것을, 사회 운동사가 우리에게 보여주는 게 아닌가 생각합니다.

조지 모스(Geprge L. Mosse)가 나치즘의 내면화 과정을 '대중의 국민화' 라는 맥락에서 잘 추적하면서, 왜 인민주권론이 나치즘의 사상적 기초라는 주장을 했는지 그 의미를 곱씹어볼 필요가 있습니다. 인민주권론은 그 자체만으로도 또 많은 이야기를 필요로 할 것 같은데요?

(11) **카를 슈미트**

카를 슈미트는(1888~1958)는 20세기의 뛰어난 정치이론가이자 헌법이론가입니다. 독일의 베스트팔렌 주 플레텐베르크(Plettenberg)에서 상인의 아들로 태어나 1907년 김나지움을 졸업하고 베를린 대학에 입학하여 법학을 전공하였고, 1908년 스트라스부르크 대학으로 옮겨 '형법에 관한 논문' 으로 박사학위를 받았습니다. 1916년에 스트라스부르크 대학에서 공법교수자격을 취득한 이후 여러 대학에서 교수로 재직하면서 명성을 날렸습니다. 그는 독일 공법학에서 오늘날까지 이어지는 학파의 대표학자로서 뚜렷한 족적을 남겼는데, 법학의 영역에 역사적·사회학적·정치적인 요소들을 도입하여 법과 법제도의 과학적 연구에 새로운 지평을 넓혔다고 할 수 있습니다.

동아시아 역사에 투영된 '제국'의 흔적

사카이 임 선생께서 말씀하신 구식민지 지식인이 과거의 제국 사람들에게 하는 이야기에 대해 좀더 부연하고 싶습니다. 그런 주장에는 식민주의에 대한 죄의식을 부정하거나 그 죄의식을 속죄해주는 역할을 오히려 구식민지의 지식인들이 하고 만다는 시나리오도 있다고 봅니다. 이것은 임 선생께서 말씀하신 것과 관계가 있다고 생각합니다.

가장 밑바닥에 깔려 있는 것은 역시 동일성의 문제입니다. 누군가 자기 획정을 할 때에는 자신 외의 식민지 주민들의 시선이 필요하다는 것입니다. 즉 식민주의자라 해도 식민지 주민들의 긍정 또는 승인을 은근히 바란다는 것과 관계가 있다고 생각합니다. 더욱이 이것은 아주 풀기 어려운 과제를 낳는데요, 그것은 이 관계가 제국 안에서 소수자(minority)와 주류 사이에도 아주 쉽게 성립되어버린다는 것입니다.

무슨 말이냐 하면, 제국 혹은 국민들 속의 소수자들은 항상 타자화되거나 배제될 가능성에 대해 커다란 공포를 갖고 있거든요. 그러한 공포를 느끼는 사람들은 오히려 그 공포 때문에 그 나라, 혹은 그 제국에서 강렬한 자기 확정을 찾는 경향이 있습니다. 그래서 이러한 소수자가 주류보다 더 전투적인 애국자가 되는 경우도 많습니다. 이 문제는 지금 여기서는 충분히 다룰 수 없다고 생각하지만 앞으로 구체적으로 논하는 자리에서 좀더 얘기해보았으면 합니다.

저는 이 문제가 식민주의의 남성성과 여성성의 구조화와 깊이 결부되어 있다고 생각합니다. 예를 하나 들어보죠. 1940년에 제작된 〈지나(支那)의 밤〉이라는 유명한 영화가 있습니다. 1930년대에 일본 정부가 제국주의 정책의 일환으로 만주나 상해에서 영화산업을 육성했는데 이 영화는 그 성과물이라고 할 수 있습니다. 중국에서는 이향란(李香蘭)이라는 이름으로 유명했고, 전후(戰後)에는 국회의원까지 지내는 등 파란만장한 경력을 가졌고 아직도 생존해 있는 야마구치 요시코(山口淑子)가 주연한 영화입니다. 줄거리는 중국 여성이 갈등을 거듭하다 결국 일본의 대동아 공영권을 긍정한다는 내용이지요. 제국과 식민지의 관계를 남성성과 여성성이 서로 얽히는 것으로 알레고리컬하게 그려냈습니다.

식민지와 제국의 관계

임지현 중요한 지적입니다. 말씀을 듣다 보니 **프란츠 파농**[12]의 책에 나오는 이야기가 생각나는군요. 식민지 마르티니크의 젊은 흑

(12) **프란츠 파농**
서인도 제도의 프랑스령 마르티니크 섬에서 태어나 식민지 교육을 받았고 프랑스에서 정신의학을 공부했습니다. 그후 알제리와 튀니지에서 정신과 의사로 활동하면서 알제리 민족해방전선의 일원으로 반식민 투쟁을 전개했습니다. 오늘날 파농은 흑인의식과 정체성, 흑인 민족주의, 식민주의와 탈식민화, 권력의 지표로서의 언어, 혼혈 등의 다양한 문제들을 개척한 탈식민주의의 이론적 선구자로 평가받고 있습니다.

인 청년들이 '본국' 프랑스의 마르세유에 도착하면 제일 먼저 하는 일이 백인 여자를 '정복'하는 것, 즉 빈 호주머니에도 불구하고 창녀촌에 가서 백인 여자를 하룻밤 사는 것이었다는 이야기입니다. 식민주의의 담론적 대상으로 억눌렸던 남성성을 식민지 본국 백인 여성과의 섹스를 통해 회복하겠다는 무의식이 숨어 있는 것이지요. 사실 그것은 그 청년들이 정복의 주체가 아니라 정복의 대상이었다는 것, 즉 그 청년들의 의식이 얼마나 식민화되었는지를 보여주는 전형적인 예일 뿐입니다. 동시에 사카이 선생께서 말씀하신 식민지의 젠더화에 대한, 혹은 역젠더화에 대한 이야기라고나 할까요.

사카이 식민주의를 논의할 때에는 반드시 젠더의 문제를 생각하지 않을 수 없습니다. 그리고 방금 임 선생께서 말씀하신 식민주의적 죄의식을 어떻게 처리하느냐? 이 두 문제는 긴밀하게 관련되어 있다고 생각합니다. 그래서 식민지 관계는 늘 젠더의 관계로 재현됩니다.

세계 어느 곳의 식민지라도 제국이나 식민지 종주국과의 관계 속에서 소설이나 영화나 회화작품에 등장할 때는 반드시 젠더의 관계로 표현된다는 것과 깊게 관련되어 있는 게 아닌가 생각합니다.

임지현 제국주의는 항상 식민지를 여성성으로 재현하고 자신은 남성성으로 재현하지 않습니까! 그러니까 여성으로 상징된 식민지 마르티니크의 남성이 남성성으로 상징된 백인 제국주의자 여성을 올라탄다는 행위는, 제국이 만들어놓은 재현 체계를 전도시키려는 반(反)식민의 의지와 의식의 식민화가 기묘하게 얽혀 있는 것 아닌가요?

지금 남한의 통일론자들이 북한을 묘사하는 방식에서도 제국이 만든 남성성과 여성성의 위계적 재현 체계를 발견할 수 있습니다. 이들의 방북기 등을 보면, 민족적 동질성에 대한 강조에도 불구하고 북한은 항상 여성성으로 묘사됩니다. 북한에 대한 남한의 오리엔탈리즘적 시각이 굉장히 강하게 나타나 있습니다. 그러니까 젠더화의 문제는 제국과 식민지의 관계뿐만 아니라 '내부적 식민주의(internal colonialism)'의 차원에서도 반복되어 나타납니다.

하나 더 지적하고 싶은 점은 식민주의가 자기를 정당화하는 논리에도 젠더화의 문제가 개입한다는 것입니다. 예컨대 영국의 식민주의자들이 사티(sati, 남편이 죽으면 부인을 같이 화장하여 순장하는 풍습) 관습을 인도의 오래된 전통처럼 설정해놓고 영국의 제국주의자들이 그와 같은 반여성적인 관습을 없앤다는 식의 논리를 들 수 있지요. 식민지 여성을 백인 제국주의 남성이 구출한다는 이미지가 만들어지는 것도 이러한 맥락에서입니다. 특정한 시기, 특정한 지역, 특정한 신분에 국한된 부분을 인도의 전통으로 설정한다는 것은 곧 제국주의가 식민지의 전통을 발명한다는 이야기가 아닌가 합니다. 그 정치적 의도는 물론 제국주의 통치를 정당화하는 것이겠습니다만……. 실제 인도를 상징하는 '카스트'라는 용어가 포르투갈어에서 비롯되었다는 사실을 알고 무척 놀랐습니다.

맥락이 약간 다르기는 하지만, 조선의 아름다움을 발견했다는 야나기 무네요시(柳宗悅)가 조선의 백자를 말없고 유순한 여성의 이미지로 표현한 것도 같은 선상에서 볼 수 있지 않나 싶습니다. 더 슬픈 역설은 제국주의가 발명한 식민지의 전통이 제국의 정치적 대립물인 식민지 민족주의담론 체계에서도 별다른 비판 없이 그대로 수용되고 있다는 점이 아닐까요?

사카이 네, 식민주의와 젠더에 대해서는 몇몇 좋은 연구들이 나와 있고, 말씀하신 대로 파농은 백인 여성에 대해서 썼고 그것에 대한 비판 또한 많이 나와 있습니다. 그리고 아시다시피 **가야트리 스피박**(Gayatri Spivak)[13]이나 **레이 쵸우**,[14] **최정무**[15] 등의 학자들이 이 문제에 대해 예리하게 논한 바 있습니다.

특별히 젠더에 한정시키지 않아도, 이러한 진보적 지식인이 과거의 식민지에 죄의식을 갖고 있기 때문에 역으로 한편에선 과거의 식민지 주민들에 의해 긍정되는 것을 끊임없이 추구하려는 움직임이 있는 것 같습니다. 동시에 이번에는 제국의 사람들을 식민지 주민들이 역으로 긍정해주는 것을 이용해서 오히려 제국이 좋다고 주장하는《추한 한국인》이라는 선정적인 책은, 한일 관계에서

(13) **가야트리 스피박**
인도 출신의 여성학자입니다. 그는 제3세계 여성학이 정체성의 정치나 차이의 정치를 지속한다면 제국주의적 패러다임에 매몰될 수 있음을 경계하면서, 중심과 주변, 서구와 비서구, 제1세계와 제3세계라는 이분법적 사고를 해체하는 탈식민주의 페미니즘의 보편적 가능성을 제안합니다.

(14) **레이 쵸우**
중국 영화 연구가입니다. 그녀는 영화와 영화적 정체성을 탐구하는 데 있어 관객의 능동적 해석을 가장 중요하게 언급합니다. 그에 따르면 영화의 해석이야말로 문자에 의해 배제되어온 인종과 역사를 주체로 위치시키며, 이미 존재하는 계급조직에 도전할 수 있게 해준다는 것입니다. 이러한 주장은 숨겨진 재현 주체에 의해 봉합된 관객 주체에 능동성을 부여하는 것입니다.

(15) **최정무**
아시아 문화 연구의 시각을 전환하는 작업을 이끈 탈식민주의 문화 연구가이자 여성학자이며 미국 캘리포니아 대학(어바인·UCI) 동아시아학과 교수입니다. 서강대 국문과를 졸업하고 민속학에 관심을 가지게 되면서 미국 민속학의 중심지였던 인디애나 대학에서 1988년 민속학으로 박사학위를 받았습니다. 이후 UCLA, UC 샌타바버라의 문화인류학 교수를 거쳐 현재 재직하고 있는 UCI 대학에서는 한국학 프로그램을 설립했습니다. 최 교수의 연구는 서구중심주의의 극복과 지식 생산의 민주화를 실천하고, 한국 사회가 갖는 역사성을 부각시키고 있다는 점에서 독보적이라고 평가받고 있습니다. 또한 서구 백인 중산층 중심의 '1세계 페미니즘'의 한계를 인식하고 유색인종의 문제와 식민지 여성의 문제 등, 여성학 내에서도 소외됐던 문제를 제기하고 민족주의와 페미니즘 사이의 갈등을 포착해내 여성운동의 지평을 넓혔다는 평가를 받고 있습니다.

치유 역할을 해주는 한국 지식인이 없기 때문에 익명의 저널리스트를 제멋대로 조작해서 그 역할을 하게 한 것입니다. 전혀 새로운 내용도 없지만 이 책이 일본에서 잘 팔린 것은 구식민지 주민들에 의해 치유받고 싶다는 일본 독자들의 욕망을 이 책이 충족시켜주기 때문이겠지요.

제가 한국에 오기 전에 읽고 온 책이 한 권 있어요. 모리 요시오(森宣雄)라는 젊은 연구자가 쓴 책인데요, 방금 임 선생께서 언급하신 대로 대만의 대중국 정치, 그리고 대만과 일본의 관계에서 바로 그 현상이 일어나고 있다는 것을 새롭게 논하고 있습니다. 그런 사실은 미국과 다른 지역의 관계, 또는 미국 내부의 소수자와 주류의 관계에서 자주 볼 수 있다고 생각합니다.

그러한 함정에 저나 임 선생께서 빠질 리야 없겠지만, 이런 함정이 있다는 사실을 의식하면서 이 대담을 계속해나갔으면 합니다.

제국이 발명한 식민지의 전통

임지현 바로 그렇기 때문에 근대성, 혹은 서구의 근대에 대한 근원적인 문제 제기가 필요하다고 봅니다. 식민지 지식인들, 혹은 구식민지 지식인들이 식민주의를 긍정하는 중요한 논거 중 하나는 제국주의가 식민지의 자본주의적 근대화에 일정하게 기여했다는 것이죠. 그것에 대해 제국주의의 수탈을 강조하면서 비판하는 것은 한계가 있을 수밖에 없습니다. 자칫하면 지리한 실증주의 논쟁으로 빠지기 쉽습니다. 오히려, 제국주의가 식민지의 자본주의적 근대화에 기여했다고 치자, 그런데 자본주의적 근대화라는 것이 과연 좋은 것이냐? 또 자본주의적 근대화라는 것이 구식민지 지역이 불가피하게 겪어야만 했던 역사의 필연적 과정이냐? 만약 그렇다면 그것은 유럽의 역사적 경험을 하나의 보편사로 읽으려는 유럽중심주의가 내포된 것은 아니냐? 등등, 근대를 넘어선 시각으로 다양한 문제 제기를 할 필요가 있다고 생각합니다.

왜냐하면 식민주의를 긍정하는 식민지 지식인들에 대한 문제 제기는 제국에 대한 이들의 동경이 근대에 대한 욕망과 맞물려 있다는 점을 드러내는 데서부터 시작되기 때문입니다. 탈근대의 시각은 제국에 대한 이들의 동경을 밑에서부터 떠받치고 있는 근대에 대한 갈망을 드러낸다는 점에서 더 근원적인 비판이 아닐까 합니다. 다른 한편으로 제국주의 지식인들이 식민주의에 대해서 갖는 콤플렉스에는 또 다른 측면이 있으리라는 생각입니다. 제국주의 지식인들이 식민지에 느끼는 미안함은 근본적으로 식민주의적 죄의식의 발로겠습니다만, 식민주의적 죄의식에서 식민지 민족주의를 긍정하는 의식의 밑바닥에 혹시 제국의 국민국가를 긍정하는 자신의 인식론적 틀을 정당화하려는 의도가 무의식적으로 작용하는 측면은 없는가 하는 점입니다.

사카이 동의합니다. 그 점에 대해서는 세심하게 분석할 필요가 있습니다. 한 가지 덧붙인다면, 사실 저는 식민주의적 죄의식 자체가 나쁘다고는 생각하지 않습니다. 왜냐하면 식민주의적 죄의식은 지금까지와는 다른 평등한 인간 관계를 만들 수 있는 중요한 감정이기 때문입니다. 또한 자신이 속한 국민국가가 과거에 어떤 부정을 저질렀거나 사람들을 불행하게 만들었다는 데 대해 수치를 느낀다는 것은 기본적인 사회적 관계를 만들기 위해 갖춰야 할 가장 기본적인 덕목이라고 생각하기 때문입니다.

식민주의적 부끄러움, colonial shame이라고 하는 것이 더 정확하겠네요. 그것을 부정해버리는 것은 문제가 있지 않을까요? 이 점을 특히 주목해야 하는데, 왜냐하면 국민주의 혹은 민족주의는 종종 식민주의적 죄의식을 부정하는 운동이기 때문이죠. 그래서 일본의 경우 위안부 문제를 교과서에 싣지 않기를 바라는 사람들이 생깁니다. 그리고 그 문제를 건설적으로 논의할 가능성 자체를 깨버리는 경우조차 생겨납니다. 만약 그 국민주의가 식민주의적 죄의식을 잊어버림으로써 성립되는 것이라면 단호하게 거부해야 한다고 생각합니다.

오히려 식민주의적 죄의식이 하나의 국민주의와 다른 국민주의의 관계를, 이른바 빚을 갚는다는 식의 관계 속에 가두어버리는 것이 문제라고 생각합니다.

임지현 더 중요한 것은 그 죄의식의 차이를 들여다보는 것입니다. 자기 자신이나 사회의 상처를 되돌아본 후 마음 깊은 곳에서 우러나온, 정말 부끄럽다는 양심의 가책에서 비롯된 내면적 반성인가, 아니면 논리적으로 우리가 이렇게 잘못했으니, 그 분석에 따라 좌파 지식인으로서 반성하는 포즈를 취하는 것이 중요하다, 그렇기 때문에 나는 이성적으로 합리적으로 판단해서 이렇게 반성한다는, 의무감에서 나온 분석적 반성인가 하는 점입니다.

전자의 경우라면, 즉 진정한 자기 반성과 성찰의 바탕 위에서 우러나온 감정이라면, 자신과 식민지의 상처가 역사적으로 한데 묶여 있다는 인식으로 이어지면서 구식민지의 문제에 대한 감정적 개입의 여지가 있지 않을까요? 식민주의적 죄의식보다는 식민주의적 부끄러움이 더 정확하겠다는 선생님의 지적도 같은 맥락에 서 있다고 생각되고, 또 부끄러움이 갖는 해방적 역할을 강조한 지그

문트 바우만의 논지도 역시 같은 맥락에서 이해됩니다만……. 반면 대개의 제국주의 좌파 지식인들이 갖고 있는 콤플렉스는 실존적 양심의 성찰에서 나왔다기보다 논리적으로 분석해볼 때 어떤 식으로든 반성적인 견해를 표명해야 한다는 발상에서 나온 것이 아닌가 하는 의문이 듭니다. 이 경우 제국에 적대적인 모든 생각이나 운동은, 설혹 그것이 거울 효과를 통해 제국의 논리를 술어적으로 재생산할지라도, 반사적으로 정당화될 뿐입니다. 그것은 주어에 대한 반성에만 그칠 뿐, 술어에 대한 반성으로까지 나아가지는 못하니까요. 이들이 구식민지의 현실에서 또 다른 억압적인 권력담론으로 작동하는 주변부 민족주의의 억압적 작동 기제에 눈을 감는 것도 같은 맥락에서 이해할 수 있지 않을까요? 이야기를 하다 보니 식민주의적 죄의식이라는 것이 참으로 예민하고 어려운 문제라는 생각이 다시 듭니다.

사카이 여기서 우리는 국민주의의 중심적인 문제 중 하나에 직면하게 되지 않나 싶습니다. 방금 말씀하신 것처럼, 죄의식이 의무감이 아니라 자기 성찰에서 생겨나기 위해서는 조건이 하나 필요하다고 생각합니다. 그 조건이란, 구체적인 개인과의 관계에서 식민주의적 죄의식이 느껴지는가 하는 것입니다. 한국과 일본의 경우, 또는 영국과 아일랜드의 경우에 영국 사람 일반이 아일랜드 사람 일반에게, 혹은 일본 사람 일반이 한국 사람 일반에게 죄의식을 느낀다고 할 때, 이는 그들이 자기가 속해 있는 국민을 대표한다고 여기는 것입니다. 그러나 진정으로 부끄러움을 느낄 때는 그렇지 않을 것이라고 생각합니다.

국민의 대표로서 죄책감을 느낄 때는 국민 일반의 죄를 어떻게 처리할 것인가 하는 식으로밖에 문제가 제출되지 않습니다. 그런데 진정한 문제는 거기에 있지 않아요. 끊임없이 제기되고 있는 '종군위안부' 문제를 예로 들어 말씀드리자면, 전후(戰後)에 태어난, 또는 군대에서 '위안부'와 관계를 갖지 않은 사람이 갖는 죄의식과, 구체적으로 '위안부'라는 제도를 만들었거나 그것을 이용했거나 그것을 통해서 조금이라도 혜택을 받은 사람의 죄의식은 전혀 다를 것입니다. 이는 당연하다고 생각합니다.

그렇다면 죄의식의 차이를 고려하고 난 후, 만약 죄의식이 있다면 일본 지식인은 이렇게 말해야지 않나 싶습니다. "나는 일본 국민으로서 그러한 문제를 방치해왔다, 또는 주목하지 않았으므로 확실히 책임이 있다. 하지만 '위안소'라는 제도를 만들었거나 관리했던 사람들과 똑같이 취급되어서는 곤란하다." 그 죄의식을 통해서 역으로 말할 수 있는 것은, 분명히 더 큰 책임이 있는 일본인을 가려내고 처벌하는 노력을 해오지 않았다는 데 대해서는 자신이 책임을 지겠다는 것입니다.

그렇다면 확실히 처음에는 국민이라는 형태로 죄의식이 파악될지 모르지만, 우리가 이야기하는 식민주의적 죄의식을 추구할 경우에는 구식민지에서 개인으로서의 내가 문제가 됩니다. 나아가서 일본 국민국가 안에서 책임이 큰 사람들을 확실하게 가려내고 고발하고 처벌하지 않았다는 것에 대해 어떻게든 책임을 져야 한다고 생각합니다.

임지현 일본 국민과 쇼와(昭和) 천황을 예로 들면 어떨까요?

사카이 일본 국민들은 쇼와 천황을 체포하지도 않았고, 죄를 문책하지도 않은 채 방치해, 10여 년 전 천황이 편안히 죽도록 했습니다. 일본 정부가 식민지에서 인간성에 반하는 범죄를 저지른 일본인을 스스로 처벌한 사례는 한 건도 없습니다. 전후 식민지에서 행한 범죄에 대해 아무것도 하지 못한 일본 국민의 책임은 큽니다.

이 식민주의적 죄의식에 대해 분명히 주장해야 하는 것은, 만약 식민지체제 내에서 죄책감을 느낄 만한 일을 하지 않았다면 자신은 그런 일을 하지 않았다고 분명히 말해야 한다는 점입니다. 하지만 죄를 저지른 사람들을 처벌하지 않았다는 책임은 그대로 남습니다.

이런 식으로 식민주의적 죄의식을 추구할 때에는 균질적인 국민이나 국민 일반이라고 생각하는 것이 아니라, 국민들 중에 서로 다른 입장이 있다는 것을 인식하고, 하나의 집단을 형성한 것처럼 보이는 일본인들을 나누는 것이 필요합니다. 나누기 위해서는 먼저 투쟁해야 하고, 그 속에서 국민공동체를 바꾸어나가야 합니다.

정치적인 죄는 집단이 져야 할 필요가 있지만, 과거에 대한 죄책감은 집단이 아니라 개인이 져야 합니다. 이러한 과정을 밟아가면서 식민주의적 죄의식은 아주 중요하고 긍정적인 역할을 하지 않을까 싶습니다.

임지현 그러니까 중요한 것은 식민주의적 죄의식을 과거의 역사에 대한 국민적 책임감이나 집단적 유죄의 범주로 상정하느냐, 아니면 사회적인 개인으로서 현재 자기 사회에서의 역할과 책임에 대한 자기 성찰과 반성의 범주로 생각하느냐 하는 것이겠지요.

에둘러서 독일과 이스라엘의 관계 속에서 이 문제를 생각해보면 어떨까 싶습니다. 예컨대 독일인들이 아우슈비츠의 유대인 학살에

대해 집단적 죄의식을 가지고 있다고 할 때, 그것은 이스라엘 혹은 유대민족 전체에 대한 반사적 정당화로 흐르기 십상이죠. 그것은 다시 이스라엘의 시오니즘이 팔레스타인에 가하고 있는 억압과 공격, 혹은 제국주의 정책을 사실상 추인하는 결과를 낳을 수 있습니다. 식민주의적 죄의식은 식민주의의 작동 방식과 현실 논리, 즉 술어에 대한 비판으로 이어져야지, 자기 민족을 식민주의의 주체로 설정하는, 주어에 대한 단순비판에 머물러서는 곤란하다는 것도 바로 그런 이유에서입니다.

국민 일반의 범주로 죄의식을 생각해서는 안 된다는 사카이 선생의 지적에 전적으로 동의하는 것도 같은 맥락에서입니다. 하지만 독일 친구들과 만나본 제 개인적인 경험에 비추어서 이야기하자면, 2차대전 때 독일인이 저지른 유대인 학살에 대해 "정말 죄송하다, 얼굴을 들 수가 없다"라고 이야기하기보다, 오히려 이스라엘 **야드바셈 홀로코스트 기념관**[16]에 다녀와서는, "정작 홀로코스트(대학살)의 기억에 대한 전시는 10%밖에 안 되고 90%가 이스라엘 네이션 빌딩에 관한 전시로 채워져 있어 끔찍했다"는 친구의 말에 훨씬 신뢰가 갔습니다. 저에게 이렇게 말했던 친구는 독일 사회의 보수성에 깊은 좌절을 느끼고는 영국으로 건너와 웨일즈에서 교수생활을 하고 있습니다. 그 친구는 통일독일의 민족주의 열풍에 대한 비판뿐만 아니라 이스라엘의 시오니즘에 대해서도 비판적 입장

(16) **야드바셈 홀로코스트 기념관**
우리가 잘 알고 있는 쉰들러 리스트를 제공한 기념관입니다. 1956년 쉰들러가 유대인들에게 보낸 편지를 보면, 그가 야드바셈의 홀로코스트 기념관에 자신의 리스트를 제공했고 나중에 돌려받았다고 나와 있습니다. 기념관측에 따르면, 이 리스트는 1945년 4월 18일로 되어 있는데, 이는 원본의 카본지 복사본이라고 합니다. 최근 발견된 쉰들러의 가방을 둘러싸고 소유권 분쟁이 벌어지고 있다고 합니다.

을 분명히 하고 있습니다.

물론 식민주의적 죄의식을 실존적 개인의 차원으로 끌어내린다 해도 문제는 여전히 남습니다. 즉 구식민지 지식인들이 의식의 식민화에서 여전히 자유롭지 못하다면, 제국의 좌파 지식인들 또한 의식의 제국화에서 자유롭지 못하다는 것입니다. 간혹 유럽의 좌파 학술대회 등에서 일본의 좌파 지식인을 만날 수 있는데, 드문 경우이긴 하지만 마치 억압받는 재일교포나 한국 좌파들의 후견인인 듯 행세하는 모습도 보입니다. 물론 그들의 선의를 의심하고 싶지는 않지만, 그 양심적 지식인이 한국의 좌파 지인들에 대해서 드러내는—일종의 식민주의적 죄의식으로부터 비롯된 것으로 보이는—호의와 친화력에는, 우월한 위치에 있는 사람이 열등한 위치에 있는 동료에게 보내는 일종의 '동정(sympathy)의식'이 느껴지기도 했습니다. 그것은 수평적 관계의 동료들끼리 가질 수 있는 '동감(empathy)의식'과는 분명히 달랐습니다. 글쎄, 거기에 의식의 제국화라는 이름을 붙이는 것이 타당할지는 모르겠습니다만요.

어쨌거나 일본 국민을 대표하여 한국 국민에게 보내는 '동정'보다는 식민주의적 죄의식을 처절하게 끌고들어가 자기 문제로 삼고 씨름할 때 오히려, 구식민지의 진보적 지식인과 구제국의 진보적 지식인 들이 서로 만나 쌍방향으로 열려 있는 비판적 대화를 나누는 것이 가능하지 않겠는가 생각합니다.

식민지의 죄의식, 제국의 부끄러움

사카이 누군지는 모르겠습니다만 그런 사람이 있다는 사실이 무척 놀랍습니다. 지금 이 시점에서 일본 학자가 유럽에 가서 한국 학자의 후견인 행세를 할 수 있다는 의식! 뭐랄까, 익살스러움이 앞섭니다. 하지만 이해가 가지 않는 건 아닙니다. 그런데 이런 식으로 구식민지체제가 유럽 안에서 재생산되는 상황이 아직도 존재한다는 것이지요. 그것은 저에겐 정말 놀라운 사실이었지만 그렇다면 결국 한국의 이른바 좌파와 유럽에 있는 일본 지식인이 오래된 식민지체제의 관계를 아직 유지하고 있는 셈입니다.

그것과 딱 들어맞는 경우인지는 모르겠습니다만, 다양한 방법으로 일본과 한국의 관계가, 혹은 제국과 구식민지의 관계가 다른 장소에서 재생산됩니다. 그 문제는, 예를 들어 프랑스와 아프리카의 관계, 혹은 영국과 영연방의 관계가 지금도 여러 가지 방식으로 학문의 세계나 저널리즘에서 재생산되고 있는 것과 같은 종류라고 생각해도 좋은지요?

임지현 그렇습니다. 거기서 또 하나의 실마리를 찾을 수 있을 겁니다. 동시에 지적하지 않을 수 없는 것은 일본의 전후 민주주의, 또는 독일의 파시즘 청산 같은 것들이 식민주의적 죄의식의 문제와 연결되어 있다는 점입니다. 전후의 제도적 변화, 일본의 경우에는 "군국주의체제를 벗어나서 전후 민주주의체제를 세웠다," 독일의 경우에는 "파시즘체제를 청산했다"는 식의 제도적 청산이라는 장막 뒤에 많은 사람들이 숨어버리고 죄의식을 함께 묻어버리는 것이죠. 물론 다시 집합적 유죄를 이야기하자는 것은 아닙니다. 단지 한 사람 한 사람의 독일인, 한 사람 한 사람의 일본인이 제도적인 청산이라는 장막 뒤에 숨어버림으로써 자율적으로 사고하고 실천하는 주체로서의 개인 차원에서는 과거에 대한 성찰이나 반성이 제대로 이루어지지 않은 것 아닌가? 하는 겁니다.

그것은 특히 전후 독일에서 서독과 동독이 나치즘의 유제를 청산하고 그 과거의 기억을 역사화하는 방식의 차이에서 잘 드러납니다. 서독과 동독을 비교해보면, 파시즘에 대한 인적·물적·제도적 청산은 동독에서 훨씬 철저하게 이루어졌습니다. 그럼에도 베를린 장벽이 무너진 뒤, 왜 서독 지역이 아니라 동독 지역이 네오나치즘의 온상이 되었는가? 하는 질문을 던지지 않을 수 없습니다. 간단한 질문은 아닙니다만, 68혁명을 겪은 서독과 그렇지 못한 동독의 차이라는 대답이 가능하지 않을까 합니다. 1968년을 겪으면서 서독의 성난 전후세대들은 아버지세대에 문제를 제기하고 과거에 대해서 전혀 반성하지 않았던 아버지세대를 물고늘어졌던 것이지요.

예컨대 한 독일인 나치 전범의 자식은, 자기 아버지가 처형된 날 그 아버지의 사진 위에서 마스터베이션을 했다고 고백한 바 있습니다. 이것은 극단적인 예지만, 적어도 서독의 경우에는 시민사회의 차원에서 젊은 세대, 특히 68세대가 주도하여 한 사람 한 사람의 개인적 차원에서 나름대로 절실한 반성과 성찰이 이루어졌음을 의미하는 것이 아닐까요? 물론 이것은 68세대가 아우슈비츠에 대한 책임을 진다는 의미보다는, 아우슈비츠에 대한 기억을 얼버무리려는 당대의 서독 사회에 대한 문제 제기로 읽어야 할 것입니다. 반면에 독일 공산당의 반나치즘 투쟁을 신화화하고 그 역사적 정통의 길 위에서 인적·제도적으로 파시즘을 청산한 동독은 서독과 같은 자본주의국가와는 다르다라고 선언해버리고 말았습니다.

사카이 그렇다고 제도적 청산이 무의미하다는 건 아니겠지요?

임지현 물론 제도적 청산의 의미를 과소평가하는 것은 아니지만, 그 선에서 그치고 말아 실질적으로는 나치즘의 어떤 관행이랄까,

아비투스[17] 같은 것들이 사회의 밑바닥에 잠복해 있었던 것입니다. 사회의 총체적 변혁이라는 약속에도 불구하고, 동유럽 현실사회주의의 밑바닥에 잠복해 있던 반유대주의나 원초적 민족주의의 아비투스도 같은 맥락에서 이해해야겠지요.

궁금한 것은 일본의 경우도 전후 민주주의라는 이름 뒤에 그렇게 숨어버린 것은 아닌가? 하는 점입니다. 《전쟁과 인간》을 쓴 일본의 정신과 의사가 누구였죠? 노다 마사아키인가요? 그 책을 보면, 정신의학적 차원에서 전후 일본과 독일의 공통점이 하나 있는데, 그것은 일본의 남경 학살이나 나치의 유대인 학살에 참여한 평범한 일본인이나 독일인 중 트라우마(Trauma, 과거의 심리적 상처)를 앓고 있는 사람이 별로 없다는 점이더군요. 이들은 전후에 반성은 하고 있지만, 정신적 외상의 흔적은 없다는 것이죠. 이 점을 들어 노다는 혹시 이 사람들의 반성이 남에게 보이기 위한 반성에 불과할 뿐, 진실로 상처받고 괴로워하는 건 아니지 않은가? 하고 되묻습니다. 오히려 트라우마는 유대인이나 정신대 할머니 같은 희생자에게서 더 잘 발견됩니다. 트라우마에 평생 시달리다가 끝내는 비극적 자살로 생을 마감한, 아우슈비츠에서 살아남은 프리모 레비(Primo Levi)가 좋은 예라고 하겠습니다. 어쨌든 희생자는 트라우마를 겪는데 정작 가해자는 트라우마를 겪지 않는다는 사실,

(17) **아비투스**

프랑스의 사회학자 피에르 부르디외의 개념입니다. 부르디외는 현대 사회의 복잡하고 중첩적인 관계망을 행위와 구조의 통합 방식으로 분석했습니다. 이른바 '아비투스(habitus)'와 '장(charmp)'이라는 개념을 중심으로 한 독창적인 사회학 이론입니다. 아비투스란 물리적으로 작동하는, 어떤 방식으로 움직이거나 행동하는 상황을 의미하는데, 지속적이며 옮겨질 수 있는 성향 체계라고 할 수 있습니다. 그러므로 이 아비투스는 언제나 표현적 영역을 갖습니다. 우리의 아이덴티티는 우리의 개인적 특성으로만 정의되지 않고 대화적 행동을 통해서 문화와 규칙, 관습적 태도 속에서 이루어진다는 것입니다.

이런 사실에 대해서 아주 섬세한 분석이 필요하리라는 생각입니다. 결국 과거 청산에 대한 그동안의 논의가 제도의 청산과 변혁이라는 점에 치우쳐, 그 제도의 장막 뒤에 숨어 있는 개개인의 삶의 문제를 간과한 것은 아닌가 하는 생각이 들었습니다.

사카이 동독과 일본의 사례는 타당한 예라고 생각되는데요, 사실 전후 민주주의의 경우는 식민 지배에 대한 제도적인 청산조차 되어 있지 않았습니다. 일본의 경우 식민주의의 청산이 정면으로 의식된 적은 아마 한번도 없었을 것입니다. 왜 이런 얘기를 하느냐 하면, 개인의 죄를 확실히 밝히기 위해서는 제도가 필요한데, 일본의 전후 민주주의체제 속에서는 제도적으로 최고책임자인 천황이 처벌되지 않았고, 현실적으로는 최하층의 병사나 군속(軍屬)이 전쟁 책임을 지고 동남아시아나 일부 대륙에서 처벌되었을 뿐입니다.

한편 도쿄에서 열린 극동군사재판에서는 A급, B급, C급 전범 중 A급만이 심판을 받았습니다. 필리핀·싱가포르·중국 등에서는 B급·C급의 전범까지 처벌되었는데, 정치범이나 제도적인 책임이 있는 A급 전범은 거의 없었고 그나마 7명만이 실제로 처벌되었을 뿐입니다. 결국 도쿄 극동군사재판은 전쟁 책임자를 어떤 방식으로 용서할 것인가? 하는 데 대한 국제적 의례가 되어버렸습니다. 가장 큰 문제는 온갖 잔학행위나 식민지에서 저지른 범죄에서 가장 큰 책임자였던 천황이 완전히 면책을 받아버렸으니 전후 민주주의 안에서는 식민주의를 청산하기 위한 어떤 보장도 있을 수 없다는 점입니다. 개인 속에 남아 있는 제국의식을 청산하는 작업도 당연히 불가능했습니다.

미국의 핵심 정책 결정자들은 전쟁 초기부터 마치 일본이 만주

국에서 청나라 황제를 이용한 것처럼 일본을 점령하고 나면 쇼와 천황을 이용할 생각이었습니다. 그러니 어떻게든 쇼와 천황을 면책할 필요가 있었던 것이지요.

2000년 12월에 열린, 여성에 대한 전쟁범죄 국제재판에서 일본 정부가 실시한 '위안소', 즉 성노예제도가 심판을 받아 일본 정부와 쇼와 천황에게 유죄가 선고되었는데, 이로써 도쿄 극동군사재판이 천황을 면책하기 위해 마련된, 얼마나 엉터리 재판이었는가가 분명히 폭로된 셈입니다.

더 나빴던 것은, 방금 말씀하신 대로, 식민지를 상실함으로써 마치 원래 모습으로 돌아간 순수한 일본이라는 공동체 안에서 모든 문제가 처리된 것처럼 생각되었다는 점입니다. 식민주의의 청산은 그때까지 식민지에서 일본 신민으로 간주되다가 이제 독립하려는 사람들과의 교섭을 통해서만 이루어지는 법이지요. 그런데 일본은 당사자인 식민지 주민들과의 교섭을 피해왔습니다. 그때까지 "일본인이 되어라, 일본인이 되어라"고 강제해온 한국인이나 대만인들에게서 전쟁에 진 후 제국이 상실되어 돌연 국적을 박탈한 것입니다. 재일 한국인 문제는 이렇게 생겨난 것이지요. 물론 미점령군이 일본을 대신해 탈식민화 작업을 인수했다는 사정도 있었을 것입니다. 하지만 전후 일본에서의 탈식민화란 그때까지의 일본인을 민족의 차이에 근거해서 배제시키는 일에 불과했습니다. 그래서 식민주의의 책임을 일본에서 어떻게 다룰 것인가 하는 논의 자체가 없었습니다.

단도직입적으로 말씀드리면 독일에서는 전쟁범죄를 저지른 사람을 정부가 처벌해왔지만 일본 정부는 그 정도의 책임조차 지지 않았습니다. 그래서 전후 일본은 제도적으로나 개인적으로나 전쟁

범죄를 제대로 처리하지 않았다고 생각합니다.

임지현 저는 전후 일본의 구체적 상황을 잘은 모르지만 한 가지 우려되는 게 있습니다. 제가 지금까지 접한 일본에서의 전후 처리의 문제점을 지적하는 논의들이 대부분 제도적 청산이 미흡했다거나, 천황제를 그대로 존속시켰다거나, 도쿄 전범재판이 뉘른베르크 재판[18]과는 비교할 수 없을 정도로 미흡했다는 식으로 흐른다는 것이죠. 물론 그러한 비판은 타당하고 또 당연히 제기되어야 하지만, 전후 처리를 제도 개편의 문제로 한정시키는 우를 범하는 건 아닌가 합니다. 사카이 선생께서 잘 지적해주셨듯이, 식민주의적 죄의식의 문제, 즉 실존적 개개인이 과거의 상처에 대한 자기 책임, 또 전후세대의 경우에는 식민주의와 전쟁에 대한 기억을 만들어가는 현재에 대한 책임을 얼마나 성찰적으로 뼈저리게 느끼고 있는가에 대한 논의가 함께 진행되어야 한다는 것이 제 생각입니다.

다른 한편, 식민주의적 죄의식은 제국의 지식인들만 갖는 것인가, 한반도의 지식인들은 식민지 유제를 확실하게 청산했는가 하는 문제를 지적하지 않을 수 없습니다. 실제로 한국에서는 불과 몇 년 전까지도 '국민학교'라는 말을 그대로 사용했습니다. '국민학

(18) **도쿄 전범재판과 뉘른베르크 전범재판**
1945년 11월 10일 시작되어 다음해 9월까지 11개월 동안 이루어진 2차대전 전범재판입니다. 전쟁 범죄자는 '평화에 대한 죄'를 지은 A급, '전쟁 법규를 위반한' B급, '인도(人道)에 대한 죄'를 지은 C급으로 나뉘어 처리되었습니다. 한편 일본의 전쟁 범죄자들에 대한 도쿄 재판은 "포로를 학대한 자를 포함한 일체의 전범에 대하여 엄중한 처벌을 가한다"는 포츠담 선언의 제10항에 의한 것이었습니다. A급 전범은 모두 국제재판에서 처리했고, B, C급은 모두 그들이 수용된 나라에서 처리했습니다. 따라서 독일의 경우 전범들은 모두 독일 국민 자신이 처형해야 했지만, 일본은 단 한 명의 전범도 자기 손으로 처형하지 않게 된 것입니다.

교' 는 일본 제국주의가 남긴 유산이지만, '국민 만들기' 의 중요한 기제라는 점에서 그 용어를 비판할 수 없었던 것이지요. 실제로 해방 이후 '국민학교' 에서 아이들을 가르치는 방식 또한, 그저 일본 천황 사진이 대통령 사진으로 바뀌고, 히노마루가 태극기로 바뀌었을 뿐, 총력전체제 당시 일본 제국주의가 만들어놓은 시스템을 거의 그대로 이용했다는 혐의가 짙습니다. 비단 학교 교육뿐만 아니라, 해방 이후 한국의 지식인들은 그러한 혐의로부터 자유로운가? 한국의 국가주의가 일본의 총력전체제의 유산을, 민중을 동원하는 기제로 활용하는, 해방된 한반도의 현재에 대해서 신랄한 문제 제기가 있었는가? '자주' 와 '주체' 의 나라 북한의 민중 동원체제나 박정희의 유신체제가 총력전체제의 연장선상에 있다는 사실에 대해서는 눈을 질끈 감지 않았는가? 하는 자기 반성이 별반 없었습니다. 그것은 많은 진보적 지식인들도 마찬가지인데, 이들도 결국에는 민족주의 혹은 국민국가의 논리에 포박됨으로써 그러한 것에 문제 제기를 못하지 않았나 하는 생각이 듭니다.

2000년에 교토 대학 코마고메 타케시 선생을 서울에서 만났습니다. 소주집에서 술을 마시는데 이 분이 문제 제기를 하는 거예요. 일본에서 히노마루·기미가요 반대운동을 하다가 한국에 왔더니 곳곳에 태극기가 걸려 있어 깜짝 놀랐다는 겁니다. 더 당황스러웠던 것은 한국의 이른바 진보적 지식인들조차도 그에 대한 문제 제기는커녕 그 태극기의 물결을 자연스럽게 받아들이더라는 겁니다.

사실 저는 부끄러웠습니다. 한국의 지식인들이 과연 일본 식민지 시기의 국가주의적 잔재, 제국주의의 잔재로부터 자유롭다고 자신있게 이야기할 수 있는가, 단지 국가의 외피가 일본 제국으로부터 한국으로 바뀌었다는 점만으로 거기에 안주했던 것은 아닌가 하는 생각 앞에서 참담했습니다. 그러므로 전후 일본에 대한 문제 제기는 곧 전후 한국에 대한 문제 제기이기도 합니다.

제국의식과 식민지체제의 유제

사카이 개인이 죄의식을 갖게 한 성공적인 예를 하나 말씀드리겠습니다. 대단히 흥미로운 예인데요. 중국 대륙에서 전쟁이 끝나고 나서 그때까지 잔학행위를 했던 일본군이 전범으로 다수 잡힌 사건이 있었습니다. 일본군에서 잔학행위나 살인, 생체실험 등을 했던 전범들이 중국 정부, 즉 그 당시의 중국 공산당에게 잡혔던 것이지요. 일부는 소련군에게 잡혔지만 그들은 운좋게 중공측으로 넘겨졌습니다. 그래서 그들은 몇 년 동안 대륙에서 전범으로서—사람에 따라서는 빨리 돌아온 경우도 있었지만—수용소에 수감돼 있었습니다. 그때 이 수용소를 총괄하던 인물이 저우언라이(周恩來)였습니다.

그는 일본 전범을 철저하게 인간적으로 대하도록 지도했습니다. 그뿐 아니라 엄청나게 많은 자료를 검토해 전범들이 어떤 범죄를 저질렀는지를 철저히 조사했다고 합니다. 결국 그들 모두를, 자신이 어떤 범죄를 저질렀는지 고백하는 데까지 이끌고 갔습니다. 예를 들면 중국의 한 마을에 들어가서 그곳의 농민 여성을 어떻게 강간했는지, 또 체포한 중국 병사를, 생체실험으로 유명한 731부대에 어떻게 보냈고, 생체해부를 어떻게 했으며, 그때 누가 명령을 했고 어느 부대에서 그것이 이루어졌는지를, 만주국의 정책 결정에서부터 일본군의 보급 체계까지 조사한 것이죠.

일본 전범들은 순순히 고백했는데 그 순간 대부분 울어버렸다고 합니다. 그리고 그들 중 극히 일부가 실형을 선고받았지만 사형선

고를 받은 사람은 아무도 없었습니다. 그리고 1950년대 후반부터 1960년대 전반에 걸쳐 모두 일본으로 돌려보냈습니다. 물론 병으로 죽은 사람도 있었지만 형기가 많이 남은 사람도 최종적으로는 사면을 받았습니다. 이러한 방법은 남아프리카공화국의 아파르트헤이트 속에서 저질러진 잔학행위에 대한 조사법정(Truth and Reconciliation Committee)을 떠올리게 합니다.

이러한 고백들을 읽다 보면 방금 임 선생께서 나치 경험에 대해 말씀하신 것에 생각이 미칩니다. 이러한 고백을 거침으로써 일본군이었던 사람들은 자신이 한 행위를 스스로의 죄로 경험할 수 있게 됩니다. 그때까지는 자신의 전쟁범죄를 의식 밖으로 제외시켜서 완전히 둔감해질 수가 있었는데, 고백의 결과 마음의 상처가 된 것입니다. 상처가 되었을 때 그들에게 죄책감은 체면이나 합리화의 문제가 아니게 되었습니다. 그들이 그럴 수 있었던 것은 중국의 수용소 사람들이 그들을 인간으로 대우했기 때문입니다.

이 수용소에서는 국가의 책임뿐만 아니라 일본군 개개인이 무엇을 했는지도 조사했습니다. 그리고 반성의 결과 생각이 바뀐 사람도 많았는데, 그들이 일본에 돌아가서 무엇을 했냐 하면 자신들이 어떻게 일본 사회를 개선할 수 있는지, 어떻게 하면 중국 사람들에게 사죄할 수 있는지 생각하기 시작했습니다. 그들에게 식민주의적 죄의식은 사회를 바꾸는 노력으로 표현되었습니다. 자발적으로 활동하기 시작해서 지금은 인터넷에 웹사이트도 있습니다.

왜 그들은 고백을 하고 마지막에는 개인적인 반성에 이르렀을까요? 그 까닭은 그들 개인으로는 잔학행위를 한 전범이었지만 중국 사람들이 그들의 인권을 지켜주었기 때문입니다. 중국의 전범수용소 사람들은 그들을 인간으로 대우했지, 전쟁 중에 그들이 중국 사람을 다른 것처럼 다루지 않았습니다. 1971년 일본과 중국이 국교를 회복한 다음에 이들이 통로가 되어서 중요한 역할을 했지요. 그런데 재미있는 사실은 일본 정부가 이들을 철저하게 무시했다는 점입니다. 물론 1971년 전까지는 중국과 일본 사이에 국교가 없었다는 점도 하나의 이유가 되겠지만 어쨌든 모조리 무시해버렸습니다.

그리고 방금 임 선생께서 말씀하셨듯이, 제국의식이 구제국 지식인의 의식에 남아 있고 동시에 식민지체제의 유제가 한국 사람들 속에 아직 남아 있다는 사실은 아주 어려운 문제를 포함하고 있어서 나중에 다시 여쭤보고 싶습니다.

일반적으로 생각하면, 근대화, 단순히 일본뿐만 아니라 유럽, 혹은 세계 각국에서 일어난 근대화라는 것은, 국민국가의 성립과 식민화와 이론적으로 분리시킬 수 있는가 하는 문제와 관련된다고 생각합니다.

임지현 그 세 가지가 서로 분리될 수 없다는 가장 단적인 예가 박정희의 10월 유신이라고 할 수 있겠지요. 메이지 유신을 본떠서 조국 근대화, 혹은 부국강병의 논리로 독재체제를 정당화했던 10월 유신은, 어찌 보면 끊임없이 '민족의 힘'을 욕망한 친일 내셔널리즘의 정점이라고도 하겠습니다.

사카이 나오키

한국 지성계 안에서 사카이 나오키는 새로운 담론의 기반을 생성할 수 있는 지식인으로 서서히 등장하고 있다. 우리는 그의 이야기를 반년간 다언어 문화 저널 〈흔적〉을 통해 자주 들어왔다. 〈흔적〉은 여러 언어권의 편집자들이 함께 작업해 비슷한 시기에 출간하는 다언어(多言語) 잡지다. 〈흔적〉은 중국의 왕샤오밍(王曉明), 이탈리아의 안토니오 네그리, 영국의 피터 오스본, 미국의 디페쉬 차크라바르티, 한국의 강내희 같은 이들이 편집동인이고, 프랑스의 철학자 자크 데리다, 일본의 문화이론가 가라타니 고진 같은 이들이 편집고문으로 이름을 올렸다.

사카이 나오키는 "서구라는 말은 지정학적으로나 민족-인종적으로 주어진 것이 아니라 비교적 최근의 기원을 갖고 있는 역사적 구성물"이라고 한다. 이러한 구성물의 역사적 사실성을 분석하면서 문명화된 정체성이 동아시아의 문화적 민족주의의 생산에서 대단히 중요하게 작용하고 있는 것과 마찬가지로, 서유럽과 북미에서도 소위 말하는 '서구'의 재생산에서 아주 강력하게 존재한다는 것을 보여주고 있다. 그는 일본의 민족주의는 서구에 대한 가정(positing)에 의존하고 있는데, 이것이 없다면 일본의 문화적 정체성은 결코 유지될 수 없었다고 한다. 이러한 의미에서 일본의 문화적 민족주의는 본질적으로 서구라고 추정된 단일체의 부산물이라고 할 수 있다. 따라서 이른바 민족 문화라고 하는 것에 의해 규정된 것은 다른 국가-정부의 체제들(regime)을 포함해서 이러한 체제들과 거의 일관성 없는 연관성으로 구성된다. 문화는 본질을 가질 수 없으며, 민족주의 역시 이러한 문화적 본질주의 내지 문화적 순수주의와 다름이 없다고 말한다. 그의 내셔널리즘 연구는 서구중심주의를 전복하여 비서구지역 곳곳이 자신의 문제에 대한 발신지가 되어야 한다는 데 초점을 맞추고 있다. 가라타니 고진과 함께 일본의 대표적인 지성으로 손꼽히는 사카이 나오키는 서구중심적인 사유의 틀에서 벗어나 내셔널리즘의 일본적 특수성을 구체적이고 예리하게 분석하고 있다고 평가받고 있다.

그의 연구 주제는 비교문화 이론이다. 그런데 비교에 선행하고 비교를 가능하게 하는 것은 번역이다. 그래서 그의 기획은 불가피하게 번역을 중심으로 시작된다. 그가 탐색하는 '번역'은 좁은 의미의 번역이라기보다는 문화권들 사이의 만남과 교배라는 넓은 의미를 지닌 듯하다.

임지현

사회주의와 민족주의의 건강한 접합을 모색한다는 관점에서《맑스 엥겔스와 민족문제》로 1988년 학위논문을 썼다. 그러나 로자 룩셈부르크를 따라 1990년대를 폴란드 현대사와 씨름하면서 생각의 결이 많이 달라졌다.《바르샤바에서 보낸 편지》(1998)가 그 산물이다. 근대 기획의 하나였던 사회주의의 좌절과 실패, 그리고 그에 대한 비판의 메시지를 동유럽의 일상을 배경으로 드러낸 이 책에서, 동구권의 역사 속에서 확인되는 패러독스를 통해 우리 역사의 마디마디를 풀면서 그의 '화두'는 추상적 이념보다는 사회의 구체적 결이라는 문제로 바뀌었다. 현실사회주의의 잔해더미에서 다듬어진 임지현의 사유는 계간〈현대사상〉에 발표한〈이념의 진보성과 삶의 보수성〉이란 글로 이어졌고, 민족주의에 대한 글들을 모아《민족주의는 반역이다》라는 책을 선보였다. 도발적인 제목에서 볼 수 있듯이 그의 책은 뜨거운 논쟁에 휩싸였고, 보수적인 국사학계는 그에게 '서구의 논의를 무책임하게 적용한 식민지 지식인'이라는 딱지를 붙이려 들었다. 하지만 그는 학술지나 저널의 기고글을 통해 한국의 민족주의에 내장된 폐쇄성과 억압성을 강도높게 비판하는 글쓰기를 계속 이어왔으며, 국내 역사학자로는 드물게 맑시즘, 민족주의, 폴란드 역사에 대한 논문을 해외의 유수한 저널에 왕성하게 발표했다.

전문연구자가 아닌 동시대의 지식인으로서〈당대비평〉의 편집에 관여하면서 한국의 지성계에 '일상적 파시즘'과 '탈민족주의'라는 생소한 담론을 공론화시킨 것도 끊임없이 사유해온 그의 학문적 여정 속에서였다.

1990년대 초반의 주관심이었던 '사상사'에서 벗어나 90년대 중반을 경유하면서는 노동사, 사학사 등으로 관심을 확장했고,〈당대비평〉의 편집위원으로 활동하게 된 1999년부터 한국 사회의 일상에서 작동하는 파시즘의 기제를 해부하고 비판하는 일에 전력을 기울여왔다. 그는 체제나 권력이라는 영역을 넘어 우리의 생활세계, 일상의 공간 속으로 파고들어가 사유의 스펙트럼을 하나둘 넓혀가고 있다. 계급이든 민족이든 성이든, 그 어느 하나를 절대화하려는 안팎의 시도에 대해 늘 경계하고 있다. 그는 '포스트 모더니스트'라는 딱지를 싫어한다. '포스트 모던'적 상황에 대한 이해를 역설한다고 해서 '포스트 모더니스트'가 되는 것은 아니기 때문이다. 맑시즘의 문제의식이 추상으로서의 노동자계급의 선험적 정당성을 인정하는 데서 삶의 다양한 국면에서 '소수자'의 입장에 서 있는 사람들로 이동해야 한다고 믿고 있다.

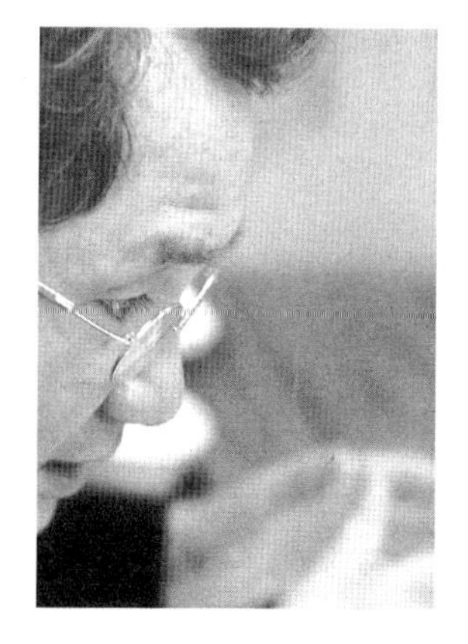

일상의 차원에서 사람들이 자신과 다른 사람을 보고 저 사람은 나하고 언어가 안 통한다, 피부색이 다르다는 자연적인 차이를 느끼는 것과, 정치나 이데올로기의 차원에서 그 차이를 차별의 논리로 체계화시키는 것은 분명히 다른 것이죠. 그러니까 차이는 항상 존재해왔겠지만 그 차이를 차별의 논리로 이데올로기화시키는 것은 역시 근대 국민국가에 독특한 역사적 현상이라고 생각합니다.

임지현

2장 민족, 국가—폭력과 배제 그리고 포섭의 담론들

민족과 국민은 최종적으로는 나눌 수 없다고 생각합니다. 국민이라는 것은 근대적인 국가가 만들어진 뒤 그 국가에 의해 매개되고 구성된 민족을 가리킨다고 생각합니다. 근대화 과정에서 민족이라는 사고 방식이 성립되는 것은 개인 안에 있던 여러 다양성들이 모두 배제되고 개인이 균질적인 것으로 상정되는 것으로 이어지는 것 같습니다.

사카이 나오키

2

2장 〈민족은 역사적·문화적 구축물이다〉 〈20세기의 신화, 민족주의〉 〈한국과 일본의 염치 없는 내셔널리즘〉은 2001년 10월 26일 휴머니스트 회의실에서 열린 두 번째 대담을 재구성한 것입니다.

민족은 역사적·문화적 구축물이다

임지현 어제의 대담에서는 미흡한 대로 대담에 임하는 서로의 입장, 그리고 지금까지 한일 양국 간에 시도되었던 대화 방식 등에 대한 나름대로의 비판적 점검이 있지 않았나 싶습니다. 대담의 전제에 대한 검토가 있었던 셈이지요. 오늘은 어제 한 이야기의 바탕 위에서 근대의 문제를 본격적으로 제기하고 싶습니다. 어제의 대담 말미에서 근대화와 국민국가의 성립, 식민주의 등이 서로 얽혀 있다는 점이 지적되었는데, 오늘은 그러한 기조 위에서 국민국가의 경계짓기에 대해서 이야기를 나눠봤으면 합니다. 먼저 2001년 미국에서 일어난 9·11테러가 국민국가의 경계짓기에 대해서 상징적인 것들을 많이 제시해준다고 생각되는데요. 사카이 선생께서는 아무래도 미국 현지에서 더 생생하게 보실 기회가 있었을 테니까, 거기에서 느낀 감회나 소회 같은 것을 들으면서 이야기를 시작해 볼까요?

사카이 2001년 9월 11일에 일어난 뉴욕시 세계무역센터와 워싱턴D.C.의 펜타곤에 대한 테러는 미국의 국민주의에 여러 가지 의미에서 상징적인 사건입니다. 그 사건이 미국의 매스컴에 의해서 전세계에 보도되었는데, 그때 단번에 그것은 미국 국민에 대한 공격으로 해석되어버렸습니다. 한국이나 일본에서 TV로 보셨으리라 생각됩니다만, 이 사건 이후 미국 각지에서 국기를 흔드는 사람들이 엄청나게 늘었습니다. 물론 반전운동이 없지는 않았지만 매스컴은 그것들을 걸프 전쟁 때 이상으로 철저히 묵살했습니다. 그리고 국민적인 단결을 강화하자는 움직임이 곳곳에서 일어났습니다.

그때 주장된 국민적인 단결에서 '무엇이 국민이냐?' 하는 질문은 상당히 흥미롭습니다. 어제도 말씀드렸듯이, 거기서는 명백한 모순이 드러납니다. 미국의 매스컴에서 떠들어대는 주장을 듣고 있으면, 미국 국민이 세계 민주주의의 담당자라는 주장이 당연한 것처럼 나옵니다. 나아가서는 기독교 대 비기독교라는 구도로 경계를 짓습니다. 그것은 문명과 야만 사이에 경계를 짓는 것이기도 합니다. 그리고 이번에는 백인 대 비백인으로. 그런데 그들 모두가 미국 국민이라는 범주 안에 마치 모순되지 않는 것처럼 통합되어 버립니다. 한 주, 두 주 지나면서 점차 두드러진 것은 미국 국민 속에 있는 이슬람교도들이나 이슬람교도처럼 느껴지는 사람, 예를 들어 머리에 터번을 감거나 피부가 갈색인 남아시아계 사람들이나 아랍계로 생각되는 사람들, 또는 피부에 약간 색깔이 있는 사람들에 대한 폭력행위가 미국 곳곳에서 일어났다는 것입니다. 제가 사는 동네에서도 한 학생이 차로 교외를 달리고 있는데 동네 주변에 사는 백인 청년 그룹이 쫓아오는 일이 있었습니다. 그 학생은 이슬람계로 간주되어 자동차에서 끌려나와 구타당했습니다. 유색인종인 학생은 중상을 입었고 가해자인 청년들은 도주해버린 사건입니다. 9월 11일부터 3주 간, 오인돼 공격받은 사례까지 포함하여, 미국에서 이슬람계 학생에 대한 폭력사건은 이미 1천여 건을 넘었다는 기록이 있습니다.

미국의 국민주의는 다양성을 포섭하는 다민족국민주의, 보편적인 국민주의이기 때문에 민족적인 차별을 하지 않는다는 것이 겉으로 드러난 원칙이었습니다만, 모든 국민주의가 그렇듯이 미국의 국민주의 역시 인종주의적 측면을 가질 수밖에 없었습니다. 테러사건이 일어난 후에는 다민족주의라는 표면상의 원칙은 모두 무너져버리고 그 대신 전형적인, 이른바 민족주의적인 국민주의가 뚜렷하게 나타났습니다.

임지현 오늘 아침 〈인터내셔널 헤럴드 트리뷴〉지에 켄터키 주의 한 이슬람 사원이 방화로 인해 불타고 있는 사진이 실렸더군요. 이념적으로 미국은 '신자유주의' 또는 '세계화'의 이미지와 연결되어 있어 사람들은 보통 미국에는 내셔널리즘이 없다고 막연하게 생각하는 경향이 있습니다. 9·11테러는 미국의 저급한 내셔널리즘의 본색이 아주 정면으로 드러난 계기가 아닌가 생각합니다.

이는 내셔널리즘이 '신자유주의'나 '세계화'에 대한 이념적 대안이 될 수 있는가 하는 문제에 대해 많은 생각거리를 제공해줍니다. 원색적이고 강력한 미국 내셔널리즘의 가시화는, 무엇보다도 세계화 대 내셔널리즘이라는 대립 구도가 잘못 설정된 것이라는 의미로 다가옵니다. 사실 세계화의 이름 아래 이루어지는, 자본의 공세에 대한 대응은 내셔널리즘으로의 후퇴를 통해서가 아니라, 국가를 경유하는 기존의 헤겔적 변혁전략을 재고하고, 국가를 넘어서는 새로운 변혁전략이, 변혁적 전망에서 세계화를 전유하는 방식으로 이루어져야 하는 게 아닌가 합니다.

제가 아는 미국 사회당의 한 친구는 '세계화'가 자본의 관점뿐만 아니라 미국의 시민사회적 관점에서도 중요하다는 이야기를 합니다. 왜냐하면 대부분의 미국인들은 미국이라는 국민국가의 좁은 전망 속에 갇혀 있기 때문이지요. 그 친구의 말에 따르면, 미국인 10명 중 7명은 여권조차 없다고 합니다. 그것은 결국 평범한 미국인들이 외국의 문화나 역사를 직접 접하고 삶의 다른 방식들을 이해할 수 있는 기회가 거의 없다는 것을 의미합니다. 그러므로 세계화는 미국의 평범한 시민들이 다른 세계와 삶의 다른 방식들을 이해할 기회를 제공함으로써 미국의 편협한 내셔널리즘 또는 국가이기주의를 벗어날 수 있는 계기가 된다고 말했던 그 친구가 새삼 떠올랐습니다.

그런 점에서 보면 세계화는 결국 양면 칼날이 아닌가 합니다. 미국을 둘러싼 다양한 신화들을 들추어내 버리면, 미국도 결국은 비국민을 배제하고 타자화하는 근대 국민국가의 경계짓기라는 전략에서 예외가 아니라고 할 수 있겠지요. 그것은 또한 '전지구적 근대성'이 관철되는 논리이기도 합니다.

'백인'이 전유한 민족

사카이 그렇습니다. 민족주의적인 국민주의는 미국에 잠재적으로 존재해왔습니다. 민족이라는 범주의 역사적 유동성이나 모호함을 전제로 해서 미국의 민족주의적 국민주의는, 백인이라는 민족 범주에 기초한 국민주의를 지칭하는 백미주의(White Americanism)라고 불러도 좋을 것입니다. 민족주의적 국민주의의 특징은 국민의 기체(基體)에 민족이 있다고 생각하는 것인데, 이렇게 생각된 민족은 모두 역사적으로 허구이며, 에티엔 발리바르가 '허구적 민족' 이라고 부른 것입니다. 민족이 모체가 된 국민주의는 역사상 한 번도 존재한 적이 없습니다.

그런데도 미국에서 민족주의적인 국민주의가 주장되는 것에 주의해야 합니다. 그와 동시에 그러한 민족적 국민주의에 대해 곧바로 미국의 부시 대통령이 선언한 것처럼, 미국은 그러한 민족이나 특수한 전통, 인종 등에 구애받지 않고 폭넓게 포섭하는 국민주의다라고 하는 논의도 강력하게 제기됩니다. 그럼에도 부시 대통령의 선언에는 기독교 대 이교도, 문명 대 야만, 서양의 전통 대 비서양의 전통이라는 식의—어제도 말씀드렸습니다만—백인이라는 범주를 배제적으로 만들어낸 여러 이항대립들이 무비판적으로 사용되고 있습니다. 그렇다면 조지 부시 2세는 민족주의적 국민주의와 포섭적인 다민족국민주의를 공개연설에서 동시에 주장한 셈입니다.

백미주의는 선주민, 아프리카에서 온 노예, 남유럽과 동유럽에서 온 가난한 이민자, 중앙아메리카와 남아메리카에서 온 이주민, 그리고 아시아에서 온 유색인 들을 그때그때 타자화하고 배제하면서 미국 국민으로 만들었습니다. 타자화된 미국인은 어떻게 해서든 주류에 합류하려고 애를 씁니다.

미국에는 그런 방식으로 자신이 타자화의 폭력의 대상이 될지 모른다고 두려워하는 마이너리티들이 많습니다. 마이너리티 중 스스로 깃발을 사서 가장 열심히 흔들어, 자신들이 얼마나 잘 미국 국민이 되었는지 공적인 장소에서 보여주려고 노력하는 사람들이 많다는 사실은 흥미롭습니다. 그래서 미국의 애국주의를 생각할 때는 분열된 계기가 애국주의 안에 있다는 사실을 잊어서는 안 됩

니다. 하나는 자신들이 비국민이라는 형태로 폭력이나 배제의 대상이 되는 것에 대한 강렬한 두려움입니다. 다른 하나는 미국 국민이라는 점을 주장함으로써 미국 국민이 가져야 할 원리로서의 포섭, 모든 사람을 허용한다는 점을 열심히 믿으려고 합니다.

이 두 경향이 이번 사건에서 전형적으로 드러났습니다. 소위 백미주의를 따라, 미국 국민이란 인종적으로는 백인이며 종교적으로는 서로마형 기독교도(천주교와 개신교)라는 전제가 아무런 부끄러움 없이 내세워진 반면, 미국은 모든 인종과 민족에 열려 있고 할리우드 영화 〈인디펜던스 데이(Independence Day)〉에 나왔듯이—단 영화 자체는 그러한 미국 국민주의에 대한 패러디이기도 했지만 이 패러디는 미국 관객들에게는 거의 전달되지 않았습니다—미국은 지구적 경찰주권으로서 전인류를 대표한다는 망상도 강력히 부각되었습니다.

그래서 비국민이라고 간주되어 국민공동체로부터 배제되거나 폭력을 당하는 것에 대한 공포와, 그 국민공동체를 굳게 믿고 그것에 몸을 바치려는 경향, 이 두 가지가 공존하고 있다고 보입니다.

임지현 소수자들이 국민국가에 대한 충성을 자기 스스로에게 더 강조하는 경향이, 배제될지 모른다는 두려움에서 비롯되었다는 말씀은 인상적입니다. 주류집단에 동화되기를 갈망했던 유대계 인사들이 반유대주의의 선봉에 서곤 했던 유럽사의 역설도 같은 맥락에서 이해할 수 있겠지요. 더 일반화한다면, 식민지 주민들이 제국주의 본국의 주류집단에 대해서 갖는 콤플렉스나 의식의 식민화 같은 현상도 그렇게 이해할 수 있으리라고 봅니다. 미국의 경우에 국한한다면—자국의 특수한 역사적 경험을 반영한 것이겠지만—

예컨대 흑인이나 인디언, 앵글로색슨에 포함되지 않는 동유럽이나 아일랜드, 이탈리아 등의 비주류 백인들, 히스패닉 등이 갖고 있는 이중성, 즉 주류의 백인 미국인을 한편으로는 경원하면서도 다른 한편으로는 어떻게 해서든지 거기에 끼고 싶어하는 그들의 이중의식과 같은 것이겠지요.

그런데 그와 같은 미국 사회에서의 경계짓기가 과연 영국의 식민지 시기, 혹은 미대륙이 처음에 개척될 때부터 진행된 것인지, 아니면 근대 국민국가의 틀과 국민의 경계가 만들어지면서 심화된 것인지는 한번 따져봐야 할 것 같습니다. 제 판단으로는 후자가 역사에 더 잘 부합되는 것이 아닌가 합니다. 예컨대 신대륙에 처음 발을 디딘 흑인들은 자유인이었습니다. 그때 '계약노동자' 자격으로 신대륙에 온 백인 이주민들이 이 동료 흑인들에 대해서 어떤 편견을 가졌는지는 모르겠습니다만, 그것이 지금과 같이 백인이라는 경계망을 뚫고 흑인을 배제하는 논리였는지는 의심스럽습니다. 또 인디언들과 우호적인 관계를 유지했던 이주민들이 자신들의 영토나 거주지를 확장하면서 인디언들과 충돌했다는—일방적인 학살이라는 편이 더 맞겠습니다만—변경의 역사도 마찬가지입니다. 이러한 것들은 경계 만들기가 처음부터 존재했던 것이 아니라, 오히려 미국이 영토를 팽창하고 국민국가의 틀을 만들어가는 과정에서 국민과 비국민, 백인과 유색인, 주류와 비주류 등등의 경계가 점차로 더 굳어진 것이 아닌가 하는 의심을 하게 합니다.

사카이 백인이라는 사회적 범주가 기능하기 시작한 것이 언제부턴가 하는 거지요. 인종, 나아가서 백인이라는 사회적인 집단이 역사적인 것임은 분명합니다. 대략적인 통계에 따른 얘기니 참고로만 들어주십시오. 인종 차별이나 민족 차별에 바탕한 폭력은 미국이 독립해서 국민국가가 된 후 급격하게 증가했습니다. 이것은 나름대로 타당성이 있는 주장이라고 생각합니다. 자주 드는 예입니다만, 리오그란데 강과 캘리포니아 반도 북쪽, 즉 현재의 미국과 캐나다 지역에 사는 선주미국인(native American)의 수는 미국이 독립한 무렵에는 2천만에서 1천만 사이였다고 합니다. 물론 북아메리카의 이 지역은 변경이어서 인구통계도 없고 역사자료도 적어 믿을 만한 수치가 없습니다. 그러다 보니 조사 방법에 따라 수치가 달라집니다.

그렇지만 어떤 추정을 하는 데에는 도움이 됩니다. 이에 비해 유럽계 식민자나 이민 인구는—이것은 북부 13주만의 숫자인데, 그 밖에 서부나 북부 지역에 사는 유럽계 식민자도 적지 않았을 것입니다—독립 때에는 100만 명을 약간 밑돕니다. 19세기 말에는 제대로 측정할 수 있게 되어 선주민은 50만 명 정도라고 하는 경우가 많습니다. 물론 통혼이나 매춘에 의한 혼혈이 진행되어, 어디서 어디까지가 선주미국인이라고 정의하기는 무척 어렵습니다. 그 무렵 유럽이나 기타 지역에서 온 이주민 수는 1억 명 정도까지 늘어났습니다. 그외에 아프리카계 미국인들이 있습니다만 이들에 대해선 좀처럼 믿을 만한 수치가 없습니다. 독립할 당시에는 아프리카계 미국인은 인간으로 계산되지 않았는데, 19세기 후반은 남북전쟁 이후여서 국세조사에 정식으로 포함됩니다.

그런데요, 이 조잡한 통계만으로도 독립 당시에는 10명 이상의 선주민에 유럽계가 1명이라는 비율이었는데, 19세기 말에는 유럽계 200명에 선주미국인이 1명으로 인구비가 역전됨을 알 수 있습니다. 역병, 강제이동에 따른 기근, 군사적·형사적 살육 등에 의해서 선주민 인구가 격감되어갑니다. 바로 이것이 18세기 말부터 19세기에 걸쳐서 미국이 국민국가로 성립되는 과정이며, 동시에 영토적으로 점점 확장돼 변경이 소멸해가는 과정입니다. 이것이 미국인이라는 국민이 만들어지는 과정이기도 한 셈입니다. 그래서 미국 국민을 만들어내는 과정은 지리적 영역을 넓혀감과 동시에 배제의 논리를 관철시켜가는 과정이었다고 볼 수 있습니다.

변경은 단일국가가 그 주권을 전일적으로 행사할 수 없는, 경계가 애매한 영역을 말합니다. 복수(複數)의 정치권력이 조공(朝貢)이나 외교를 통해서 착종한 지배를 한다거나, 부족들이 병행해서 권력을 공유한다거나 하는 일이 허용되는 지리적 영역 말입니다. 태국에 대한 **통차이 위니차쿨**(Tongchai Winichakul)[19]의 훌륭한 연구가 있습니다만, 국민국가는 변경과 공존할 수 없습니다. 샴(Siam), 즉 현재 태국의 전신은 19세기에 변경을 잃음으로써 영토성(territoriality)으로서의 국민국가로 변신했습니다. 19세기 미국도 마찬가지로 미국 국민이 만들어짐에 따라 강력한 폭력에 의한 배제의 논리와 포섭의 논리가 동시에 기능했을 것이라고 생각합니다. 백인성은 이러한 근대와 분리해서는 이해할 수 없어 보입니다.

(19) **통차이 위니차쿨**
타일랜드 출신의 역사학자입니다. 1988년 시드니 대학 박사학위논문으로 "siam Mapped: A History of the Geo-Body of siam"을 발표해 큰 반향을 불러일으켰습니다. 이 논문에서 그는 샴이 1850년부터 1910년까지 국경이 생기게 된 복잡한 과정을 추적하였는데, 샴의 국경이 식민주의적으로 결정되었지만, 그로 인해 식민화되지 않았다는 설명은 매우 교훈적입니다. 타일랜드의 경우는 '전통적인' 정치권력 안에서 새로운 국가적 사고가 출현하는 것을 명백히 보여주고 있습니다.

임지현 프레데릭 터너(Frederick Turner)라는 미국의 혁신주의 역사가는 미국사에서 광대한 서부 프론티어 문제를 '안전판(safety valve)' 패러다임으로 제시한 바 있습니다. 그는 왜 미국에서는 유럽 사회가 겪었던 첨예한 계급 투쟁이나 사회적 갈등이 없었는가? 하는 의문에서 출발합니다. 터너는 그 원인으로 광활한 서부 프론티어의 존재를 듭니다. 거칠게 요약하면, 동부의 피지배계급이나 사회적으로 배제된 무산자와 주변인 들에게는 항상 서부 개척이라는 대안이 있었기 때문에 그들은 격렬한 계급 투쟁을 택하기보다는 서부로의 길을 택했고, 그 점에서 그것은 계급 투쟁과 사회적 갈등을 완화시켜주는 '안전판'이었다는 겁니다.

근대 국민국가의 국민 만들기, 혹은 경계짓기의 관점에서 터너의 학설을 패러디한다면, '안전판'은 사실 서부 프론티어가 아니라 흑인과 인디언이었으며, 또 19세기에 유럽으로부터 이민의 물결이 지속되면서 처음에는 아일랜드인이, 다음에는 이탈리안이 뒤를 잇고, 그 다음에는 동유럽의 폴란드인이나 유대인이 뒤를 잇고, 또 20세기에 들어와서는 아시아인, 히스패닉 등이 뒤를 이어, 이들이 만들어낸 인종적 위계 질서가 주류 앵글로색슨의 계급적 갈등을 완화시키는 '안전판' 역할을 했다고 볼 수 있습니다. 그러니까 미국의 국민 만들기 역사에서 아직 국민에 포섭되지 못한, 그러면서 포섭되기를 갈망한 '비국민'들의 존재야말로 국민 내부의 갈등을 완화시켜주는 '안전판' 역할을 한 셈이지요. 왜 미국에서는 유독 사회주의가 열세였는가 하는 해묵은 의문을 푸는 열쇠도 바로, 이 이민을 배제하고 포섭했던 미국식 '국민 만들기' 역사에 있지 않나 합니다.

근대 국민국가의 '국민 만들기'

사카이 그 과정에서 노예제가 폐지되고 다양한 시민권이 더 많은 사람들에 의해 획득되어갑니다. 이 과정에서 보통선거법이 시행되는 식으로, 국민 사이의 권리의 균질도 동시에 진행되었다는 점 역시 잊어서는 안 된다고 생각합니다.

임지현 그러니까 국민의 외연이 자꾸 넓어지는 거죠? 시민권이나 그런 것들을 통해서요. 그런데 가령 서유럽이나 미국의 내셔널리즘은 보편주의·인권·인민주권론에 입각했기 때문에 좋은 내셔널리즘이고, 동유럽이나 주변부의 내셔널리즘은 혈통이나 민족 구성 등 객관적인 것에 기초했기 때문에 배타적인 변종 내셔널리즘이라는, 서구중심적 이분법에 대해서는 경계해야 합니다.

서구의 내셔널리즘이 자유주의 및 인권과 결합된 좋은 내셔널리즘이라는 환상은 이미 반유대주의의 존재 자체에 의해서 여지없이 무너졌습니다. 사실 유럽에서 반유대주의의 역사는 참으로 끈질깁니다. 반유대주의는 중세에서까지 그 존재가 확인되지만, 사르트르가 유대인의 정체성을 형성하는 것은 반유대주의라는 말을 했듯이, 그것이 하나의 체계적인 이데올로기로 발전하는 것은 역시 근대 들어서의 일입니다. 그것은 '국민 만들기' 과정에서 비국민을 배제하는 정치선동에 매우 효율적인 무기였고, 동유럽이나 러시아에서는 좀더 원초적인 형태로 등장하지만, 드레퓌스 사건 등에서 보이듯이 프랑스나 영국에서조차 발견되는 현상입니다. 서유럽의 내셔널리즘 역시 보편주의, 인권, 시민의 권리 등을 확장하는 그러한 개념일 뿐만 아니라, 동시에 끊임없이 타자를 배제하고 억압하는 전략에 입각해 있었다는 점을 보여주는 것이 아닌가 생

각합니다.

프랑스의 '톨레랑스' 라는 것도 결국 '프랑스 민족' 으로 편입된 사람들에게서나 가능했지, 그 경계 밖에 있는 타자에게는 해당되지 않는 덕목이었습니다. 오늘날 프랑스 사회 일반이 갖고 있는, 다문화주의에 대한 거부감도 같은 맥락에서 이해할 수 있겠지요.

사카이 중요한 점을 지적하셨습니다. 바로 그 때문에 국민국가의 전개를 일면적으로 볼 수 없습니다. 그래서 임 선생께 여쭤보고 싶은데요, 민족 그리고 인종으로 사람들을 구분하는 방식과 국민국가의 성립 사이에는 어떤 연결고리를 생각해야 하는 게 아닐까요? 그 점에 대해서 역사적인 고찰을 할 수 있는지요?

임지현 저도 확신할 수는 없지만, 가령 이런 것이 아닐까 합니다. 일상의 차원에서 사람들이 자신과 다른 사람을 보고 저 사람은 나하고 말이 안 통한다, 피부색이 다르다는 등의 자연적인 차이를 느끼는 것과, 정치나 이데올로기의 차원에서 그 차이를 차별의 논리로 체계화하는 것은 분명히 다르죠. 그러니까 차이는 항상 존재해 왔겠지만 그 차이를 차별의 논리로 이데올로기화하는 것은 역시 근대 국민국가에 독특한 역사적 현상이 아닌가 하는 생각입니다.

앞에서도 언급했지만, 셉티무스 세베루스 같은 고대 로마 황제는 사실 흑인이었습니다. 또 19세기 초에 일어난 영국의 차티스트 운동에서는 흑인 노동자가 얼마 되지 않았음에도 대여섯 명의 흑인 노동자가 차티스트 운동의 지도자로 나설 수 있었습니다. 그것은 19세기 말의 '사회제국주의(social imperialism)'에서 보듯이, 노동운동이 인종주의, 민족주의와 결탁한 것과 비교해본다면 전혀 다른 현상이죠. 그러니까 근대가 진전될수록 오히려 인종이나 민족 간의 장벽과 경계는 더 강화되었다는 점을 하나의 경향성으로 인정해야 할 것 같습니다.

요컨대 민족과 마찬가지로 인종도 근대의 발명품입니다. 가령 영국의 인종주의는 18세기에 이르러서야 문자의 세계에 나타나는데, 기본적으로 그것은 영국령 카리브해 식민지 대농장주의 이해를 대변했던 것이지요.

사카이 그렇습니다. 미국의 경우에도 19세기 초에는 꽤 많은 중국 이민들이 있었습니다. 중국인 이민들은 아일랜드에서 온 이민들과 사회계층적으로 비슷한 처지여서 종종 공존해서 동거하고 가족을 이루곤 했습니다. 이러한 형태의 가족이 꽤 있었습니다.

그런데 19세기 중반부터 이인종 간의 성관계를 금지시키는 법률들이 생기면서 공생할 수 없게 되었다는 기록이 있습니다. 사람과 사람 사이에는 다양한 차이가 있습니다만 그러한 차이를 지각하기 위해서는 아무래도 제도가 필요할 것입니다. 인종이나 민족 또한 그러한 지각 속에서 기능하는 분류 체계처럼 느껴집니다.

임지현 다른 한편, 인종주의를 근대의 발명품으로 보면, 사실 그것은 백인종과 흑인종, 황인종 사이에만 존재하는 것이 아니라 백인들 사이에도 존재한다는 사실이 눈에 띕니다. 예컨대 영국인들은 아일랜드인을 같은 백인으로 취급하지 않았습니다. 또 독일인들은 슬라브인들을 같은 백인으로 인정하지 않았습니다. 피부색으로 보면 똑같은 코케이시안인데, 그럼에도 불구하고 백인들 사이에도 인종주의는 사실상 존재했습니다. 인종주의가 피부색에 따른 자연적인 차이에만 입각한 것이 아니라, 같은 피부색 안에도 존재한다는 것은 결국 근대가 만들어낸 인위적인 경계, 즉 배제와 포섭과 타자화의 경계를 잘 상징하는 것이 아닌가 생각합니다.

사카이 인종이라는 개념을 검토해보면, 그것은 보통 인간의 인상(人相)적인 혹은 골상(骨相)적인, 또는 생리적인 특징과 관계가 있다고 생각들 하지만, 자연적인 특징을 이용하는 경우라 하더라도, 인종 개념 그 자체가 자연적인 혹은 생리적인 인체의 특징에 기초하고 있다는 식으로는 절대로 논의할 수 없다는 것을 금방 알 수 있습니다. 인종 개념에서 피부색이나 생리적 차이 등은 본질적인 요소가 아닙니다. 오히려 그것은 부호와 같은 것입니다. 그래서 인종은 인간의 생물학적 특징에 의거하는 데 비해 민족은 인간의 문화적인 특징에 의거한다는, 양자의 구분은 아주 조잡하다고 생각합니다.

임지현 네, 그렇습니다. 사실 인류의 기원에 대해 아프리카에서 거둔 고고인류학의 최신 성과를 염두에 둔다면, 우리 모두는 아프리카인의 후손인 셈이지요. 다시 내셔널리즘의 문제로 돌아간다면, 서유럽의 민족운동은 계몽사상에 기반을 둔, 합리성과 개인의 자유를 증진시킨 진보적인 것이었던 반면, 동유럽이나 주변부의 민족운동은 과거에 대한 낭만적 이상화와 비합리주의로 무장한, 보수적이고 반동적인 것이었다는 서구중심적 이분법은 더 이상 설득력이 없습니다. 그렇지만 둘 사이의 상대적인 차이마저 부정하기는 어렵지 않을까 합니다. 프랑스를 비롯한 서유럽이 국민국가에 대한 주민들의 귀속의지를 강조한다면, 독일이나 폴란드 등의 동유럽은 언어와 문화, 혈통 등 민족 구성의 객관적인 요소들을 강조하는 것처럼요.

예컨대 알자스(Alsace) 지역 주민들의 경우에는 혈통이나 언어, 문화적 관습 등에서 게르만에 더 가까웠습니다. 그럼에도 불구하고 프랑스 혁명이 발발하자 그들은 주민투표를 통해서 기꺼이 프랑스 국민에 귀속되겠다는 결정을 내립니다. 그것은 독일인으로 남아 있을 경우 독일의 봉건사회에 포박(捕縛)될 뿐이지만, 프랑스 국민의 일원이 된다면 프랑스 혁명의 역사적 성과들을 향유할 수 있다는 판단에서 비롯된 것이겠죠.

그러니까 사실 알퐁스 도데의 〈마지막 수업〉 같은 단편소설은 언어나 문화 등 민족 구성의 객관적 측면에서 게르만이었던 사람들이 어떻게 불과 80년 만에 프랑스인으로서의 정체성을 가지게 되었는가를 역으로 되묻게 해줍니다. 특히 이 소설은 프랑스의 민족주의적 전회(轉回)를 상징하고, 나중에 그 아들인 레옹 도데가 프랑스의 극우조직인 악시옹 프랑세즈(action francaise)의 핵심인물이 된다는 점에서도 의미심장합니다.

더 흥미로운 것은 제 '국민학교' 때 국어 교과서에 나온 그 소설이 제 아이들의 교과서에도 여전히 실려 있다는 점입니다. 더욱이 일본 친구들 이야기를 들어보니까 자기들도 교과서를 통해 그 소설을 읽었다더군요. 일본과 한국의 국가권력이 국민 만들기에 프랑스의 경험을 어떻게 이용했는가를 잘 보여주는 흥미로운 예입니다만, 〈마지막 수업〉의 예에서도 볼 수 있듯이, 한국이나 중국은 일본에서 번역하고 만들어낸 민족 개념이나 민족 담론을 수입했습니다. 따라서 일본에서는 서구의 민족 개념을 어떤 과정을 통해 받아들였는지, 또 민족이라는 개념을 어떤 방식으로 전유했는지를 이해하는 것이 매우 중요할 것 같습니다. 그것을 간단하게 설명해주셨으면 합니다.

일본은 민족 개념을 어떻게 전유했는가?

사카이 흥미로운 질문을 해주셨네요. 민족이라는 용어를 역사적으로 살펴보면 의외로 새로운 개념이라는 것을 알 수 있습니다. 그것은 19세기 후반에 일본이 서유럽 국가들의 제도나 학문을 많이 도입했을 때 처음 들어온 것 같습니다. 사회나 인종, 국민이라는 말이 새롭게 만들어지고 그 말들이 일정한 패러다임을 형성하면서 그 속에서 민족도 이해되었다고 생각합니다.

한국에서는 민족이라는 말이 어떻게 사용되고 있는지 무척 궁금한데요, 지금의 시각에서 민족에 해당하는 말을 찾아보면 영어 혹은 불어의 nation의 번역어로 사용되고 있는 것 같습니다. 그런데 nation은 국민이라고 번역할 수도 있고, 국가·종족·국족(國族)이라고 번역할 수도 있습니다. 실제로 1930년대에 이르러, 앞에서 언급하신 '국민학교'에서 사용된 그런 국민이라는 말이 빈번히 나오기 전까지는 민족이라고 번역되는 것이 일반적이었습니다. 이러한 변화의 배경에는 당시 일본 정부가 민족주의 반대 캠페인을 강도 높게 벌였다는 사실이 있다고 생각합니다. 1930년대 조선총독부 문서를 보면, 민족주의와 공산주의가 일본 제국의 최대 위협요소였음을 잘 알 수 있습니다.

민족이라는 말이 무엇을 의미했는지를 nationality의 번역어를 통해 살펴봅시다. 이에 대한, 20세기에 들어서의 가장 일반적인 번역어는 국민성입니다. 1945년 일본 제국이 패망한 후에는 민족과 국민이 일치한다고 믿었는데, 1930년대에 국민이 강조된 이유 중 하나는 식민지 독립운동의 기체가 될 수 있는 민족이 아니라, 여러 민족들을 통합하는 개념으로 국민을 생각하려 했기 때문일 것입니다.

임지현 nationality는 후쿠자와 유키치와 관련이 있지 않습니까?

사카이 nationality는 **후쿠자와 유키치**(福澤諭吉, 1834~1901)[20]가 국체(國體)라고 번역해서 사용했습니다. 그 기초가 된 것이 영국의 자유주의니까 이것은 일본뿐만 아니라 중국이나 한반도에서도 마찬가지로 이야기할 수 있지 않나 싶은데요. 동아시아 지식인이 민족 개념을 맨 처음 체계적으로 배운 것은 아마도 존 스튜어트 밀의 사고 방식에서가 아니었나 싶습니다. 민족 개념을 채택할 때 당시 지식인이 중요하게 느꼈던 점은 주권과 주권을 지탱하는 공동체를 어떻게 만들어갈 것인가 하는 문제와 관련되어 있었다고 생각합니다. 그 이면에 존재했던 걱정은 일본이 독립할 수 있는가였습니다. 그러한 민족에 해당하는 공동체를 만들고 싶다는 그들의 바람 이면에는, 식민지화되는 공포를 어떻게 사람들에게 이해시킬 것인가 하는 게 겹쳐 있었다고 생각합니다. 식민지화를 공포의 대상으로 이해시키기 위해서는 공통성을 가진 사람들의 집단의식이 있어야만 한다고 생각한 거지요. 후쿠자와는 이 의식을 국체의 정(情)이라고 부릅니다.

그럼 공통성은 무엇으로 만들어지느냐? 하는 질문에 후쿠자와는 공통의 언어나 종교, 같은 장소에 살고 있다는 믿음, 혹은 공유된 전통, 특히 역사를 공유하는 것이 가장 중요하다고 주장합니다. 그리고 당시 일본 군도에 사는 사람들에겐 공통의 종교도, 언어도, 전통도, 역사도 없다고 개탄했죠. 그래서 그는 그런 것을 만들어야 한다고 주장합니다.

이 논의는 한눈에 알 수 있듯이 영국의 자유주의(liberalism)를 거의 그대로 번안한 것입니다. 그런 이유로 일본에서의 민족은 서유

(20) **후쿠자와 유키치**
일본인들이 '시대의 스승'이라고 여겼던 메이지 시대의 사상가이자, 문명 개화와 계몽에 힘썼던 일본 근대화의 정신적 지주였습니다. 후쿠자와는 문명이란 지선(至善)이 아니라 선을 향해 나아가는 과정일 뿐이며, 진보의 순간순간을 일컫는 것이라고 했습니다.
서양 문명이 전세계를 정복하는 것을 피하기 힘든 형세에서, 동양의 민족은 저항할 만한 힘이 없었으므로 가능한 유일한 선택은 문명을 이로움으로 전환하는 노력이었습니다. 그의 저서《문명론의 개략》은 근대에 대한 그의 생각과 열정을 담아낸 책입니다.
후쿠자와의 논리가 외부에 대한 침략으로 전화될 수 있다거나, 방편적인 상황론에 불과하다는 비판도 있지만, 그의 생각이 자리한 맥락과 조건을 벗어나서 대면하기보다는, 그의 내적 논리와 현실적 조건을 함께 고려하면서 만났으면 합니다.

럽 사조를 이상으로 삼아 구성될 수밖에 없었습니다. 바로 근대적인 국민국가의 보편적인 모델을 서유럽의 슈퍼 파워가 제출하고 일본이 그것을 배운다는 도식이 받아들여지는 기반이 마련된 셈입니다. 나아가 후쿠자와는 공통성을 가진 사람들의 집단의식을, 마치 오래 전부터 존재해왔던 것처럼 만들어야 한다고 강조했습니다.

임지현 참, 솔직한 사람이군요.

사카이 제대로 알고 있었던 사람이라고 생각합니다.

임지현 그러니까 이미 홉스봄에 앞서 '전통의 발명'을 실천적 자원에서 이야기한 사람이네요. 그런데 후쿠자와 유키치에 대한 선생님의 설명을 들으면서 일본에서의 민족 개념이 영국의 자유주의에서 영향을 받았다기보다는 오히려 독일의 Volk 개념과 상당히 비슷하다고 느꼈습니다. 왜냐하면 영국의 공화주의자들이 구사한 애국주의담론은 언어나 문화, 전통, 역사의 공통성을 강조하는 것과는 다소 거리가 있기 때문입니다. 예컨대 우리와 동일한 애국자, 즉 영국의 컴패트리어트(compatriot)는 프랑스 혁명을 반대하는 영국의 보수주의자가 아니라 프랑스 혁명을 주도하는 자코뱅들이라고 선언적 주장을 하거든요. 그러니까 18세기 말에 영국의 공화주의자들이 가졌던 민족 개념은, 혈통이나 언어의 공통성과는 상관없이 오히려 훨씬 더 인민주권론에 기울어진 개념이었단 말이죠. 프랑스 자코뱅의 경우에도 그것은 마찬가지겠습니다만…….

그런데 인민주권론이라는 근대 사상과 결부된 이 민족담론이 독일로 넘어가면서는 원초적 유대감을 강조하는 개념으로 바뀝니다.

독일은 근대 국민국가가 없었으니까, 나폴레옹이 침공했을 때 프랑스에 대항하여 독일 지식인들이 호소할 수 있는 논리는 결국 언어, 혈통, 문화 전통, 관습 등에서 독일적인 것을 강조하고 독일과 프랑스의 차이를 강조하는 경향이 나타납니다. 이 과정에서 근대적 인민주권론의 개념은 사상되어버리고 민족은 먼 옛날부터 있어왔던 객관적인 실체로 간주됩니다.

프랑스에서 만들어진, 근대의 도구론적 개념으로서의 nation이 원초론적 개념으로 바뀐 것이지요. 개념사적으로 보면, 요컨대 Volk가 nation을 대체한 겁니다. 바로 그러한 독일식의 민족 개념이 근대적 국민국가를 결여한 동유럽이나 주변부에 전파된 것이 아닌가 합니다. 그러니까 폴란드의 경우에는 귀족만을 민족 구성원으로 간주하는 '귀족-민족(naród szlachecki)' 같은 개념이 거리낌없이 쓰이게 됩니다.

영국의 공화주의적 애국담론에서는 상상조차 할 수 없는 일이 일어나는 것입니다. 한국의 경우에는 비단 식민지 시기뿐만 아니라 오늘날까지도 Volk에 가까운 의미로 민족 개념이 사용됩니다. 이 점에서는 남북한이 큰 차이가 없습니다. 남이나 북이나 단일혈통을 특히 강조하는 한반도의 민족 개념[21]은 이미 Volk 개념을 넘어서 마치 나치의 '피와 땅(Blut und Boden)'을 상기시킬 때가 많습니다. 이들은 지금 독일에서는 사용이 금지된 용어들이죠. 저는 독일식의 이러한 민족 개념이 식민지 시기에 일본을 통해서 들어오지 않았나 추측하는데, 혹시 후쿠자와 유키치의 민족 개념에는 독일의 영향이 없는지요?

사카이 네, 임 선생의 의문은 당연한 것 같습니다. 후쿠자와의 경우에 영국 자유주의에서 직접 영향을 받았다고 말할 수 있는 이유는 밀의 논문과 그의 논의를 거의 단어 하나하나까지 대응시킬 수 있기 때문입니다. 요컨대 후쿠자와의 《문명론의 개략》은 밀의 논문의 번역까지는 아니더라도 우수한 번안이라고는 해도 좋을 것 같습니다.

거기서 한 가지 염두에 두어야 할 것은 19세기 전반 영국의 자유주의자들이 독일 낭만주의로부터 아주 많은 것을 배웠다는 점입니다. 독일 낭만주의, 그리고 독일 관념론으로부터 배웠다는 것입니다. 특히 존 스튜어트 밀이나 새뮤얼 테일러 콜리지 같은 논자는 독일의 저자들에게서 많은 것을 배웠습니다. 종종 프랑스 사상의 nation과 독일 사상의 Volk로 대비해서 이야기하지만, 이를 두 가지 국민사조의 차이로 이해하기보다는 근대국가의 국민이 표현되는 쌍이라고 이해할 수는 없을까요? 즉 보편주의적·인공적인 국민(nation)과 특수주의적·자연적인 민족(Volk)은 발리바르가 말하듯이 모든 국민국가에서 공존하고 있다는 것입니다.

(21) 민족 개념

민족을 정의하는 방식은 무척 다양합니다. 크게는 두 가지로 나누어볼 수 있는데요, 하나는 소속감·일체감·정체성에 의한 결속의식을 기준으로 삼으면서 '주체의 의식'을 강조하는 경우이고, 다른 하나는 혈통·체질의 동질성·생활 공간의 공통성·언어·종교·풍속·관습·역사 등 객관적인 구성 요소를 기준으로 삼아 '객관적인 특성과 조건'을 강조하는 경우입니다.

오늘날까지 가장 널리 퍼져 있는 민족의 정의 방식은 '문화공동체'에 가깝다고 하겠는데요, 인종이 주로 생물학적 집단 개념으로 간주되는 반면에 민족은 문화적 개념으로 이해되었습니다. 흔히 민족을 정의하는 대목에서 민족이 문화를 형성하고 문화가 민족을 형성한다는 순환논법이 자주 등장하는 것도 이 때문입니다.

일본의 경우 '민족'은 1880년대부터 등장하기 시작하였는데, 비슷한 함의의 용어로 민종(民種)·종속(種屬)·종족(種族) 등이 함께 사용되었고, 한국의 경우 '민족'은 1905년 러일전쟁, 한일신협약, 1907년 국채보상운동, 의병투쟁 등 역사적 배경과 관련해서 등장하기 시작합니다. 물론 1890년대 말부터 독립협회나 만민공동회 등을 중심으로 하는 민권운동이 존재하였지만, 이때의 구호는 '민족'이 아니라 '충군애국'이었습니다.

그래서 독일 사조만의 특유한 것으로 이야기되는 Volk를 좀더 검토해봐야 합니다. 이는 동아시아 역사에서 중요하다고 생각되는데요, Volk 혹은 인종, 민족이라는 개념과 혈통이라는 개념은 근본적인 구조적 차이가 있는 게 아닌가 합니다. 적어도 친족의 계보라는 의미에서 혈통을 생각해보면, 예를 들어 유교에서는 친족 관계가 아주 중요하기 때문에 메이지 이전의 일본에서는 혈통의 논리에 의해 정치권력의 계승이 정당화되었습니다. 혈통이라고 할 때의 피라는 사고 방식이 친족 관계를 만든다는 것이지요. 즉 혼인과 부모-자식 관계에 의해 매개된 사회 관계의 총체를 피로 대표시킵니다. 그래서 그것은 계열로서의 계보를 만듭니다. 따라서 그것은 가계(家系)와 연관되죠. 그에 비해 후쿠자와가 생각하는 국체는 가계와는 전혀 상관이 없습니다. 후쿠자와는 가계를 중요시하는 유교를 원수처럼 취급했는데요, 그 이유가 무척이나 설득력이 있습니다. 그는 친족 관계를 사적인 관계로 바라보는 가계의 윤리가 공적인 사회 관계에 들어오는 것을 일체 거부한 것입니다 .

아까 말씀드린 대로, 19세기 미국의 중국인과 아일랜드인 가족은 친족 관계를 만들었습니다. 그래서 그들은 피로 이어져 있습니다. 적어도 제가 아는 한 고전적인 유교에서 이러한 혼인 관계로 혈통을 만들어서는 안 된다는 논리는 전혀 찾아볼 수 없었습니다. 그런데 근대에 들어서면 피가 전혀 다른 집단성을 뜻하기 시작합니다. 그것은 인종이라는 사고 방식이지요. 인종은 혈연 관계처럼 생각되지만 가계와는 전혀 상관이 없습니다.

그렇다면 근대적인 의미의 혈통은 후쿠자와가 말한 국체와는 친연성을 갖지만 가계와는 공존할 수 없습니다. 그래서 완전히 새로운 피라는 비유법이 사용된 것입니다. 그리고 이 '새로운 피'라는 사고 방식 없이는 민족과 같은 개념을 이해할 수 없습니다. 인종의 입장에서 보면, 혈통이나 가계라는 사고 방식은 여러 인종들을 섞어버릴 가능성이 있습니다. 결혼을 하면 관계가 발생하기 때문에 세계 어디에서 와도 그것은 가계로, 혈통으로 묶을 수 있는 셈이지요.

그런데 후쿠자와는 그러한 방식으로 만들어서는 안 된다고 생각했죠. 그것은 공적인 장에서도 사람들을 응집시키는 힘을 지닌, 가계를 넘어선 공통적인 의식입니다. 이것이 Volk 개념이 가리키는 바가 아닐까요? 그래서 후쿠자와는 유교에 대해 무척이나 적대적이었습니다.

임지현 그런 면에서는 식민지 조선이나 한국에서 쓰였던 민족 개념하고는 큰 차이가 있는 것 같습니다. 식민지 시기부터 한반도에서 민족을 논할 때 강조했던 것은 혈통입니다. 단군 할아버지 이래 단일민족이라는 것.

사카이 물론 일본에서도 천황제는 가계의 논리를 벗어나지 않았으며 지금도 마찬가지입니다. 또 천주교나 북한의 정체(政體)에서는 지금도 가족의 논리를 사용하고 있고 전전(戰前)의 천황제 또한 천황을 부모로, 국민을 자식으로 재현했습니다. 하지만 그것은 가계의 의제적(擬制的) 사용이 아닐까요?

아마 후쿠자와의 사고 방식은 19세기 유럽의 정치 투쟁과 관련이 있는 것이 아닌가 싶습니다. 그것은, 혈통에 의해 정치권력의 정당성을 보장받는 계층이라는 점에서 귀족계층이었을 것입니다. 귀족들은 잡혼을 하니까 유럽뿐만 아니라 아프리카나 아시아 등 여러 지역의 피를 섞었습니다. 하버드 대학에서 아프리카 철학을 가르치는 앤서니 아피아(Anthony Appia)에게는 영국 왕실의 피가 흐릅니다. 왜냐하면 아버지가 영국 식민지의 왕이었고 어머니가 영국 왕실의 딸이었기 때문입니다. 이처럼 귀족에게서는 가계가 국가 간 연계에 편입되어 있어서 국체가 혼인을 제약한다는 것은 있을 수 없었습니다.

그런데 새로운 인민주권의 경우에는 그것이 아니라 땅에 뿌리내린 인종이나 민족에 기초한 정당성을 주장하는 것이 어떻게든 필요하지 않았을까요? 물론 일본의 경우에 인민주권은 대일본 제국 붕괴 때까지 성립되지 않았는데, 이는 인민주권에 기초한 공화제와는 다른 천황주권 아래서의 근대적인 국민을 만들려고 한 것입니다. 그래서 후쿠자와 유키치가 《학문을 권함》이라는 책 맨 앞에 쓴 것이, 미국 헌법을 연상시키는 "하늘은 사람 위에 사람을 만들지 않았으며 사람 밑에 사람을 만들지 않았다"는 언명이었습니다. 그리고 그러한 의미에서 후쿠자와는 혈통에 기초한 신분제를 철저하게 파괴할 것을 주장했습니다.

임지현 그렇다면 이렇게 이해해도 될까요? 후쿠자와는 인민주권론과 결부된 영국의 자유주의적 민족 개념을 받아들였다. 다만 당시 일본이라는 사회가 서구 열강의 위협 아래 놓여 있었기 때문에 주권을 특별히 더 강조했다. 그러니까 '인민주권' 에서 인민보다는 '주권' 에 더 강조점을 두었다. '주권' 에 더 강조점을 둔 그의 생각은 어느 면에선 '인민주권(people' s sovereignty)' 에서 '국가주권(national sovereignty)' 으로 넘어가는 과도기에 있는 것은 아닌가 라는 식으로 말입니다.

그러니까 19세기 독일이나 동유럽의 민족 개념이 '인민주권'의 사상은 완전히 탈각시키고 독립이라든가 자주적 국민국가를 만든다는 점에서 완전히 '국가주권'으로 기울어졌다면, 후쿠자와 유키치에게서는 그것이 '인민주권'에서 '국가주권'으로 옮겨가는 과도기적인 모습을 보인다는 점이 차이 같습니다.

사카이 그렇지요. 후쿠자와의 이론을 따라가다 보면 처음에는 그런 식으로 규정하지 않았지만, 차차 부르주아지가 주권의 가장 적절한 담당자라는 생각을 합니다. 그런 맥락에서는 자유주의를 계승한 것입니다. 게다가 천황제의 틀 안에서밖에 논의를 전개하지 못했습니다.

임지현 상당히 흥미로운 사상가네요. 어떻게 보면 당대의 지식인으로서 일본이 처한 상황에 대해서 굉장히 고민을 많이 했던……. 한편에서는 국가의 힘을 키운다는 의미의 국가적 근대화, 즉 서구 열강에 맞서서 국가주권을 지킨다는 문제, 다른 한편에서는 인민주권론이 함축하는, 법 앞에서의 시민의 평등이 중요하므로 유교나 봉건적인 족쇄를 끊고 나와야 한다는 사회적 근대화의 문제, 복잡하게 착종된 이런 문제들을 고민했던 사상가라고 생각합니다.

사카이 네, 거기에 재미있는 부분이 있는데요, 아마 이 해석에는 반대하는 사람도 있을 겁니다 후쿠자와가 어떻게 해서든지 당시 일본 독자들을 교육시키려고 한 것은 사실 인종이라는 개념이었습니다. 후쿠자와뿐만 아니라 당시 문부성도 마찬가지였습니다. 세계에 단지 인간이 많은 것만이 아니고 또한 신분이 높은 자와 낮은 자가 있는 것만이 아니라, 세계 지도가 인종 배치 지도로서 존재하고 각각의 지역에 사는 집단에는 어떤 균질성이 있으며, 서로 다른 인종 간에는 계층이 있다는 것을 일본 독자들에게 가르치려 했습니다. 그때 그가 세계의 배치를 그리는 데 전제로 삼은 원리가 지금 말하는 발전 단계사라는 사고 방식, 즉 세계에는 다양한 사회가 있는데 그중에는 진보한 사회와 뒤진 사회가 있으며 그 사회들을 직렬로 순서 지을 수 있다는 것을 일본 독자들에게 열심히 가르치려 했습니다.

후쿠자와가 나중에 제국주의적인 발언을 한 것은 유명하지만, 이론적으로 보면 그의 nationality 이해 속에 이미 그런 경향이 존재하지 않았을까요? 두말할 나위 없이 영국의 자유주의는 이미 제국주의 사상이었습니다. Volk라는 개념과 비슷하긴 해도 분명히 혈통이 아니라 민족에 가까운 개념이었습니다.

19세기 말 조선 지식인의 딜레마

임지현 예, 그렇습니다. 한국에서 사용되는 민족이라는 말은 영어나 프랑스어의 nation보다는 독일어의 Volk로 번역할 때 그 뉘앙스가 더 살아납니다. 독일어의 Volk가 nation과 nationality, 그리고 people이라는 개념을 뭉뚱그린 것이듯이, 한국의 민족이라는 말도 그러합니다. 한 가지 흥미로운 점은 폴란드의 경우에도 영어의 nation과 nationality에 해당하는 naród와 narodowość가 있지만, 실제로 사용할 때는 차이를 두지 않는다는 것입니다. 심지어는 아주 탁월한 역사가들조차도 그 둘 사이의 차이를 예민하게 인식하지 못하고 있습니다. 글쎄요, 개념사적으로 더 파고들어야 할 문제지만, 어쨌거나 그것은 근대 국민국가의 부재라는 역사적 현상과 일정한 연관이 있는 것처럼 보입니다.

그러한 차이에도 불구하고 후쿠자와 유키치가 부딪쳤던 고민은 구한말의 한반도 지식인들도 가졌음직합니다. 예컨대 일본이 미국에게 당한 것과 똑같은 방식을 한국에 강요했을 때, 한편에서는 국가주권을 지켜야 한다는 그런 절박함이 있었겠지요. 그렇다면 일본이나 서구 열강에 맞서 국가주권을 지키려면 어떻게 해야 하나? 근대화를 해야 한다, 그것도 가장 빠른 지름길을 통해서라는 식으로요.

그런데 제가 19세기 말 한반도 지식인이라고 가정을 해보니까 메이지 유신이 눈에 들어오는 거예요. 특히나 청일전쟁에서 청나라한테 이기고 러일전쟁에서 러시아에 승리를 거두자, 메이지 유신은 가장 성공적이고 급속한 근대화의 전범으로 여겨졌을 겁니다. 제가 100년 전 한국의 지식인이었다면 메이지 유신의 경험을 배워야겠다, 그것도 결사적으로 공부해야겠다는 생각이 들었을 것 같아요.

그런데 오늘날 한국의 역사 서술에서는 메이지 유신을 모델로 급속한 근대화를 추구했던 인물이나 개화파는 대개 친일파 지식인으로 그려집니다. 그러나 중국이 조선시대 내내 한반도에 행사했던 중국적 헤게모니를 생각해보면, 이 사람들을 '반중국 민족주의자(anti-chinese nationalist)'라고 부를 수는 없는가? 하는 의문이 생깁니다.

청일전쟁 당시 한국을 방문한 영국인 비숍 여사의 기록에 따르면, 일본 군대가 청국 군대를 격파하고 평양에 입성할 때 평양은 대체로 일본군을 환영하는 분위기였다는 거예요. 그 환영의 실체를 어떻게 이해할 것인가는 여전히 과제로 남아 있습니다. 개인적인 생각입니다만, 메이지 유신이 걸었던 근대화의 길을 수용해서 조선도 그렇게 빨리 근대화에 성공할 수 있다면 그것을 통해 일본이나 중국뿐만 아니라 서구 열강의 위협에서 벗어나 자주적 국가주권을 지킬 수 있다는 생각이 개화파의 의식 심층에 있었다고 보입니다.

사카이 설득력이 있는 지적입니다. 거기에서 커다란 패러다임의 변화가 있었는데 낡은 패러다임은 중국의 헤게모니와 결부되어 생각되어왔습니다. 그렇기 때문에 새로운 패러다임으로 이동하지 않는다면 민족이라는 집단을 만들 수 없다는 판단이 서지 않았을까 합니다.

임지현 그렇습니다. 결과적으로 일본이 한반도를 병합했다고 해서, 구한말의 역사를 평가하는 중심축이 지나치게 일본과 한반도의 관계로 좁혀진 측면이 있습니다. 그러나 당대의 맥락에서는 일본의 위협 못지 않게 전통적인 중국적 헤게모니 체제에서 어떻게 탈피할 것인가가 중요한 과제였으리라 생각합니다. 그런데 한국 교과서의 역사 서술에서 위정척사파는 일본의 침략에 저항해 한국의 국권을 지키려는 집단이고 개화파는 친일파로 분류되어 있는데, 그것은 일면적이지 않나 생각합니다. 위정척사파는 어떻게 보면 친중국파죠. 친중국파일뿐만 아니라 과거의 봉건체제를 수호하려는 반동집단입니다. 중화사상 또는 중국적 세계 질서, 조선의 봉건적 군주정, 자신들의 봉건지주적 이익을 지키는 것 등은 모두 같은 맥락에 있습니다. 물론 위정척사파 중에도 새로운 문물에 눈을 뜨려는 사람들이 있었지만 기본적인 패러다임은 여전히 중국적 세계 질서와 봉건체제의 수호였습니다. 이 점에서 그들을 '친중국 반민족주의자(pro-Chinese anti-nationalist)'로 분류할 수도 있다고 봅니다. 물론 일본과의 관계에서 볼 때는 '반일 민족주의자'이지만 동아시아의 전통적 세계 질서의 수호라는 측면에서는 '친중국 반민족주의자'입니다. 또 개화파는 거꾸로 중국과의 관계에서는 '반중국 민족주의자'이지만 일본과의 관계에서는 '친일 반민족주의자'입니다.

이처럼 이들이 어떠한 맥락에 배치되는가에 따라 역사적 평가는 다양하게 갈라집니다. 분석도 그만큼 복합적일 수밖에 없지요. 그러나 일본이 한국을 병합했다는 훗날의 역사가 그전 역사를 평가하는 잣대를 미리 규정해버린 측면이 많습니다. 사실 메이지 유신의 성과에 매혹되기는, 구한말의 개화파뿐만 아니라 노신(魯迅)이나 손문 같은 중국의 지식인들도 마찬가지입니다. 양계초(梁啓超)나 호치민이 러일전쟁에서 일본의 승리를 기뻐했다고 해서 그들을 친일파 반민족주의자라고 평가할 수는 없지 않겠습니까?

저는 이들이 메이지 유신이라는 일본의 경험에서 근대화의 모델을 찾으려 했던 시도 자체가 잘못된 것은 아니라고 생각합니다. 다만 한반도로 국한해본다면, 그들의 비극은 첫째로는 너무 순진했다는 거죠. 그래서 조선으로 진출하려는 일본의 식민주의 세력이 그들을 이용하려 했던, 국제 관계의 비정한 현실정치(real politics)를 몰랐다는 점입니다. 두 번째 비극은, 역설적인 이야기겠습니다만 일본이 한국을 병합했다는 바로 그 사실입니다. 만약에 중국이나 러시아, 혹은 다른 서구 열강이 한국을 식민지화했다면 개화파에 대한 평가는 틀림없이 달랐을 것입니다. 단지 일본이 한국을 병합했기 때문에 개화파에 대한 평가가 이렇게 바뀌게 된 거죠.

특히, 중국도 일본도 러시아도 아닌, 가령 영국이나 프랑스, 혹은 독일에서 근대화의 모델을 찾았다면 그에 대한 평가는 틀림없이 달랐을 것입니다. 이들의 비극은 러시아에 점령당했던 19세기 후반 폴란드의 바르샤바 실증주의자들과 대조적입니다. 바르샤바 실증주의자들은 한반도로 치면 일종의 개화파 또는 개화파의 맥을 잇는 근대화론자들입니다. 이들은 민족 봉기의 무모함을 비판하고 즉각적인 독립을 거부합니다. 지금 폴란드의 과제는 독립 투쟁이나 민족 봉기가 아니라, 산업 발전과 교육에 주력하여 민족 내부의 역량을 기르는 것이라는 거지요. 일종의 민족개량주의 노선이라고 하겠는데, 그럼에도 불구하고 이들에 대한 폴란드 역사학계의 평가는 놀랄 만큼 후합니다. 그런데 그 이유를 찬찬히 따져보니까, 당시 폴란드를 점령하고 있던 프로이센이나 러시아의 적인, 즉 자신의 적의 적인 영국이나 프랑스에 의거해서 바로 그러한 근대의 모델을 가져왔다는 점이, 한국의 개화파나 민족개량주의자들과는 달리 바르샤바 실증주의자들이 후한 점수를 받은 것이 아닌가 생각합니다.

사카이 동아시아의 근대사를 유럽에 가져가서 거기서 생각한다니 재미있군요. 현실정치 속에서 국민을 만들려는 전략은 항상 역사를 어떻게 보는가 하는 사고 방식과 연결되어 있다는 것을 잘 알 수 있었습니다. 만약에 일본의 개화 단계에서 중요한, 역사적으로 새로운 관점이 도입되었다고 한다면, 아마도 그것은 일본 지식인이 19세기 후반에 역사를 근대적인 것과 전근대적인 것이라는 이중의 방식으로 보는 관점을 처음으로 적용한 점이 아닌가 싶습니다.

바로 그것이 한편으로는 메이지 개혁을 진행시키고 다른 한편으로는 식민주의에 대한 저항을 제거해버렸습니다. 전근대적인 사회는 스스로를 끊임없이 변화시키고 진보시킬 능력이 없는 데 반해 근대적인 사회는 언제나 앞선 것일 뿐만 아니라 끊임없이 자신을 넘어서서 더 앞으로 변화시켜가는 능력을 가졌다고 생각한 것입니다. 영국의 자유주의를 통해서 후쿠자와가 배운 것은, 영국의 자유주의나 독일의 낭만주의뿐만 아니라 독일 관념론입니다. 그것은 주권이라는 사고 방식과 동시에 그 주권이 이번에는 주체, 즉 subject와 더불어 학습되어 역사를 생각하는 데 도입되었다는 점에 있지 않을까요?

그것은 프랑스의 경우 르낭이 말한 것이기도 하고 독일에서는 피히테가 말한 것이기도 합니다. 국가주권은 동시에 국민 전체가 자기 결정을 함으로써 스스로를 국민으로 변화시켜가는 과정을 통제할 수 있는 주체로서의 국민에 의해 지탱되어야 한다는 사고 방식이 등장한 것입니다. 민족자결이 민족의 자기 제작(autopoiesis)이 되는 그런 양태입니다. 이 주체의 양태는 후쿠자와의 경우에서 전형적으로 나타나는데, 이는 아시아의 다른 나라들이 자기 변혁 능력을 갖고 있지 않는 이상, 그러한 나라들을 정치적으로 통치하는 것은 정당하다는 논리를 가장 받아들이기 쉽게 하는 사고 방식이 아닌가 싶습니다. 그렇게 되면 한반도를 둘러싼 상황에서 근대적인 주권을 영토 전역에 걸쳐서 행사할 수 있는 제도를 성립시킬 수 있었던 일본은 국민국가로서의 주권을 주장하면서, 자기 개혁 능력을 갖고 있지 않는 사회를 식민지화해도 좋다는 논의가 아무렇지도 않게 등장해버립니다.

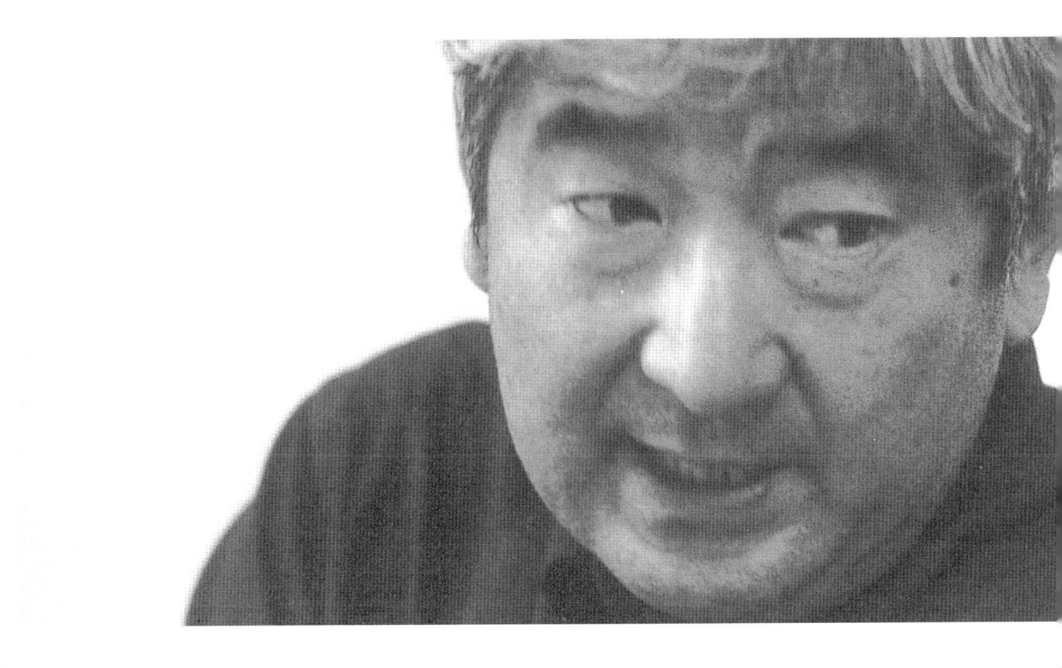

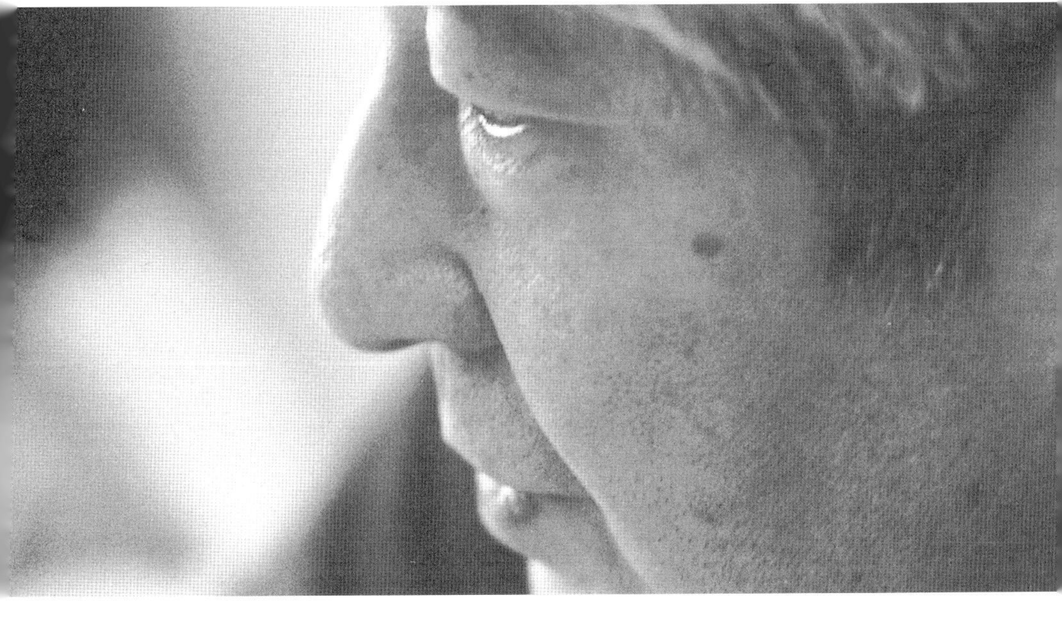

'명백한 운명' 혹은 '백인의 짐'

임지현 예, 그것은 어떻게 보면 '명백한 운명(manifest destiny)'의 일본판이기도 하고 '백인의 짐(white man's burden)'[22]의 일본판이기도 한 것 같습니다. 선진과 후진의 논리로 문명화 사명을 강조하는 것이죠. 그런데 근대와 전근대의 이분법에 갇혀 있는 한, 그러한 발상은 불가피할 것 같습니다. 근대의 진보관은 단선론적인 역사 발전을 전제합니다. 서구적 근대성의 수립이라는 측면에서 조금이라도 앞서간 나라들은 그렇지 못한 나라들을 후진적이라고 생각합니다. 말하자면 몇십 년 앞선 나라, 또는 몇십 년 뒤진 나라 하는 식으로, 공간이 근대의 시간축 속에 편입되는 것이지요. 그렇다면 제국주의적 병합은 결국 앞서간 근대가 뒤떨어진 전근대를 근대로 끌어올린다는 논리로 정당화되는 거죠.

그런데 문제는 그것이 후쿠자와 유키치 같은 사람뿐만 아니라 자본주의적 근대를 넘어서고자 했던 맑스주의자들조차도 공유했던 논리라는 점입니다. 이미 마르크스나 엥겔스부터가 오리엔탈리즘의 인식틀에서 벗어나지 못했다고 보아야겠지요. 인도의 정체된 아시아적 생산양식을 파괴하고 자본주의의 물적 진보를 가져오는 영국 제국주의의 진보적 역할에 대한 마르크스의 언급, 1848년 혁명 당시 남부 슬라브족과 알바니아인 등을 '무역사 민족(geschichtlose Völker)'으로 규정했던 엥겔스, 폴란드 문제에 대한

(22) **명백한 운명, 백인의 짐**
존 어설리반이 주창한 '명백한 운명'은 세계를 미국 민주주의로 문화화시키기 위해서는 계속 팽창해야 한다는 사상입니다. 미국 팽창주의의 정신적 지주이자 오만한 '미국 우월주의'가 자리잡고 있음을 알 수 있습니다. 또한 '백인의 짐'은 19세기 세계 정복에 나선 유럽인이 인류를 야만으로부터 구원하겠다고 내세운 개념입니다. 그들의 보편주의는 자신들의 기준만이 보편적이므로 그 보편적 기준에 따라 '원시적'이거나 '야만적'인 세상을 계몽하고 교화하는 '백인만의 짐'을 지고자 했습니다. 그들에게는 자신들의 가치가 가치 그 자체였던 것입니다.

독일 사회민주당의 입장 같은 데서 이 오리엔탈리즘의 사회주의 판은 쉽게 확인됩니다. 예컨대 독일 사회민주당은 폴란드의 독립을 추인하지만, 그것은 독일 점령지역을 제외한 러시아 점령지역에만 해당된다는 입장을 취합니다. 왜냐하면 독일이 더 발전된 선진국이므로 독립 폴란드는 독일 프롤레타리아트의 지도 아래 문명의 단계로 나아가야 한다는 것이지요. 심지어는 폴란드 사회주의자들조차, 예컨대 우크라이나나 리투아니아는 즉각적인 독립보다는 상대적으로 문명화된 폴란드 프롤레타리아트의 지도 아래 순차적으로 문명의 길로 나아가야 한다는 주장을 펴는 데 이르면, 그야말로 할 말을 잃게 됩니다. 과연 일본의 맑시스트들은 식민지 조선 문제에 대해서 어떻게 생각했는지 궁금합니다.

사카이 그 점에 대해서는 일본의 맑스주의자 또한 예외가 아니라고 생각합니다. 전전(戰前) 일본에서 조선 연구로 유명한 후쿠다 도쿠조(福田德三)는 1920년대에 지금 식으로 표현하면 근대화론으로 한국 사회를 분석하는 연구를 했습니다. 그리고 좀더 뒤에는 많은 맑스주의 지식인들이 대동아 공영권을 위한 연구에 주력했습니다. 그것이 비극적인 것은, 자신들이 양심적으로 참여를 했다, 즉 단지 정복하기 위해서가 아니라 그 뒤진 지역을 근대화하기 위한 노력으로 생각했다는 것입니다. 자신들이 휴머니즘적인 충동에서 연구했다고 생각한 것입니다.

임지현 그것은 '범아시아주의(Pan-Asianism)'의 비극이지요. 실제로 제 친구가 쓴 일본사 관련 논문을 보니까, 관동대지진 후에 조직되어 조선인과 공산주의자를 학살한 일본의 자경대(自警隊)를

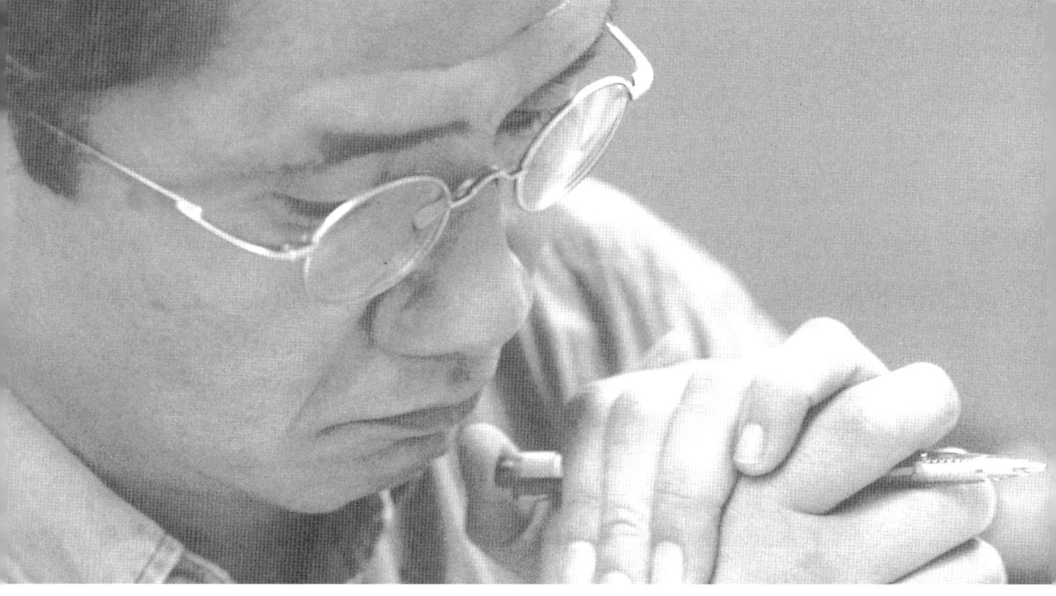

일본식 코뮌의 원형이라고 이야기한 일본 맑시스트가 있더군요. 그분의 이름은 생각이 안 나는데, 여하튼 아주 큰 충격이었습니다. 물론 그 사람이 악의를 갖고 그렇게 이야기했으리라고는 생각하지 않습니다만, 지금 사카이 선생 말씀대로 좋은 의도를 가지고 있었느냐, 또는 나쁜 의도를 가지고 있었느냐는 중요한 문제가 아니라고 봅니다.

문제는 그것이 근대와 전근대의 기계적 이분법이 휴머니즘적 충동과 제국주의의 논리를 이어주는 이론적 가교가 아니었나 하는 점입니다. 그것은 맑스주의의 패러다임이 식민주의와 제국주의, 혹은 근대의 문제를 주변의 시각에서 통찰하는 데 실패한 주요한 이유라고 생각됩니다. 이는 맑스주의가 가진 역사적 한계라고도 생각되는데요, 일본의 맑시스트라고 해서 거기에서 자유로우리라고 기대할 수는 없겠지요. 결국 일본의 맑시스트들 역시 근대의 틀에서 벗어나지 못했고, 따라서 프롤레타리아 국제주의라는 슬로건에도 불구하고 기본적으로는 국민국가의 틀에서 벗어나지 못했다고 보아야겠지요.

조선의 맑스주의자들 또한 근대와 국민국가의 틀에서 벗어나지 못한 것은 마찬가지입니다. 이는 조선의 맑스주의자들뿐만 아니라 볼셰비키부터 시작해 2차대전 이후 민족해방운동에 참가한 주변부의 맑시스트들에게서도 일반적으로 발견되는 현상이죠.

자, 이제 개화파의 딜레마로 다시 한번 돌아가보죠. 가령 제국주의 열강의 위협에 맞서 주권을 지키기 위해서는 근대화가 필수적인데, 그 근대화란 제국주의 본국이 반(半)식민지에게 강요하는 근대화입니다. 제국주의를 물리치기 위해 제국주의가 강요하는 체제를 받아들여야 하는 딜레마가 생기게 된 것이지요. 그런데 러시아에서 볼셰비키 혁명이 일어나서, 구제정러시아가 맺었던 민족 간의 불평등 조약을 파기하고, 또 경제 개발 계획을 통해 급속한 산업화가 이루어진단 말이죠. 그러니까 러시아 혁명은 서구 제국주의 혹은 일본 제국주의가 강요하는 체제를 거부하면서도 가능한, 자주적인 근대화의 모델을 보여준 셈입니다. 요컨대 제국에 저항하기 위해서 제국에 순응해야 한다는 딜레마를 일거에 해결해준 거죠. 주변부의 민족해방운동 지도자들에게 사회주의는 결국 선진 자본주의국가를 따라잡기 위한 '반(反)서구적 근대화' 논리였을 뿐입니다. 이때 사회주의는 더 이상 노동 해방의 이념이 아니라, 급속한 산업화를 달성하기 위해 민족의 이름으로 노동을 동원하는 동원 이데올로기로 전락하고 맙니다. 그런 면에서 사회주의나 마르크스주의에 대한 주변부 맑시스트들의 이해는 철저하게 국민국가적인 틀에 갇혀 있었다는 혐의가 매우 짙다는 거죠. 그것은 맑스의 계급이론을 부르주아 민족 대 프롤레타리아 민족이라는 민족 구도로 변형시키는 종속이론 같은 데서 잘 드러납니다만……. 결론적으로 말해 맑스주의자들 역시 국민국가의 틀에 포박됨으로써 결국 그 선의에도 불구하고 근대가 만들어내는 어떤 국민국가의 경계, 그리고 국민국가의 경계짓기가 갖는 배제와 억압과 차별화, 혹은 타자화의 논리에서 자유롭지 못했던 게 아니냐는 생각이 듭니다.

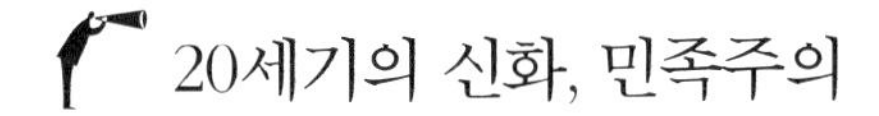

20세기의 신화, 민족주의

사카이 혹시 밑으로부터의 민족주의에 대해서도 얘기할 게 있지 않을까요?

임지현 지적하신 대로 지금까지는 주로 위에서 바라보는 내셔널리즘에 대한 이야기로 흐른 것 같습니다. 이제 근대 주체의 형성과 결부된, 아래로부터의 내셔널리즘에 대해 살펴볼까요? 어떻게 보면 그동안은 권력의 경계짓기를 주로 살펴보았는데, 이제 그 권력의 경계짓기에 민중들이 어떻게 자발적으로 동참하고 동원되었는가, 즉 밑으로부터의 경계짓기에 대한 이야기를 한번 해봤으면 좋겠습니다.

사카이 근대적인 주체를 생각하기 위해서 먼저 균질적 국민을 만드는 데 매우 큰 역할을 한 근대적인 군대 이야기를 약간 언급해보겠습니다. 국가들 사이에서 가장 극명하게 상하 관계를 규정짓는 것은 군사적인 힘일 겁니다. 물론 경제력·기술력 등 다양한 요소들이 거기에 해당되지만, 국민국가를 떠올릴 때 실제로 폭력을 조직적으로 사용하는 군사력이 가장 중요한 요소가 아닌가 합니다. 그런데 메이지 유신 이전에 재미있는 역사적인 실험이 있었다는 것은 널리 알려져 있습니다.

메이지 유신이 일어나기 전에 조슈한(長州藩)이라는 곳은 일본 혼슈(本州)의 서쪽 끝에 있던 한(藩)이었습니다. 그곳에서 기묘한 군대가 생겼는데요, 이 군대는 기병대(奇兵隊)라고도 불렸습니다. 그것은 이전의 일본 사회에서는 생각할 수 없었던, 기본적으로 신분을 무시하고 병사를 채용했고 그전과는 전혀 다른 원리로 조직되었습니다. 혈통상 신분이 높더라도 능력이 없을 때는 낮은 지위에 둔다, 농민 혹은 정인(町人)일지라도 능력이 있다면 높은 지위로 올라갈 수 있는 그런 조직을 만든 것입니다. 소규모 전투가 몇 차례 있었는데 거기에서 이 군대가 상당히 강하다는 것이 확인되었습니다. 물론 이 사고 방식, 이 실험이 일본이 메이지 유신 후에 근대적인 국민국가를 만들면서 그 군대를 조직하는 데 하나의 역할을 했다고 생각합니다. 그 단계에서 이전까지의 사고 방식과는 전혀 다른, 서유럽에서 들어온 군대의 사고 방식을 채용한 것입니다.

이 새로운 원칙에 따르면, 기본적으로 모든 성인남자는 국가의 병사로 등록해야만 했습니다. 물론 이러한 사고 방식이 한꺼번에 뿌리내렸다고 보기는 어렵지만 어쨌든 원리적으로는 국민개병이라는 사고 방식이 처음으로 도입되었습니다. 병사가 군대에서 스스로를 규율하는 원리는 가문의 명예나 직속 지역의 명예 같은 것이 아니라, 기본적으로 그 병사 개인이 국가 전체에 대해서 책임을 진다는 사고 방식에서 나왔습니다. 이 새로운 군대 조직의 원리 안에서 그 국민에 속하는 성인남자는 자신의 생명을 나라에 바치겠다는 생각을 하죠. 기본적으로 성인남자는 무조건 나라를 위해 보수 없이 생명을 바쳐 싸우게 됩니다. 싸움에서 죽을지도 모르고 또 적을 죽일지도 모르지만 무조건 참여하지 않으면 안 된다는 원칙이 나옵니다. 물론 근대국가는 군인은급(軍人恩給)[23]과 같은 제도로, 생명을 조건 없이 바친 병사에 대해 보상하려고 하지만 그것은 어디까지나 사후적인 조치일 뿐, 처우 개선을 위해 병사들이 전쟁 중에 파업하는 일은 없습니다. 메이지 체제가 생기기 전에는 나라라는 말이 있었는데 이는 지방의 한(藩) 조직이나 지연 조직이었던 데 비해, 나라를 위해 죽는다고 할 때 처음으로 나라가 국민공동체로서 출현하게 됩니다. 나라의 내포가 변함과 동시에 친족이나 여러 직업집단들을 모두 무시하고 개인과 나라가 충성 관계로 직접 결부된다는 원리가 도입됩니다.

근대 국민국가의 군대에는 엄격한 상하 관계가 있지만, 충성에 있어서는 원칙적으로 개개 병사가 전체와 무매개적으로 관계합니다. 병사 개인의 충성은 상관에 대한 개인적인 관계가 아니라 전체와의 관계에 의거합니다. 무매개적인 조건 아래서 전체에 대해 개

(23) **군인은급**

군인은급제는 1923년에 제정된 은급법(恩給法)에 의해 도입되었습니다. 그러나 1945년 11월 "일본 군국주의자가 극히 특권적인 취급을 받는 그러한 제도는 폐지되지 않으면 안 된다"고 판단한 점령당국의 지령에 의해 폐지되었던 것을, 샌프란시스코 강화조약 체결 직후인 1952년 4월 1일부터 시행된 전상병자 전몰자 유족 등 원호법(戰傷病者戰歿者遺族等援護法)과 1953년 8월 1일의 은급법의 개정에 의해 부활시켰습니다.

일본 정부는 이들 법의 국적조항과 호적조항을 통해, 1953년 4월 28일 강화조약의 발효로 일본 국적을 상실한 것으로 해석된 구식민지 출신자들을 수혜 대상에서 제외시켜버렸습니다. 이렇게 해서 일본인 군인·군속 및 그들의 유족에 대해서만 '전후보상'이 이루어졌는데, 그 지급액은 1952년부터 1991년까지 33조 엔, 그리고 1992년 한 해에만 1조 7,839억 엔에 이르렀다고 합니다.

개 병사가 완전히 평등한 관계가 형성될 기반이 만들어집니다. 그 외에 교육제도나 제도들도 중요하지만 근대적인 군대 안에서 구체적인 제도로 뒷받침된 평등이라는 사고 방식을 처음 경험한 것이 가장 새로웠지 않나 싶습니다. 그렇다면 전체와 개체가 완전히 무매개적으로 결부되는 조건 아래에서 국민공동체 성원들이 동등한 자격으로 전체와 관계하는 것이 가능해집니다. 군대는 그러한 개인과 전체가 무매개적으로 결부되는 축도와 같은 것이 아니었을까요? 평등의 원칙으로 조직되지 않은 군대에 비해 이런 군대가 강하다는 것을 알게 된 것입니다.

임지현 그렇겠지요. 군대에 들어가는 것 자체가 국민공동체에 귀속하는 것을 증명하는 것일 테니까요.

균일한 국민을 생산하는 군대

사카이 그렇습니다. 비약일지 모르겠지만 징병제가 폐지되기 전까지는 미국에서도 새로운 이민이 들어올 때 자신이 온당한 미국 국민이라는 것을 주장하기 위해, 나는 그러한 병사로서 미국 국민을 위해 죽어도 좋다는 각오와 국민공동체의 성원이 된다는 것을 결부시켜 생각했습니다. 징병제는 폐지되었습니다만 아직 헌법에 그 조항이 남아 있어, 마이너리티의 다수가 동원하는 논리는 나는 미국을 위해 싸웠다는 것입니다. 현재 미국에서 국기나 국가가 사람들에게 폭넓은 정서적 호소력을 가진다는 것의 이면에는 아마 이러한 국민공동체에 대한 귀속논리 같은 게 있지 않나 생각합니다. 국민공동체의 구성원이라는 것은 단지 우연히 거기서 태어났다는 것만이 아니라 자신이 자발적으로 어떤 국민

공동체를 위해 죽겠다는 것과 표리일체로, 이를 통해서만 국민공동체의 성원이 될 수 있다는 보편주의적인 원칙이 세워진 것이 아닐까요?

국민공동체 한편에선 언어가 같다거나 습관이 같다는 등의 배타적인 측면이 존재하는 반면에, 스스로 지원해서 주체적으로 참가한다는 자율적인 측면도 있습니다. 물론 징병은 강요되는 것이지만 표면적으로는 주체적으로 참가한다는 식으로 꾸며집니다. 그렇지 않으면 나라를 위해 죽을 각오를 했다는 명분이 의미를 잃어버리기 때문입니다.

통화나 의무교육, 표준어 보급, 그밖의 다양한 새로운 제도들이 나타나는 가운데 아마 이 군대에 관한 방식이, 구체적인 개인 차원에서 국민에 귀속된다는 것의 전형적 경험이 아닌가 싶습니다. 사실 국민공동체는 개인의 다양한 이해나 권리를 보장하는 세속적 제도임과 동시에 종교적 공동체와 비슷한 독특한 성격을 지닙니다. 물론 무엇을 종교라고 하는지는 잘 모르겠지만 말입니다. 국민공동체의 경험이 단순히 생활 속에 편의를 제공한다는 차원을 넘어서 그 사람이 무엇을 위해 사는가 하는, 의미를 부여하는 경험이 됩니다. 물론 실제로 전개될 때에는 여러 역사적 조건들이 존재해 그 원리대로 갈 수 없기 때문에 속임수나 현실 정치가 관여하기도 합니다. 아마 어떤 원형과 같은 것이 국민공동체에 귀속한다는 이 양태로 투영된 것이 아닌가 싶습니다.

임지현 예, 어떤 면에서는 내셔널리즘의 형성 과정에서 어떻게 네이션에 대한 충성이 종교나 국왕 등에 대한 전근대적인 충성을 대체하는가를 묘사한 베네딕트 앤더슨의 논의[24]를 연상시키기도 합니다. 내셔널리즘이 일종의 종교적인 모습을 띠는 것은 구체제의 국가교회를 민족 영웅들의 묘지로 만들어버린 프랑스 혁명기의 판테온 전환 과정에서 상징적으로 잘 드러난다고 생각합니다. 사실 조슈한의 군대에 대한 설명도 프랑스 혁명기의 프랑스 국민군대를 연상케 하는 측면이 많습니다.

예컨대 저 어렸을 때 《북 치는 소년》이라는 프랑스 동화가 있었습니다. 나폴레옹 군대가 알프스를 넘어가는데 열몇 살짜리 어린 소년이 군대의 사기를 북돋우기 위해 열심히 북을 치다 얼어죽었다는 내용입니다. 그것이 실화인지 아닌지는 모르겠습니다. 거짓일 가능성이 크지만, 이 북 치는 소년의 이야기는 나폴레옹 군대에 속했던 프랑스 국민병들의 자발적인 귀속의지와, 그리고 그것이 어떻게 만들어졌는가를 상징적으로 잘 보여준다고 생각합니다. 더 정확히는 그러한 자발적 충성과 귀속의지를 만드는 담론이겠습니다만…….

뿐만 아니라 이것은 독자적인 국민병을 구성할 수 없어 나폴레옹 군대에 편입된 폴란드의 돔브로프스키(Jan Henryk Dąbrowski) 여단의 경우에도 잘 나타납니다. 돔브로프스키 여단은 파리로 망명한 프랑스의 귀족 엘리트들이 오스트리아 군대에 징집됐다가 프

(24) **베네딕트 앤더슨의 논의**
인류학자 베네딕트 앤더슨은 민족이란 '상상된 정치공동체'라고 했습니다. 직접적 대면과 상호작용이 없는 수많은 성원들이 서로의 상상을 통해 집단의 범위를 정하고 그 안에 자신을 귀속시킴으로써 민족의 형성과 유지가 가능해졌다는 것입니다. 이 과정에서 결정적인 역할을 한 것은 민족 성원들에게 같은 그림을 상상하도록 정보를 전달해주는 인쇄매체였다고 주장합니다. 인쇄자본주의의 발전이 근대 민족국가의 성립에 결정적인 역할을 했다는 것입니다. 앤더슨의 주장은 정보 전달매체가 극도로 발전한 오늘날 더욱 되새겨볼 만하다고 생각합니다. 지리적·공간적 장벽을 파격적으로 무너뜨린 전자매체의 위력은 이미 우리의 일상에 깊이 자리잡고 있기 때문입니다.

랑스군의 포로가 된 폴란드 농민병사들을 선발해 조직한 부대입니다. 근데 바로 이 부대의 조직 원리가 선생님이 말씀하신 조슈한 군대의 조직 원리랑 굉장히 비슷합니다. 물론 독자적인 국가가 없었기 때문에 국민개병제에 대한 개념은 없었지만, 부대에 참가한 병사들은 귀족과 농노의 구분 없이 모두가 평등한 폴란드인의 자격으로 잃어버린 나라를 되찾기 위해 조직되었다고 생각합니다. 그래서 나폴레옹 휘하의 어느 부대보다도 평등과 자유주의 정신이 지배적이었던 것이 바로 이 돔브로프스키 여단입니다. 오늘날 폴란드의 국가인 〈폴란드는 아직 망하지 않았네〉도 바로 이 돔브로프스키 여단의 병사들이 부르던 노래입니다. 원래는 군가였던 것이지요. 이들은 러시아 원정과 오스트리아 전투 등에 참가하여 혁혁한 전과를 세웠지만, 프랑스 제국에 저항하여 민족 봉기를 일으킨 하이티 섬에 파견되어 전멸합니다.

그런데 이런 의문도 드는데요, 폴란드 농민들의 경우 일반적으로 20세기 전반까지는 민족의식이 거의 존재하지 않았다고 하는데, 18세기 말부터 19세기 초까지 몇 년 동안 존재했던 이 여단에 속한 농민들은 유독 민족에 대한 충성심이 강했다는 거죠. 이것은 결국 내셔널리즘이 국민국가에 의해 위로부터 강제로 부과된 것이 아니라, 군대를 비롯한 다양한 기제들을 통해 밑으로부터의 자발적인 귀속의지를 만들어낸다는 것을 상징적으로 드러내주는 예가 아닌가 합니다.

사카이 그 귀속의지가 국민국가로 이어지는 것이지요.

임지현 그렇습니다. 또 국민국가에 대한 근대적 주체의 자발적 귀속의지, 또는 자발적 동원체제에 대한 이해는 근대 국가권력에 대한 새로운 이해로 이어집니다. 그것은 무엇보다도 전근대적인 전제정과 근대 독재의 차이가 무엇인가를 드러내주는 그런 계기라고 생각합니다. 기본적으로 근대 독재체제는 체계가 제대로 갖추어진 국민국가의 틀 속에서 가능했고 더 나아가서는 대중사회의 출현을 전제로 합니다. 대중이 정치 무대의 전면으로 나선 20세기의 대중민주주의가 교양 시민층의 19세기적 자유주의를 대체했을 때 비로소 가능하다는 것이지요. 더욱이 1차대전의 총동원체제 경험은, 대중이 국가의 동원체제에 얼마나 자발적이고 적극적으로 참여하는가의 여부야말로 그 국민국가의 총체적 국력을 결정하는 요소라는 교훈을 남겼습니다.

근대 국민국가의 지배 메커니즘이 가진 역동성과 대중성은 국가기구의 폭력을 통한 일방적 강제와 억압이라는 틀만으로는 설명하기 어렵습니다. 명료한 관념 체계로서의 대중의 의식뿐만 아니라 사회적 규범이나 종교적 믿음, 전통이나 관습 같은 문화적 관행의 영역에까지 영향을 미치는 지배 헤게모니와 그에 대한 대중의 '동의' 수준에 대한 인식이 요구되는 것도 이 때문입니다.

대중의 동의와 자발적 동원이라는 점을 고려한다면, 파시즘이나 나치즘, 스탈린주의 등을 모두 '대중독재' 라는 개념으로 묶을 수 있지 않을까 하는 게 요즘의 제 생각입니다. '동의' 의 수준이 '합의' 의 수준까지 올라가면, '합의독재' 라는 규정도 아주 틀린 것은 아닙니다. 가령 아시아에서도 태평양 전쟁 당시 일본의 총력전체제라든가, 조국 근대화를 주장했던 남한의 박정희 체제라든가, 북한의 김일성 체제 등에서도 이러한 조짐들을 엿볼 수 있습니다. 이런 맥락에서 총력전체제를 본다면 '대중독재' 또는 '합의독재' 와 같은 개념을 적용할 수 있는 가능성이 얼마나 된다고 보시는지 듣고 싶습니다.

인민주권론과 국민독재

사카이 《북 치는 소년》의 이야기는 저에게도 친숙합니다. 물론 이런 식으로 개인과 전체가 연결된다는 것과, 거기에서 즉각 인민주권이나 민주주의적인 정치 과정을 도출해낸다는 것은 다르겠지요. 이런 식으로 19세기 후반 일본에서 하나의 원칙으로 국민군이 만들어졌다고 해도 그것이 실제로 기능한 것은 훨씬 뒤의 일이라고 생각합니다. 그동안 애국교육이 실시되었고, 다양한 애국미담이 발명되었으며, 나라를 위해 죽는 것이 이상화되어갔습니다. 게다가 이렇게 만들어진 군대는 다양한 조직과 공존하면서 사회 상황 속에 존재하게 됩니다. 군대에 가지 않은 사람이나 군대에서 제대한 병사들은 또 다른 사회의 장으로 들어가는데, 그 안에서 어떤 식으로 국민의식을 경험하는가는 또 다른 문제입니다.

군대라는 곳은 일종의 격리지역이지요. 이때 생각해야 할 점은 군대뿐만 아니라 그외의 다양한 사회적 경험 영역과, 이러한 방법으로 군대가 만들어졌을 때의 경험 영역이 어떻게 조정되어가는가가 아닐까 합니다. 그 점에 대해서 임 선생께서는 합의독재라는 개념을 제안하셨습니다만, 그때의 '합의'라는 것은 도대체 어느 수준에서 성립한다고 보시는지요?

임지현 한마디로 답하기는 어렵습니다. 기본적으로 민중들의 존재 방식이나 삶의 방식은 굉장히 유동적입니다. 양면적이라고도 할 수 있겠지요. 민중들의 일상적 삶은 저항과 복종의 그 경계선

언저리에서 끊임없이 움직이는 것 아니겠나 생각합니다. 한 가지 흥미로운 점은 그 체제에 대해 저항의식을 가지고 있고 또 체제에 저항했던 사람들의 삶의 방식에서조차 국민국가에 대한 충성심이나 자발적인 복종이 함께 나타나는 경우가 많다는 것입니다. 또한 국민국가에 대한 충성이 비애국적 정부에 대한 저항이라는 형태로 나타나는 경우도 있습니다. 지배에 포섭된 저항이랄까, 아니면 저항이 내장된 지배라고 표현할 수 있겠지요. 그럼에도 불구하고 진보적인 역사가들이나 좌파 역사가들은 민중은 독재에 대해서 항상 가열차게 투쟁해왔다는 식으로 저항과 투쟁의 주체로만 민중을 보아온 경향이 강합니다. 그 결과 자발적 복종이라는, 투쟁의 이면에 있는 또 다른 측면을 놓쳐버렸다는 것이 저의 판단입니다.

민중을 저항과 투쟁의 주체로 삼는 관점은, 얼핏 보면 아래로부터의 시각을 전제하는 것처럼 보입니다. 그러나 민중에 대한 이러한 이해 방식이야말로 전형적인 엘리트주의적인 관점입니다. 왜냐하면 민중은 투쟁하고 저항하는 주체여야 하는데 자발적 복종의 징후가 엿보인다, 그렇다면 이들 자발적으로 복종하는 민중은 의식이 성숙되지 못한 민중, 꼭지가 덜떨어진 민중, 즉자적 민중, 요컨대 가짜 민중에 불과하고 투쟁하는 민중, 저항하는 민중이야말로 진정한 민중, 성숙한 민중, 대자적 민중이라는 식으로 간단하게 정리해버리기 때문입니다.

이 논리가 갖는 파탄은 명약관화합니다. 자발적 복종이라는, 민중의 삶의 또 다른 방식에는 눈을 감아버리고 현실로부터 관념의 세계로 도피하거나, 자발적 동원체제에 포섭된 민중을 가짜 민중이라고 배제하고 타자화시켜버리는 겁니다. 참으로 폭력적인 논리가 아닐 수 없습니다. 제가 '합의독재'라는 개념을 사용한 것은 민중이 자발적으로 복종했다고 해서 비난하자는 것이 아니라, 도대체 이들이 이런 독재정권이나 국가권력에 보내는 자발적인 복종의 기제는 무엇일까? 그람시의 용어를 빌린다면 시민사회에서 대중의 동의를 획득하는 지배 헤게모니가 작동하는 메커니즘을 먼저 정확하게 이해할 필요가 있기 때문입니다. 내셔널리즘이 그 메커니즘의 중요한 축을 담당한다는 것은 의심할 여지가 없습니다.

저는 요즘 나치즘이나 파시즘, 혹은 스탈린주의 등을 '대중독재'라는 개념으로 묶을 수 있는지의 여부를 고민하고 있는데요, '대중독재'가 갖는 뚜렷한 특징은 국민국가적 근대성에서 찾을 수 있지 않을까 합니다. 잘 짜인 관료적 행정기구, 지방의 개별 촌락 단위까지 침투한 동원의 메커니즘, 다양한 커뮤니케이션 장치 들을 통해, 대중의 일상적 사고와 생활에 관철되는 지배 헤게모니는 국민국가의 완성도와 정비례하는 것이 아닐까요? 앞서 언급한 조지 모스가 이야기한 '대중의 국민화'라는 개념도 같은 맥락에서 볼 수 있지 않을까 합니다.

대중의 국민화라는 관점에서 본다면, 사실상 영국·미국식의 '대중민주주의'와 독일·이탈리아식의 '대중독재'는 그 형식적 차이에도 불구하고 대중의 자발적이고 적극적인 참여에 의존하는 국가적 동원체제에 뿌리박고 있다는 점에서 사실상 국민국가의 근대 권력이 낳은 쌍생아입니다. '시민종교'로 성장한 민족주의가 국민으로 호명된 근대 주체들의 자발적 복종을 유도함으로써 지배 이데올로기의 헤게모니적 기능을 충실히 수행하는 것도 이러한 맥락이 아닐까 싶습니다.

사카이 참신한 관점입니다. 그렇게 설명해주시니 시야가 트이는 듯합니다. 그 점에 대해서 저는 개체와 전체의 연관성을 생각해보았습니다. 그때 가장 문제되는 것은, 이러한 개체와 전체의 관계가 가장 기본을 이룬다고 생각하면서 그외의 다양한 사회적인 교섭들은 그 위에 우연히 존재하는 하찮은 현상이라고 생각하는 데 있지 않나 싶습니다. 그렇게 되면 언제든지—여기에서는 본래성(本來性)이라고도 표현했습니다만—본래적인 개별 병사나 개별 국민은 원래 그러한 방식으로 전체와 연관되는 이상, 다양한 장면에서 세세한 교섭을 하고 있는 국민은 그 가장 근본이 되는 이미지로부터의 단순한 일탈이라는 식으로 생각해버립니다.

그러므로 본래적인 국민이라면 기꺼이 나라를 위해 죽을 것이다는 전제에서 사고를 시작해버립니다. 지금 임 선생께서 말씀하신 엘리트주의는 그것의 정반대에 있지만 사실은 같은 메커니즘을 가지고 있어서, 애국적인 국민은 대개 그런 방식으로 전체를 위해 자기를 희생할 것이라고, 한 명 한 명의 국민을 주체로 생각하는 입장과, 변혁의 주체로서의 민중은 본성상 역사의 변혁을 위해서 전면적으로 노력할 것이라고 생각하는 입장 사이에서 평행 관계가 성립합니다.

그리고 지금 말한 개체와 전체의 관계 도식은 국민국가의 원칙이라고 생각되어왔지만, 앞서 우리가 논해온 것처럼 국민이라는 개념이 다의적인 것과 마찬가지로 실제 역사 속에서 행동하는 대중은 사실 상당히 다의적이며 또한 무수한 모순을 품은 장소 속에서 살고 있다는 점을 아무래도 잊고 있는 것 같습니다. 그러므로 국민, 내셔널리즘이나 국민의식이라고 하는 것은 사실 무수한 교섭의 우연한 결과로 존재하나, 그럼에도 불구하고 그것이 일관된 주체 속에 이미 존재한다고 논의함으로써, 국민의식이라는 것이 헤게모니의 한 기제로서 기능하고 있다는 점을 보지 못합니다.

임지현 지적하신 것에 전적으로 찬성합니다. 좀더 구체적으로 말하면, 내셔널리즘은 다양한 욕망을 지닌 개개인을 단일한 집합의지를 가진 국민으로 추상화시키는 이론적 기제인 셈이지요. 그것은 권력의 의지를 국민으로 묶인 개개인의 의지로 내면화시키는 과정이기도 한데요. 사실 근대 국민국가의 형성 과정은 '국민의 집합의지'를 내세운 권력이 대중들의 생활세계를 식민화하는 과정이라고도 하겠습니다. 이처럼 단일한 의지를 지닌 국민이 상정될 때, 인민주권론은 스스로 권력을 만들어내는, '구성하는 권력'으로서의 국민의 의지에 기초한 단일한 초월적 권력으로 기능합니다. 신분적 구속으로부터의 해방을 약속한 인민주권론이 '대중독재'를 정당화하는 이론적 기제로 변모하는 것도 이 지점에서가 아닐까 싶습니다. 프랑스 혁명기의 자코뱅주의와 인민주권론에서 '주권독재'의 개념을 끄집어낸 슈미트의 통찰에는 참으로 놀라지 않을 수 없습니다. 물론 슈미트는 '주권독재'를 옹호하는 긍정적 의미로 접근하였고, 저는 비판의 관점에서 바라보았기 때문에 저희 둘 사이에는 건널 수 없는 심연이 존재합니다만…….

어쨌거나 인민주권론은 근대 국민국가의 '국민 만들기' 과정을 정당화함으로써, 구성하는 권력으로서의 주권의 경계에서 이탈된 비국민을 배제하고 타자화하는 과정을 정당화시키는 논리로 작동합니다. 이는 비단 나치 독일과 파시스트 이탈리아뿐만 아니라, 포클랜드 전쟁 당시의 영국이나 9·11테러 이후의 미국 사회에서도 적나라하게 드러난 현상입니다. 이 점에서 사실 '대중독재'와 '대중민주주의'의 간격은 생각보다 그리 넓지 않습니다. 지나치게 나가는 것이 아닌가 하는 우려도 있지만, 저 개인적으로는 '대중독재'와 '대중민주주의'를 한데 묶어 '국민독재'라는 새로운 패러다임으로 접근해보고 싶은 생각도 있습니다. 아직은 본격적으로 얘기할 단계는 아닙니다만……

사카이 이론의 추상에서 역사의 구체로 내려와, 몇 가지 예를 들어주시면 어떨까요?

허위의식으로서의 민족주의

임지현 글쎄요, 엉뚱한 예일지 모르겠지만, 얼마 전에 한국에서 일어난 일인데요, 제가 잘 아는 건축가가 '은평구립도서관'이라는 아주 예술적인 도서관을 하나 지었는데요, 이 도서관은 한국의 공공건물에 특징적으로 보이는 파시즘적 건축양식과는 전혀 성격이 다른 새로운 건물입니다. 이 양반이 어느 날 저에게 편지를 보냈습니다. 내용인즉 설계도에는 국기봉을 주차장 옆에다 배치해놓았는데 건설 담당 공무원이 자신의 허락도 없이 국기봉을 마음대로 건물 정가운데에 설치했다는 겁니다. 건물을 아주 망쳐버린 것이지요. 비유하자면, 국민국가의 틀에 포섭된 문제 의식은 그 국기봉이 건물의 정중앙에 떡 버티고 있는 것은 문제시하지 않고, 하얀색 깃발을 걸 것이냐, 빨간색 깃발을 걸 것이냐 하는 것이었습니다. 우파가 기존의 흰 깃발을 고집했다면, 좌파의 변혁전략은 하얀색 깃발을 내리고 빨간색 깃발을 걸면 세상이 확 바뀐다고 믿었던 거죠. 그러니까 국가를 상징하는 국기봉이 왜 도서관을 압도하고 드나드는 사람들을 굽어봐야 하느냐, 이쪽으로 밀어놓자, 이러한 것을 생각 못했던 것이 저희가 지금까지 가졌던 변혁전략의 한계였는데,

그것은 바로 국민국가가 어떻게 우리를 포섭하고 있는가에 대한 문제 의식이 없었기 때문이 아닐까 하는 생각이 듭니다.

또 하나의 예를 들어보겠습니다. 1930년대 폴란드에서 있었던 일인데요, 폴란드의 맨체스터라 불리는 우치의 대학 사회학부에서 가가호호를 방문하여 설문 조사를 한 적이 있습니다. 보통사람들이 일상의 차원에서 유대인들과 폴란드인들의 민족 관계를 어떻게 이해하고 있는가에 대한 조사였습니다. 그 기록을 보면 아주 흥미로운 점이 발견됩니다. 요약하자면 이런 내용입니다. 조사원인 사회학과 대학원생이 폴란드 사람 미하우라는 사람의 집을 방문합니다. 그리고 미하우한테 유대인에 대해서 어떻게 생각하느냐고 묻습니다. 그는, 유대인들은 돈만 알고 이기적이고 폴란드 문화에는 무지하고 배타적이라는, 부정적 속성으로 점철된 유대인에 대한 스테레오 타입을 쭉 늘어놓습니다. 그런데 그 옆집에 아브라함이라는 유대인이 살고 있다고 칩시다. 그러면 당신 옆집에 사는 아브라함에 대해서는 어떻게 생각하느냐고 물었습니다. 그랬더니 세상에 이렇게 좋은 사람은 없다고, 진짜 된 사람이라고, 폴란드 사람 중에도 이런 사람은 찾아볼 수 없다고 대답합니다. 조사원은 다시 유대인 아브라함이 사는 옆집으로 가서 조사를 계속합니다. 아브라함한테 유대인에 대해서 어떻게 생각하느냐고 물었습니다. 그랬더니 유대인은 신에게 선택받은 민족이고 똑똑하고 여러 나라 말도 할 줄 안다고, 말하자면 선민의식에 바탕을 둔 유대인에 대한 스테레오 타입을 늘어놓습니다. 근데 그 아브라함이라는 사람 옆집에 솔로몬이라는 유대인이 살고 있습니다. 그래서 아브라함한테 솔로몬에 대해서 어떻게 생각하느냐고 물었더니, 저 새끼는 진짜 나쁜 놈이다, 폴란드인 중에도 저런 놈은 없다, 상종 못할 인간이다 등등의 말을 늘어놓습니다.

이 설문 조사가 시사하는 바가 뭐냐 하면, 추상적인 집단, 민족, 집합에 대한 의식은 대개 '국민 만들기' 과정에서 주입되고 침투된 이데올로기이며, 실제로 구체적인 개개인에 대한 평가는 구체적인 삶의 경험에서 나온 것이기 때문에 다를 수 있다는 거죠. 집합으로서의 어떤 집단에 대한 우리의 생각은 대부분 조작된, 만들어진 허위의식일 가능성이 크다는 거죠.

한 가지 예만 더 들겠습니다. 영국 친구한테 들은 이야긴데요, 1980년도에 BBC에서 인종주의에 대한 특집방송을 만들었답니다. 그래서 리포터가 축구경기장을 찾았습니다. 유럽에서는 축구 팬클럽이야말로 파시스트 조직의 온상이기 때문이죠. 그가 극우파의 상징으로 치장한 한 스킨헤드에게 카리브에서 이민 온 흑인들에 대해 어떻게 생각하느냐고 물었습니다. 그러니까 당장, 그놈들은 더럽고 게으르고 일도 안 하고 세금과 사회보장비만 축내는, 당장 쫓아보내야 할 쓰레기라고 대답합니다. 그런데 정말 우연히도 리포터가 그 스킨헤드 옆에 앉아 있는 흑인을 발견하고는, 저 사람 누구냐? 당신하고 같이 온 사람이냐? 하고 물었더니, 아, 그렇다. 이 친구는 톰인데 나와 가장 친한 친구이고 세상에 이렇게 좋은 사람은 없다고 하더라는 겁니다.

이 에피소드는 위로부터의 경계짓기, '국민 만들기' 과정에서 발명된 스테레오 타입이 얼마나 인위적이고 허구적인가를 잘 드러내준다고 생각합니다. 즉 사람들이 일상생활의 경험에서 체득한, 구체적인 한 명 한 명의 살아 있는 사람에 대한 인상과, 위로부터 만들어져 주입된 허위의식으로서의 스테레오 타입이, 동일한 사람의 내면에서 같이 교차하고 있다는 사실을 잘 보여주는 게 아닌가 하는 생각입니다. 문제는 한 사람의 내면에서 교차하는 그 이중성이 아니라, 일상의 기억은 항상 허위의식으로서의 역사에게 억눌린다는 점이 아닌가 합니다. 근대 역사학이 '국민 만들기'의 이념적 기제로 발전했다는 점을 감안한다면, 공식적인 역사 서술이 일상의 기억들을 침묵하게 만들고 지워버린다는 것은 별로 놀랄 일도 아니지만요.

사카이 지금 임 선생께서 예로 든, 설득력 있는 사례들에서 제시되는 스테레오 타입은 구체적인 경험과 모순됨에도 불구하고 계속해서 사람들의 의식을 지배합니다. 왜 사람들이 그러한 허위의식을 고집하는지 알고 싶습니다.

임지현 저도 확신할 순 없습니다만, 헤게모니적 지배장치로서의 내셔널리즘이 제대로 작동하고 있다는 증거가 아닐까요? '합의독재' 라는 개념도 그 헤게모니(Hegemony)[25]의 작동 메커니즘을 드러내보자는 의도였고요. 사실 거기에 대해서는 역사에서 너무나 많은 예들을 찾아볼 수 있습니다. 노골적으로 내셔널리즘을 표방한 우파는 제쳐놓는다 해도, 지금까지의 노동운동과 사회주의운동은 바로 그 국민국가의 헤게모니가 관철된 흔적들로 얼룩덜룩합니

(25) **헤게모니**
통상적으로 헤게모니란 한 집단이나 국가, 문화가 다른 집단이나 국가, 문화를 지배하는 것을 말합니다. 그러나 이때의 지배는 폭력이나 강제력이 아닌 사고 방식이나 제도, 사상과 같은, 자연스러운 것처럼 보이는 방식의 지배입니다.
안토니오 그람시는 헤게모니를 피지배계급이 그들의 종속을 거부감 없이 받아들이고 동의하도록 하는 과정이라고 설명했고, 발전된 서구 민주사회에서 자본주의의 억압과 착취에도 불구하고 '왜 사회주의 혁명이 일어나지 않는지'를 해명하기 위해 그 개념을 이용했습니다. 지배계급은 갈수록 교묘해지며 그것은 피지배계급 삶 전반에 걸쳐 다양한 형태로 숨겨져 있기 때문에 겉으로는 지배 형태를 알아내기가 쉽지 않습니다. 지배계급은 폭력과 같은 물리력이 아닌 문화나 사상 같은 것을 대상으로 피지배계급을 지배하기 때문입니다. 이때 피지배계급과 그들의 문화가 지배계급의 이익에 동의하도록 부추기는 조정 과정인 헤게모니가 작용하는 것입니다.
이데올로기가 끊임없이 변해 그것이 결국은 지배계급의 이익에 봉사하도록 한다는 데서 그람시의 헤게모니 이론은 알튀세르의 이데올로기론과 맥을 같이 합니다. 그러나 알튀세르의 이데올로기론은 이데올로기적 국가 기구를 통해 이데올로기가 유포된다는 정적인 개념인 데 비해 그람시의 헤게모니 이론은 이데올로기와 사회적 경험 사이에 발생하는 끊임없는 투쟁과 대립을 전제로 한다는 점에서 동적인 개념입니다. 그러므로 헤게모니 이론으로 보면, 문화는 권력을 가진 자와 그렇지 못한 자들 사이의 끊임없는 투쟁의 장이 됩니다. 그중에서 대중문화는 사회의 지배력과 피지배력 사이에 교류가 이루어지는 중요한 장소가 됩니다.

다. 가령 2차대전 전 폴란드 공산당의 비아위스톡(Bia ystok)이라는 지방당의 당원들이 유대인들을 당원으로 받아들이는 당 방침에 대해서 불만을 토로한 편지들, 흑인의 입당을 당 규약 차원에서 원천적으로 봉쇄하고 피부색에 따른 분리조직을 옹호한 19세기 말의 미국 사회당, 1930년대 당이 운영하는 식당에서 단지 흑인이라는 이유로 당원에게 음식 제공을 거부한 미국 공산당, 전투적 계급의식으로 충만했으면서도 제국주의적 쟁탈전의 승리를 자축했던 서유럽의 무수한 노동자들의 '사회제국주의(social imperialism)' 등 근대 국민국가의 지배 헤게모니는 사회주의운동사 전체에 깊이 침투되어 있습니다. 공산주의는 유대인들이 외부에서 수입한 이데올로기이고 우리 러시아 노동자들은 볼셰비즘을 지지할 뿐이라며 자랑스러워했던 적군 병사들의 신체에 각인된 것도 결국 국민국가의 헤게모니였습니다.

2차대전 이후의 상황도 크게 다르지 않습니다. 68혁명 당시 가장 전투적이었던 런던의 부두 노동자들은 북아일랜드의 극우파 민족주의자 에녹 포웰(Enoch Powell) 목사를 지지하는 구호를 외치며 웨스트민스터로 행진합니다. 이 영국 노동자계급의 완강한 토리주의에 대해 프랑스 노동자계급은 완고한 드골주의로 화답합니다. 아마 이런 예들은 밤새 이야기해도 끝이 없을 겁니다. 사회주의운동사 또는 노동운동사 자체가 '서벌턴(Subaltern)'의 시각에서 다시 씌어져야 되지 않겠나 생각하고 있습니다.

사카이 그런 역사적 사실을 접한 임 선생께서도 무척 고민을 하셨을 것 같습니다. 선생님의 개인적 고민을 듣고 싶습니다. 저도…….

신체에 각인된 국민국가적 헤게모니

임지현 이 대목에서 제가 고민하는 것이 뭐냐 하면, 지금까지 사회적 대안을 추구했고 또 저 자신도 대안이라고 생각했던 집단, 또 변혁의 주체라고 생각했던 집단, 가장 진취적이고 전투적인 집단에 국민국가의 헤게모니가 어떻게 그리 깊이 침투했는가 하는 점입니다. 선생님께서 이론을 더 많이 공부하셨기 때문에 어떤 생각이 있으실 것 같은데…….

사카이 아주 민감한 논점이네요. 저도 예를 하나 들어 얘기하겠습니다. 9월 11일 세계무역센터에 대한 공격으로 5천여 명이 사망했다고 합니다. 아마 임 선생께서도 TV에서 보셨을 거라 생각됩니다만 그후에 추모식이 많이 있었습니다. 처음에는 기독교 색이 강한 추모식이 이루어졌는데 그후에 희생자들이 다양한 종교를 가졌다는 사실이 밝혀지면서 점점 그 방식을 바꾸었고 결국에는 교회를 피해 종교와는 상관이 없는 장소를 사용하게 되었습니다. 중계를 통해서 보셨겠지만 그러한 추모식장에 미국 국기를 많이 걸어 놓고, 그리고 미국 국가는 아니지만 〈God Bless America〉 같은 국민가를 합창하고 촛불을 사용해서 추도하는 경우가 많았습니다.

그런데 잘 생각해보면요, 세계무역센터는 어떤 의미에서는 세계 자본주의의 상징 아닙니까? 그렇다면 그 건물 안에는 외국 회사가 많았을 겁니다. 추계에 의하면 희생자 중 다수가 미국 국적을 갖지 않았다고 합니다. 사망자 중 3분의 1 정도는 외국인이었다고 하는데요, 그렇다면 죽은 사람이 모두 미국인도 아닌데 왜 미국 국기와 국민가를 사용해서 의식을 치렀는가? 더 나아가 희생자의 3분의 1 정도가 외국인이었다면 그것을 어떻게 미국에 대한 공격이라고 말할 수 있겠는가? 제가 아는 한, 미국의 언론 중에서 그러한 의문을 제기하는 곳은 하나도 없었습니다. 그런 분위기의 미국에서 그러한 의문을 지적하는 것은 엄청나게 위험했기 때문입니다. 누군가, 또는 특정 매체가 그랬다면 숱하게 뭇매질당했을 것입니다.

그렇다면 그 사건은 원래 미국 국민에게만 결부시킬 수 없는 데도 결부시킨 것입니다. 아마 그 이유 중 하나는 외국인 희생자를 추도하기 위한 의례 절차가 미국의 공적 영역에는 확보되어 있지 않았기 때문일 겁니다. 그리고 외국인을 추도함으로써 미국 국민이 그때까지 상식적으로 받아들이던, 혹은 사회적 현실이라고 당연하게 생각하던 것들이 유지될 수 없게 되어버릴 가능성이 있기 때문일 겁니다. 아마도 임 선생께서 말씀하시는 헤게모니라는 것이 바로 그곳에서 기능하고 있어서, 만약 그것을 외국인도 있으니 단순히 미국에 대한 공격이 아니라 다른 국가나 다른 사람들에 대한, 혹은 다른 계층에 대한 공격이라고 생각한다면, 보고 싶지 않은 모순이 보일지도 모릅니다.

왜 그러냐 하면, 아까 말씀드린 국민 추모식에서 개인과 국민공동체 전체가 결부된다고 하는 것은, 기본적으로는 상상에 의한 거라고 생각합니다만, 그 상상은 나름의 역할을 다하고 있다고 보입니다. 그렇다면 그 역할을 어떻게든 분석할 순 없는가, 그때 그 합의독재라는 생각이 어떤 도움이 되는지요?

임지현 가령 미국 이야기로 한번 풀어보잔 말이죠. 세계무역센터는 미국 자본주의의 가장 엘리트 그룹들이 근무하던 빌딩입니다. 그런데 그곳을 정리하는 소방대원들은 대개 아일랜드계 노동자계급, 아일랜드에서 이민 온 노동자계급 출신이랍니다. 희생자들 중에는 외국인과 미국인의 차이도 있지만, 또 거기서 죽은 자본가들과 그들을 구하려다 죽은 노동자계급 사이의 차이도 있습니다. 그런데 국가가 주도해서 죽은 이들을 추모하는 의식을 치를 때 그 차이들은 사라지고, 아랍인들의 테러 공격에 죽은 미국인들이라는 집합이 되어버리는 거죠. 이 과정에서 미국 국민들은 자신들이 미국민이라는 이유만으로도 테러의 희생자라고 간주하게 되는, 그런 심리적인 연상작용이 있지 않나 하는 생각을 합니다. 이것은 '시민종교' 로서의 내셔널리즘이 어떻게 작동하는지를 잘 보여주는 예라고 생각합니다. 파시즘이나 나치즘이 '시민종교' 로서의 성격을 가질 수 있었던 것도 그 밑에서 작동하는 내셔널리즘에 힘입은 바 큽니다.

또 하나 지적해야 할 것은 항상 '비국민' 으로 전락할 위험성에 대해서 두려워하는 '소수자' 들의 심리 상태입니다. 이들 소수자들은 '비국민' 으로 배제되지 않기 위해서 더 악착같이, 그리고 끊임없이 미국인으로서의 정체성을 표출해야 한다는 강박관념에서 자유롭지 못하겠지요. 사실 9·11테러 이후의 미국 사회야말로 시민종교로서의 내셔널리즘이 작동하는 방식, 그리고 지배계급 혹은 지배블록의 헤게모니가 작동하는 과정을 아주 생생하게 보여준 좋은 예가 아닌가 생각합니다.

사카이 한 가지 예를 더 들겠습니다. 세계무역센터의 경우 거기서 일하는 웨이터나 세탁소를 하는 사람, 그리고 보일러맨 등등, 아마도 그런 사람들 대부분은 외국인일 겁니다. 또 그들 대부분은 불법노동자일 것입니다. 어마어마한 그 고층빌딩은 저임금노동자 없이는 유지될 수가 없습니다. 테러 공격이 있고 나서 채 일 주일이 되기도 전에 촘스키가 이 점을 지적했고, 이는 인터넷을 통해서 널리 유포되었습니다. 그것은 맨해튼을 아는 사람이면 누구나 납득할 만한 지적이었습니다. 물론 독일, 일본, 한국 사람도 있었을 것입니다. 그리고 영국의 사업가도 있었을 것입니다. 이 희생자들이 모두 미국 국기와 국민가로 추도되는 섬뜩함. 한참 지나서 나라별로 추모식을 하기 시작했지만 미국 정부의 고관들이 참석한 영국 희생자 추모식 정도만 보도되었고 그밖의 나라들의 추모식은 미국의 대중언론이 전혀 관심을 보이지 않았기 때문에 있었는지조차도 알 수가 없었습니다.

약간 대조적인 사례지만 비슷한 문제가 있다고 생각되어 예로 들어보겠습니다. 베트남전쟁기념관(Vietnam War Memorial)이라는 것이 워싱턴에 있다는 사실은 알고 계실 것입니다. 그곳에는 5만 5천 명에 가까운 미국 병사들의 이름이 새겨져 있습니다. 그 사람들이 미국이라는 나라를 위해 생명을 바친 것입니다. 그러나 베트남 전쟁에서 미국을 위해서 죽은 사람은 그 숫자의 몇 배나 됩니다. 북베트남 병사나 베트콩 등 미국에 적대한 사람들을 제외하고도, 남베트남 정부의 병사들, 한국의 병사들, 호주의 병사들 등 미국을 위해 죽은 사람들은, 전화(戰火) 때문에 죽어간 비전투원을 제외해도, 그것의 몇 배는 됩니다. 그래도 그들의 이름은 하나도 없습니다. 아까 말씀드린 추모식과는 정반대로, 미국 국적의 틀은 참으로 배타적으로 작동하고 있습니다. 미국의 입장에서 보면, 남베트남 병사도, 한국 병사도, 호주 병사도, 다 각각의 나라를 위해 베트남에서 죽은 것이겠지요. 미국을 위해 죽은 것이 아니고요.

미국이 2차대전 이후 세계적인 군사체제를 만들 때 일관되게 추구한 것은 자국 병사는 가능한 한 죽지 않게 하고 다른 나라의 병사가 미국을 위해 싸우게 하는 시스템을 만드는 것이었다고 합니다. 이는 집단안전보장체제나 용병제로 묘사될 수 있을 것입니다. 그렇다면 2차대전 이후 미국이 만들어낸 세계적인 군사체제 속에서 국민군의 원칙이 차츰 실효성을 잃어간 것이 아닐까요? 그것을 통해서 일본과 한국군의 존재를 생각하게 됩니다. 무슨 말이냐 하면, 일본의 자위대나 한국의 국군은 기본적으로 자국 국민공동체의 인명이나 재산을 지키기 위해 죽는 군대가 아니라는 것입니다. "나라를 위해 죽는다"고 할 때의 나라는 병사들에게 명령을 내리는 국가임과 동시에 동포로서의 국민이기도 합니다. 국민국가의 원칙으로, 즉 이념형으로 만들어진 19세기 국민국가의 군대는 국민국가의 주권에 의해 통괄되는 군대입니다.

한국과 일본의 염치 없는 내셔널리즘

사카이 임 선생께서 방금 전에 인민주권에 관한 역사적 분석을 하셨습니다만 공화제인 한국과 달리 국민주권이 아니라 천황주권이었던 전전(戰前) 일본 제국에서조차 병사가 나라를 위해 자기 희생을 각오했을 때 그 나라란 국가만이 아니라 동포로서의 국민을 의미했습니다.

그런데 현재 일본·한국·영국·독일·터키 및 그밖의 지역에 존재하는 군대들은 이제 그런 군대가 아닙니다. 그러므로 일본 군대에 최종명령을 내리는 것은 일본 국민을 대표하는 일본 정부가 아니라 미국의 주권입니다. 일본의 자위대 병사가 아무리 나라를 염려해서 나라를 위해 죽으려고 해도, 일본 병사에게 명령을 내리는 사람은 미국 대통령이며 미국의 국가안전보장회의(National Security Council) 위원입니다. 천황도 아니고, 내각 총리대신도 아니며, 더군다나 방위청 장관도 아니라는 점에서, 세계에서 두 번째로 많은 예산을 가진 군대의 통수권은 국민국가의 논리 속에 없습니다. 일본 병사들은 미국 정치 지도자의 통수권에 따라 스스로를 희생하게 될 것입니다.

그것은 과거의 외인부대 병사처럼 죽음을 선택하는 것입니다. 그래서 워싱턴의 베트남전쟁기념관에 모셔져 있는 것은 원칙적으로 미국의 병사뿐입니다. 즉 미국 국민군만이 그곳에 모셔져 있습니다. 베트남에서 자기 희생을 강요받고 죽거나 인생이 파괴된 한국 병사들은 단 한 명도 그 전쟁기념관에서 추모되지 않았습니다. 이 점에서 미국의 국민주의는 고전적 배타성을 지닌다고 할 수 있습니다. 국민추도의 기념비에는 일절 외국인을 모시지 않겠다는 거니까요.

역사적 변화가 많았는데도 아직까지 많은 사람들이 국민국가의 고전적 환상에 기초하여 현실적으로 일어난 역사적 사실을 해석하려 하고, 그러한 고전적 환상에 의해 개인의 국민으로의 귀속이나 국민군의 윤리를 기초지으려고 합니다. 국민국가의 원칙이 명백히 기능하지 않게 되어가고 있는데도 국민국가의 고전적 환상이 홀로 걸어다니기 시작합니다.

이러한 역사적 조건 아래서 국민국가의 민족이나 국민이 갖는 상상적 역할이 어떤 것이 되어가고 있는지는 다시 생각해보아야 합니다. 이것은 2차대전 후의 유엔 체제 아래서 세계적인 군사 지배를 해온 미국의 국민주의에 대해서도, 유럽이나 동아시아의 국민주의에 대해서도 해당될 것입니다.

그런데 미국의 국민주의는 다른 곳에서는 이상할 정도로 포용성을 보여줍니다.

임지현 베트남전쟁기념관의 경우는 결국 희생자에 대한 집단적 기억을 만드는 과정에까지 국민국가의 경계가 뚜렷이 그어질 수 있음을 보여주는 좋은 예가 되겠군요. 그것은 곧 국민국가가 희생자에 대한 기억을 전유하는 과정이기도 합니다만…….

이야기가 자연스럽게 미국의 헤게모니, 미국의 헤게모니 하에서 상상적 주권 개념이 어떻게 깨져나가는가, 그리고 미국 헤게모니와 동아시아의 관계로 흐르게 되었습니다. 또 어떻게 보면 미국의 헤게모니와 동아시아 국가들의 상상된 주권은, 동유럽에서 작동한 소련의 헤게모니와 동유럽 국가들의 '제한주권론'하고도 잘 대비가 되는 대목이라고 생각합니다. 먼저 전후 미국의 헤게모니가 동아시아에서 관철되는 과정과 그에 대한 동아시아의 대응에 대해 선생님의 의견을 들어보고 싶습니다.

일본의 국민주의

사카이 제가 동아시아에서의 미국의 헤게모니에서 많은 관심을 갖는 부분은, 이러한 미국의 군사적 지배체제 아래에서 동아시아의 국민주의는 어떻게 기능하는가? 하는 점입니다. 일본에서 최근 몇 년 동안에 많은 지지를 얻어가고 있는 논의로, 헌법을 개정해서 일본 정부가 해외로 파병할 수 있게 하자는 주장이 있습니다. 1950년대부터 있어왔던 논의지만 걸프 전쟁 때부터 특히 활발해졌습니다. 아시다시피 일본 군대는 자위대라고 불립니다. 왜냐하면 군비가 헌법으로 금지되어 있고, 일본 정부가 외국 정부와의 이해 충돌을 해결하기 위해 군사력을 쓰지 않겠다고 명언(明言)했기 때문입니다.

하지만 역사적인 경과를 생각한다면 일본에 지금 있는 군대를 자위대라고 부르는 것은 잘못 같습니다. 이 군대는 미국의 점령정책의 일환으로 제도화되어 처음에는 경찰예비대, 그리고 보안대를 거쳐서 1954년에 자위대라고 불립니다. 이것은 식민지 정부라면 누구나 처음에 생각하는 것인데, 미국이 일본을 점령했을 때 먼저 생각한 것은 피점령민이 반란을 일으켰을 때 어떻게 점령군의 시설이나 요원을 지키느냐였을 것입니다. 1945년에 미국이 일본을 점령했을 때에는 미국 군대가 그 역할을 맡았지만 한반도에서 전쟁이 발발함에 따라 자국 군대도 줄이고 비용도 절감할 요량으로 점령군 시설이나 요원을 지키는 임무를 점차 대리군대에 이관하고 싶다고 생각하는 것이 당연하겠지요. 경찰예비대는 한국전쟁 발발 직후에 발족됩니다.

미국은 중국에서의 일본군의 경험에서 많은 것을 배운 듯한데—물론 나중에는 베트남에서 충분히 배우지 못했다는 것이 폭로되지만—피점령민과 자국 군대의 관계를 어떻게 설정할 것인가를 계속 수정해나갑니다. 일본 제국은 영국이나 프랑스의 식민주의로부터 많은 것을 배우고 그들보다 효율적으로 식민 지배를 하려고 노력했는데, 미국도 마찬가지로 일본이나 영국의 식민주의보다도 효율적인 광역지배의 관리체제를 만들려고 한 셈입니다. 미국이 일관되게 피하려 한 것은, 반란이 일어났을 때 반란을 일으킨 인민과 그 반란을 제압하는 군대가 서로 다른 인종이나 민족이어서, 반란자와 제압자가 인종이나 민족의 차이로 가시화되는 사태입니다. 이것은 식민주의의 기본이며 일본의 조선 지배에서도 일관되게 관철된 원칙입니다. 한편으로 점령군은 피점령자와 선을 긋고 점령자와 피점령자 간의 권리나 군사력의 차이를 유지하려고 하지만, 다른 한편으로 그 차별 구조가 드러나는 것을 두려워합니다.

임지현 그 얘기를 좀더 해주시지요.

사카이 일본에서도 1950년대의 지라르 사건으로부터 1990년대 오키나와에서의 미군에 의한 소녀납치 강간사건에 이르기까지, 식민지화된 자와 식민지화하는 자의 차이가 그 인종 차별 구조와 더불어 가시화될 때 점령군에는 아주 난처한 일이 벌어졌습니다.

예산만으로 따지면 현재 세계 2위인 자위대는 그 점에서 점령군과 피점령자 간의 매개체이며, 식민지화된 자와 식민지화하는 자의 차이가 인종 차별 구조와 더불어 가시화되는 것을 막기 위한 군대로서 출발했습니다.

미국의 점령이 종료되는 1952년 이후에는 한일행정협정을 근거로 미점령군이 주둔군이 되는데 자위대는 그 주둔군을 보좌하기 위한 군대지요. 그 군대는 일차적으로 인민 반란으로부터 주둔군의 인명이나 시설을 지키는 것을 임무로 하며, 그런 한에서 일본 국민의 생명이나 재산을 지키기 위한 군대라기보다는 동아시아의 군사적 지배에 필요한 미군 시설이나 인재를 일본인들로부터 지키기 위한 군대가 아닐까요? 그것은 자국민을 지키는 자위대가 아니라 타국민을 지키는 '타위대(他衛隊)'라고 불러야 마땅합니다. 일본 군대는 일본의 통수권 아래서 움직이는 군대가 아니지요.

그런데도 현재 헌법을 개정하자는 논의에는, 일본은 '보통국가'가 되어 자신의 군대를 가져야 한다는 주장이 등장합니다. 즉 국민주의 혹은 국민국가가 가진 기본적인 원칙이 현재의 세계에도 해당될 것이라는 전제로부터 자위대 혹은 헌법 개정 논의를 추진하려고 합니다. 그런데 현재 세계에서 미국 외에 다른 '보통국가'가 있을 수 있을까요? 헌법을 개정해서 자위대가 해외로 나갈 수 있게 된다 해도, 그것은 일본의 주권이 인정되는 것이 아니라 단지 일본 군대가 세계 각국에서 미국의 명령 아래서 움직일 수 있게 된다는 것을 뜻할 뿐입니다. 그래서 일견 독립된 국가로 보이지만 19세기의 국민국가와는 다른 국가로 변했다는 것이 국민국가의 원칙을 전제로 하기 때문에 보이지 않게 되는 것입니다.

그런 가운데 흥미로운 일이 벌어졌습니다. 그것은 일본의 국민주의나 애국주의가 미국의 헤게모니 속의 한 고리로서 헤게모니를 강화하는 방향으로 작동한다는 것입니다. 여기에는 반미국민주의를 포함시킬 수도 있습니다. 즉 그런 헤게모니 속에서, 일본의 국민주의 혹은 민족주의는 일본의 주권을 반드시 주장하지는 않게 되어가고 있습니다. 오히려 그것은 정서적인 국민적 일체감을 요구하기는 하지만 통수권이나 정책 결정권은 아무래도 좋다고 되어가고 있습니다. 그렇다면 국민주의에 커다란 변환이 일어나고 있는 것 아닐까요? 19세기 국민국가를 전제로 생각한다면 지금 전개되고 있는 상황을 이해할 수 없습니다. 그래서 임 선생께 여쭤보고 싶은데요, 만약에 그러한 분석이 타당하다면 동아시아에서 국민주의는 어떤 기능을 하는 것이지요?

한국의 민족주의

임지현 미국 헤게모니에 기생하는 내셔널리즘이라는 점에서는 남한의 내셔널리즘도 크게 다를 바 없다고 생각합니다. 특히 그것이 서구적 근대라는 담론과 어떻게 연결되어 있는가 하는 점을 살펴보면, 그 기생적 성격은 금방 드러납니다. 예컨대 해방 직후 남과 북이 한반도의 헤게모니를 놓고 싸울 때, 남한의 이승만 대통령이 내세웠던 논리는 이런 것이었습니다. 요약하면, 공산주의-야만-반민족, 소련 제국주의-김일성-매국노라는 의미 연쇄를 통해 반공주의가 내셔널리즘과 결합합니다. 그것은 다른 한편으로 미국-서구 문명-반공-독립이라는 등식과 짝을 이루지요. 이 등식은 반공규율사회의 틀로써 충성스러운 '국민'을 찍어내는 담론적 기제였지만, 동시에 반공주의와 내셔널리즘, 그리고 서구 문명과 내셔널리즘을 결합시킴으로써 미국 헤게모니를 은폐하는 방식으로 작동했습니다. 잘 지적하셨듯이, 미국의 헤게모니에 기생하는 내셔널리즘이라는 역설이 성립하는 것도 이 지점에서입니다.

또 미국의 헤게모니는 일본보다 남한에 더 잘 관철되었다고 생각합니다. 우선 남한 군대의 작전권을 미군이 갖고 있다는 점. 분단 상황 때문에 남한에 대한 미국의 규정력은 일본에서보다 클 수밖에 없겠지요. 물론 박정희의 경우 부분적으로 미국 헤게모니에 도전하려는 경향도 없지 않아 있었습니다. 핵무기나 중장거리 미사일을 독자적으로 개발하려고 시도했던 것 등이 그러한 예인데, 미국의 감시와 반대로 모두 불발에 그쳤습니다. 그러나 박정희도 기본적으로는 소련-공산주의-북한-반문명-매국노 대 미국-자유민주주의-남한-문명-민족이라는 등식, 즉 반공주의와 결합된 내셔널리즘 담론을 구사함으로써 미국 헤게모니의 틀 속에서 움직였다는 사실은 부정할 수 없을 것 같습니다. 그러나 다른 한편 한반도의 북쪽에서는 미국의 헤게모니에 저항하는 내셔널리즘이 형성되었습니다. 이는 남한의 레드 콤플렉스에 비견되는 북한의 양키 콤플렉스에서 잘 드러나는데, 이들은 한국전쟁이라는 역사적 기억을 인질로 삼아 미제국주의의 위협을 민중을 동원하는 동원논리로 활용하였습니다. 북에서는 미국-제국주의-남한-반문명-매국노라는, 남의 등식을 전도시킨 등식이 지배적입니다. 주어만 다를 뿐 술어 구조는 사실상 똑같은 것이지요.

이처럼 남과 북의 등식은 현상적으로는 팽팽하게 대립하면서도

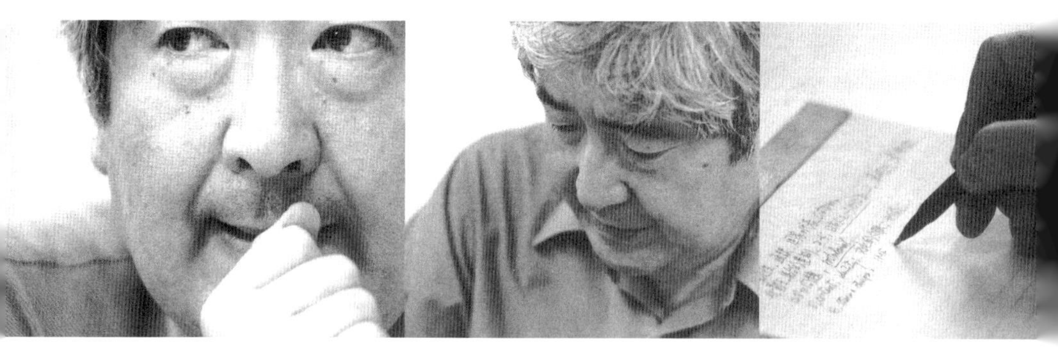

인식론적 틀은 공유하고 있는 셈이지요. 남한의 일부 변혁세력이 견지한 반미주의도 사실은 북한의 민족담론과 굉장히 유사한 내셔널리즘 담론이라고 할 수 있지요. 그러니까 한반도의 경우에는 남과 북의 국가이념으로서의 내셔널리즘이나, 남한의 일부 변혁세력이 견지한 내셔널리즘 모두가 결국에는 미국의 헤게모니를 매개고리로 존재했던 것은 분명한 사실 같습니다. 어떤 면에서는 미국 헤게모니의 존재가 한반도 변혁세력의 지평을 반미 내셔널리즘에 가둬버리는 부작용을 가져왔다고도 하겠습니다.

사카이 이런 식으로 해석해도 되겠습니까? 한국 내의 변혁 주체도 다음과 같이 믿었다. 즉 반미 국민주의는 그 전제로, 한국의 민족주의가 본래적인 형태로 존재한다면 반드시 미국의 헤게모니로부터 독립적으로 존재할 것이다. 그러므로 미국에서 독립함으로써 본래적인 국민국가를 한국에서 이룩할 수 있을 것이라고 생각했다고.

임지현 한국식 표현을 빌린다면, 이른바 진보적 또는 민중적 민족

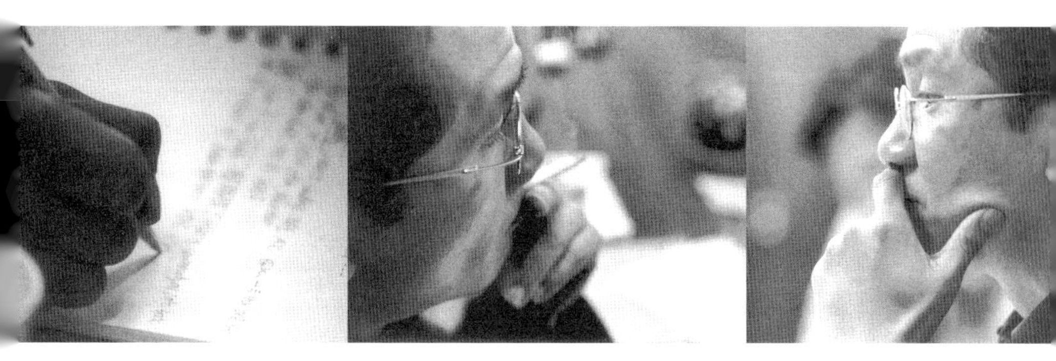

주의를 그렇게 규정할 수 있겠지요. 이들은 미국의 헤게모니에 기생하는 우파의 내셔널리즘은 가짜 내셔널리즘이고 자신들의 내셔널리즘만이 진정한 내셔널리즘이라고 생각하는 경향이 있습니다.

사카이 그때 진보적 민족주의는 미국의 헤게모니가 한국의 민족주의의 가능성을 만들어낼 수도 있다는 고려를 하지 않았다, 한국의 민족주의는 미국의 헤게모니 안에서만 가능한 것이 아닌가 하는 점은 전혀 고려하지 않았다는 거죠?

임지현 생각을 안 했죠. 또 그것을 내셔널리즘이라고 인정하지 않기도 했구요.

사카이 그렇다면 그 점에서도 일본과 매우 비슷합니다. 19세기형의 식민지화에 대해서 미국은 분명히 반대합니다. 윌슨 대통령의 민족자결주의 원칙은 유명한데, 2차대전 후 미국은 영국이나 프랑스의 식민 제국이라는 존재양식에는 반대했습니다. 기본적으로 세계는 국민국가들의 병존(竝存)이라고 생각한 것이지요. 그래서 일단 일본을 독립국으로 보았고 일본 국민주의를—설령 약간 반미적이라 할지라도—키우려 했습니다. 하지만 실질적인 주권은 절대로 주지 않는, 형식적인 독립만을 부여했습니다. 이것은 동아시아에만 한정된 것이 아니라 현재의 영국이나 독일도 비슷하지 않나 싶습니다. 일본이나 한국에 비하면 그 나라들은 훨씬 독립국처럼 보이지만 군사적으로는 북대서양조약기구의 틀 속에서 미국의 위성국가에 지나지 않습니다. 그에 대한 장기적인 역사적 고찰은 나중에 하기로 하고요. 그럼 진보적이지 않은 한국이나 일본의 국민주의/민족주의는 어떤 기능을 할까요?

임지현 물론 진보적 내셔널리스트들은, 그것은 내셔널리즘이 아니라고 부정을 하는데요. 왜냐하면 그들이 볼 때 내셔널리즘은 하나의 노르마(norma)[26]거든요. 내셔널리즘은 마땅히 이러이러해야 한다는 것이죠. 그것은 무엇보다도 우선 완전히 자주적이어야 하므로, 진보적 내셔널리스트의 이념적 틀에서는 미국 헤게모니에 기생하는 내셔널리즘이란 성립할 수가 없는 거죠. 그런데 사실 단적으로 이야기하면, 미국 헤게모니에 저항하는 진보적 내셔널리즘이나, 미국 헤게모니에 기생하는 내셔널리즘이 가지고 있는 코드는 유사한 측면이 상당히 많습니다. 그 코드는 한마디로 19세기적 의미의 부국강병입니다.

그러니까 미국 헤게모니에 기생하는 내셔널리즘이 미국을 따라 서구 문명의 자유세계 안에 들어갈 때 부국강병할 수 있다고 보았

(26) **노르마**
러시아어 '노르마'에는 영어의 'norm, standard'에 해당하는 규준·규준량의 의미와, 영어 rate에 해당하는 비율의 의미가 있습니다.

다면, 진보적 내셔널리스트들은 미국의 헤게모니에서 벗어날 때 부국강병할 수 있다고 보았다는 이야기죠. 사실 박정희의 '조국 근대화론'이나 최근 김정일이 내세우는 '강성대국론' 사이의 거리는 무시해도 좋을 정도입니다.

양자가 동일한 코드를 공유하고 있다는 것을 상징적으로 드러내주는 예는 역사 서술, 특히 고대사 서술입니다. 예컨대 한국의 극우적 내셔널리스트 역사가들 중에는 공자가 한국 사람이었고, 북경도 한국 땅이었고, 백제가 남중국에 식민지를 가지고 있었다는 식의 주장을 펴는 이들이 많습니다. 이는 사실 새로울 것도 없는 주장입니다. 이미 19세기 내셔널리즘의 역사 서술에서 많이 등장하는 것이거든요. 예컨대 크로아티아의 내셔널리스트 역사가들은 예수를 크로아티아 사람으로, 또 세르비아 역사가들은 예수의 12사도를 세르비아인의 조상이라고 강변합니다. 헝가리는 선수를 뺏기니까 아담이 헝가리인의 조상이라고 주장하는 등, 실소를 자아내게 하는 원시적 내셔널리즘의 역사 해석은 독자적인 국민국가를 갈구했던 당시의 동유럽에서는 이미 보편적인 현상이었죠.

우리는 이 이야기를 하면서 웃지만, 문제는 그러한 역사관이 시민사회에서 얼마나 잘 소비되고 있는가 하는 점입니다. 제일 놀라운 점은 한국 사회에서 이른바 반미 내셔널리스트들도 바로 그러한 역사 해석을 많이 공유하고 있다는 점이죠.

다시 한국 이야기로 돌아가지요. 재미있는 사실은 그 사람들의 수장 격인 안호상 씨를 북한 정권이 7년 전에 초청한 적이 있다는 것입니다. 그때는 북한에서 단군릉을 막 발굴했다고—이는 최근 일본에서 문제가 된, 구석기 유물을 조작한 것과 비슷한 케이스가 되겠는데요—법석을 떨던 시점입니다. 당시만 해도 민간 교류는 불가능했는데 북한 정권이 개천절 행사에 초청한 유일한 남한 인사가 극우 역사가였다는 사실은, 남한의 극우 내셔널리즘과 북한의 반미 내셔널리즘이 어느 정도 코드를 공유하고 있다는 것을 잘 보여주는 예가 아닌가 생각합니다.

일본의 맑시스트 역사가들이 이른바 새로운 역사 교과서 모임에 참여한 것도 같은 맥락에서 이해할 수 있지 않을까요? 소박한 생각입니다만, 그것을 전향이라고 간단히 차치해버리면 오히려 문제의 핵심을 놓치게 되는 게 아닐까요? 차라리 그것은 이론과 실천의 인식론적 지평이 국민국가의 틀에 갇혀 있던 좌파의 자연스러운 귀결이라는 게 더 옳지 않을까요? 1933년 일본 공산당 지도부의 전향선언도 어쩌면 같은 맥락에서 이해해야 할지 모르겠습니다만…….

사카이 이러한 방식의 민족주의, 국민주의의 기능을 우습게 볼 순 없겠군요.

그래서인데요, 저는 임 선생께서 앞서 말씀하신 '합의독재'라는 사유에 무척 흥미가 있어서 그 이야기를 조금 더 해보고 싶습니다. 이 경우 선생께선 미국의 헤게모니와 더불어 한국 사회에서의 통합도 하나의 헤게모니라고 생각하고 계시는 것인지요? 그렇다면 자기 완결적인 사회체제로서 한국 사회를 생각할 수 있다는 전제를 한국의 민족주의가 짊어지고 있다는 이야기가 되니까요. 그렇다면 한국 사회, 혹은 한국과 다른 사회의 관계 속에서 생기는 수많은 이익의 충돌이나 상호 의존, 나아가서는 한국 사회가 자기 완결적인 체제를 만들 수 없다는 사실이라든가, 유기적인 한국 국민 공동체라는 상정에 모순되는 인간 행동이라는 것을 보이지 않게 하는 기능으로서 민족주의가 있다는 것입니다.

동아시아 내셔널리즘과 미국 헤게모니

임지현 말씀하신 그대로가 아닌가 생각합니다. 또 한편으로 밑으로부터의 시각에서 보면, 동아시아에 관철되는 미국의 헤게모니와 국민적 통합을 시도하는 한국의 민족주의적 헤게모니가 중층적으로 편성되어 있다고 볼 수 있습니다. 재미있는 예를 하나 들어보지요. 70년대 초 미국이 월남에서 완전히 철수하고 닉슨 독트린이 발표되면서, 동아시아에서 60년대식 냉전질서가 흔들릴 때의 이야기입니다. 남한에서 주한미군의 철수가 공식발표되고, 관과 민이 한 목소리로 미군 철수를 반대하는 어수선한 분위기 속에서 한국 정부가 미군 기지촌 여성들을 통제하려는 움직임이 있었습니다. 그때 한국 관리들이 미군 기지촌 여성들을 모아놓고 교육과 강연을 하는데, 그 내용인즉 "미군들이 철수하지 않게, 미군들한테 잘해줘라! 그게 너희들이 애국하는 길이다"는 식이었지요.

사실 당시 한국의 미군 기지촌은 미국의 인종주의가 재생산되는 장이었습니다. 예컨대 이런 식이죠. 백인 병사를 상대하는 여성은 흑인 병사를 상대하는 여성보다 심리적으로 우월한 지위를 차지하고 있었고, 절대 흑인 병사들을 손님으로 받지 않았습니다. 그래서 60년대 민권운동이 발전한 이래 군대 내의 인종주의 문제로 골머리를 앓던 미군 당국이 한국 정부에, 기지촌 여성을 설득하여 성매매에서 인종 차별 문제가 불거지지 않도록 해달라고 부탁을 한 것이지요. 이것은 동아시아에 관철되는 미국의 헤게모니와 한국의 관제민족주의가 공모한 전형적인 예입니다. '자유세계의 수호'라는 미국의 헤게모니적 담론과 '애국'이라는 관제민족주의 담론이 접합하고 거기에 인종 차별을 하지 말라는 리버럴리즘의 외양까지 갖추게 되는 것이지요.

오피셜 내셔널리즘(official nationalism)이 기지촌 여성들에게 접근하는 시각이 그렇다면, 이른바 반체제 내셔널리즘 혹은 미국 헤게모니에 반대하는 내셔널리즘이 기지촌 여성에 접근하는 방식은 어떨까요? 이들의 접근 방식 또한—이 여성들의 삶과 욕망을 전유한다는 점에서는—크게 다르지 않습니다. 가령 윤금희라는 기지촌 여성이 미군 병사에게 아주 참혹하게 살해됐는데, 이 사건에 대해 반미 내셔널리스트들의 대응은, 그동안 민족의 경계 밖에 내팽개쳤던 윤금희라는 여성을 민족의 상징으로 전유하는 방식이었습니다. 그전까지는 미국놈들한테 몸을 파는 여자라고 멸시받던 기지촌 여성 윤금희가, 살해되자 갑자기 민족의 성처녀가 되어, "우리 민족의 딸을 유린하는 미국놈들 이 땅에서 몰아내자"는 구호로 전화된 것이지요. 결국 오피셜 내셔널리즘과 반체제 내셔널리즘 어디에도, 그 기지촌 여성이 한 개인으로나 인간으로 겪었던 고통이나 아픔, 혹은 인간의 권리에 대한 고려는 찾아볼 수 없었다는 거죠. 그러니까 양쪽 다 민족의 이름으로 척박하게 살아왔던 한 기지촌 여성의 삶과 권리를 전유하기는 마찬가지라는 얘깁니다. 일본의 경우에도 그러한 사건들이 많았다고 알고 있는데요, 일본에서는 구국 내셔널리스트들이나 이른바 진보적 반미 내셔널리스트들이 어떻게 대응했는지 궁금합니다.

사카이 기본적으로는 말씀하신 대로라고 생각합니다. 즉 식민주의나 전쟁 희생자가 문제가 되면 희생자의 표상을 둘러싸고 투쟁하는 셈이지요. 그 표상을 어떻게 이용할 것인가 하는 방식으로 투쟁하면, 임 선생께서 말씀하신 대로 개개 희생자의 존재 자체가 국민주의의 원칙을 침범해버린다는 것을 생각하지 않아도 됩니다.

역시 같은 구조라고 봅니다.

특히 일본에서 매춘은 더욱 심각한 문제로 이행해가고 있는 듯합니다. 즉 매춘을 하는 남성으로는 일본인이나 미군이 있는데 매춘 여성은 일본인에서 외국인, 특히 아시아 여성으로 이행하고 있습니다. 그래서 매춘 여성의 인권은 더욱 보호받을 수 없게 됩니다.

개인으로서는 상대가 미군이라 해도 매춘 여성이 인간적인 관계를 맺을 수도 있다는 사실을 철저하게 가린 것이 국민주의였습니다. 그 가장 전형적인 예가 1940년대 후반부터 1950년대에 걸쳐서 매춘을 하던 일본인 여성에 대한 대우일 것입니다. 그들은 전쟁 중의 '위안부' 처럼 일본을 구원한다는 명목 아래 희생되었습니다. 1950년 후반에 미국 법이 바뀌어서 그들 중에 결혼해서 미국에 간 사람들도 있습니다. 그런 사람들은 일본 사회를 오염시키는, 이른바 더럽히는 존재로 보였기 때문에 태어난 아이들 또한 일본에서 차별을 받았습니다.

임지현 한국하고도 아주 비슷하군요. 지적하신 대로 그것은 개인을 이념의 표상으로 재현하는 데서 잘 나타나는 현상 같습니다. 유럽의 경우에도 비근한 예들이 많습니다. 예컨대 2차대전 직후 프랑스에서 비시 프랑스에 대한 역사적 청산 과정에서, 독일군과 같이 살고 애를 낳은 여성들의 머리를 빡빡 깎고 거리에 돌려 창피를 주는 유명한 사건이 있지요. 저는 독일군 병사와 프랑스 여성이 얼마든지 사랑할 수 있다고 봅니다. 그런데 그런 여성을 콜레보레이터(collaborator, 부역자)로 규정해버리고 민족 배반자로 몰고간 행위의 이면에는, 프랑스인들의 자기 기만이 있다고 봅니다. 비시 프랑스에서 대부분의 프랑스인이 사실상 독일 점령에 대해 암묵적으로 동의했고, 또 나치가 강요한 반유대주의와 유대인 추방정책에 대해서 협력했거나 최소한 저항하지 않았다는 과거를 은폐하는 자기기만적 행위로서 그러한 여성들을 속죄양으로서의 부역자로 몰고 간 측면도 있지 않았나 합니다. 미테랑이 비시 정부의 훈장을 받은 것을 자랑스럽게 여긴 데서도 드러났듯이, 비시 정부가 표방한 '민족혁명'에 대한 프랑스인들의 동의와 지지가 역사적으로 밝혀져야 더 정확히 알겠습니다만 말이죠.

사카이 그렇습니다. 점령 상태에서는 정복자에 대해 어떠한 식으로든 협력하지 않고는 생존할 수가 없습니다. 저는 쇼와 천황으로 대표되는 일본 지배계급이 가장 무원칙한 협력을 했다고 봅니다. 보수파 지식인들 중에도 그렇게 행동한 사람들이 매우 많았습니다만, 좌파 진보적 지식인의 천황인 마루야마 마사오(丸山眞男)[27] 또한 자신의 책에서, 미군을 따라다니는 여성들에 대해 '팡팡(당시 미군을 상대로 하는 매춘부를 낮춰서 부른 말)' 이라고 부르면서 그들을 일본을 배신한 자의 상징으로 다루었습니다. 미국 쪽으로 쏠리는 전후(戰後)의 풍조를 비판한 것이지요. 그런데 그에게는 일본 식민주의에 대한 내성적 비판은 거의 없었고, 정복자에 협력한다는 것이 무엇인가 하는 점에 대한 자각도 거의 없었습니다. 물론 마루야마만이 그랬다는 것은 아닙니다. 아마 그런 식의 반응이 일반적이었을 겁니다. 좌파 지식인들 중에도 강력한 민족주의자가 있는데 그들의 민족주의는 인종주의와 아주 가깝습니다.

임지현 대충 짐작은 했지만 마루야마 마사오가 그 정도인 줄은 정말 몰랐습니다. 한국의 진보적 지식인들도 표현을 안 했을 뿐이

(27) **마루야마 마사오**

현대 일본을 대표하는 지식인이자 사상가입니다. 그는 서재에 안주하지 않고 현실에 적극 참여하여 발언하고 행동하는 비판적 지성입니다. 그러나 만년에 자신의 삶을 되돌아보면서 마루야마는 현실 참여와 비판은 일종의 부업 '야점' 이었노라고 토로합니다. 본업 '본점' 은 어디까지나 '일본 정치사상사' 연구였다는 것이지요. 파시즘과 군국주의가 발호하던 1930년대 후반, 그는 당시 국책과목이던 일본 사상을 전공으로 택했고 그리고 그에 의해 일본 사상의 위상은 바뀌었습니다.

자유롭고 보편적인 정신의 담지자로서 마루야마는, 의사 소통이 가능한 보편언어를 구사했습니다. 실존주의 철학자 사르트르(J. P. Sartre) 역시 마루야마의 그런 점을 인정했습니다. '실감 신앙' 과 '이론 신앙' 을 경계하면서, 구체적인 현실과 추상적인 이론 사이의 팽팽한 긴장의 끈을 놓지 않았기 때문일 것입니다.

젊은 날의 마루야마는 에도(江戶) 시대 유학자들의 저작을 사회과학적으로 분석해 일본 근대성(Modernity)의 뿌리를 밝혀내고자 했습니다. 이는 그 무렵 유행하던 '근대의 초극' 론에 대한 비판이라는 의미도 담고 있습니다. 서구의 '근대' 를 너무 많이 수용했으므로 '과잉 근대' 를 걷어내고 일본 고유의 정신으로 돌아가야 한다는 주장에 그는 동의하지 않았습니다. 일본사에서도 보편적인 발전의 계기를 확인할 수 있지만, 현실의 일본은 아직 충분히 근대화되지 않았다는 것이 이유였습니다. 그는 일본에 정작 필요한 것은 '근대의 긍정(완성)' 이라고 보았습니다.

2차 세계대전 종전 이후, 마루야마는 '초국가주의' 의 구성과 작동 원리 그리고 심리에 대한 분석과 비판에 나섭니다. 그와 동시대인들에게 절대적인 가치체였던 텐노(천황)를 정점으로 한 피라미드형 국가 질서, 텐노와의 거리에 비례하는 권력의 존재 양태, '억압 이양' 에 의한 정신적 균형의 유지, 만세일계 황통을 잇는 상징으로서의 텐노, 그리고 그 누구에게도 책임이 없는, 따라서 아무도 책임지지 않는 무책임의 구조 등을 생생하게 들려주었습니다.

그것은 곧 천황제라는 주술로부터의 해방을 의미합니다. 그런 관점에는 자유주의와 개인주의, 아울러 역사의 진보를 자유로운 내면적 주체의식의 획득으로 보는 헤겔류의 역사철학이 깔려 있습니다. '자유의 영구혁명자' 로 불리듯이, 마루야마는 개인의 주체적 자유를 내면화하는 것, 다시 말해 개인의 주체성 확립에 중점을 두었습니다. 자신의 양심에 따라 판단·행동하고, 그 결과에 대해 기꺼이 책임을 지는 인간 유형의 창출이 필요하다는 것입니다. 이는 에도 시대 유학사에서의 근대성 탐구와는 다른 맥락에서 이어지고 있습니다.

이같은 마루야마의 주장에 대해서는 일찍부터 그가 근대주의자, 서구의 근대와 국민국가(nation state)를 이상화시킨 '결여론자' 라는 비판이 제기되었습니다. 최근에는 제국주의 침략과 식민지 그리고 재일한국인 문제 등에 대해 그가 무감각(혹은 침묵)했다는 지적도 나오고 있습니다. 그 자신, 중국의 정체성을 그대로 전제하고 논의를 전개한 부분, 근대화의 단일한 경로 등에 대해서는 오류를 시인했습니다.

그는 서구의 근대 체험을 절대화하기보다는 방법이나 잣대로 택했다고 보입니다. 그는 '전근대' 와 '초근대' 의 중첩, 혹은 '비근대' 와 '과근대' 의 동시적 존재야말로 일본 사회의 특성이라고 간파했습니다. 이른바 주변부적인 성격을 지적했던 것입니다.

지, 사실은 마루야마 마사오와 비슷한 생각을 가진 사람이 많았을 겁니다. 마루야마가 한국의 지식인들에게서 갖는 인기가 그 점을 입증해주기도 합니다만. 또 다른 한편에는 역시 '젠더' 문제가 걸려 있는 거 같아요. 가령 어떤 일본 남성이 일본에 주둔한 미군 여성하고 결혼했을 때도 마루야마 마사오가 과연 그를 배반자라고 그랬을까요? 아마 안 그랬을 거 같아요.

가설적 패러다임, 대중독재

사카이 그러지 않았겠죠. 일본 식민주의에 대한 비판이 약했던 점과, 젠더와 국민주의 문제가 노골적으로 드러난 점은 관계가 있는 것 같습니다. 또한 그의 파시즘 비판을 보면 동성애자에 대한 차별이 너무 심합니다.

아마 이러한 젠더나 국민에 관련되는 현상은 '합의'라는 개념으로 살펴볼 수 있을 것 같습니다. 그래서 하나 여쭤보고 싶은데요, 합의가 헤게모니와 매우 유사하게 작동한다는 것은 어느 정도 이해가 됩니다만 그 경우의 독재라는 것은 어떻게 생각하면 좋을까요?

임지현 '대중독재'라는 가설적 패러다임으로 생각해보고 싶습니다. 실은 제가 지금 책임자가 되어 젊은 연구자 집단과 "강제와 동의: 20세기 '대중독재'에 대한 비교사적 연구"라는 프로젝트를 진행하고 있습니다. '대중독재'는 파시즘, 나치즘, 스탈린주의 등을 한데 묶는 동시에, '자유민주주의'의 이데올로기적 함의가 담긴 '전체주의'라는 패러다임을 대체하는 새로운 패러다임으로 고안해낸 것입니다. 또 동시에 파시즘을 위기에 빠진 독점자본주의 혹은 금융자본주의의 발현이라고 간주하는 맑스주의의 상투적 해석도 거부합니다. 사실 '전체주의'의 패러다임이나 맑스주의의 파시즘 해석은 파시즘이 그 현상적 대립에도 불구하고 '근대의 위기' '일탈된 근대' 그리고 그 결과로서의 대중에 대한 권력의 테러를 강조한다는 점에서 인식론적 틀을 공유합니다. 이러한 해석은 물리력에 기초한 억압과 강제를 통해 대중에게 특정한 체제와 정책을 강요하는 체제라는 이해를 유도합니다.

그러나 그것은 역사적 사실과는 거리가 있습니다. 파시즘이든 현실사회주의든, 20세기의 독재체제들은 실제로 아주 광범위한 대중의 지지를 받았습니다. 예컨대 히틀러에 대한 독일 대중들의 지지는, BBC에서 만든 '인민의 세기'라는 20세기 다큐멘터리를 보면 "우린 모두 하나같이 행복과 기쁨을 느꼈습니다" "어떤 정치가도 아돌프 히틀러만큼 사랑받지는 못했습니다"는 식의 증언들이 막 튀어나온다는 말이죠. 그런데 나치즘에 대한 독일 사회의 지지 기반은 나치 때 비로소 만들어진 것이라기보다는 바이마르 공화국이나 바이마르 이전, 즉 19세기 후반부터 1차대전을 거치면서 이미 독일 사회에서 형성되어왔던 것이라고 생각합니다. 그것은 조지 모스나 빌헬름 라이히(Wilhelm Reich) 등이 잘 분석한 바 있습니다.

독일의 사회민주주의자들이 추상적인 맑스주의 원론만 가르치고 있을 때, 대중들은 이미 독일 내셔널리즘의 상징적 문화 구성체에 포섭되어 있었던 것이지요. 아름다움의 본질을 질서에서 구한 19세기 독일 고전주의 미학의 정형화된 미는 금발과 푸른 눈, 투명한 피부를 지닌 스테레오 타입으로서의 아리아인의 아름다움으로 쉽게 전화될 수 있었습니다. 여름의 하지 축제에 참가한 노동자들의 대열에서 고대 게르만의 의상을 차려 입고 '리라'라는 고대 악기를 든 금발의 아리안 청년은 흔히 목격되는 풍경이었지요. 바그너의 〈탄호이저〉에 발맞추어 무대에 입장한 노동자 합창단의 레퍼토리에서 〈인터내셔널의 노래〉를 찾는 것도 불가능했습니다. 대중들의 취향은 남성다움의 미덕과 의무, 절도, 근면 등의 가치를 강조한 중간계급의 연극이나, 아리아인의 신체적 아름다움을 내세우고 국제주의를 혐오했던 체조동우회 등으로 쏠려 있었습니다. 대중들의 정서나 일상적 삶 자체가 이미 19세기 후반부터 독일 내셔널리즘에 깊이 물들어 있었던 것이죠.

1차대전이 발발했을 때 독일 사회민주당 소속 의원들이 전쟁국채 발행에 찬성하는 표를 던진 것도 이러한 역사적 맥락에 설 때 이해할 수 있지 않을까 합니다. 로자 룩셈부르크(Rosa Luxemburg)는 그것을 배반이라고 맹비난했지만, 그것은 사실 배반이 아니라 그들의 원래 생각, 내면 깊숙이 감추어져 있던 자신의 삶의 방식이 자연스럽게 표출된 것으로 봐야 한다는 것이죠. 요컨대 독일 사회민주당의 기본적인 사유 방식 자체가 독일 내셔널리즘 속에 포섭되어 있었다는 것입니다. 같은 맥락에서 보자면, 가령 일본의 구맑시스트들이, 혹은 구공산당원들이 새로운 교과서를 만드는 모임에 참가했을 때, 그걸 배반이나 변절로 봐야 하느냐? 아니면 처음부터 맑스주의 자체가 반미 내셔널리즘의 틀 속에 포섭된 상태로 존재했고, 따라서 냉전체제가 무너지니까 냉전의 유산인 공산주의라는 것을 벗어던지고 바로 내셔널리스트로서의 자기 본모습을 드러낸 것으로 봐야 하느냐는 것입니다.

사카이 그렇다면 이 경우의 합의독재를 오히려 국민국가의 완성형태라고 생각해도 좋겠습니까?

임지현 그렇죠. 예컨대 파시즘이나 나치즘에 저항적이었던 지역을 보면, 대체로 지역공동체 혹은 촌락공동체의 자율성을 비교적 잘 유지하고 있는 경우가 많습니다. 바꾸어 말하면, 대중의 국민화 작업이 아직 온전하지 못한 지역일수록 '대중독재'가 깊이 뿌리를 내리지 못하는 것은 아닌가 생각합니다. 그것은 내셔널리즘이야말로 근대 독재에 대한 대중의 '합의'를 유도해내는 중요한 이데올로기적 축으로 기능한다는 좋은 증거가 아닌가 합니다. 동유럽 현실사회주의의 경우도 마찬가지라고 생각합니다. 무엇보다도 그것은 현실사회주의의 역사 서술에서 잘 드러냅니다. 아시다시피 현실사회주의는 프롤레타리아 국제주의를 표방합니다. 그러나 브레즈네프 독트린에서 보이듯이, 동유럽의 상황에서 프롤레타리아 국제주의는 소련의 헤게모니를 정당화시켜주는 논리가 되는 거죠. 문제가 한층 복잡한 것은, 상황논리를 떠나 볼 때 국제주의의 원칙을 고수하고자 했던 공산주의자들 중에는 유대계가 많았다는 점입니다. 이 유대계 공산주의자들, 특히 폴란드의 경우는 스탈린주의자도 많지만 개혁주의자도 많습니다. 그래서 당 내부에서 개혁주의와 보수주의의 권력 투쟁이 벌어지는 양상을 보면, 개혁주의적인 유대계 국제주의 공산주의자와 보수적인 폴란드 토착 민족주의적 공산주의자의 대립으로 드러나게 됩니다. 1956년의 탈스탈린주의 열풍 속에서 개혁을 요구했던 당내 개혁파의 요구를 '사대주의'라고 일축했던 김일성과 주체사상의 형성도 같은 맥락에서 읽힙니다. 1968년 동유럽에서 대대적으로 벌어진 반시온주의 캠페인 역시 같은 맥락에서 이해할 수 있습니다. 보수파가 장악한 당의 공식적인 역사 서술에는 프롤레타리아 국제주의를 표방하는 것과는 별도로 은폐된 반유대주의가 강하게 묻어 있습니다. 그런 점에서 저는 당의 공식적인 역사 서술과, 그에 대한 반테제로 시민사회에서 유포되던 극우파의 반소련·반러시아적 내셔널리즘 역사 서술이 코드를 같이하고 있다고 봅니다. 이렇게 보면 북한 정권이 개천절 기념행사에 남한의 극우 역사가를 초청한 것도 쉽게 이해가 됩니다.

사카이 그렇다면 현실사회주의의 붕괴 이후 내셔널리즘이 강화되었다는 일반적인 주장도 다시 봐야 하지 않을까요?

임지현 저는 현실사회주의가 무너졌기 때문에 내셔널리즘적 경향이 강화되었다는 주장에는 반대합니다. 내셔널리즘은 사회주의의 이념적 억제력이 무너짐으로써 갑자기 튀어나온 것이 아니라, 이미 현실사회주의의 심층부에서 꾸준히 준비되고 강화되었던 것입니다. 사실 내셔널리즘은 공산주의체제를 지켜왔던 마지막 이데올로기라고까지 이야기할 수 있습니다. 그것은 현실화된 사회주의가 대부분 주변부의 반서구적 근대화 프로젝트의 성격을 가지고 있었다는 역사적 사회주의의 맥락을 보면 쉽게 이해할 수 있습니다.

"전세계의 노동자여, 단결하라"는 구호 아래, 노동자를 위한 국가라는 컨셉을 가지고 있었던 현실사회주의 국가에서 보여준 내셔널리즘의 이 끈질긴 생명력은 참으로 놀랍습니다. 노동자를 위한 국가가 아닌, 국민의 국가인 자본주의의 경우 아무래도 내셔널리즘이 더 강할 수밖에 없겠지요. 그야말로 국민을 위한, '한국인을 위한 한국인에 의한 한국인의 국가'니까, 노동자계급이 내셔널리즘이라는 공식 이데올로기에 포섭되어 있을 때에는 그것에 저항할 수 있는 근거가 없습니다. 그러니까 자본주의를 표방할 경우 노동자를 위한 국가라는, 노동자를 위한 사회라는 대항개념이 없기 때문에 내셔널리즘 자체가 단일한 지배 이데올로기로 기능하고 따라서 그것이 가지는 헤게모니적 기능이 강했다고 할 수 있습니다. 이는 한국 현대사에서 박정희 시대를 보면 잘 나타납니다. 조국 근대화에 대한 박정희의 여러 가지 수사들, 부국강병에 대한 수사들, 근대화에 대한 수사들이 결국은 사람들을 사로잡고 적지 않은 지지를 얻어냈다고 생각합니다. 물론 위로부터의 조작이나 여러 가지 다른 정황들도 있지만, 3선 개헌이나 유신 개헌, 또는 긴급조치 당시의 국민투표에서 박정희는 항상 90% 이상의 지지를 얻었단 말이죠. 물론 그것은 인플레이트된 수치겠지만 그 점을 감안하더라도 박정희에 대한 지지 기반이 상당했다는 사실 자체를 부정할 수는 없을 겁니다. 또 그것은 히틀러에 대한 향수처럼 박정희에 대한 향수의 형태로 나타나기도 합니다. 서울의 유수 대학의 대학생들을 대상으로 한 여론 조사에서 가장 복제하고 싶은 인물로 박정희가 뽑힌다든가 하는 식이지요. 또 제가 가르치고 있는 박사과정 학생들이 농촌에서 '구술사(oral history)' 작업을 하는데, 그 농민 지도자들 중 90% 정도가 박정희 시대가 좋았다고 이야기를 한답니다. 이는 간단한 문제가 아니지요. 이 점에서 일본의 총력전체제 때 근대 주체를 강조하면서 대중이 자발적으로 총력전체제에 동원되고 복종하게끔 유도했던 그러한 이데올로기적 헤게모니가 전후 한국 사회에서도 작동했다고 말할 수 있습니다. 또 이데올로기적 모사뿐만 아니라 총력전체제의 여러 가지 동원기제들이 해방 이후의 남과 북 모두에서 국민적 동원체제를 수립하는 데 그대로 이용된 측면도 많습니다.

해방 이후 수십 년 간 작동해온 이 국민국가의 헤게모니는 최근 사회 일각에서 이슈화되었던, 좀더 정확히 말하면 이슈화하기 위해 노력했던, 양심적 병역 거부 운동에서 다시 한번 그 존재를 슬며시 드러냅니다. 양심적 병역 거부에 대한 한국 사회의 논의에서 드러난 것은, 개인적 자유의 관점에서 군대 가기를 거부할 수 있다는 사고가, 애국 혹은 사회적 공공선이라는 틀에 갇혀 있다는 것입니다. 한반도에서는 1944년 일본 제국주의의 총력전체제 당시 징병제가 처음으로 실시되었습니다. 그후에 독자적인 국민국가가 세워지고부터는 나라를 지키기 위해 군대에 간다는 생각이 확고부동한 전제로 자리잡았습니다. 예컨대 일제 시대의 독립운동가들도 징병제를 당연하다고 생각했지, 그 자체를 의심한 적은 한번도 없었습니다. 그러니까 한국의 경우 양심에 따른 병역 거부자는 대개 '여호와의 증인'과 같은 기독교도들이지, 평화주의의 시각에서 병역을 거부한 경우는 찾아보기 힘듭니다. 이 문제는 오태양이라는 한 젊은이의 병역 거부 선언을 통해 가시화되었지만, 아직까지 제시된 대안은—진보진영까지 포함해서—대체복무제 정도에 머물고 있습니다. 개인 내면의 양심은 국민국가의 공공선에 비해서 무시될 수 있다는 것이 현재 한국 사회의 논의 수준이 아닌가 합니다. 국민개병제, 징병제에 대한 근원적 문제 제기가 불가능하다는 그 사실 자체가 이미 국민국가의 헤게모니가 사람들의 의식 속에 얼마나 깊이 뿌리박고 있는가를 잘 보여주는 예겠지요.

그러니까 '합의독재'라고 할 때, 그것은 그냥 수동적인 복종만이 아니라 국민을 구성하는 근대적 주체로서 그 국민국가의 근대화라는 역사적 과업에 적극적으로 동참하는 자발적 동원체제를 염두에 둔 것입니다.

사카이 이 경우의 근대화는 주체를 자주적으로 움직이게 하는 것이지 강요된 것은 아니라는 건데, 그런 의미에서 여기에서 논의되고 있는 근대화라는 것은 이미 19세기에 구상되었지만 현실적으로는 실행되지 못하다가 20세기에 들어서—다른 회로에서일지도 모르지만—실행되었다고 생각해도 되겠습니까?

임지현 한반도의 경우 분단이라는 특수한 역사적 조건이, 항상 국민국가는 여전히 미완의, 완성되어야 할 진행형의 그 무엇이라고 생각하게 만드는 경향이 강합니다. 이는 동원 이데올로기로서의 내셔널리즘을 강화해주는 측면이기도 하구요.

사카이 아마 19세기가 아니라 20세기의 특유한 문제로서 대중사회의 성립이 있다고 생각합니다. 대중사회가 성립되어 19세기에는 하나의 이념으로만 생각되었던 국민국가가 제도적으로 가능해졌다는 거죠.

임지현 그렇습니다. 파시즘이나 나치즘, 스탈린주의, 일본의 총력전체제나 한국의 유신체제 등 20세기의 '대중독재'는 국가권력이 근대의 역사적 성과를 전유할 때 비로소 가능한 것이 아닐까요? 즉 대중이 거리로 나선 20세기의 대중민주주의가 19세기 교양 시민층의 자유주의를 대체했을 때, 역사 무대의 전면에 등장할 수 있었다고 봅니다. 성인남자의 보통선거권의 도입, 의무교육과 징병제의 실시, 노동운동의 성장과 사회보장제도의 정비, 도시화와 가두시위의 조직 등 19세기 말부터 시작되어 1차대전의 총동원체제를 정점으로 정비된 근대 국가의 시스템 자체는 대중의 적극적인 참여 없이는 생각할 수 없는 것이었습니다. 1차대전의 경험이 보여주듯이, 대중에 대한 단순한 배려가 아니라 대중이 국가의 동원체제에 자발적/적극적으로 참여하는가의 여부야말로 근대 국가체제의 효율성과 국력을 가늠하는 결정적인 요인이 된 것이지요. 2차대전 당시, 물적 자원의 취약성에도 불구하고 전쟁 초기에 독일과 일본이 보여준 위력은 대중의 적극적인 지지와 자발적인 참여 없이는 설명하기 힘든 대목이라고 생각합니다. 일단 대중사회 국면에 접어들게 되니까, 위에서 강제로 동원했을 때의 생산성하고 '국민'으로 호명된 근대 주체의 자발적이고 자율적인 동원체제의 생산성하고는 엄청난 차이가 있다는 것이죠.

'대중독재'의 근대성이랄까, 도구적 합리성 같은 것이 드러나는 것도 바로 이 대목에서입니다. 그 바탕에는, 대중의 적극적이고 자발적인 참여를 유도할 수 있는 국가적 총동원체제를 수립하지 않고는 국제전쟁 또는 국제 경쟁체제에서 살아남을 수 없다는 권력의 절실한 자각이 자리잡고 있지 않았을까요? 이 점에서 대중의 지지와 동의를 얻어낼 수 있는 권력의 근대적 재편은 불가피했을 겁니다. '대중독재'를 권력의 억압과 민중의 희생이라는 단순한 이분법으로 포착할 수 없는 것도 그러한 이유에서이지요. 제가 지적하고 싶은 것은, 저항하고 투쟁하는 단색의 낭만주의적 민중신화에서 벗어나, 지배 헤게모니에 포섭되어 권력에 갈채를 보내는, 민중의 또 다른 존재 방식에 대해서도 이해가 필요하다는 점입니다. 파시즘이야말로 '진지전'을 대표한다는 그람시의 예리한 통찰이 돋보이는 것도 이 대목에서입니다. 그람시의 이 통찰은 '위로부터의 독재'에서 '아래로부터의 독재'로 초점을 옮기라고 촉구하는 것으로 들립니다. 사실 '자유의지'에 따라 스스로를 규율하고, 권력의 규칙과 통제에 따르는 근대적 주체들이야말로, 환호와 갈채를 보내고 '아래로부터의 독재'를 떠받치는 주체가 아닌가 합니다. 하버마스(Jürgen Habermas)를 패러디한다면, '대중독재'가 대중들의 생활세계를 식민화하는 것이지요.

사카이 역사적으로 풀어 이야기한다면요?

임지현 '대중독재'가 생활세계를 식민화하는 과정은 곧 근대 국민국가의 형성·발전과 궤를 같이하는 것이 아닌가 합니다. 카를 슈미트의 '주권독재' 개념이 시사하는 바와 같이, 주권은 스스로 권력을 만들어내는 법 위에 군림하는, '구성하는 권력'입니다. 그러므로 주권을 담보하는 국민의 의지는 누구도 거역할 수 없는 초법적인 효력을 지니는 것이지요. '인민주권론'이 '대중독재'를 정당화하는 억압기제로 변모하는 이론적 지점도 바로 여기라고 생각합니다. '시민종교'로 성장한 내셔널리즘이 국민으로 호명된 근대 주체들의 자발적 복종을 유도함으로써 지배 이데올로기의 헤게모니적 기능을 충실히 수행하는 것도 이러한 맥락에서입니다. 근대 국민국가가 대중의 지지와 동의를 획득해나가는 이 역사적 과정을, '대중의 국민화' 과정이라고 요약할 수 있는데, 이 점에서 사실상 영·미식의 '대중민주주의'와 독일·이탈리아식의 '대중독재'의 간격은 그리 크지 않습니다. 글쎄요, 아직은 가설에 불과합니다만 연구가 점차 진행되면 '대중민주주의'와 '대중독재'를 '국민독재'라는 패러다임으로 한데 묶을 수 있다고 생각합니다. 9·11테러에 대한 미국 사회의 반응이야말로 '국민독재'라는 제 가설을 확인시켜준 좋은 기제라고 생각합니다. 물론 여기에는 서로 다른 근대화의 길이라는 측면이 고려되어야겠습니다만……. 왜냐하면 '대중의 국민화' 과정 그 자체가 근대화 과정과 맞물려 있으니까요.

건강한 내셔널리즘, 나쁜 내셔널리즘

사카이 그렇다면 그것은 동시에 커뮤니케이션 기술이나 매스미디어의 전개와 긴밀하게 연관된 문제겠네요?

임지현 물론입니다. 예컨대 1789년 프랑스 혁명을 통해서 근대 국민국가가 형성되었다고 하지만, 유진 웨버(Eugene Weber)의 연구는 19세기 말까지 프랑스 농민들이 여전히 지역공동체의 정체성에 갇혀 있었다는 것을 보여준단 말이에요. 여전히 하나의 국민으로 통합이 안 된 거죠. '대중독재'는 19세기 말 프랑스 농민들 수준의 지역 촌락공동체의 귀속감을 넘어서, 나는 이제 국민국가에 속해 있다는 감정을 모든 성원들이 가진다는 전제 하에서 성립할 수 있는 개념이 아닌가 합니다. 그럴 때 비로소 국민적 합의나 동의 또는 지지라는 것이 생길 수 있으니까요. 그런데 바로 그러한 국민적 귀속감은 먼저 '인쇄 자본주의(print capitalism)'의 발전, 더 나아가서는 라디오와 텔레비전의 발전을 전제할 때 가능한 것이겠지요. 특히 1차대전과 2차대전 사이, 그러니까 '대중독재'가 발흥할 시기에는 라디오의 역할이 결정적이었다고 생각합니다.

사카이 총력전체제의 문제로 논의되고 있는 것 중 하나는 그것이 1930년대에 만들어지기 시작해서 전후 일본에서까지 계속되다가 지금 그것이 끝나가고 있다는 점입니다. 총력전체제론이 나온 것은 1990년대 초인데, 1980년대까지는 일본 국민경제가 메이지 시기부터—전쟁에 의한 파괴를 포함해서 몇 차례 줄어들기는 했지만—평균적으로 거의 5% 정도 계속해서 성장해왔습니다. 그런데 메이지 이후 처음으로 전재(戰災)도 없는데 장기간 성장이 멈춘 것이 가장 큰 계기가 되었습니다. 그것을 어떻게 설명할 것인가 하는 문제 의식이 있었던 거지요. 그래서 패전 후 일본 사회가 민주화되어서 고도성장기를 맞이한 것이 아니라, 전후 일본 사회는 기본구조에서 1930년대의 연속이라는 인식이 존재했는데, 그 총력전체제가 1990년대에 파탄에 이르렀다는 것입니다. 그런데 한국의 헤게모니에 대해서도 그와 비슷하게 말할 수 있는지요? 아니면 바로 그 체제가 계속되고 있는지요?

임지현 한국에서 총력전체제 혹은 대중동원식의 근대화 전략의 파탄은 IMF 위기체제에서 이미 잘 드러났다고 생각합니다. 북한의 경우는 그보다 먼저구요. 문제는 그 위기에 대한 진단과 대응이지요. IMF 위기체제에 대한 한국 사회의 반응을 보면 '조국 근대화' 론으로 표상되었던, 대중동원을 위한 지배 이데올로기의 헤게모니적 기제들이 여전히 작동하고 있다는 의구심을 떨치기 힘듭니다. IMF 위기가 닥치자마자 금모으기 운동이 벌어졌습니다. 국민들이 각자 금가락지나 넥타이핀, 아이들 돌 반지 등을 국가에 헌납하고 국가는 그 금을 수출해서 부족한 외화를 획득한다는 것이었지요. 또 위기를 극복할 때까지 자동차에 태극기를 달고 다니자는 캠페인이 벌어진 적도 있습니다. 이는 '시민종교' 로서의 내셔널리즘이 한국 사회에서 갖는 헤게모니가 얼마나 큰가를 잘 보여주는 예가 아닌가 합니다.

사카이 이런 설명도 가능하지 않을까요? 여러 이데올로기들 사이의 모순이 격화되었을 때 가장 강력하게 헤게모니가 기능한다고. 그러니까 지금 미국에서 내셔널리즘이 강력하게 작동하는 것은, 역으로 말하면 위기 상태이기 때문에 헤게모니가 가장 직설적으로 드러난다. 즉 헤게모니의 기능이라는 것은 수많은 이데올로기들 사이에서 모순들이 드러날 때 그것들을 조절하고 종합하는 것이 아니라 억지로 묶어버리는 것이라고. 그래서 위기 상황일 때 헤게모니가 가장 잘 보인다고 이해해도 되겠습니까?

임지현 그렇게도 볼 수 있을 것 같습니다. 평상시 같으면 은폐되거나 잠재된 형태로 보이지 않게 작동하는데, 그것은 위기 상황에서 보다 효율적으로 작동하기 위한 정지작업 같은 것이기도 합니다. 말하자면 지배 이데올로기가 사람들의 일상적 삶과 의식을 식민화하는 것이지요. 예컨대 스포츠나 광고 또는 중·고등학교의 교과서와 정규 학교교육, 또 매스미디어 등을 통해 '대중의 국민화'가 이루어져, 국민국가의 존재가 선험적이고 자명한 것으로 내면화되어 있는 한, 권력의 입장에서는 크게 걱정할 필요가 없는 거지요. '대중의 국민화' 과정을 거치면서 시민종교로서의 민족주의가 사람들의 일상에 내면화되고 또 세상에 대한 사람들의 사유와 실천을 지배한다는 점에서, '대중독재' 또는 '국민독재'에 대한 문제제기는 몇 년 전 제가 제기했던 일상적 파시즘의 문제 의식하고도 연결된다고 생각합니다.

사카이 그렇다면 기본적으로 합의독재라는 개념은 파시즘이라는 개념이 너무나 역사적으로 강하게 규정하기에 그것을 대신하는 것이라고 생각할 수도 있겠습니다.

임지현 그렇게 평가해주신다면 너무 과분하지요. 그것을 대신할 수 있는가의 여부와 관계 없이 저는, 파시즘을 구조적으로 결정된 정치·사회 체제로 보는 형식사회학의 관점에 대해서는 조금 유보적입니다. 파시즘은 추상적 구조로서 존재한다기보다 매일매일의 삶 속에서 구체화되고 재생산되는 것이 아닌가 합니다.

에코(Umberto Eco)의 말을 빌리면, 이데올로기와 체제의 배후에서 사람들이 느끼고 생각하고 행동하는 방식, 집단적 코드를 공유하는 일련의 문화적 타성들, 전통의 무게로 내면화된 무의식적 습관과 태도 등에 파시즘이 구석구석 침투해 있다는 것이지요. 에코의 이러한 파시즘 규정은 그 자신의 개인적 경험과도 관련이 있습니다. 에코는 10살이던 1942년, 파시스트들이 주관한 청소년 글짓기 대회에서 최우수상을 받았습니다. 글짓기 주제는 "무솔리니의 영광과 이탈리아의 불멸적 운명을 위하여 목숨을 바쳐야만 하는가"였는데, 에코는 이 질문에 '거만한 수사'로 그렇다고 답해서 상을 받았다는 것이지요. 국가권력의 강제가 없어도 에코 같은 청소년이 계속해서 길러지는 한 파시즘은 단단한 토대를 갖는 게 아닐까요?

제 문제 의식도 이와 비슷합니다. 파시즘을 어떤 사회학적 유형이 아니라 '국민'이 공유하는 문화적 아비투스로, 더 나아간다면 들뢰즈 같은 이들이 이야기하는 '미시 파시즘(microfascism)'의 형태로 보자는 것이지요. 이런 맥락에서는 일상적 파시즘이야말로 '대중독재'의 합의 구조를 밑에서부터 받쳐주는 그러한 틀이 아닌가 싶네요.

대중의 자발적인 복종을 바탕으로, 혹은 국민국가의 프로젝트에 대한 대중의 자발적 참여를 유발하는 그 기제들이 일상적 파시즘의 형태로 사람들에게 각인되어 있고 그것이야말로 '대중독재'의 중요한 물적 토대라고 하는……. 그렇다고 해서 '대중독재'가 일상

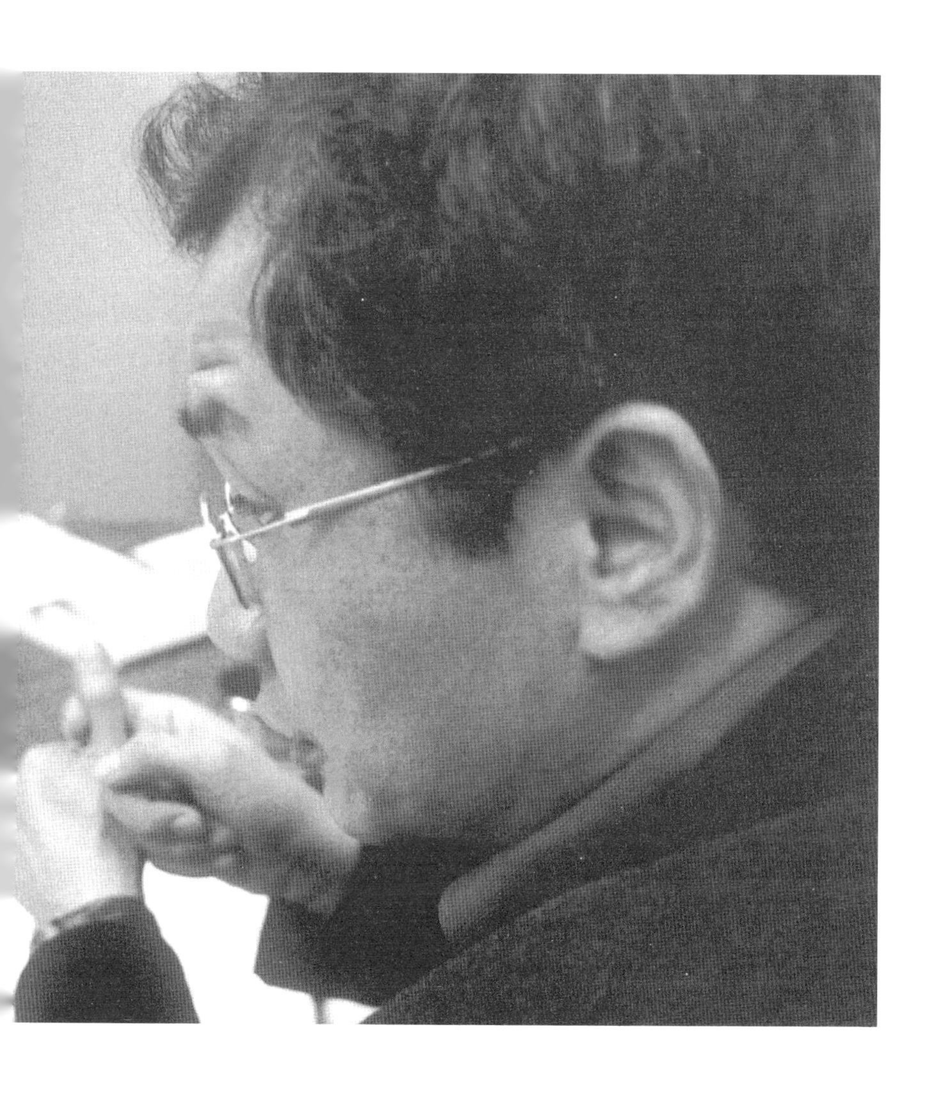

적 파시즘의 상부구조라는 말은 아닙니다. 단지 상징적 문화 구성체와 그 안에서 표상되는 아비투스가 단단한 사회·경제 체제보다 더 오래 지속되고, 따라서 더 큰 역사적 규정력을 가질 수도 있다는 것이지요.

사카이 파시즘이라는 용어를 역사적으로 사용할 때는 제한을 두고 싶어하는 역사가가 많습니다. 그 이유 중 하나는 파시즘이 아주 무한정적으로 사용되어버릴 가능성이 크기 때문이 아닌가 합니다. 그런데 임 선생께서 말씀하신 합의독재 형태라면, 20세기의 많은 산업화된 사회가 모두 갖고 있는 것이라고 생각할 수 있겠습니다. 게다가 유럽에 한정시킬 필요도 없구요. 특히 2차 세계대전의 결과, 1945년 이후부터 파시즘은 독일이나 이탈리아 등 주로 추축국(樞軸國) 측의 특징이라는 매우 제한된 의미로 사용되었기 때문에 영국이나 미국은 파시즘에 해당되지 않는다는 일종의 암묵적인 전제가 있었습니다. 하지만 이제 더 이상 그것으로는 분석할 수 없게 되었습니다. 총력전체제론 또한 비슷한 비판에서 출발했다고 생각합니다.

임지현 전적으로 동감입니다. 제 패러다임으로 보면 '대중독재'와 '대중민주주의'는 그 형식적 차별성에도 불구하고, 둘 사이의 간격은 그리 크지 않습니다. 양자는 대중의 자발적 동원 또는 근대 국민국가의 틀 속에 대중을 포섭한다는 목표를 공유하면서도, 단지 그들이 놓인 역사적 조건의 차이 때문에 근대의 길이 달랐을 뿐입니다. '대중독재'와 '대중민주주의'가 '국민독재'의 틀로 한데 묶이는 것도, 근대 국민국가 체제 또는 대중의 국민화라는 맥락에서가 아닌가 합니다. 또 양자는 모두 권력의 지배욕망을 감추고 대중의 의지와 욕망에 충실한 외양을 띠고 있습니다. 그것은 기본적으로 대중의 욕망을 만들어내고 유도하는 근대적 기제가 있었기에 가능합니다. 소비자 자본주의 같은 것이 무서운 것도 그 때문이지요. '대중민주주의'를 정당화하는 '인민주권론'이 '대중독재'를 정당화하는 이데올로기로 전화하는 것도 바로 이 '국민독재'의 맥락에서입니다. 어떤 면에서는 국민적 통합 또는 '대중의 국민화'야말로 근대주의자들의 지상목표이자 역사적 과제였지만, 우리는 그것이 지닌 위험성을 정확하게 인식하고, 근대를 완성시킨다는 문제 의식이 아니라 근대를 해체한다는 문제 의식이 오히려 필요하지 않나 생각합니다.

사카이 합의독재라는 개념 자체가, 그러니까 그러한 국민국가를 정상적인 것으로 만들고자 하는 노력 자체가 어떤 의미에서는 그것이 역사적 한계에 도달했다는 하나의 표명 아닐까요? 건강한 내셔널리즘과 건강치 않은 내셔널리즘이 있어서 건강한 내셔널리즘은 괜찮지만 건강치 않은 내셔널리즘은 안 된다는 식으로 어떻게든 난관을 피해보려 했습니다만 더 이상 이것도 할 수 없게 되었다는 자각이 필요하게 된 것이죠.

임지현 건강한 내셔널리즘과 나쁜 내셔널리즘을 구분하는 것은 사실상 불가능하다는 것이 20세기 역사가 우리에게 보여준 바가 아닌가 합니다. 더 나아가 '애국주의(patriotism)'는 좋은 거고 '내셔널리즘(nationalism)'은 나쁜 거라고 구분을 하는 폴란드식의 구분법에도 저는 반대합니다. 사실 현실사회주의 정권은, 애국주의와 프롤레타리아 국제주의는 모순되지 않는다는 주장 아래 저급한 민족주의를 위장하는 방식으로 '애국주의'라는 용어를 애용했습니다. 혈통적 민족주의를 노골적으로 선언하는 북한의 '주체사상'이 프롤레타리아 국제주의와 병립한다고 주장하는 것도 바로 이 '애국주의'라는 연결고리를 통해서입니다. 같은 맥락에서 보면, 김대중 정권의 이데올로그들이 역설하는, 이른바 '열린 민족주의'가 '폐쇄적 민족주의'에서 얼마나 떨어져 있는지도 의심스럽습니다. 김대중 정부가 표방한 '국민의 정부'라는 수사는 '열린 민족주의'의 현주소를 단적으로 잘 말해주는 것이 아닌가 합니다. 비국민을 배제한 '열린 민족주의'의 비밀이랄까요?

사카이 지금까지 미국의 국민주의에는 매카시즘의 시기가 있었다고 알려져 있었습니다만 그 시기는 예외적인 건강치 않은 시기이고 일반적으로 미국의 국민주의는 민주적이고 다양성을 포섭하는 올바른 국민주의라고 이야기되어왔습니다. 하지만 이 한 달 반 동안에 미국 국민주의의 그러한 이미지가 무너졌다는 느낌이 듭니다. 특히 좌파 지식인이 이 사태에 대해 제대로 대응할 수 있을지 불안한 상황이라고 생각합니다.

임지현 그렇지요. '대중독재'와 '대중민주주의'가 '국민독재'라는 패러다임으로 묶일 수 있다고 생각하게 된 것도, 사실은 9·11 이후의 미국 사회를 관찰하면서부터입니다. 더 중요하게는 미국의 좌파 지식인들조차 기본적으로 이 '국민독재'에 대한 문제 의식이 없었던 것이 아닌가 생각합니다. 그 결과 미국적 애국주의의 지배 담론에 완전히 흡수되어 비판의 목소리를 내지 못하는 그런 상황이 벌어졌습니다. 그러나 그것은 미국의 좌파 지식인들만의 문제가 아니라 동아시아 좌파 지식인들의 문제이기도 하고, 더 나아가서는 관념적으로는 국제주의를 표방했지만 실제 운동의 역학에서는 국민국가의 틀을 벗어나지 못했던 20세기적 변혁운동으로서의 사회주의의 문제이기도 합니다. 그래서 경계짓기로서의 근대를 넘어서기 위해서는 아직도 넘어야 할 산이 많은 것 같습니다. 어제와 오늘은 주로 우리의 위치짓기와 국민국가의 문제에 초점을 맞추어 이야기를 했습니다만, 일본에서 예정된 세 번째 대담에서는 이 같은 문제 의식의 틀 내에서 동양과 서양 또는 계급의 경계, 남성과 여성의 경계에 대해서 계속해서 이야기했으면 좋겠습니다.

사카이 사회체제를 분석하고 자유로운 이념을 내걸고 있는데도 지금까지도 아주 억압적인 사회가 존재하는 것은 무슨 까닭인지 분석하고자 하는 움직임이 있었습니다. 그중에서 가장 첨예한 시도는 미셸 푸코가 하고자 했던 작업이라고 생각합니다. 또 합의독재라는 개념으로 국민국가의 전제들을 배제하고 사회 변천이나 역사를 바라볼 수 있지 않을까요? 이 대담은 그것을 위한 아주 좋은 계기가 되지 않겠나 싶습니다.

임지현 감사합니다. 앞으로 더 이야기를 나누면서 발전시킬 것은 발전시키고 비판되어야 할 부분은 비판하면서, 지식인으로서 현실을 설명해야 하는 책무, 일종의 어카운터빌리티(accountability)를 항상 명심하고 진지하게 고민하고 뜻을 나눠가다 보면 좋은 성과가 있지 않을까 생각합니다.

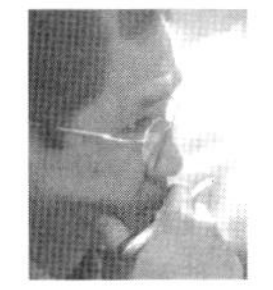

서양이 동양이라는 표상을 통해서 자신들 속의 소수자와 주변인 들을 배제했듯이, 옥시덴탈리즘이나 그 담론적 질서에 편승하는 저항 내셔널리즘이 만들어내는 운동 자체가 주변부의 국가권력과 결합하면서 서양이라는 상상의 지리를 배제함으로써 국민적 통합을 더 강화시키는 거죠. 그것은 한마디로 '국민 만들기'의 한 과정이라고 말할 수 있습니다.

임지현

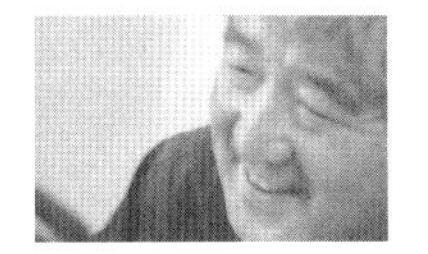

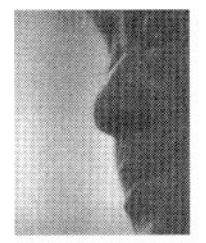

3장 문명,근대—내면화된 서양

동양을 올바르게 인식해야 한다, 혹은 서양을 올바르게 인식해야 한다는 식으로는 문제를 해결할 수 없습니다. 왜냐하면 오리엔탈리즘이나 옥시덴탈리즘 속에는 진보라는 이름의 욕망이 확실히 보이기 때문입니다. 자본주의의 내면화로서의 진보 개념이 보여주듯이, 동양에서 스스로가 오리엔트로서 보인 사람은 언젠가 서양이 될 수 있다는 전제 아래서, 그 욕망 속에서 자신들의 현실을 바라보거나 서양이라는 목표를 바라보기 때문입니다.

사카이 나오키

3장 〈오리엔탈리즘과 옥시덴탈리즘〉〈한국은 동양, 일본은 서양이라는 배치〉〈변화하는 시간과 공간들〉은 일본 이와나미 출판사의 협조로 2001년 12월 17일 이와나미 출판사 제3회의실에서 열린 세 번째 대담과, 18일 페어먼트 호텔 근처의 커피숍 'Le Grand' 에서 열린 네 번째 대담을 재구성한 것입니다.

오리엔탈리즘, 옥시덴탈리즘

임지현 우리는 지난 2001년 9월, 생생하게 살아 숨쉬는 오리엔탈리즘을 목격할 수 있었습니다. 9·11테러 직후 미국과 유럽 각국의 언론을 보면, 이슬람에 대해 만들어진 이미지들이 그럴 듯한 역사적 근거와 합리적 외양을 띠고 드러나 있습니다. 주된 보도 내용은, 사우디의 백만장자 '오사마 빈 라덴'과 '무자헤딘'이라 불리는 이슬람 전사들, 이슬람 근본주의와 '하마스' '헤즈볼라' '지하드' 등 이슬람의 호전성과 전투성에 대한 것들이었습니다. 저는 이 기사들의 진위 여부를 확인할 만큼 이슬람에 대한 전문적인 식견은 없습니다만, 어느 면에서는 이들 단편적인 정보들의 사실 여부가 중요한 것은 아니지 않나 싶습니다.

사실 여부를 떠나 그것들은, 서구 언론이 만들고 싶은 이슬람의 이미지가 먼저 있고, 그 이미지에 따라 그림 조각들을 맞추는 '퍼즐 게임'이라는 인상이 들었습니다. 하나 하나의 퍼즐 조각이 어떤 그림을 담는가에 상관없이, 이미 이슬람의 이미지가 어떻게 드러나야 한다는 밑그림이 먼저 그려져 있었던 것이지요. 사이드의 용어를 빌려 말하면, 서구 언론의 텍스트 속에서 이슬람이 차지하고 있는 '전략적 위치'는 이미 테러리즘인 것입니다. 서구 언론의 담론 체계에서 이슬람이 갖는 이 독특한 '전략적 위치'는 다시 '한 손에는 칼, 한 손에는 코란' 또는 '파괴적이고 잔인한 교리를 가진 위험한 종교'라는 서구 사회의 편견을 재생산합니다.

일본에서 열리는 이번 대담에서는, 세계 여론이 자주 기대어 서 있는, 서양과 동양이라는 '상상의 지리'를 만들어낸 역사적 과정에서부터 이야기를 풀어갔으면 합니다.

사카이 지난 20년 동안 많은 지식인들이 오리엔탈리즘 비판에 매달려왔습니다. 인문·사회 과학의 구석구석까지 스며든, 이 오리엔탈리즘이라 불리는 담론 편제(編制)를 어떻게 고발하고 제거해나갈 것인가 하는 것은 이른바 혁신적이며 인종주의나 식민주의에 반대하는 지식인의 바람이기도 하며 사명이기도 합니다. 저 자신도 아메리카합중국과 일본의 인문과학 속에 오리엔탈리즘과 식민주의적 심성이 얼마나 깊게 뿌리내리고 있는지를 해석하고 제시하는 일을 해왔습니다. 그러나 2001년 9월 12일 이후 영어권 매스컴의 동향에 한해서 본다면, 지난 20년 간의 노력은 완전히 헛수고가 아니었나 하는 심한 절망감에 사로잡힐 때가 많습니다. 더욱이 영어권 매스컴을 추종하는 영어권 이외의 매스컴의 자세를 보면 이 절망감은 더욱 깊어집니다.

이미 한국과 일본의 지식인 사이에서도 에드워드 사이드의 《오리엔탈리즘》은 잘 알려져 있습니다. 아시다시피 1978년에 발표된 이 책은 비(非)서양에 대한 유럽과 아메리카합중국의 학문이 어떻게 비서양에 대한 이미지를 만들어냈고, 어떻게 그럴 듯한 역사적인 근거나 합리적인 지식 체계를 만들어냈으며, 나아가 서양의 식민주의나 제국주의적인 행위가 어떻게 정당화되어왔는지를 분석했습니다.

사이드의 《오리엔탈리즘》에서는 저자 자신이 재미 팔레스타인인이라는 점도 있어서 중근동, 그중에서도 주로 이슬람교가 지배적인 지역에 대한 유럽과 아메리카합중국의 학문 연구, 그리고 그러한 학문 연구를 지탱하는 아메리카합중국의 대학 제도가 주로 다루어졌습니다. 단순히 문헌에 나타난 이슬람 사회에 대한 편견이나, 지식의 객관적 타당성의 검증이 문제였던 것은 아닙니다.

사이드는 지식의 생산, 중근동에 대해 유럽 식민지 세력이 펼친 정책의 정당성에서 시작하여, 유럽인·아메리카합중국인이 지닌 이슬람에 대한 태도나 행동 양식, 이슬람 사회나 이슬람인에 대해 상상하는 방식, 나아가서는 엑조티즘(exotism)을 포함하여 이른바 서양이 '오리엔트'를 만들어내면서 지배하는 담론이라는 심급(審級)으로 작용하는 식민지·제국주의적 권력의 기능을 분석해 보여줍니다.

오리엔탈리즘의 전략적 위치

임지현 9월 11일 이후의 매스컴은 사이드의 분석이 지금도 얼마나 유효하며 타당한지를 가르쳐주고 있다고 생각합니다. 또한 거꾸로 이것은 지금도 《오리엔탈리즘》에 대해 감정적으로 반발하는 학자가 왜 지역 연구자 중에 특히 많은지를 가르쳐주는 것이기도 하죠.

사카이 저희 대담에서 오리엔탈리즘 현상에 대해 비판하지 않을 수는 없을 것 같습니다. 아마 이러한 방식으로 오리엔탈리즘이 단숨에 저널리즘의 전면으로 회귀한 데에는 이유가 있을 것입니다. 더욱이 지금까지도 오리엔탈리즘이 저희들의 비판에 의해 쉽게 소멸될 것이라는 따위의 낙관적인 전망을 가졌던 것도 아닙니다.

현재 매스컴이 그려내는 이슬람의 모습이 실상과 다르고 허구적임은 말할 것도 없습니다. 그러나 《오리엔탈리즘》이 지적한 바와 같이, 그렇게 해서 만들어진 이슬람의 이미지는 현실을 속이는 것 이상의 역할을 하고 있습니다. 말씀하신 대로, 오리엔탈리즘 담론에서 이슬람의 '전략적 위치'는 원래 '테러'입니다. 더구나 세계무역센터와 펜타곤 공격 이후 부시 정권이나 매스컴이 테러·테러리즘이라는 말을 그 역사적 문맥을 완전히 무시한 채 자의적으로 사용하고 있는 점에 유의할 필요가 있습니다. 그들이 사용하는 '테러'와 '테러리즘'은 국경을 넘어 침입해오는 질서의 파괴자, 혹은 질서를 파괴하는 병리현상을 가리킵니다. 그리고 이 '테러'는 왕왕 이슬람 원리주의와 동일시됩니다.

그것은 마치 1930년대부터 1940년대 초에 걸쳐 유럽에서 사용된 '유대인'이라는 말과 놀랄 만큼 유사합니다. 그것은 세계 속에 확대되는 '국제적 음모'이며, 건전한 국민국가의 질서를 파괴하는 세균과 같은 것입니다. 이것은 1930년대에는 없었지만 지금은 전 세계적으로 인터넷이 보급되어 있으므로 '바이러스'에 비유하면 가장 효과적이겠네요.

그러나 '유대인'이 '오리엔트'와 곧바로 동일시되는 경우는 드물었습니다. 하지만 현재 매스컴에 보급되고 있는 이슬람 상(像)은 이 점에서 다릅니다. 더욱이 이 이슬람의 이미지는 완전히 자의적인 것이므로, 동일한 '오리엔탈리즘'을 세계의 다른 지역에 사는 사람들, 예를 들면 중국인에 대해서도 적용할 수 있습니다. 비록 이슬람=테러라는 등식이 고유한 역사 속에서 생겨난 편견이라 하더라도 이 편견은 중국=테러라는 등식으로 쉽게 바뀌칠 수 있는 것입니다.

임지현 그렇다면 상대가 반드시 오사마 빈 라덴일 필요도, 이슬람일 필요도 없는 거지요. 중요한 것은 항상 누군가가 무슨 이유로든 이슬람을, 혹은 오리엔트를 필요로 한다는 것이겠지요.

사카이 아마도 그 해답은 이슬람에도, 중국에도, 이른바 비서양에는 없다고 생각합니다. 오리엔탈리즘 담론을 주관적으로 다룰 수 있는 지역이나 문명에서는 해답을 찾을 수 없을 것입니다. 오히려 그것은 오리엔탈리즘이 없으면 자기 확정할 수 없는 자들 쪽에 있다고 생각하는 편이 좋습니다. 요컨대 오리엔탈리즘에 의해 자기 확정할 수 있게 된 자란, 우선 맨먼저 '서양' 그 자체입니다. 그 다음으로는 '서양'을 조정(措定)하는 범위 내에서 자기 확정할 수 있게 된 자들이 포함됩니다.

오리엔탈리즘은 먼저 비서양 사람들과 풍물, 문명을 가시화함으로써 '보는 자'로서의 서양을 암묵적으로 전제합니다. 그래서 오리엔탈리즘에는 서양의 나르시시즘이 반드시 붙어다닙니다. 오리엔탈리즘에는 비서양에 대한 진정한 관심은 없습니다. 그러므로 오리엔탈리즘을, 동화 《백설공주》에서 계모가 가진 거울에 비유하면 좋을 것입니다. 서양은 비서양에 대해 많은 물음을 던지고 그에 대한 지식을 추구하지만, 거기서 기대하는 것은 '서양이 얼마나 아름다운가!'라는 대답입니다. 현재 진행 중인 이슬람에 대한 묘사 가운데 기독교 대 이교(異教), 서양 민주주의 대 독재체제, 서양 문명 대 야만과 같이, '서양'의 동일성을 수립하는 데에 도움이 되는 이항대립이 많은 것은 우연이 아닐 것입니다. 여기서 기본적인 점에 주목할 필요가 있겠지요.

그 이유는 이렇게 해서 사용된 '서양'이라는 용어는 이미 지리적인 범주가 아니기 때문입니다. 근대 유럽어로서 '서양'은 대략 '서쪽의 장소'를 의미합니다. 그런데 그람시가 지적한 바와 같이, 지구는 구상(球狀)이기 때문에 원리적으로는 지상의 모든 점이 '서양'일 수 있습니다. 하지만 한국이 일본의 서쪽에 위치한다고 해서 한국을 서양이라 부르는 일본인은 없을 테지요. 그래서 우리들은 '서양'이 특정 지역이며 '서양인'은 그 지역에 사는 사람들이라고 거침없이 생각해버리는 것입니다. 그리고 유럽과 북아메리카가 '서양'이며 근대 문명의 본거지라고.

임지현 동의합니다. 9·11테러는 오리엔탈리즘이 서양에서 얼마나 강력한 기제로 살아 움직이고 있는지를 잘 보여준 사례였죠.

사카이 그런데 '서양'에 대해 고정된 특징인 기독교 전통, 과학의식, 최신기술의 보급, 근대적 정치 제도(근대 의회제, 근대법 제도, 보통선거, 기본적 인권 등), 발달한 자본주의, 소비사회, 합리적 사고, 근대적 가족, 매스미디어의 발달 등을 조금 상세히 살펴보면 이상한 점이 있음을 알 수 있습니다. 일반적으로 대부분의 동유럽 국가들은 최신기술의 보급, 근대적 정치 제도, 발달한 자본주의, 소비사회, 근대적 가족 제도, 매스미디어의 발달 등에 해당되지 않기 때문에 '서양'에 포함될 수 없습니다. 유럽이라도 토착 이슬람교도, 알바니아나 구유고슬라비아, 이탈리아 그리고 발칸 지역에는 이슬람교도 사회가 있습니다. 그들은 기독교의 전통이 없다는 점에서 실격입니다. 또 유럽에는 이민 온 이슬람교도가 많은데, 이들도 '서양' 인으로 취급할 수 없습니다.

북아메리카에 사는 아프리카계 아메리카인 중산계급들은 위에서 든 '서양인' 의 특징을 모두 충족시키지만 '서양인' 으로 취급되는 경우는 드뭅니다. 유럽이나 북아메리카의 노동자계급에 대해 조사해보면, 근대적 과학의식을 갖지 않은 경우가 많으며, 종교 면에서도 세속화된 근대적 종교의식과는 거리가 먼 원리주의적인 신앙 형태를 따르는 사람이 많음을 알 수 있습니다. '서양인' 이란 프랑스나 영국 인구의 극히 일부를 차지하는, 부르주아의 어떤 이념화된 이미지여서, 유럽이나 북아메리카 주민도 '서양인' 은 아닙니다.

그것은 한편에선 인종으로서 백인을 막연히 시사하면서, 다른 한편에선 근대적 자격을 갖춘 유산계급을 가리키는 것이겠지요. 그러므로 백인이라는 인종 조건을 제거하면 '서양인' 은 도쿄에도, 서울에도, 홍콩에도, 싱가포르에도, 카이로에도, 리오데자네이로에도, 모스크바에도, 상하이에도, 멕시코시티에도 있음을 알 수 있습니다.

오늘날 '서양' 이라는 범주의 내실이 급속하게 상실되어가고 있습니다. 불과 30년 전만 해도 '서양' 이라고 하면 곧 수학, 자연과학 그리고 최신기술의 우수함이 연상되었습니다. 오늘날 아메리카합중국이나 유럽의 중등·고등 교육에서는 수학, 자연과학이라면 아시아계 학생을 당할 수 없다는, 전도된 고정관념이 생겨버렸습니다. 과학의식이나 합리적 사고와 같이, 서양인이 독점하고 있다고 생각했던 다양한 능력이 세계인들에 의해 공유되며, 서양인과 비

서양인의 구별에서 인종이나 민족이 아니라 사회 계층이 훨씬 큰 역할을 한다는 것이 서서히 사람들 사이에서 자각되어온 것입니다. 이 과정을 세계화라 불러도 좋겠지요.

이 과정에서 서양인이 지구상에 널리 산재(散在)하게 되겠지만, 그 절대수는 크게 줄어들겠지요. 요컨대 이제까지는 서양인이라 생각했지만 이제부터는 서양인이 아닌 탈락자가 엄청나게 생겨날 것이라고 생각합니다.

이러한 사람들에게 오리엔탈리즘은 참으로 매력적인 것으로 다시 다가올 것입니다.

임지현 이슬람에 대해 서구 언론이 만들어놓은 오리엔탈리즘적 시각과는 반대로, 한국의 언론에서 9·11테러를 보도하는 것을 보면 종전과는 다른 국면이 하나 있는 것 같습니다. '이슬람은 호전적이지 않고 평화적'이다, '이슬람이란 종교 자체는 이웃민족과의 공존을 지향한다' '이슬람은 테러리즘과 관계없다'는 식의 논의들이 신문의 한 켠을 차지했습니다. 그러니까 한편에서는 서구 언론이 오리엔탈리즘의 시각으로 이슬람을 본질화했다면, 다른 한편에서는 정반대의 입장에서 이슬람을 본질화하는 그러한 보도들이 있었습니다.

이슬람에 대한 전문지식이 없기 때문에 오리엔탈리즘적 버전과 옥시덴탈리즘적 버전 중 어느 것이 더 이슬람에 가까운지는 이야기할 수 없습니다만, 이러한 사고 방식 자체에 대해서는 문제를 제기해야 한다고 생각합니다. 즉 오리엔탈리즘이 부정적인 이미지로 이슬람을 본질화했다면, 옥시덴탈리즘은 그와는 반대로 긍정적 이미지로 이슬람을 본질화했다는 말이죠. 그런 면에서 이번 9·11테러에서도 드러나듯이, 오리엔탈리즘과 옥시덴탈리즘은 현상적으로는 정반대처럼 보이지만 내용적으로는 사실상 동일한 사유 방식과 코드를 공유한다고 생각합니다.

요컨대 오리엔탈리즘과 옥시덴탈리즘이 현상적으로는 적처럼 보이지만 내용적으로는 공범인, 그러니까 적대적 공범 관계에 있다는 혐의를 쉽게 지울 수가 없습니다. 우리가 이 장에서 오리엔탈리즘, 혹은 서양과 동양을 경계지었던 근대 이야기에 본격적으로 들어가기에 앞서, 오리엔탈리즘과 옥시덴탈리즘이 공범 관계라는 점을 분명히 짚으면서 앞으로의 이야기를 해나가면 어떨까 싶습니다.

사카이 예, 그렇게 하지요.

오리엔탈리즘 = 옥시덴탈리즘

임지현 그러면 이젠, 상상된 지리로서의 동양과 서양을 구분했던 구분법에 대한 이야기로 넘어갔으면 하는데요. 2001년 11월 말부터 12월 초까지 서울에서 '한일역사가회의'가 열렸습니다. 그때 일본측 참가자 중 한 분인 니시가와 마사오(西川正雄) 선생이 상당히 흥미로운 지적을 했는데요, 서양사라는 학문 영역이 있는 나라는 일본과 한국밖에 없다는 겁니다. 미국이나 유럽 어디를 가도 '서양사(Western History)'를 독립된 학문 분야로 따로 떼어 전공학과를 만들거나, 대학원에서 전공을 구분하는 나라는 없다는 겁니다. 그러면 왜 정작 서양에는 서양사라는 장르가 없는데 일본이나 한국에는 서양사라는 장르가 있는가, 도대체 이것이 함축하는 아이러니는 뭘까? 그리고 그것이 갖는 의미는 무엇인가를 먼저 짚어보면서 이야기를 풀어나갔으면 합니다.

어떻게 보면 이것은 서양에서 동양과 서양의 이분법을 만들어냈지만 사실은 서양이 만들어낸 이 이분법이 동양에서 더 깊고 강고한 형태로, 동아시아의 한국인이나 일본인의 사고 방식을 지배하는 하나의 지배담론으로 정착된 것임을 보여주는 좋은 예가 아닐까요?

사카이 임 선생 말씀이 타당하다고 봅니다. 전적으로 동의합니다. 늘 오리엔탈리즘과 옥시덴탈리즘의 공범 관계가 문제가 되었는데, 왜 그 공범 관계가 뚜렷해지지 않나를 자주 생각해왔습니다.

오리엔탈리즘을 떠올릴 때 그 오리엔트는 동양이라고 해도 좋을 것입니다. 동양에 대해, 동양의 고유한 무언가에 대해 말한다는 식으로 오리엔탈리즘은 만들어집니다. 따라서 거기에는 오리엔트라는 것이 어딘가에 있다는 전제가 늘 기능하고 있는 셈이지요. 옥시덴탈리즘의 경우 역시 서양이라는 것이 어딘가에 있다는 전제가 있는 것 같습니다. 그때 임 선생께서 말씀하신 '상상된 지리'라는 것이 아주 중요한 의미를 지니고 옥시덴트나 오리엔트, 서양이나 동양이 마치 어떤 지역인 것처럼 생각하게 하는 게 아닌가 싶습니다.

옥시덴탈리즘과 오리엔탈리즘이 공범 관계라는 관점에서 보면 오리엔탈리즘, 즉 동양에 대해 여러 가지로 말한다는 것은 사실 서양인인 자기들이 어떤 존재이고 싶은가 하는 이미지를 만들어내기 위한 장치로 암묵적으로 작동한다는 것을 바로 알 수 있습니다. 마찬가지로 옥시덴탈리즘의 경우에도 서양에 대해 비난하거나 긍정하는 작업을 통해서 자기들의 동양이 어떤 것인가, 혹은 어떻게 보여야 하는가를 암묵적으로 말하는 것입니다.

임지현 좀더 구체적인 예를 들어서 풀어가보면 어떨까요?

사카이 동양 혹은 서양이라는 영역과 지리의 관계를 일단 괄호 안에 넣고 생각해보면 몇 가지 재미있는 현상들이 보입니다. 그 하나로, 가령 1930년대 일본 지식인이 대만에 갔을 때 대만을 묘사하는 방식을 보면 19세기 말이나 20세기 초에 프랑스나 영국의 외교관이나 여행자가 일본을 묘사하는 방식과 거의 비슷한 묘사를 반복하고 있음을 알 수 있습니다. 그와 동시에 1930년대 한반도에서 온 지식인이 오사카나 도쿄라는 도시를 묘사하는 방식과, 일본 지식인이 베를린이나 런던과 같은, 당시에는 진보적이라고 생각되던 도시를 묘사하는 방식 사이에서 놀라울 정도의 유사성을 발견할 수 있지 않을까요?

그런 관계를 생각할 때 옥시덴탈리즘과 오리엔탈리즘의 공범 관계는 단순히 서로 다른 두 지역 사이에 상호 촉진의 관계만 있는 것이 아니라, 그 안에는 언제나 진보된 곳과 뒤처진 곳, 진보된 사람들과 뒤처진 사람들이라는 시간적 구분이 들어 있습니다. 이것은 잘 생각해보면 매우 이상한 논리입니다.

무슨 말이냐 하면, 뒤처진 사람들은 시간이 지나면 진보된 사람들과 같아질 터이니 그들은 진보된 사람들이 과거에 해온 것을 한 번 더 반복하게 됩니다. 모방의 관계를 생각하지 않으면 진보된 사람들과 뒤처진 사람들이라는 분류가 성립하지 않습니다. 그렇게 생각하면 일본과 대만의 지식인 사이에 있었던 관계와, 일본과 서유럽의 관계가 왜 비슷해지는지 점차 알게 됩니다. 만약 뒤처진 사람들과 진보된 사람들이라는 형태로만 생각한다면, 시간이 지남에 따라 뒤처진 사람들이 예전의 진보된 사람들과 같아지리라 예상되는 이상, 유사성은 세계의 어느 곳에서나 얼마든지 만들어질 터입니다. 이것이 역사주의[28]의 일종인 발전사라는 역사의 틀을 만들었습니다.

이리하여 지리적인 대비 관계가 어느 순간에 시간적인, 즉 진보됐느냐 뒤처졌느냐 하는 관계 안으로 투사(投射)되고, 시간적인 관계로 생각할 수 있는 것이 어느 순간 지리적 관계로 투사됩니다. 만약 시간적 관계만을 생각한다면 임 선생께서 말씀하셨듯이, 동양과 서양을 구별하는 것은 현실적으로 절대 불가능합니다.

그렇다면 옥시덴탈리즘과 오리엔탈리즘의 공범 관계를 역사주의의 문제와 결부시켜 생각해야 하지 않을까요?

임지현 역사주의의 원죄군요. 지리적 관계를 시간적 관계로 뒤바꾸어놓았다는 것은 결국 오리엔탈리즘이나 옥시덴탈리즘이 상정하는 동양과 서양의 관계가 지리적 구분이 아니라 근대의 시간 관

(28) **역사주의**
19세기 말부터 인문과학에서 사용하기 시작한 새로운 개념으로, 모든 사상(事象)을 역사적 생성 과정으로 보고 그 가치 및 진리도 역사의 발전 과정에서 나타난다고 주장합니다. 일반적으로는 역사적인 것에 대한 19세기 독일 역사학파의 견해를 가리킵니다. 독일 경제학의 역사학파에 그 원천을 두고 있는데 그 뒤 다의적으로 사용되고 있습니다.
마이네케는 역사주의를 사적으로 고찰하고 나서 역사주의란 '라이프니츠로부터 괴테에 이르는 대규모적인 독일 사상에서 일어진 새로운 생활 원리'인 동시에, '서유럽적 사유가 체험한 최대의 정신혁명의 하나'이며, 이는 단순히 정신과학상의 방법에 머물지 않는 세계관·인생관이라고 주장하였습니다. 그의 역사주의는 개체성과 발전이라는 두 가지 개념으로 이루어져 있는데, 양자는 서로 직접 관련되어 있으며, 개체성은 발전에 의해서만 나타나고, 발전은 개체의 자발성에 입각해 존재한다는 것입니다. 그는 이것이 사상에서는 괴테에 의해서, 역사학에서는 랑케에 의해서 각각 결실을 보았다고 주장합니다.

념이 만들어놓은 구분이고, 그런 점에서 역사주의와 관련된다는 지적은 아주 중요한 것 같습니다.

어떻게 보면 '프로토 오리엔탈리즘(Proto-Orinentalism)'이라고 할까요, 그런 것이 전근대의 중국적 세계 질서 속에도 존재했다고 생각합니다. 말하자면 중국을 중심에 놓고 주변부를 오랑캐, 바바리안으로 보는 관계가 전근대 중국적 세계 질서, 중국을 둘러싼 아시아의 세계 질서 속에도 존재했는데, 그것은 천자문이나 중국의 다양한 지식 체계가 한국이나 일본을 비롯한 동아시아 주변 국가로 퍼져가면서 중국의 헤게모니가 관철된 결과이기도 합니다.

그런 점에서 프로토 오리엔탈리즘과 근대 오리엔탈리즘의 차이는, 그 주체가 중국과 서양으로 각각 달랐다는 측면보다는 근대적 진보관이 있느냐 없느냐 여부일 것 같습니다. 즉 프로토 오리엔탈리즘에는 근대적 진보 관념이 없었지만 현대의 오리엔탈리즘, 우리가 이야기하는 오리엔탈리즘에는 근대적 진보관이 밑에 깔려 있다는 거죠.

근대적 진보관이 밑에 깔려 있다는 발상은, 서양을 따라잡아야 할 하나의 모델로 간주하는 그러한 사고 방식을 은연중에 내포하고 있습니다. 아까 사카이 선생께서 잘 지적하셨지만, 일본 지식인이 대만을 묘사하는 방식과, 프랑스 외교관이 일본을 묘사하는 방식이 왜 같은가 하는 의문을 푸는 열쇠도 거기에 있겠지요. 적어도 일본과 대만의 관계에서 일본이 좀더 근대적 진보를 앞서서 달성한 나라이고 대만은 그것을 따라가야 할 나라라는 전제가 밑에 깔려 있다면, 프랑스 외교관이 메이지 일본을 보는 시선에는 프랑스는 자본주의로 상징되는 근대적 진보가 좀더 앞서 이루어진 나라이고 일본은 그것을 따라가야 한다는 전제가 깔려 있는 것이죠. 거꾸로, 뒤처져 있는 나라의 지식인이 보다 앞선 나라를 보는 시선, 예컨대 조선의 지식인이 일본을 보는 시선이나, 일본의 지식인이 베를린이나 파리나 런던 같은 메트로폴리스를 보는 시선이 바탕에 깔고 있는 것도 역시 근대적 진보관이 아닌가 합니다. 그리고 오리엔탈리즘과 옥시덴탈리즘이 적대적 공범 관계를 유지할 수 있는 것도 어떤 면에서는 자본주의적 근대의 진보관을 공유하고 있기 때문이 아닌가 하는 생각이 듭니다.

근대를 향한 욕망과 자본주의

사카이 맞습니다. 사실 오리엔탈리즘과 옥시덴탈리즘을 문제삼을 때, 동양을 올바르게 인식해야 한다, 혹은 서양을 올바르게 인식해야 한다는 식으로는 문제를 해결할 수 없습니다. 왜냐하면 오리엔탈리즘이나 옥시덴탈리즘 속에는 진보라는 이름의 욕망이 확실히 보이기 때문입니다. 묘하게 들릴지 모르지만, 동양이 오리엔탈리즘의 대상으로 보이는 순간에 동양에 있는 사람은 그와는 다른 방식으로 서양을 보고 있다, 즉 서양에 의해 대상화된 인간으로서만 서양을 보고 있는 것이 아닙니다. 무슨 말이냐 하면, 자본주의의 내면화로서의 진보 개념이 보여주듯이, 동양에서 스스로를 오리엔트라고 여긴 사람은 언젠가 자신이 서양이 될 수 있다는 전제 아래서, 그 욕망 속에서 자신의 현실을 바라보거나 서양이라는 목표를 바라보기 때문입니다. 동양인이 스스로를 바라볼 때 마치 자신이 서양인인 양 자신의 현실을 바라보기 때문입니다.

그렇다면 오리엔탈리즘의 성립에는 두 가지 상반된 전제조건이 존재한다는 사실을 알 수 있습니다. 그 하나는, 오리엔트든 옥시덴트든, 근대화 과정 속에서 앞으로 나아감으로써 끊임없이 서양에

근접해간다는 전제입니다. 다른 하나는, 그러한 근대적 과정에서 사회가 변함에도 불구하고 역으로 서양적일 수 없는 고유한 사물이나 형태는 남아 있어야 한다, 즉 근대화되어도 동양의 독자성이나 고유성은 남아 있어야 한다는 것입니다. 첫 번째 조건은 서양에 커다란 불안감을 조성합니다. 지금은 진보했다고 생각해도 언제 추월될지 모른다는 불안 말입니다. 이에 비해 두 번째 조건은, 서양과 동양은 각각의 고유성이나 독자성에 기초하기에, 근대화 과정이 바꿀 수 없으리라는 식으로 서양에 안도감을 안겨줍니다.

그래서 극동의 한국이나 일본 혹은 중국에서 오리엔탈리즘을 부정적으로만 바라보면 아주 큰 것을 놓쳐버리게 됩니다. 무슨 말이냐 하면, 오리엔탈리즘이나 옥시덴탈리즘이 없었다면 일본이나 중국 혹은 한국에서 근대화에 대한 욕망이 발생하는 자체가 어렵지 않았겠나 하는 점입니다. 그와 동시에 동양은 자신의 문화적 독자성이라는 의식을 그것들을 통해서 획득했다는 점 또한 잊어서는 안 됩니다.

이 관점에서 본다면, 왜 근대화가 종종 서양화로 사고되며, 동양 사람들에 의해 그런 식으로 강조되었는지 알 수 있을 것입니다.

임지현 그렇습니다. 자본주의 세계체제가 성립되는 과정에서, 한편에서는 자본주의적 근대화는 주변부 사람들의 의지나 동의와는 상관없이, 자본주의 세계에 편입된 이상 피할 수 없는 길이라는 인식이 광범위하게 존재했던 것 같습니다. 그 길 자체를 부징한다면, 예컨대 전근대의 목가적인 생활에 대한 낭만적이고 복고적인 향수에 빠지는 결과를 빚기 십상이죠. 역사적 리얼리즘의 관점에서 보면, 세계 자본주의 체제가 성립하면서 서구적 근대화로의 길이 선택의 여지가 없는 유일한 것이었다는 점을 지적하지 않을 수 없겠는데요. 그러나 다른 한편으로 보면, 다른 선택이 없는 불가피한 길로서의 근대화, 서구화라는 것을 역사적 조건 속에서 당연한 것으로 정당화하는 것과, 그 불가피성을 역사적 흐름 속에서 인정은 하지만 동시에 그것이 가진 문제점을 지적하는 것은 분명히 다르다고 생각합니다.

동아시아로 시선을 한번 돌려보지요. 자본주의 세계체제에서 일본이 차지하고 있는 위치와 한국이 차지하고 있는 위치는 다르다고 생각하는데요, 어느 면에서 일본은 나름의 근대화에 성공했고 G8국가의 성원입니다. 말하자면 제1세계로 진입한 유일한 아시아 국가이자 후발 산업국가입니다. 그러나 한국의 경우는 전형적인 주변부, 혹은 반주변부 사회가 갖는 특성을 공유해왔다고 생각합니다.

그러니까 한국에서는 근대를 비판하는 것 자체가 반비판에 상당히 시달리게 되는 것이죠. 일본은 어떤지 모르겠습니다만, 그 반비판의 정도가 한국보다는 약하리라 생각합니다. 한국의 경우에는 아직 '근대'를 완성하지도 못했는데 그 근대 자체를 비판하는 것이 말이나 되느냐, 현단계에서 한국 사회의 역사적 과제는 근대를 완성하는 것이다, 그러니까 근대가 완성된 다음에 그 문제점을 토로하는 것은 가능하지만, 지금 시점에서 근대에 대해 비판적인 의견을 표명하는 것은 한국 사회가 가진 근대화라는 역사적 과제 자체를 방해하는 그런 반동적인 논의가 될 수 있다는 반론도 만만치 않습니다.

사카이 그 점에 대해 좀더 들었으면 싶은데요.

임지현 분명히 근대-탈근대 논쟁에는, 한국 사람들은 21세기에 어떤 문명을 필요로 하는가? 하는 역사·철학적인 질문이 내포되어 있지만, 그것은 민감한 정치적 현안에 밀려 무시되기 일쑤였습니다. 이 논쟁에 내포되어 있는 민감한 정치적인 질문이란 이런 겁니다. 예컨대 한국의 내셔널리즘을 비판한다고 했을 때 가장 자주 부딪치게 되는 반론이 무엇인가 하면, 한반도는 여전히 분단되어 있고 자주적이고 근대적인 국민국가의 수립이라는 역사적 과제가 달성되지 않은 상황인데 내셔널리즘이나 국민국가를 비판하는 것은 어불성설이라는 논리입니다. 물론 여기에는 저항민족주의의 신화가 개입되어 있지만, 어쨌거나 국민국가가 일찍이 완성된 나라에서 국민국가를 비판하는 것과는 질적인 차이가 있다는 것이지요.

또 한반도 내셔널리즘의 비판은 정치적으로는 통일을 반대하는 반통일론자이자 보수-수구 세력의 논리라는 혐의를 뒤집어쓰기도 합니다. 저 자신은 한반도에서는 통일보다는 탈냉전이 더 합리적인 길이라고 생각합니다만, '탈냉전'과 '멀티 코리아(multi-Korea)' 주장은, 진보를 독점한 통일민족주의의 거센 공격 앞에서는 불 앞의 얼음에 불과합니다.

그러나 근대화라는 것이 19, 20세기의 세계사적 맥락에서 불가피했다는 점을 인정하는 논리와, 그것은 역사의 필연적 과제이기 때문에 일단 그 과제가 달성된 다음에나 비판할 수 있다는 논리 사이에는 분명한 논리적 비약이 존재합니다. 무엇보다 먼저, 자주적 근대 국민국가의 수립과 근대화를 역사적 과제로 설정하고 있는 그러한 발상 자체가, 남한과 북한의 국가권력에 의해서 조작되거나 만들어진 욕망에 근거하고 있다는 점입니다. 물론 분단으로 헤어진 가족들을 만나고자 하는 이산가족의 절절한 애원(哀願)이 존재합니다만, 헤어진 가족에 대한 절절한 그리움을 통일된 자주 국민국가에 대한 전국민적 욕망으로 전화시키는 것은 다른 메커니즘이 아닌가 합니다. 그 결과, 통일에 대한 사람들의 욕망이 만들어지고 조작되고, 또 그렇게 만들어진 욕망이 남북한의 국가권력을 정당화하고 권력 헤게모니를 강화시켜왔다는 역사는 은폐됩니다. 가령 남한 노동시장의 50% 이상을 차지하는 일용직 노동자들에게 통일은 어떻게 다가올까요? 값싸고 질 좋은 북한 노동자들과의 첨예한 경쟁이 그들의 삶의 질을 떨어뜨린다 해도 그들이 통일을 욕망한다면 그 욕망의 지도는 어떻게 그릴 수 있을까요? 그러나 더 근본적으로는, 역설적인 이야기가 되겠습니다만, 근대가 완성되지 않았기 때문에 오히려 근대에 대한 비판이 더 필요한 것 아닌가, 탈근대적 시각에서 근대를 비판할 때 비로소 서구가 걸었던 것과는 다른 형태의 미래에서 희망의 싹을 보는, 그러한 식으로의 사회의 재구성, 또는 미래사회의 지형을 새로운 방향으로 끌고나가는 계기가 되지 않을까 하는 생각이 듭니다.

사카이 근대화가 완성되지 않는 것으로 주어져 있다는 사실은 근대화를 생각하는 데 핵심적입니다. 근대화의 완성이라는 사고 방식은 동양 사회가 서양 사회처럼 된다는 식으로 재현될 수밖에 없습니다. 즉자적으로 근대화를 이룬 사회와 아직 이루지 못한 사회가 있고, 근대화를 이룬 사회에서는 근대 비판이 의미를 갖지만 근대화를 이루지 못한 사회에서는 무의미하다는 식이지요. 이 논의에서는 근대화를 이룬 사회라는 것이 이미 존재한다고 전제됩니다. 하지만 근대의 완성이라는 이미지 혹은 사고 방식은 더 이상 유지될 수 없다고 생각합니다.

처음에 언급했던 오리엔탈리즘과 옥시덴탈리즘의 공범 관계가 이와 같이 완성된다고 생각하기 위해서는 서양이 실체로 존재한다는 사실이 전제되지 않으면 곤란하지요. 근대화가 서양처럼 되는 것을 뜻한다면 미완성의 근대화라는 발상도 의의가 있겠지만요.

그런데 과연 서양이 존재하는지는 무척 의심스럽습니다. 임 선생께서 잘 아시는 동유럽에 가보면, 루마니아나 구유고슬라비아가 한국보다 근대화되었다고는 생각할 수 없습니다. 더욱이 얼마 전까지만 해도 근대화의 정점을 체현한다고 생각되던 영국에 가보아도, 근대화에 있어 일본이나 한국보다 뒤처진 측면은 얼마든지 찾아볼 수 있습니다. 1980년대에는 영국 사회의 정보산업이 심하게 뒤떨어져서, 동아시아에서는 한 집에 한 대 정도 보급된 팩스가 아직 보급되지 않았습니다. 그래서 당시 영국 정부가 몰래 일본의 제도를 모방하려 했습니다. 즉 일본의 이미지를 이용해서 영국 사회의 근대화를 기도한 셈이지요. 1990년대 들어서는 세계의 많은 기업들이 한국의 기업 전략을 모방해서 자신의 조직이나 경영을 근대화하려고 하기 시작합니다. 근대화는 자본주의의 내재적 운동이기 때문에 특정한 장소에 고정된 것이 아닙니다. 그래서 아시아에 금융 위기가 닥치면서 근대화의 지리적 배치는 또 변해버립니다.

임지현 그렇다면 만들어진 상상체가 인간의 사유를 지배할 수 있는…….

사카이 오히려 서양 대 동양이라는 구도는 시간적인 변화의 문제를 공간으로 전위(轉位)시키고, 또 공간의 문제를 시간으로 전위시킨다는 어떤 조작(操作) 속에서만 근대의 완성이라는 관념이 가능할 것입니다. 그렇다면 그러한 조작의 몇 가지 원칙이나 형식을 바꿔버림으로써 근대화에 대한 욕망의 형태를 바꿀 수는 없을까요? 그것을 바꾸는 것이 옥시덴탈리즘과 오리엔탈리즘 문제를 가장 정확히 비판하는 것으로 이어지지 않을까요?

저는 기본적으로 동양이 지리적으로 존재한다고도, 서양이 지리적으로 존재한다고도 생각하지 않습니다. 그런데 서양·동양이라는 상상체가 오리엔탈리즘과 옥시덴탈리즘의 공범 관계 속에서 우리의 사고 방식을 지배할 수 있는 까닭은, 아마도 이 두 범주가 효과적으로 우리의 욕망을 지배하고 있기 때문이 아닐까요? 거기에 덧붙이자면 사실 지금의 단계, 21세기 초의 단계에서 자본주의의 발전이 실제로 한국이나 중국, 혹은 대만이나 홍콩 등을 급속하게 근대화시키고 있습니다. 다음에는 인도가 그렇게 될 거라고 생각합니다만, 자본주의가 편제를 바꿔버린 덕에 근대의 완성이라는 사고 방식이 더욱더 어려워지는 사태가 세계적으로 일어나고 있는 듯합니다. 게다가 이 근대화는 국민 모두가 풍요로워진다든가, 세속화가 진행되어서 종교가 소멸된다든가, 사회복지가 향상된다든가 하는 것을 전혀 의미하지 않습니다.

임지현 결국 문제는, 오리엔탈리즘이 본질화시킨, 서양은 좋고 동양은 나쁘다는 식의 이미지라기보다는, 지금 선생님께서 표현하신 대로 사람들의 사고 방식을 조작하고 지배하는 양식으로서의 오리엔탈리즘이 아닌가 합니다. 달리 말하면, 구체적으로 표상된 동양과 서양의 이미지가 아니라, 그 표상 과정을 조직하고 규정하는 담론 차원에서의 오리엔탈리즘을 정리해볼 필요가 있습니다. 우리 인식의 틀을 규정하는 '에피스테메(epistheme)'[29]의 차원에서 보면, 오리엔탈리즘은 기본적으로 근대 자본주의 문명이 담론 차원에서 세계를 지배하는 방식입니다. 그렇다면 지배담론으로서의 오리엔탈리즘에 대해 저항의 잠재력이 가장 큰 담론은 결국 맑시즘이라고 할 수 있는데, 문제는 맑시즘조차도 오리엔탈리즘적인 인식틀을 공유하거나 유럽중심주의에서 탈피하지 못했다는 점입니다.

더 나쁜 것은 맑시즘에 내장된 유럽중심주의가 주변부로 오면서 사실상 맑스주의 근대화론으로 변모해버렸다는 점입니다. 그것은 비단 제3세계의 맑스주의 일반에서뿐만 아니라 레닌의 볼셰비즘에서 이미 그 징후가 나타납니다. 예컨대 러시아가 유럽보다 50년 뒤떨어졌다, 러시아를 포위하고 있는 서유럽 열강에 다시 짓밟히지 않기 위해서는 그들을 빨리 따라잡는 것이 급선무다, 그것은 무정부주의적 생산이라는 자본주의 경제체제의 비효율성을 극복한 사회주의적 계획경제를 통해서만 가능하다는 식의 논리적 전환이 일어나는 것입니다.

사카이 그렇다면 자본주의적 근대에 포섭된 저항이 되는 건가요?

(29) **에피스테메**
푸코의 《말과 사물》에 등장하는 개념입니다. 그는 사상사나 학문의 역사를 쓴 것이 아니라 주어진 시대에 하나의 학문이나 이론이 어떻게 가능했는지, 어떤 공간에서 그러한 앎이 형성되었는지, 그것들의 조건이 되는 역사적 선험성(a priori)은 무엇인지, 어떤 실증적 요소들 안에서 그 시대의 사상, 과학, 합리성 등이 형성되었는지, 그리고 또 어느 순간 문득 그것들이 사라진 이유는 무엇인지를 밝히기 위해 역사의 지층을 세심하게 거슬러 올라갑니다. 이른바 고고학적 방법입니다. 그리하여 한 시대의 사상, 이론 등을 가능케 하는 숨은 원칙이 있다는 것을 발견하고 그것을 에피스테메라고 명명했습니다.

임지현 그렇지요. 1931년의 스탈린 연설에서 아주 명확하게 드러나는데요, 러시아는 지금 50년, 100년 이상 뒤떨어졌다, 그런데 우리가 빨리 급속한 산업화를 하지 않으면 또다시 폴란드나 유럽 열강에게 짓밟히게 될 것이다, 그러니까 어떻게 해서든 계획된 생산목표를 밀고나가 이들을 따라잡아야 한다는 것이죠. 레닌, 마오쩌둥, 김일성, 네루 등이 공유했던 이 논리는, 맑시즘이 후진국 근대화론으로 전화되었음을 의미하는 것이지요. '우린 서양이 걸었던 것과 똑같은 방식으로는 서양을 따라잡을 수 없다, 그러니까 재빨리 서양을 따라잡기 위해서는 압축적 근대화가 필요하며, 그것은 맑스주의의 길을 통해서만 가능하다'는 식의 논리입니다. 그 점에선 맑시즘이 오리엔탈리즘에 대한 저항담론, 혹은 자본주의적 근대 문명에 대한 저항담론이라기보다는 오히려 자본주의적 근대를 더 빨리 모방하기 위한 담론으로 기능한 것이고, 그렇다면 맑시즘 자체가 세계사적으로 관철되어온 근대의 지배담론 속에 포섭된 것 아닌가? 저는 이런 의심을 예전부터 갖고 있었습니다. 노동 해방의 문제 의식에서 출발한 맑시즘이 노동동원의 논리로 전락하는 것도 바로 이런 맥락에서입니다.

맑시즘이 주변부의 내셔널리즘 담론과 손쉽게 결합하는 것도 마찬가지 맥락에서 이해합니다. 이런 식이죠. 근대화라는 역사적 과제 앞에 선 주변부 지식인들에게는 뿌리깊은 딜레마가 있습니다. 볼셰비키 혁명을 통해 사회주의가 현실화되기 전까지, 역사적으로 가시화된 근대로의 유일한 길은 자본주의적 길이었습니다. 그런데 자본주의적 근대의 길은 자신들을 지배했던 서양의 제국주의, 혹은 일본의 제국주의가 강요하는 길이란 말이죠. 그러니까 서양 제국주의를 극복하기 위해서라도 그들이 강요하는 자본주의적 근대의 길을 따라야만 하는 것 아닌가 하는 딜레마에 부딪히게 된 것이죠.

볼셰비키 혁명은 사회주의적 근대화의 길을 제시함으로써, 자본주의적 근대에 대한 지향과 제국주의에 대한 저항의 긴장 관계에서 배태된 이 딜레마를 일거에 해결합니다. 즉 제국주의가 강요하지 않는, 또는 제국주의와 맞서는 근대의 길, 즉 사회주의적 근대의 길을 통해 서양의 근대를 따라잡을 수 있는 가능성에 대한 희망을 준 것이죠. 주변부에서 맑시즘을 받아들였던 계기는 이처럼 노동 해방, 인간 해방의 측면보다는 민족 해방의 계기와 더 강력하게 결합되어 서구적 근대를 따라잡는 또 다른 근대화의 길에 대한 욕망이 있었습니다. 이 점에서 제3세계의 맑시즘은 이미 그 자체에 서구적 근대를 배척하면서 또 동시에 모방하고자 했던 이중성을 내포하고 있습니다. 제3세계의 맑시즘을 포박했던 주변부 내셔널리즘과 유럽중심주의라는 이중의 그물망을 직시한다면, 이러한 이중성은 당연한 결과겠습니다만.

사카이 기본적인 논제가 부각된 것 같습니다. 근대화 속에서 주체 형성의 중요한 역할을 한 것이 국민국가라는 것이지요. 지금까지 얘기해온 동양·서양이라는 범주와는 달리 이 경우에는 국민국가가 근대화의 가장 기본적인 중심개념이 되어, 어떤 국민이 얼마나 근대화되었는가 하는 질문을 끊임없이 들이대면서 스스로를 근대화시켜나갑니다. '우리'는 뒤떨어져 있으니 빨리 따라잡아야 한다는, 자기 강박적 동학(動學)의 가장 중심에 있는 사고 방식을 임 선생께서 제시하신 셈입니다.

이 국민국가의 논리, 게다가 그 가운데서 산업화 혹은 생산력의 증가로 여겨졌던 근대화가, 바로 역사주의 속에서 뒤처진 민족이 진보한 민족을 따라잡는다는 식으로 파악된 논리와 중첩된다는 것을 대략적으로 그려주셨습니다.

그런데 이렇게 상상된 민족 혹은 국민이라는 집단 속에는 그밖의 다양한 요소들이 존재한다는 사실이 망각되어왔습니다. 민족과 인종은 어떻게 결부되는가, 민족과 젠더는 어떻게 결부되는가? 그리고 민족과 계급은 어떻게 결부되는가? 하는 것들은, 이른바 압축적 근대를 달성하기 위해 먼저 민족을 통합하고 근대화에 중심적인 역할을 부여함으로써 다른 요소들을 부차적인 문제로 파악해왔던 것 같습니다.

방금 임 선생께서 말씀하신 한국의 사상 상황에서 식민지체제로 뒤처진 한국 자본주의를 어떻게 발전시켜나갈 것인가 하는 발상이 나올 때, 그 발상의 전제로 민족이라는 주체 구성이 먼저 이루어져야 한다는 기본명제가 여기서도 나와 있는 것 같은데요, 그 점에 대해서는 어떻게 생각하십니까?

임지현 그것은 근대적인 추상적 주체로서의 국민이 아닌가 합니다. 김대중 정부의 자기 규정이 '국민의 정부'라는 데서도 알 수 있듯이, 한국 사회에서 '국민'은 상당히 긍정적인 의미를 함축하는 말로 쓰입니다. 물론 선생님 말씀대로, 근대화의 주체를 구성하는 역사 현실은 복합적입니다만, 그 복합성이 어떻게 국민국가의 틀 속에서 단순화되고 또 민족/국민의 문제로 환원되는가 하는 점이 관건이겠지요. 달리 말하면, 국민국가가 근대화의 주체를 위로부터 호명해서 인위적으로 만들어내는 메커니즘은 무엇인가 하는 점입니다. 그런데 문제는, 근대의 주체인 민족/국민은 위로부터 호명해서 인위적으로 만들어진 구성물이 아니라, 자연적·초역사적으로 존재하는 영속적인 것이라는 착각이 지배적이라는 점입니다.

이들의 관념 속에는 민족이라는 것 자체가 신성불가침하며 초역사적이고 절대적인 상수(常數)로 자리잡고 있다는 거죠. 이것은 민족을 본질화하는 전형적인 방식인데, 신성불가침한 존재로서의 민족은 결코 해체될 수 없는 운명공동체로 전제됩니다. 그러므로 영원한 생명을 지닌 국가와 민족의 무궁한 발전을 위해서 개인은 자신의 소아적 이해를 희생해야 한다는 논리로 이어집니다. 이 논리 구도 속에서 민주주의나 인권은 개인적인 것, 즉 '소아'의 이해와 등치되고, 국가의 발전이나 국력의 배양이야말로 공적인 것, 즉 '대아'의 이해와 일치됩니다. 그러므로 운명공동체를 위해 자신의 희생을 거부하는 사람, 즉 민주주의와 인권, 노동자의 권리 등을 요구하는 사람은 '비국민' 또는 '민족 배반자'로 손쉽게 매도되는 것이지요.

서구적 근대를 모방하려는 한없는 욕망에 시달리면서도 동시에 서구 문명을 타락한 개인주의 문명으로 간주하는 이중성은 한국판 옥시덴탈리즘에서도 잘 드러납니다. 한반도의 이념적 지형도에서 이처럼 본질화된 민족 개념은, 비단 관념적이고 극우적인 민족주의자들뿐만 아니라 북한의 주체사상, 또는 남한의 이른바 '민족 해방' 진영이 공유하고 있는 것이기도 합니다. 맑스주의의 창조적 해석과 주체적 수용, 우리식 사회주의 등의 슬로건은 사실상 옥시덴탈리즘의 맑스주의적 버전에 불과합니다. 그 밑에 깔려 있는 의도는 노동 해방의 논리를 국가와 민족의 발전을 위한 노동동원의 논리로 전환하는 데 있습니다. 이에 대한 문제 제기는 '교조주의'나 '사대주의', 요컨대 오리엔탈리즘의 맑스주의적 버전으로 비판되는 것이지요.

사카이 한국의 좌파 진영에서…….

임지현 노선을 떠나 1980년대 한국의 좌파들이 공통적으로 가지고 있었던 패러다임은, 한국 사회에는 민족모순과 계급모순이 결합되어 있다는 것입니다. 그러므로 서로 착종되어 있는 민족모순과 계급모순을 변증법적으로 푸는 것이야말로 남한 사회, 한반도 지식인들이 가져야 할 가장 중요한 사명이라는 것이지요. 저 자신도 한때 그런 생각을 했지만, 지금 와서 보면 참 도식적이고 상투적이었다는 생각입니다. 그러나 정작 큰 문제는 그 도식성과 상투성이 아닙니다. 그렇게 추상화시킨 민족모순과 계급모순의 결합이라는 것이 사실은 삶의 다양하고 복합적인 국면들을 민족적 정체성이나 계급적 정체성으로 환원시킨다는 점입니다. 이 점에서 그것은 '민족 해방'과 '계급 해방'이라는 슬로건 아래, 민족이나 계급의 틀로 환원될 수 없는 다양한 기제들에 대한 억압과 배제를 담고 있었던 것이지요.

그것은 서구의 근대적 해방이 은폐해온 배제의 논리를 되풀이한 데 지나지 않습니다만, 정작 그들 자신은 그 은폐된 억압과 배제의 논리를 의식하지 못하고 있다는 데 더 큰 문제가 있는 것 같습니다.

사실 근대의 시각에서 조금만 벗어나서 보면, 그 당연한 듯 보이는 해방의 도식이 얼마나 많은 억압을 내장하고 있는가 하는 점이 드러납니다. 예컨대 민족을 본질화하는 논리 속에 숨어 있는 배제와 타자화의 문제, 일종의 '외국인 혐오증(xenophobia)' 같은 문제, 또는 편협한 종족중심주의(ethnocentrism) 같은 것들을 전혀 의식하지 못하고 해방의 논리를 일방적으로 강조하는 것이지요. 다른 한편으로 계급 해방의 논리는 일종의 '노동자주의(Workerism)' 또는 '프롤레타리아 유일주의'로 흐르는 경향이 강합니다. 여성이나 농민 등의, '서벌턴'의 시각에서 본다면, 노동자주의에 입각한 계급 해방은 사실 그 사회의 주류를 구성하는 에스닉 집단의 남성노동자 헤게모니를 정당화하는 슬로건일 뿐입니다. 뿐만 아니라 같은 노동자들 내에서도 계급의식이 투철한 전위조직 노동자들이 일상의 욕망을 충족시키고자 하는 평범한 노동자들을 전유하는 논리로 손쉽게 전화됩니다. 그것은 이른바 '경제투쟁' 혹은 개량주의적 경향에 대한 정통 맑시즘의 생래적 거부감에서 잘 나타납니다. 따라서 한국의 일부 맑시스트들이 '남성 국수주의(men-chauvinism)'나 지독한 '동성애 혐오증(homophobia)' 또는 민족적 배타주의와 결합되었다고 해서 이상할 것은 없습니다. 그러한 결합 자체가 심각한 문제라는 사실을 의식하지 못하는 것이야말로 어느 면에서는 정말 심각한 문제입니다.

사카이 반서구를 표방하면서 서구를 모방하는 전형적인 방식이군요.

임지현 그렇습니다. 이야기를 다시 오리엔탈리즘과 옥시덴탈리즘으로 되돌린다면, 1980년대 남한의 좌파가 지녔던 해방논리의 한계는 무슨 '동양적' 맑스주의나 '비서구적' 맑스주의의 한계만은 아니라는 점입니다. 그것은 '서구적' 맑스주의, 즉 프롤레타리아 중심주의가 견지한 근대적 해방에 내재된 한계가—역사적 맥락의 차이에 따라 굴절된 측면은 있지만—재현된 것이지요. '서구적' 맑스주의가 유색인, 여성, 이민, 비정규직 노동자에 대해 백인 남성 조직노동자의 헤게모니를 정당화하는 기제였다면, 1980년대 남한의 맑스주의 또한 외국인, 여성, 비정규직 노동자에 대해 한국인, 남성, 정규직 노동자의 헤게모니를 정당화하는 기제가 아니었나 싶습니다. 물론 서구적 맑스주의나 동양적 맑스주의가 자본 대 노동이라는 이분법적 구도에서 갖는 해방적 성격이나 진보성을 부정해서도 곤란하겠지만, 그것이 마이너리티 노동자들에 대한 머저리티(majority) 노동자들의 억압 기제들을 내장하고 있다는 사실을 부정해서도 곤란하지요.

한 가지 흥미로운 사실은, 이들 다수파 주류 노동자들이 소수파 비주류 노동자들을 소외시키는 논리 구조가, 동양이라는 상상의 지리를 만들어놓고 자기네 사회에서 배제시키고 싶었던 집단을 그 이미지 속에 묶어버리는 오리엔탈리즘의 논리 구조와 무척이나 닮았다는 점입니다. 그러니까 전혀 다른 역사적 조건과 사회적 맥락에서 되풀이된 것이죠. 이것은 다시 '서구적' 맑스주의의 오리엔탈리즘과 '동양적' 맑스주의의 옥시덴탈리즘이 만나는 역사적 장이기도 합니다. 좀더 일반적으로 말하면, 선진자본주의 국가들이 주변부에 대해 근대 자본주의적 지배 헤게모니를 관철시키는 기제로서의 오리엔탈리즘적 논리가 주변부 내부의 권력 관계 속에도 그대로, 혹은 옥시덴탈리즘이라는 전도된 논리로 관철된다는 것입니다.

영토, 언어, 국민이라는 상상체

사카이 오리엔탈리즘과 옥시덴탈리즘 속에서 동양·서양이라는 것이 상상된 지리와 결부되어 기능하는 방식에 대해 설명해주신 것 같습니다. 이렇게 말씀드리는 이유는, 민족 혹은 국민이라는 것이 아주 명확하게 규정된 영토성과 그에 수반하는 언어, 그리고 언어를 내면화한 주체로서의 국민이라는 세 가지가 마치 등표(=)로 이어지는 듯한 전제 속에서 만들어진 하나의 상상체라고 생각되기 때문입니다.

가령 한반도를 예로 들자면, 한반도라는 지리적 공간에 거주하는 사람들이 한민족이고 그 한민족은 동시에 한국어를 말하는 사람들이며 그러한 사람들은 민족 문화를 내면화하고 있다는 식으로, 지리적인 공간과 언어, 주체, 즉 문화적 구성의 세 요소가 연결되는 것입니다. 즉 민족-언어통일체가 출현합니다. 그런데 이런 방식으로 사람들을 생각하는 것은 극히 근대적인 현상이며, 임 선생께서 말씀하셨듯이 어떤 초역사적 방식으로 존재하는 주체가 아니라는 것입니다.

그래서 그 문제를 생각하기 위해서 네이티브 스피커(native speaker) 라는 사고 방식을 좀 살펴보고 싶습니다. 네이티브(native)는 어떤 곳에 토착하고 있다든가, 그곳에서 태어났다는 말인데, 일본어에는 네이티브에 두 가지 표현이 있습니다. 하나는 모어, 그리고 또 하나는 모국어입니다. 이제까지 모어는 자연적 민족공동체의 언어이고 모국어는 국가에 의해 강요된 언어이므로 자연적 민족공동체의 언어가 아니라고 주장하는 사람도 있었습니다. 그런데 저는 이 둘은 궁극적으로 같다고 생각합니다.

이 두 가지 표현이 전제하고 있는 것은, 어떤 곳에서 태어난 사람은 그곳에 본래 있던 말을—그것이 모어든, 모국어든 간에—이미 내면화해서 태어난다는 사고 방식입니다. 어머니가 한 명밖에 없는 것과 마찬가지로, 개개인은 어떤 한 언어 속에서 태어나기 때문에 그 개인의 존재의 핵에 모어가 각인되어 있다는 사고 방식입니다. 즉 민족어와 개인은 분리될 수 없는 방식으로 결부되어 있다는 사고 방식이지요. 그런데 근대 이전, 가령 18세기 이전의 일본을 생각해보았을 때 그러한 방식으로 생각하는 것은 거의 불가능했습니다. 그렇게 생각하는 것은 세계의 거의 모든 지역에서 현실적으로는 불가능했지요. 즉 근대에 들어서기 전까지는 네이티브 스피커라는 사고 방식 자체가 성립하지 않았습니다.

잘 알려진 예를 들자면, 로마 제국의 주민들은 거의 대부분 몇 개 국어를 하는 것이 당연했는데요, 정치적인 언어, 상업에서의 언어, 노예와 말하는 언어, 그리고 형제끼리의 언어라는 것이 서로 달랐습니다. 그리고 지금도 몇몇 아프리카 작가들이 쓴 작품을 보면 금방 알 수 있듯이, 상인들과 이야기할 때의 말, 관공리와 이야기할 때의 말, 그리고 마을 사람들과 이야기할 때의 말이 다 다른 것은 별로 드문 일이 아니었습니다.

일본의 경우도 19세기 말에 이르기까지 중국에서 온 고전문체를 변형시킨 한문을 사용했으며, 가나(히라가나)에 의한 시의 장르인 와카(和歌, 일본 고유의 정형시)는, 필요할 때는 고전적인 헤이안(平安) 시대, 즉 9세기부터 12세기에 이르는 시기의 문체를 모방해서 썼으며, 편지를 쓸 때는 다른 말을 사용했고, 촌락에서 생활할 때에는 그 마을의 말을 썼고, 또 때로는 화한(和漢)혼합문이라는 아주 기묘한 관료용어로 법률문장을 썼다는 것이 이상하지 않았습니다. 그것이 너무 당연해서 네이티브 스피커라는 생각조차 할 수 없었던 것입니다.

즉 한 인간 안에 무수한 언어 계열이 단층과 같이 많은 것은 당연하며, 그런 한에서 특정 지역과 일대일 대응 관계를 갖는 민족 언어나 민족 문화에 한 개인을 귀속시킨다는 것은 생각조차 할 수 없었습니다.

저는 민족과 국민은 궁극적으로는 나눌 수 없다고 생각합니다. 굳이 표현하자면, 국민이라는 것은 근대적인 국가가 만들어지고 나서 그 국가에 의해 매개되고 구성된 민족을 가리킨다고 생각합니다. 근대화 과정에서 민족이라는 사고 방식이 성립되는 것은, 개인의 내부에 있던 다양성들이 모두 배제되고 개인이 균질적인 존재로 상정된다는 사고 방식으로 이어지는 것 같습니다. 다언어적인 상황이 부정적으로 간주됨과 동시에, 개인 안에 있는 다언어성이 본래성의 결여로 생각되며, 동일언어를 공유하는 공동체로서의 민족이 상상되기 시작합니다.

그리고 이러한 방식으로 어떤 지리적인 공간과 인간의 귀속이 결부될 때, 아까 언급한 동양과 서양이라는 식의 상상적인 지리가 비로소 성립하기 시작하는 것이 아닐까요?

발명된 전통

임지현 지금 예로 드신 모국어 이야기는 아주 흥미로운 문제를 제기합니다. 민족주의에 대한 원초론적 시각(Primordialist view)은 종교, 종족, 공통의 조상 등과 함께 흔히 언어를 민족의 원초적 유대감을 형성하는 객관적인 구성 요소로 간주합니다. 그런데 모국어라는 개념 자체가 성립할 수 없다면, 네이션 역시 만들어진 인조물이라는 생각을 강화시켜주는 것이 아닐까 합니다. '국어' 라는 이름을 갖게 되는 그것은, 그것을 제정한 국민국가에 포섭된 사람들 간의 의사 소통을 원활히 하는 대신에, 그 경계에서 포섭된 사람들과 배제된 사람들의 자연스러운 의사 소통을 단절시키지요. 예컨대, 지금은 브라티슬라바(Bratislava)로 불리는 2차대전 전의 프레스부르크(Pressburg)를 보면, 거의 모든 시민들이 독일어, 슬로바키아어, 헝가리어를 구사할 줄 알았습니다만 지금은 슬로바키아어만이 통용되는 형편이지요. 또 16~17세기에 헝가리 지역에 파견된 예수회 선교사들의 보고서를 보면, 주민들이 모두 다양한 언어를 구사할 줄 알았기 때문에, 이들이 구사하는 다중언어를 배우는 어려움을 토로하고 있기도 합니다. 그것은 비단 헝가리나 브라티슬라바뿐만 아니라 리투아니아의 빌니우스 등 동유럽의 거의 모든 변경 지역에 해당되는 예가 아닐까 합니다. 인위적으로 강제된 '국어'가 사람들 사이의 의사 소통을 가로막는 거지요.

내셔널 히스토리(national history)도 같은 맥락에서 이해할 수 있겠지요. 근대의 직선적인 시간관의 뒤편에 서 있는 나라들이 만드는 '국사'는 기본적으로 그 시간표를 앞서 만들어나간 나라들의 역사를 모범으로 재구성하는 것이지요. 일본 최초의 내셔널 히스토리 텍스트는 파리 박람회 당시 서양인들에게 보여주기 위해서 만든 것이라고 알고 있습니다. 또 어찌 보면 일본의 전통 음악, 전통 무용 혹은 일본의 전통을 드러내주는 문화적인 측면이 모두, 서양의 충격에 대응하면서 서구를 모방하면서 국민국가를 만들어갈 때 발명된, 그야말로 '발명된 전통(invented tradition)'이라는 측면이 강합니다.

일본의 전통이 서양의 시선을 의식하고 만들어졌듯이, 한국의 전통 또한 일본의 시선을 의식하고 만들어졌습니다. 한국의 전통 미술이나 전통 음악 또는 한국 통사라는 것 자체가 일본에 한국의 고유한 정체성을 보여주기 위한 것이었습니다. 그것은 서양에 일본의 '고유한' 정체성을 내세우려는 의도에서 일본의 전통이 만들어진 과정과 매우 흡사합니다.

역사학에 국한시켜 본다면, 1930년대의 민족주의 사학이나 해방 이후의 신민족주의 사학이 식민사학자로 널리 알려진 **쓰다 소키치**(津田左右吉)[30]에게 빚지고 있다는 사실이 최근의 연구에서 밝혀진 바 있습니다. 쓰다가 서양을 염두에 두고 일본판 국민의 역사를 체계화했다면, **손진태**[31] 등의 신민족주의 역사가는 일본을 염두에 두고 쓰다의 국민국가적 역사학 방법론을 차용하여 민족주의 역사학의 체계를 세운 것이지요. 그러니까 한반도에서 일본은 서양의 역할을 한 것이죠. 사실 한반도에 도입된 최초의 근대 학문은 일본의 눈을 통해서 걸러진 것들이 대부분입니다. 또 오늘날까지도 한국에서 쓰이는 학문 용어 중 다수는 일본의 번역어에 기원을 두고 있습니다. 사상사적 관점에서 보면, 그것은 한반도에 대해 일본이 일종의 '아(亞)오리엔탈리즘(sub-orientalism)'의 역할을 했다는 것을 잘 드러내준다고 생각합니다.

사카이 일한 관계에서도 이런 의식적인…….

(30) **쓰다 소키치**
일본의 역사학자로, 한국에는 《중국 사상과 일본 사상》이라는 책으로 잘 알려져 있습니다. 그는, 일본 문화는 일본 민족의 독자적 역사 발전에 의해 형성된, 중국과는 전혀 다른 문화라고 주장했고, 유교나 불교는 일본 문화에 전혀 영향을 끼치지 못했으며, 나아가 일본 특유의 역량으로 자신의 문화에 세계성을 부여했다고 주장합니다.

(31) **손진태**
민속학자이자 국사학자입니다. 호는 남창(南倉)이고 본관은 밀양입니다. 서울 출생으로 1927년 일본 와세다(早稻田) 대학을 졸업한 뒤 민속학을 연구하였습니다. 신민족주의 사관에 입각하여 한국사에 관한 많은 논저를 남겼으나 한국전쟁 때 납북되었습니다. 저서로 《조선 민족문화의 연구》《조선 민족설화의 연구》 등이 있습니다.

임지현 만들어진 전통의 관점에서 전통 음악을 다시 한번 예로 들어보겠습니다. 오늘날 제주도의 향토 음악은 한국의 민족 음악 전통에 포함됩니다. 또 오키나와의 음악은 일본의 전통 음악에 통합되어 있습니다. 그런데 오키나와의 지방 음악을 연구하는 일본인 연구자가 제게 이야기해준 바에 따르면, 오키나와 음악은 일본의 본토 음악과는 완전히 다르며, 오히려 제주도 음악하고 놀랄 정

도의 유사성이 있다고 합니다. 역으로 이야기하면, 제주도의 전통 음악이라는 것도 한반도의 본토 음악과는 성격을 달리할 수 있다는 추론이 가능합니다. 그런데 이것을 '민족 음악(national music)'의 범주로 묶는다는 것은, 결국 다양하게 존재해왔던 음악을 국민국가의 틀 속에, 민족 혹은 국민 속에 통합시켜버림으로써 그 음악에 내장된 다양한 요소들을 배제하고 전유해버린다는 것이지요.

역사의 경우도 마찬가지입니다. 예컨대 한일 간의 역사 논쟁에서 '임나일본부(任那日本府)' 가 굉장히 첨예한 이슈가 되었는데요, 이는 참으로 어처구니없는 논쟁이었지요. '일본' 이나 '한국' 이라는 실체가 없는 고대에서, 그것의 존재 여부가 일본의 한반도 지배나 식민주의를 정당화하거나 부정하는 근거로 작동한다는 그 역사 인식이 기가 막혔습니다. 사람을 심는다는 의미에서의 고전적인 '식민' 이나 전쟁, 문화의 전파 등은 고대의 서로 다른 주민집단들이 가진 자연스럽고 다양한 교류 방식 중 하나인데, '임나일본부' 를 20세기의 식민주의와 반식민주의의 맥락에서 읽는다는 것은 그야말로 반역사적이고 비역사적인 사고 방식입니다. 뿐만 아니라, 근대 국민국가의 틀을 고대사에 투영시킨다는 것은 곧 근대의 국가권력이 고대의 주민들이 살아온 이야기를 그들의 삶과 무관하게 전유하는 권력행위입니다. 이렇게 보면 근대 역사학의 발전 과정 자체는, 근대 국민국가가 과거의 기억을 전유하는 행위를 정당화하는 과정이었는지도 모르겠습니다.

사카이 역사적 사실과 맥락이라는 관점에서 본다면 서구에서도 이와 같은 일이 꽤 있었을 것 같은데요?

임지현 코페르니쿠스의 민족적 정체성을 놓고 독일과 폴란드 역사가들이 벌인 논쟁, 논쟁이라기보다는 오히려 해프닝이라고 하는 편이 더 옳겠습니다만, 실롱스크(슐레지엔) 지역의 고고학 발굴을 통해 그곳이 자신의 영토임을 입증하고자 했던 고고학에서의 논쟁, 현재의 국민국가적 영토에 남아 있는 이민족의 삶의 흔적을 지우고 부정하는 것이 주요한 학문 목적이었던 고고학의 과거 등이 우리에게 보여주는 바는, 근대 역사학이나 고고학이 모두 과거에 대한 공공의 기억을 전유하여 국가적 '정사(正史)'를 만들어내고자 했던 근대 국민국가의 이론적 버팀대 역할을 했다는 것입니다. 가장 먼저 근대적 국민국가를 완성했다고 할 수 있는 영국의 경우도 사정은 비슷합니다. 몇 년 전 노먼 데이비스(Norman Davies)라는—원래는 폴란드사를 전공한 역사가입니다—역사가가 《섬들의 역사(*History of Isles*)》라는 영국사 개설서를 썼는데, 제목에서도 알 수 있듯이, 의도적으로 '브리튼의 역사' 혹은 '잉글랜드의 역사'라는 말을 피한 거지요. 이 책에 대해 비애국적이라는 비판적 서평들이 쏟아졌다는 에피소드를 읽고 실소를 자아냈던 기억이 있습니다. 세련된 외관 속에 잠복해 있던 영국식의 조야한 민족주의를 발견하는 계기였지요.

'네이티브 스피커'의 문제도 같은 맥락에서 얘기할 수 있을 것 같습니다. 보통 모국어라고 하면, 아주 먼 옛날부터 그 말을 사용해왔다고 자연스럽게 착각하게 만드는 그런 이미지 효과가 있는 것 같아요. 그러나 모국어가 만들어지는 과정 자체가 사실은 굉장히 폭력적이었습니다. 예컨대 프랑스 혁명 당시 자코뱅들은 파리를 중심으로 한 '일 드 프랑스' 지역의 사람들이 쓰던 소수의 언어를 표준어로 만들면서, 각 지역이 사용하고 있던 다양한 방언들은 법으로 금지하고 폭력적으로 언어적 정체성을 강제했습니다.

그러나 지금까지 맑시스트들은 그것을 구체제의 언어를 혁명계급의 언어로 대체한 것이라고 해석해왔습니다. 자코뱅이 쓰던 민중적인 언어를 귀족언어로 대체하려는 노력이었다는 것인데, 제가 보기에는 오히려 강제로 '일 드 프랑스' 지역의 불어를 중심으로 전국적 표준어를 만드는 과정에서 지방의 주민들이 사용하던 자연스러운 언어 습관을 깨부수는 작업이었다고 생각합니다.

모든 '국어', 대개 표준어라는 것 자체가 수도를 중심으로 한 지역의 중간층이 쓰는 말이죠. 더 엄밀히 이야기한다면, 수도를 중심으로 한 지역의 중산층 이상의 남성들이 주로 공적 영역에서 사용하는 말이죠. 사적인 영역에서는 이들도 수도 지역의 사투리를 사용하니까요. 그 이야기는 뭐냐 하면, 국어가 만들어지는 과정 자체에 이미 수도에 거주하는 유산계급 남성의 지배 헤게모니가 관철된다는 것입니다. 그것을 단지 '모국어'라는 개념만으로 이야기할 때는, 바로 국어의 성립 과정에 개입하는 헤게모니 문제를 무시해버리는 것이죠. 사실 '모국어'가 주는 이미지와는 달리 '국어'는 자연스럽지도, 당연하지도 않은 정치적 구성물입니다. 예컨대 이탈리아가 처음 통일되었을 때, 표준 이탈리아어를 사용할 수 있었던 사람은 1%밖에 안 되었다고 합니다. 나머지 99%한테는 강제로 표준어를 강요한 거죠. 또 프랑스 혁명이 일어났을 때, 파리 지역의 표준어를 사용할 수 있었던 인구는 5%에서 8% 사이였다고 이야기됩니다. 바꾸어 말하면, 1% 내지 5%의 소수자의 언어를 대다수의 사람들에게 강제하는 방식으로 표준어가 만들어진 것이며, 이 과정에서 국가권력이 억압과 배제의 메커니즘을 통해 언어조차도 전유해버린 것입니다.

한국은 동양, 일본은 서양이라는 배치

사카이 옥시덴탈리즘과 오리엔탈리즘의 공범 관계에 대한 기본 구도가 뚜렷해진 것 같습니다. 그것은 동양에 있는 사람이 동양인으로서 자기 인지를 하기 위해서는 서양이라는 것을 어딘가에 설정하지 않고는 불가능하다는 점을 보여줍니다. 마찬가지로, 어떤 국민이 설정되기 위해서는 그 외부에 국민을 보는 사람, 혹은 그것을 향해 스스로를 제시하는 국민의 시선이 있어야 한다는 것입니다. 그렇다면 단순히 일본이, 혹은 한국이 민족으로서 즉자적으로 존재하는 것이 아니라, 반드시 어딘가에 자신들을 보고 있는 시선을 상정할 필요가 있습니다. 본다는 비유를 사용하면 문제가 될지도 모르겠습니다만, 어떤 식으로든 다른 어떤 것과의 관계를 통하지 않으면 자기 민족이나 국민으로서의 동일성을 만들어낼 수 없다는 점이 지적된 것 같습니다.

물론 동양이 자기 인지를 하기 위해 서양이 필요하다고 할 때 이때의 서양은 어떤 구체적인 사회나 인간이 아니지요. 구체적인 것이 아니기 때문에 참조항이 될 수 있는 것입니다. 특정 시기, 특정한 역사적 단계의 한국의 예를 임 선생께서는 드셨는데, 그때 일본이 한국에 서양 역할을 했다거나, 혹은 일본 지식인에게 프랑스가 서양 역할을 했다는 식으로, 다양한 형태로 서양이 전세계를 떠다니기 시작한 셈입니다. 한반도 지식인이 구체적으로 생각하던 것이 일본의 학계거나 도쿄의 대학이거나 하는 것은, 그들이 서양의 시선 안에 있었다는 것과 상충되지 않습니다. 그래서 지금은 미국의 학계나 캘리포니아의 대학이 구체적인 장소라 할지라도 한국 지식인은 서양의 시선에 노출되어 있다고 해야 할 것입니다.

그래서 그때그때의 관계란 사실 교사와 유학생의 관계일 수도 있고, 군사적·폭력적 승리자와 패배자의 관계일 수도 있습니다. 또 다른 경우에는 나비부인의 일화로 상징되듯이, 종주국 출신의 남성과 식민지의 여성일지도 모릅니다. 무수한 그래디언트(gradient)처럼 그 관계 다발이 생겨나서 그 속에서 권력 관계가 이루어지는 것입니다. 그래디언트는, 수학에서 말하는, 다양한 지점에서 방향성을 지닌 경향의 양과 같은 것으로, 이 비유를 쓰면 가장 이해하기 쉬울 것 같습니다. 자장(磁場)에서 어떤 지점이 북극과 남극으로의 방향성을 나타내듯이, 방향성을 지닌 극의 하나를 서양이라고 부르는 것입니다. 하지만 자장은 많은 뒤틀림이 있기 때문에 자석이 가리키는 방향에 꼭 북극이나 남극이 있다고는 볼 수 없습니다. 이 방향으로 생각해보면, 가령 북미의 가난하고 문화자본이 없는 사람들이 상층계급에 대해 갖는 동경이나 욕망의 지향성은, 지배층을 서양으로 간주한 과거 식민지 주민들이 종주국에 대해 품는 동경이나 욕망과 비슷한 구조라는 점을 발견할 수 있을 것입니다. 즉 북미의 가난하고 문화자본이 없는 사람은 상상에서 동양인의 위치를 차지하는 것입니다. 실제로 20세기 초까지 북미 북동부의 빈궁한 백인층은 자신들이 중국인과 관계가 있다고 생각했다고 합니다. 그래서 영국인이 18세기에 인도에 가서 인도인을 야만인이라고 느꼈을 때 그들이 인도인을 아일랜드인과 흡사하다는 식으로 인식했다는 것은 전혀 놀라운 일이 아닙니다. 아와 타의 구별이 식민지적 권력 관계나 계급적 차이에 의해 규정되었던 것입니다.

하지만 권력과 빈부 격차의 관계와 서양과 동양의 구별, 오리엔탈리즘과 옥시덴탈리즘을 이런 식으로 생각하다 보면, 서양과 동양의 관계가 고정된 항의 대비가 아니라 권력의 연쇄 속에서 부각되는 두 극, 혹은 개개 사례만을 주목하면 벡터 다발처럼 되어버려서, 특정한 지리적인 영역과 다른 지리적인 영역이라는 식으로 생각할 수 없게 됩니다. 계속 따져들면 국민국가를 만들기 위해 가장 기초적인 민족이 논리적으로는 일관된 개념으로 존재할 수 없다는 사실을 알게 될 것입니다.

오리엔탈리즘과 옥시덴탈리즘의 공범 관계를 발견한 셈인데, 이 관점을 추구하는 한, 민족을 역사화한다, 즉 민족을 어떤 주어진 개념으로 생각하는 것이 아니라 다양한 정치적 권력 조작 속에 구축된 하나의 허구다는 관점에서 생각하지 않으면, 오리엔탈리즘과 옥시덴탈리즘의 공범 관계로부터 벗어나는 것은 불가능할 것 같습니다.

임지현 전적으로 동감입니다. 그런데 이 근대라는 괴물은 참 이상합니다. 뭐냐 하면 자기는 기본적으로 역사주의에 기초해 있고 또 역사적인 사고 방식을 가지면서도, 자기가 만들어놓은 발명품에 대해서는 비역사적이고 반역사적으로 접근하는 게 이 괴물의 특징이 아닌가 합니다.

민족뿐만 아니라 인종에 대한 시선도 마찬가지입니다. 본질주의적으로 접근을 해서 하나의 실재로 못을 박으려 하는 경향이 있습니다. 그러나 역사를 잠깐만 들여다보면, 이 본질주의적 시선에 내장된 위선은 금방 드러납니다. 예컨대 인종주의는 피부색에 의거한 것만은 아니라는 사실을 알 수 있습니다. 인종주의는 백인과 유색인 또는 흑인과 황인 사이에만 존재하는 것이 아니라, 아일랜드인과 영국인 사이에도 존재한다는 것이죠. 또 식민지 시기 일본 제국의 본토인들이 '조센징'을 보는 시각에도 인종주의는 자리잡고 있습니다. 마찬가지로 유대인과 폴란드인, 독일인과 슬라브인 사이에도 인종주의는 존재합니다.

이러한 예들은 인종이라는, 얼핏 보면 피부색과 같은 객관적 기준에 따른 본질적인 실재로 보이는 것조차도 사실은 근대가 만들어낸 산물이라는 점을 말해줍니다. 피부색의 '차이'를 인종 간의 '차별'로 체계적으로 전화시킨 인종주의는 사이비 과학과 결합된 근대의 이데올로기입니다. 또 그것은 타자라는 거울에 비출 때만 자신의 정체성을 찾을 수 있다는 점에서, 집단적 타자를 만들어냄으로써 자신의 집단적 정체성을 만드는 과정과도 관련이 있습니다. 사실 집단적 정체성은 자기 안에 있는 긍정적인 면, 적극적인 면을 찾아내고 그것을 바탕으로 만들어지기보다는 항상 다른 집단의 부정을 통해서 구성되는 편이 쉽습니다. 그런 면에서 동양과 서양은 근대의 경계짓기 메커니즘이 존재하는 한, 또한 말씀하신 근대 권력의 연쇄가 존재하는 한, 끊임없이 만들어지고 재구성되는 것이겠지요.

피부색의 차이, 인종적 차별

사카이 그렇게 재구성될 때, 동아시아 그리고 한국과 일본의 관계에서는 그것이 어떻게 나타났다고 보십니까?

임지현 예컨대 일본과 한국의 권력 관계를 놓고 보면, 일본은 서양이고 한국은 동양이 된단 말이죠. 흥미로운 점은 일본과 한국의 그러한 권력 관계가 한국과 베트남, 한국과 인도네시아의 관계 속에서는 한국이 서양으로, 베트남·인도네시아가 동양으로 표상되면서 그대로 반복되고 있다는 것입니다. 90년대 중반 이후 한국에서는 일종의 지리적 다큐멘터리가 크게 유행했는데요, 그 내용은 세계 방방곡곡의 오지를 찾아다니는 것입니다. 마치 19세기 제국주의 인류학자들이 그랬듯이, TV 카메라가 뉴기니아, 아프리카, 몽골, 바이칼 호, 시베리아 등을 찾아가면서 19세기 제국주의 인류학자들이 가졌음직한 호기심 어린 시선, 말하자면 근대의 진보적인 시각으로 봤을 때 한국보다 훨씬 뒤처져 있는 그런 지역들을 찾아다니면서 오리엔탈리즘적인 시선을 만끽하고 있는 것이죠. 또 다른 한편에서는 그런 오리엔탈리즘적 시각이 민족주의하고 강하게 접목됩니다.

최근 한국의 일부 '진보적' 지식인들이 주장하는 바가 뭐냐 하면, 바이칼 호에서 몽골에 이르기까지의 광활하고 원시적인 중앙아시아 지역에 한민족의 시원이 있다는 겁니다. 심지어는 고대의 그리스 문명도 한민족의 시원인 몽골과 바이칼 호에서 퍼져나갔다는 겁니다. 한 가지 흥미로운 점은 바로 거기서 오리엔탈리즘과 옥시덴탈리즘이 만나는 접점의 훌륭한 예를 찾아볼 수 있다는 겁니다. 예컨대 몽골이나 바이칼 호, 시베리아 지역 등에 대해서는 한국이 더 발전된 문명이라는 오리엔탈리즘적 시선을 내리깔면서, 다른 한편에서는 서양에 대한 콤플렉스가 있으니까 서양 문명의 원류라고 할 수 있는 고대 그리스 문명이 바로 이 바이칼 호와 몽골에 걸쳐 있는 한민족의 시원으로부터 출발했다는 거죠.

멀리 아프리카의 옥시덴탈리스트와 한국의 옥시덴탈리스트가 만나는 것도 바로 이 지점입니다. 서양 문명의 원류라고 할 수 있는 고대 그리스 문명이 아프리카로부터 왔다는 버널의 《블랙 아테네》와 한민족의 시원이자 고대 그리스 문명의 시원으로서의 바이칼 호에 대한 한국 지식인의 주장은 그 발상에서 놀라울 정도의 유사성을 보여줍니다. 버널의 주장은 크레타 문명 자체가 당시로서는 선진문명인 이집트와 메소포타미아 문명으로부터 영향을 받으면서 성장한 거니까 근거가 전혀 없는 것은 아니지요. 그러나 역사적 사실 여부를 떠나서, 그 발상의 밑에 깔려 있는 유럽중심주의가 문제입니다. 그것은 일단 아프리카인들이 노아의 저주받은 아들인 함(Ham)의 자손이라는, '함의 저주'에 기초한 유럽인들의 인종적 우월의식을 극복하고 아프리카인의 자존심을 입증해주는 논리라고 생각합니다. 그러나 다른 한편에서는 서양에 대한 콤플렉스, 즉 옥시덴탈리즘 밑에 깔려 있는 서양에 대한 콤플렉스가 느껴지는 것도 사실입니다. 말하자면 진짜 서양적인 것은 아프리카에서 왔다는 논리의 밑에는 서양적인 것은 우월하다는 무의식이 숨어 있는 것이지요. 민족적 자부심으로 가득찬 한국의 오리엔탈리스트들한테 제가 깜짝 놀란 점은 《블랙 아테네》에 숨겨진 발상과 논리가 그대로 반복된다는 것입니다.

그런 맥락에서 선생님께 한 가지 묻고 싶은 게 있는데요, 세기말(fin de siecle)에 유럽에서 유행했던 자포니즘(Japonisme)에 대해서 일본 지식인들은 어떻게 평가하고 있는지 궁금합니다. 자포니즘에 대한 일본 지식인들의 분석에는 혹시 옥시덴탈리즘적인 요소는 없는지요? 어떤 면에서는 서양의 오리엔탈리스트들이 자포니즘을 만들어냈고 일본의 지식인들이 거꾸로 그것을 수입한 형식인데, 서양이 만들어내고 본국으로 역수입된 자포니즘의 그 이상한 소비 방식에 옥시덴탈리즘적 요소는 없는지, 그러니까 자포니즘에 대한 서양의 해석과 일본의 해석이 만나는 접점, 거기에서 다시 한 번 오리엔탈리즘과 옥시덴탈리즘이 만나는 좋은 예를 찾을 수 있지 않을까 하는 생각이 듭니다. 물론 추측입니다만…….

사카이 무척이나 미묘한 사안이라고 생각합니다. 왜냐하면 오리엔탈리즘과 옥시덴탈리즘을 비판할 때에는 반드시 문명적인 열등감에 대해 언급해야 하기 때문입니다. 하지만 그랬다고 해서 지금의 문제가 해결될 것 같지는 않습니다. 자신이 서양이나 백인에 대해 열등감을 갖고 있다는 사실을 인정하기란 쉽지 않습니다. 하지만 그것을 인정했다고 해서 열등감을 없앨 수는 없습니다. 오히려 더 교묘한 억압 시스템이 생길 뿐이지요.

이 점을 염두에 두면서 재패니즘(Japanism)에 대해 생각해보고 싶습니다. 재패니즘이라는 것은 19세기 후반에 일본이 서유럽뿐만 아니라 미국에서 세계적으로 인지받는 데 참으로 큰 역할을 했습니다. 아까 임 선생께서 말씀하신 대로 일본 정부는 일본의 국민사를 만들기 위한 하나의 계기로 재패니즘을 철저하게 이용했습니다. 가령 각종 전시회나 국제박람회를 예로 들 수 있지요. 일본 정부는 재펀이즘의 입맛에 맞는 미술품을 잇달아 보내서—실제 돈을 벌기도 했겠지만—일본을 인지시키려고 했습니다. 그런 한에서는 사실 일본이 국민국가로서의 전통과 민족을 가진 실체로서 국제사회에 들어가기 위한 하나의 계기로 재펀이즘을 철저하게 이용했다고 생각합니다.

재패니즘은 일본을 이국취미의 대상으로 보고 여성화하는 전형적인 오리엔탈리즘과 같습니다. 그러한 시선을 일본 정부나 미술 관계자들이 적극적으로 받아들인 셈이지요. 즉 일본의 옥시덴탈리즘이 재패니즘이나 오리엔탈리즘과 공범 관계를 맺고 있었다는 점은 확실히 확인해두어야 합니다. 그런데 그전에 임 선생께서 아주 흥미로운 지적을 하셨습니다. 친일파라고 불리는 식민지 시기의 한국 지식인에 대한 언급인데요.

당시에 친일파라고 불린 지식인들은 일본 제국에서는 마이너리티였던 것이죠. 그때 일본 본토, 혹은 일본의 주류가 지닌 한국에 대한 오리엔탈리즘을 이용함으로써 자신들이 발언할 수 있는 공간을 어떻게든 확보하려 한 사람들이라고 생각해도 되지 않나 싶습니다.

임지현 대담 초기에 약간 언급했습니다만 제가 보기엔…….

사카이 1930년대에는 조선 문학집, 혹은 조선의 풍토를 소재로 한 소설이나 시가 일본어를 사용하는 조선 지식인들에 의해 창작되고 문학상을 타는 등 주목받는 작가들이 등장합니다. 장혁주, 이광수, 김소운, 김사량과 같은 이름이 떠오릅니다. 한국의 문학사가들이 얼마나 엄밀하게 친일파를 규정하는지는 잘 모릅니다만, 이 작가들은 일본어로 창작하거나 번역한 것을 출판함으로써 조선 농촌의 비참한 상황을 전하거나, 조선 사람들 가운데서 근대적인 의식을 모색하거나, 혹은 그 전통을 일본 독자들에게 알리려고 했습니다. 식민지화된 이상 식민지의 권력 관계 속에서 쓸 수밖에 없었던 것이지요. 내지에 귀속하는 사람들과 한반도에 귀속하는 사람들 사이에는 권리에서 확연한 차이가 있었으며 그 불만 때문에 조선인들이 독립운동을 하는 것을 두려워했습니다. 일본 정부는 조선의 독립을 두려워해 온갖 수를 다 썼습니다. 독립을 저지하기 위한 다양한 전략이나 제도를 설치해놓았던 것이지요. 식민지의 독립은 제국의 해체를 뜻하기에, 서로 다른 민족의 공존이라는 전제하에서 국민 통일이라는 문제와 씨름했습니다. 일본 제국의 통일을 유지하고 대륙에서 진행 중이던 전쟁을 수행하면서 공업기술 생산력을 총동원해서 다른 제국주의 세력과의 경쟁에서 이기기 위해서는 조선인들 속에서 자발적으로 자본주의적인 노동에 적응하고 국민정치에 적극적으로 참여하며 국민 전체에 공헌하는 주체가 필요했습니다. 일본은 병합된 지역의 주민들 속에서 일본인이 되고 싶어하는 주체를 만들어내려 한 것이며, 그를 위해 교토학파를 중심으로 '주체성'에 관한 이론 작업 또한 이루어지고 있었습니다. 한반도나 대만, 만주에서도 주민들에 대해 보다 자세히 알기 위해 민속학 연구가 장려되었습니다. 물론 이것은 제국이 식민지의 모든 주민을 잘 앎으로써 일본인으로 주체화시키는 보다 효과적인 정책을 모색하기 위해서였습니다.

한반도의 민족 자립을 지향하는 지식인들은 이러한 상황에서 행동해야만 했습니다. 당시 지식인들은 이러한 제도와 국가의 전략에 대항해서 투쟁해야 했던 것 아닐까요? 한편에는 조선 사람들에게 일본 국민이 되라는 주체화의 권유가 있었고, 다른 한편에는 폭력적인 강제장치가 있었습니다. 이것은 미묘한 문제이기는 합니다만, 20, 30년대에 친일파라고 불리는 지식인이 민족 독립을 정면에 내세우고 행동하고 일본 제국주의에 저항했을 때에는 아마 죽음이 기다리고 있었을 것입니다.

그래서 그들은 오리엔탈리즘 속으로 들어갈 수밖에 없었습니다. 왜냐하면 마이너리티들은 오리엔탈리즘의 회로를 통해 폭력을 피해가면서 항의할 가능성을 얻을 수 있었기 때문입니다. 물론 이 경우 오리엔탈리즘은 일본 제국의 머저리티와 한반도의 마이너리티 사이에 상정되어 있습니다. 내지인이 가진 이국취미의 시선에 호소함으로써 내지인에 대한 항의의 기회를 만들 수 있었던 것입니다. 오리엔탈리즘에는 보이는 대상에 대한 보는 사람의 모멸감이 이미 전제되어 있습니다. 왜냐하면 보이는 대상은 보는 사람의 연민의 대상이 되기 때문입니다. 오리엔탈리즘의 시선에 적합한 한, 이렇게 열등시되는 대상은 보는 사람의 우월성을 보증하는 역할을 하지만 그 대신 보는 사람에 대한 불만이나 항의를 표명하고 인지받을 기회를 얻습니다. 이 오리엔탈리즘 속에서 마이너리티는 내지인의 우위를 몰래 인지하는 대신에 스스로의 민족 문화나 전통을 인지받고 자기 인지의 쾌락을—어디까지나 제한적입니다만—누릴 수 있게 됩니다. 그리고 오리엔탈리즘을 통해서 머저리티를 비판하는 수단으로서의 언론을 유지할 수 있었던 게 아닌가 합니다. 즉 오리엔탈리즘은 꼭 마이너리티를 탄압하는 것으로만 기능하지 않고, 푸코가 **'억압의 가설'**[32]에 대해 말했듯이, 마이너리티의 자기 해방이라는 환상을 유지시키는 역할도 합니다. 친일파라 불리는 지식인들은 이렇게 해서 오리엔탈리즘 속으로 포섭되어간 것이 아닐까요?

물론 완전히 침묵해버리는 것도, 저항을 포기해버리는 것도, 또

한 가능하겠지만 말입니다.

임지현 좀더 얘기를 일반적인 차원에서 해주셨으면 합니다.

미시마 유키오와 최승희

사카이 사실 일본과 한국 사이에도 그러한 식으로 서양과 동양의 권력 관계가 존재했다고 말하기는 어렵지 않을 것 같습니다. 하지만 가령 지금 미국에서도 머저리티와 마이너리티 사이에 비슷한 권력 관계가 있다고 말하는 것이 어쩌면 가장 억압되고 있는 것 아닐까요? 미국에서 오리엔탈리즘을 비판할 때 영국이나 프랑스의 오리엔탈리즘을 비판하는 것은 참으로 쉽지만, 미국의 교육제도 속에서 실제로 작동하는 오리엔탈리즘을 비판하는 것은 무척이나 어렵습니다. 지금 미국의 마이너리티 지식인은 미국 체제가 가진 식민지성을 묵인하는 한도 내에서 자기 민족의 문화를 자랑한다든

(32) **억압의 가설**
푸코는 신체가 권력의 시발점인 동시에 저항의 시발점이라는 것을 암시합니다. 《성의 역사》는 이러한 관점에 입각하여 씌어진 책인데요, 총 세 권으로 이루어져 있고 각 권의 제목은 '앎의 의지' '쾌락의 활용' '자기에의 배려' 입니다.
1권 '앎의 의지' 는 담론의 생산을 근간으로 하여 앎과 권력이 서로 뒤엉키는 상호 작용을 분석하고 있는데요, 푸코는 여기서 '억압의 가설' 에 대하여 드러내는 작업을 하고 있습니다. 보통 고전주의 시대에 성에 대한 억압이 시작되고 그것이 자본주의 발전과 일치한다고 보는 통설, 그리고 그것의 본보기로 제시되는 빅토리아 왕조의 청교도주의나 부르주아지의 금욕주의에 대하여 푸코는 그 이면을 파헤칩니다. 그리고 오히려 이 당시 횡행하던 것은 성에 대한 억압이 아니라 급격한 성담론의 증가, 이것들과 기독교의 고해·성의학·정신분석학 등등과의 관계맺기였다고 합니다. 그리고 이 과정은 부르주아지가 스스로 창안한 권력과 앎의 기술 체계로 자체의 성을 둘러쌈으로써 그들 자신의 육체, 감각, 쾌락 등의 정신적 가치를 돋보이게 하는 것이었습니다. 그들에게 성적 욕망의 장치는 자기 확인의 도구였습니다. 여하튼 '앎의 의지' 를 통해 푸코는 억압의 가설을 살피고 그것의 배경에 얽힌 권력 관계를 읽어냅니다. 이는 푸코가 이전의 작업들에서 계속해온, 권력과 담론의 관계에 관한 연구들과 맥을 같이한다고 할 수 있습니다.

가, 민족적 동일성에 대한 인지를 요구할 수 있습니다. 미국이 전 세계에서 저지르고 있는 부정에 대해 묵인하고 자신들이 얼마나 애국적인 모델 마이너리티인지를 보여주고 나서야 비로소 평등이나 자기 인지를 요구할 수 있습니다. 미국에서 어떤 사회적 문맥에서는 저 자신이 그러한 마이너리티의 입장에 있기 때문에 제가 일본 제국의 마이너리티 지식인을 비판할 수 있는 입장에 있다고는 결코 생각할 수 없습니다. 그런 도덕적 자격이 저에게는 없습니다. 그래서 친일파 지식인이 한 일에 대해 지금 관심이 많은 까닭은 그 문제를 고려한 뒤에 그들이 무엇을 하려고 했는가, 어떠한 위험을 무릅썼는가, 그들의 약한 부분은 무엇이었나 등을, 도덕적 판단을 내리기 전에 다시 한번 검토해보고 싶어서입니다.

지금까지 오리엔탈리즘과 옥시덴탈리즘의 공범 관계를 말해왔습니다만, 그렇다고 해서 오리엔탈리즘이나 옥시덴탈리즘이 그리 쉽게 사라지리라곤 생각하지 않습니다. 그리고 오리엔탈리즘 속에서 나오는 민족주의, 친일민족주의라는 것도 쉽게 이해가 될 것 같습니다. 제 자신 속에서 그런 위험성을 느끼기 때문입니다.

국민주의나 민족주의를 대상화한 것은 식민주의의 유제로 존재하는 측면이 크기 때문이며, 민족 개념을 역사화하고 싶다고 생각하는 것은 민족 개념을 단지 지워버리는 것이 아니라 그것 자체가 말하자면 상흔으로, 역사적 상흔으로 존재한다는 사실을 확인하고 싶기 때문입니다.

임지현 사카이 선생 자신의 어떤 실존적 조건, 미국에서 마이너리티 지식인으로 살아가는 그런 경험에서 나온 이야기 같아 훨씬 더 실감 있게 다가오는군요. 저도 예를 하나 들고 싶습니다. 1996

년의 일로 기억됩니다만, 폴란드에 있을 때 크라쿠프의 극장에서 미시마 유키오(三島由紀夫)의 연극을 구경한 적이 있습니다. 그때 연출가가 누구였냐 하면 안제이 바이다(Andrzej Wajda)였습니다. 안제이 바이다는 영화감독으로 더 유명한데, 실제로 1970년대 그가 감독한 영화들은 현실사회주의를 고발하는 탁월한 리얼리즘 작품이었습니다. 또 연대노조(Solidarno) 운동에도 깊이 관여하여, 연대노조의 중요한 문화적 이벤트들을 지휘하기도 했지요. 그런 안제이 바이다가 미시마 유키오를 연출한다길래, 보러 갔습니다. 궁금했어요.

제가 알기로 미시마 유키오는 자위대 앞에서 쿠데타를 선동하다 할복자살한 일본의 극우 지식인인데, 기대와는 달리 그의 연극에서는 일본 민족주의의 냄새, 혹은 정치적인 냄새가 거의 나지 않더라고요. 옴니버스식 연극이었는데, 폴란드 사람들의 '이국취향'에 호소하는 그런 연극이었던 것 같습니다.

이 작은 문화적 사건에서 아주 흥미로운 구도가 드러나더군요. 전통적인 동·서양의 이분법에서 보면, 그것은 일본에 대한 폴란드 관객들의 '이국취향' 그리고 그 밑에 있는 오리엔탈리즘적인 시각을 다시 강화시켜주면서, 동시에 일본의 입장에서는 문부성이 적극 지원하여 미시마 유키오의 연극을 통해 일본의 전통 민족 문화를 '서양'에 소개하고 선보이는, 그리고 다시 '서양'에서 확립된 평판을 재수입함으로써 일본적인 것을 강화하는 메커니즘이 눈에 선하더군요. 그러니까 크라쿠프에서 상영된 미시마 유키오의 연극 또한 오리엔탈리즘과 옥시덴탈리즘이 만나는 접점이었다고 느꼈습니다. 실제로 연극이 공연된 크라쿠프의 일본문화관은 상당히 뛰어난, 17~18세기의 일본 미술 컬렉션을 갖고 있었습니다. 자포니즘의 물결이 일 때, 일본 문화에 심취한 한 폴란드 귀족의 컬렉션이라고 하더군요.

하나만 더 예를 들어보지요. 얼마 전에 서울에서 무용가 '최승희'에 대한 필름을 봤는데, 그는 식민지 시기 일본에서 굉장히 선풍을 일으키고 아주 인기를 끌었던 한국 무용가입니다. 이 필름은 그에 대한 일종의 다큐멘터리였는데, 김매자라는 한국의 현대 무용가가 최승희의 흔적을 찾아다니는 과정을 그린 것입니다. 이 필름을 보면, 최승희에 대해 일본 관객들, 특히 지식인층의 반응이 아주 열광적입니다. 일본의 지식인들이 최승희에 대해서 왜 그렇게 열광했는가, 그 이유를 한번 생각해봤습니다. 흥미로운 것은 최승희의 무용이 인기 절정에 달했던 시점입니다. 중일 전쟁이 발발하고 태평양 전쟁에 돌입한 전시인데도, 엄청난 관중이 몰려들고 일본 지식계가 완전히 뒤집어진단 말이죠. 그리고 많은 지식인들이 최승희에 대해서 글도 쓰고 책도 내고 또 화가들은 춤추는 모습을 그리기도 합니다. 그런데 최승희의 무용 프로그램을 보면, 한국의 전통 춤이 압도적입니다. 물론 인도 춤 같은 것도 있지만, 칼춤이나 신라 춤 등 한국적인 선을 보여주는 춤이 주입니다. 또 최승희에 대한 평론들은 한결같이 최승희가 한국의 전통 춤을 근대적으로 재해석하여 한국적인 몸짓을 보여준다고 극찬하고 있습니다.

그런데 실은 거기에서도 폴란드에서 미시마 유키오의 연극이 상영되는 맥락 같은 게 읽힙니다. 먼저 눈에 띄는 것은 내지의 일본 지식인들이 한국에 대해 가진 오리엔탈리즘적 시각입니다. 사실 최승희는 일본에서 현대 무용을 배웠거든요. 당시 일본의 유명한 무용가의 연구소에서 무용을 배웠는데, 최승희에게 일본으로 표상되는 것은 서양입니다. 발전된 서양의 현대 무용 방법론에 기대어 한국의 전통 춤을 만들어낸 것이지요. 식민지의 예술가에게 서양을 표상하는 '내지'의 지식인들이 보낸 갈채는, 사실 서양과 동양이 공모해서 만들어낸 동양의 전통에 대한 흐뭇하고 대견한 시선을 바탕에 깔고 있는 것으로 보입니다. 또 내지의 지식인들을 주요 관객으로 둔 최승희로서는 서양의 시선에 호소력을 지닌 전통 춤을 찾아내야만 했겠지요. 그것은 기본적으로 최승희가 서양의 현대 무용 방법론을 익혔기 때문에 가능하지 않았나 싶습니다. 그럼에도 불구하고, 아니 그렇기 때문에 오늘날 한국에서 최승희는 전통 춤을 확립한 20세기 최고의 민족 무용가라고 평가받고 있습니다. 그러니까 한국의 옥시덴탈리즘, 혹은 내셔널리즘과 일본의 오리엔탈리즘이 공모해서 결국 최승희에 대한 하나의 신화를 만든 그런 측면을 지적하고 싶습니다.

사카이 참 흥미롭군요. 말씀하시는 김에 다른 예도 좀더 들어주시지요.

제국의 마이너리티 지식인

임지현 제국의 마이너리티로서의 친일파 문제로 시선을 돌린다면, 지금 미국의 마이너리티 지식인으로서 사카이 선생과 20~30년대 친일파 사이에는 사상적 심급에서 결정적인 차이가 있다고 생각합니다. 기본적으로 20~30년대의 친일파들은 근대화론자였죠. 그래서 오리엔탈리즘이나 유럽중심주의, 또는 근대에 대한 문제 의식은 사실 찾아볼 수 없습니다. 당대의 역사적 맥락에서 보면 근대에 대한 문제 의식을 기대한다는 것 자체가 무리입니다만, 어쨌든 일본을, 일본으로 표상되는 서구적 근대를 어떻게 따라잡을 것인가 하는 고민이 이들을 사로잡았습니다. 그랬기에 이들에게는 메이지 유신 자체가 엄청난 복음이었습니다. 중국적 세계 질서 속에서는 후진적이라고 눈여겨보지도 않던 작은 섬나라가 불과 20~30년 만에 급속한 근대화에 성공해서 청나라도 이기고 러시아도 이기고, 유럽의 열강과 어깨를 같이 할 수 있다는 것은 당시 조선 반도의 지식인들에게 '야, 이거야말로 바로 우리가 따라갈 길이다' 라는 생각을 갖게 했을 것이고, 이 일본적 모델에 대한 집착이야말로 친일의 배경이 된 것이지요. 이처럼 그들의 친일 노선이 실은 조선을 빨리 근대화시키겠다는 그러한 동기에서부터 출발했다면 그들을 친일 내셔널리스트라 얘기할 수 있다는 거죠. 그 점에서 미국 내에서 서양중심주의와 오리엔탈리즘을 비판하고 미국의 담론적 헤게모니에 대한 사카이 선생의 비판적 포지션과, 20~30년대 친일파들의 포지션 사이에는 결정적인 차이가 있는 것 아닌가, 그렇게 생각합니다. 기본적으로 그것은 근대를 비판하는가, 아니면 따라야 할 모델로 생각하는가에서 비롯되는 차이겠습니다만…….

사카이 그들이 공유하고 있는 의식은 비슷할…….

임지현 물론 이런 공통점은 있을 거예요. 저는 개인적으로 식민지 조선의 민중들이야말로 가장 민족적 차별로 고통받았다는 상투적인 해석에 반대합니다. 제가 볼 때, 식민지 민중들은 민족적 차별을 느낄 기회가 별로 없었을 거 같아요. 일본 제국주의의 질서에 편입되었다고는 하지만, 이들이 일상적 삶을 살아가는 데 일본 제국주의와 직접 접촉하거나 부닥뜨릴 기회는 적었을 겁니다. 오히

려 일본 제국주의의 관료적 위계 질서 속에 편입되어 승진하고 출세하고자 했던 친일파들이야말로 일상적 삶에서 일본인과의 차별 대우를 더 예민하게 느꼈을 수도 있습니다. 민중들보다는 일본의 제국 질서 속에 편입되어 제국의 실체와 접촉면이 많은 이들 친일파들이야말로 일상 속에서 민족적 차별을 가장 예민하게 느꼈다는 역설이 성립되는 것이지요. 그것은 마치 미국 대학의 '백인 앵글로색슨 프로테스탄트'의 헤게모니 속에서 활동하는 사카이 선생이 미국의 헤게모니와 오리엔탈리즘에 반발하는 일본의 우파 민족주의자들보다 일상 속에서 더 구체적으로 미국 내셔널리즘의 억압성을 느낄 수 있는 것과 마찬가지 아닐까요? 뭐 이런 정도의 공통성은 이야기할 수 있겠지만, 20~30년대의 친일파 지식인들과 사카이 선생의 포지션을 같이 놓는 건 조금 아닌 것 같다는 생각이 듭니다.

사카이 이 대담을 보시는 독자 여러분께서 오해하시면 곤란하기 때문에 다음과 같은 말을 하고 싶습니다. 제가 친일파 지식인들에게 공감하고 있다든지, 또 동정하고 있다든지 하는 것은 아닙니다. 강조하고 싶은 것은, 친일파 지식인들이 했던 일을 생각하면 지금의 저뿐만 아니라 마이너리티 지식인이 미국 사회에서 처해 있는 상황에 하나의 전망(prospective)이 생긴다는 점입니다. 역으로, 여기에서부터 친일파 지식인들이 처해 있던 상황에 대한 이해가 가능하지 않을까 하는 것입니다.

방금 임 선생께서는 미시마 유키오와 한국 무용가의 예를 들어 명쾌하게 설명해주셨습니다. 특히 미시마 유키오의 사례를 말씀하셨을 때 상당히 중요한 점을 지적해주셨다고 생각합니다. 무슨 말이냐 하면, 미시마 유키오를 생각할 때에는 시대적인 상황을 상당히 엄밀하게 고려할 필요가 있습니다. 미시마 유키오가 1970년에 자살한 뒤에 당시 유명한 프랑스 작가인 마르그리트 뒤라스라든지 미국에서 몇 명의 지식인—특히 게이(남성동성애자)—이 미시마에 대해 주목했습니다. 그의 작품을 번역한 일본 연구자들 또한—다는 아니지만—게이가 많았습니다. 그것과 1990년대 이후 폴란드에서 미시마에게 관심을 갖는 것과는 상당히 다르다고 생각합니다. 무슨 말이냐 하면, 1970년대 서유럽이나 미국의 미시마 유키오에 대한 관심은, 말씀하신 대로 오리엔탈리즘과 옥시덴탈리즘의 종합이었습니다. 미시마는 당시 서유럽이나 미국 지식인들이 가지고 있던 일본, 사무라이, 일본 미학 그리고 전통과 같은, 전형적인 오리엔탈리즘을 만족시켜주는 행동을 보여주었기 때문입니다.

임지현 좀더 부연해주시지요.

사카이 미시마는 정신분석에서의 전이(transference)[33] 상황을 훌륭하게 연기해보인 것입니다. 그런데 이러한 전이가 기능하지 못하는 상황이 점차 생겨나기 시작했습니다. 아마 1970년대 말부터 1980년대경이 아닌가 싶습니다. 하지만 방금 전에 임 선생께서 말씀하셨듯이, 1990년대 들어 폴란드는 분명히 서양이 아니었다,

(33) **전이**
프로이트에 따르면, 꿈의 이미지는 크게 '응축'과 '전이'라는 방법으로 생산된다고 합니다. 응축이란 하나의 이미지가 여러 사물의 이미지를 압축해 함께 담는 것을, 전이란 한 사물이 그와 유사한 다른 사물로 둔갑해 등장하는 것입니다. 문학 용어를 빌리면 응축은 환유나 제유, 전이는 은유와 관계가 있습니다.

일본과의 관계에서 경제적·정치적·사회적인 조건을 생각해보면 이제 서양으로서 스스로를 제시할 수 없게 된 상황이 아니었나 싶습니다. 그때에 폴란드 사람들이 미시마를 통해서 본 것은 아마도 과거 자신들이 서양이었을 때에(콘래드를 인용할 필요도 없이, 과거의 폴란드나 동유럽이 서양이었던 적이 한번이라도 있었는지는 의문입니다만) 일본에서 전형적인 동양을 보았던 것 아닌가, 즉 일종의 향수, 스스로에 대한 향수로서 미시마를 보았던 게 아닐까요? 그것은 미시마가 연기한 사무라이가 오리엔탈리즘 속의 대표적인 형상인 게이샤와 유사하다는 것에서 추론할 수 있습니다. 게이샤라는 직업집단이 일본에서는 이미 사라졌는데도 미국이나 유럽에서는 아직도 게이샤를 소재로 한 작품이 씌어지고 팔립니다. 백인 남성성이 위기에 빠질 때 반드시 동원되는 것이 이 게이샤라는 이미지인 셈이지요. '나비부인'이 이미 1세기 이상 전의 이야기인데도 아직도 대중문화 차원에서 스스로를 서양인이라고 생각하고 싶어하는 사람들의 동양관을 지배하는 것은 바로 이것 때문일 것입니다. 마찬가지로, 서양이라는 문명적 혹은 인종적 동일성이 해체되기 시작하면서 사무라이나 게이샤라는 형상을 고집함으로써 스스로의 동일성을 확보하려는 시도가 몇 번이나 일어납니다.

그런 스스로에 대한, 스스로의 과거에 대한 향수의 대상으로 일본을 보는 방식은 1980년대 들어 서유럽에서도, 북미에서도 한꺼번에 일어났습니다. 가령 1980년대에 일본 경제가 아직 고도성장을 하고 있으며 서유럽 경제가 정체에 빠져 있던 시기에 몇몇 영국, 프랑스, 미국 지식인이 반응한 방식을 상기시켜줍니다.

전형적인 사례로 아직도 기억나는 것은, 제가 아는 어떤 영국 지식인이 도쿄에 처음 와서 당시 일본에서는 고등학생조차 개인용

팩스를 가지고 있는 것을 보고 놀라서 자신감을 상실했다는 내용입니다. 그때까지 그는 의식하지 않았을지 모르지만, 그가 가진 영국과 일본의 이미지는 앞섰다, 뒤처졌다 하는 발전 단계사 속에 위치지어져 있었던 것입니다. 그런데 도쿄에 와보니까 기술의 보급도나 소비사회의 진전에서 이미 두 사회의 관계가 역전되어 있어서 충격을 받았던 것입니다. 그래서 일본을 오리엔트로서 보고 싶다는 처음의 생각은 부인되어버립니다. 즉 자신들이 지금까지 앞서서 뒤처진 지역을 보았다고 생각했는데, 앞섰다, 뒤처졌다 하는 관계가 확실히 무너졌을 때 다시 한 번 뒤처진 부분을 상상이나 공상 속에서 만들어내려고 하는 작업이라고 생각합니다. 이 점에 주목해야 한다고 생각하는 까닭은, 사실 일본 지식인과 한국 지식인, 혹은 일본 지식인과 중국 지식인 사이에도 마치 영국 지식인이 1980년대 일본에 대해 가진 것과 같은, 역전에 대한 불안이 강하게 드러나는 것 아닌가 하는 생각이 들었기 때문입니다. 지금까지 일본은 아시아에서 가장 근대적인 사회라고 자처해왔습니다. 그리고 그 전제로서 역사주의적인 역사관이 있었습니다. 1988년 서울에서 올림픽이 열렸을 때 일본 사람들이 보인 가장 전형적인 반응은 "아, 한국도 도쿄 올림픽 단계까지 왔군요" 하는 것이었습니다. 이는 한국이 일본의 발전을 뒤에서 추인(追認)해왔다는 사고 방식입니다. 물론 근대화를 몇 가지 예를 들어 간단하게 설명할 수는 없겠지만, 가령 1990년대 후반 들어 핸드폰 보급률이 일본보다 한국이 높다는 사실을 알았을 때 일본 사람들 대부분은 수긍할 수 없었습니다. 그리고 이메일의 보급률도 일본보다 한국이 높다는 자료 등이 나왔을 때, 지금까지 생각해왔던 선진/후진이라는 기준으로는 한국과 일본의 관계, 일본과 중국의 관계를 생각할 수 없다는 것을 점점 확실하게 알게 되었습니다. 폴란드의 사례에서 보았듯이, 그러한 상황에서는 오히려 오리엔탈리즘의 시선이 강화되어간다는 현상이 일본에도 도래하고 있는 것이 아닐까요?

그리고 두 번째 사례에 대해서도 상당히 중요한 문제를 지적하신 것 같습니다. 즉 민족 문화라는 사고 방식은 사실 오리엔탈리즘 속에서만 가능하지 않을까 하는 점입니다.

임지현 좀더 구체적으로 말씀해주셨으면 싶네요.

사카이 아까도 지적하셨듯이, 일본 문화라는 사고 방식이 아주 강하게 나타난 것이 사실은 재펀이즘과의 관계에서였다는 점 또한 주목해야 한다고 봅니다. 그렇다면 전통 그리고 민족 문화, 혹은 국민 문화라는 사고 방식과 오리엔탈리즘이 상당히 긴밀하게 결부되어 있는 이상, 사실은 아까 임 선생께서 친일파와 제 입장의 차이, 혹은 친일파와 저와 같이 미국에서 생활하는 마이너리티 지식인의 차이에서 상당히 중요한 문제를 지적해주셨습니다.

미국 사회의 헤게모니를 생각한다면 친일파 지식인이 빠진 것과 비슷한 문제가 제기될 수 있을 것 같습니다. 그것은 한반도 사람들과 내지 사람들의 관계를 근대화의 관계로 간주한다는 점과 관련됩니다. 그 이유는 식민지체제의 권력 관계가 항상 근대화된 내지와 아직 근대화되지 않은 한반도라는 도식으로 재현되고 있었기 때문입니다. 미국 내에서 그것은 근대화된 유럽계 미국인과 아직 근대화되지 않은 비유럽계 미국인이라는 도식으로 재현됩니다. 1950년대 미국에서 등장하는 근대화론은 이 국내적 헤게모니를 세계적 규모로 확대시킨 것이지요. 미국이 가장 근대화된 사회라고 한다면, 앞으로 근대화할 아시아나 아프리카 사회는 미국의 모범을 따르는 길밖에 없게 됩니다. 마찬가지로 미국 내에서 유럽계 미국인이 근대를 대표한다면 백인이 아닌 마이너리티 미국인은 백인을 모방하는 것말고는 방책이 없게 됩니다. 마이너리티가 스스로의 민족적 동일성을 강조하면서 근대화를 지향한다면, 유럽계 미국인을 모델로 하는 자기 변혁을 생각할 수밖에 없습니다. 일본 제국에도 근대화론적인 헤게모니가 있었다고 생각합니다. 그 가운데서 친일파가 기본적으로 근대화론자였다는 지적에는 전적으로 공감합니다. 대만의 친일파 또한 근대화론자였다고 생각합니다. 이런 상황에 처한 근대화론자는 대부분 민족주의자이기도 했습니다.

임지현 네, 말씀을 듣고 보니 미시마 유키오 부분은, 과거의 서양이었던 스스로에 대한 향수라는 지적이 더 타당하겠다는 생각이 드는군요. 동양과 서양의 이미지가 만들어진 물적인 토대의 측면에서 보면, 누가 봐도 당연히 일본이 서양이지, 일본을 오리엔트라고 하고 폴란드를 옥시덴트라고 할 사람은 아마 없을 것입니다. 그런데요, 문화적 헤게모니라는 관점에서 볼 때는, 폴란드 지식인들은 항상 자기네가 우월한 서구 문명을 러시아나 우크라이나 같은 더 동유럽 쪽에 전해줬다, 그러니까 폴란드는 동유럽이 아니라 중부유럽이다고 주장합니다. 그런데 실제로 안제이 바이다가 팸플릿에 쓴, 미시마 유키오에 대한 설명을 보면, 그의 자살이 갖는 정치적 맥락은 무시되고 사무라이 전통에 따라 할복자살했으며, 미시마의 작품들은 그의 죽음에서 보듯이 일본의 아주 정통적인 어떤 민족정신과 맞닿아 있다는 식입니다.

그러니까 폴란드의 오리엔탈리즘이 그만한 물적 토대를 갖고 있는가 하는 문제를 차치하고 보면, '이국취향'과 오리엔탈리즘이 결합되는 전형적인 양상이 드러납니다. 폴란드 지식인들이 자기 자신을 유럽 지식인, 서유럽 지식인과 동일시해왔다는 착각 자체가 이미, 중심과 주변뿐만 아니라 반주변에까지도 관철되는 오리엔탈리즘의 문화적 헤게모니를 잘 보여주는 예가 아닐까요? 그러니까 아까 선생님의 논리를 밀고나간다면, 일본이 영국을 따라잡은 것, 또는 한국이 일본을 따라오는 것에 대한 불안감은 곧 오리엔탈리즘의 물적 토대가 무너지는 것에 대한 불안감의 반영이지만, 그 물적 토대의 붕괴에도 불구하고 오히려 오리엔탈리즘이 강화되는 상황과 비슷한 그런 맥락에서 이해할 수 있지 않을까 생각합니다.

한국과 대만의 친일파 문제에 관한 한, 그들이 근대화론자이고 그 점에서 민족의 힘과 부국강병을 욕망한 민족주의자라는 건 의심의 여지가 없습니다. 선생님 말씀에 전적으로 찬성합니다. 그런데 한국 역사학계의 지배적인 평가는, 근대화에 대한 이들의 고민을 사상한 채 친일파, 민족 배반자로 몰아붙이는 것이었습니다. 왜 그런 평가가 지배적이었는가를 이해하기 위해서는 20세기 동아시아의 역사 속에 녹아 있는 몇 가지 변수를 살펴야겠지요.

가장 먼저 고려해야 할 대목은 이른바 '친일파', 한국의 근대화론자나 대만의 근대화론자들이 일본을 서양과 동일시하면서 일본에서 근대화의 모델을 찾았다는 점이 아닐까 합니다. 일본이 한국과 대만을 병합한 상황에서 일본의 모델을 따르자는 주장을 민족주의라고 평가하기는 우선 정서적으로 어려웠겠지요. 그러니까, 이것은 순전히 가정입니다만, 만약에 러일 전쟁에서 일본이 지고 러시아가 조선 반도를 점령했다고 치잔 말이죠. 그랬을 땐 친일파에 대한 해석은 확 달라졌을 겁니다. 민족주의적 근대화론자로서의 모습이 잘 드러나지 않았을까요? 대만의 경우 '친일파'에 대한 평가가 상대적으로 후하고 일본 제국주의의 통치에 대한 반감이 상대적으로 적은 것은 대만에 대한 중국 본토의 '내적 식민주의(internal colonialism)'라는 변수가 있었기 때문이 아닌가 합니다. 대만 독립파의 시각에 서면 일본은 중국 본토에 대한 견제세력이라는 면이 있으니, 자연히 '적의 적은 친구'라는 등식이 성립하는 것이지요. 만약에 일본이 조선의 식민주의 모국이 아니었다면, '친일파'라 불리는 집단, 친일 근대화론자들은 오히려 중국적 헤게모니를 벗어나서 조선을 근대화된 국민국가로 만들려고 노력했던 민족주의자들이라고 충분히 평가받을 수 있었을 것이라고 생각합니다. 단지 일본에 조선이 점령당했다는 이유 때문에 이들은 그냥 친일파, 민족 배반자로 규정되어버리는 그런 측면이 강한 거죠.

사카이 그런 예는 훨씬 많을 것 같은데요.

임지현 소비에트 체제가 붕괴된 이후의 동유럽에서도 비슷한 예를 찾을 수 있습니다. 예컨대 소비에트의 붕괴 이후 발틱 삼국이나 벨로루스, 또는 우크라이나 등에서 다시 세를 떨치고 있는 민족주의적 역사 해석을 보면, 지금까지 친나치 또는 친독 협력자라고 불렸던 집단들이 다시 민족주의자로 평가받고 있거든요. 왜냐면 이 나라들은 러시아와 폴란드—폴란드도 이들에게는 '새끼 제국주의'입니다만—라는 두 강대국 사이에 낀 나라들이었단 말이죠. 동유럽의 이러한 국제 역학 관계에서 소련과 폴란드의 적인 나치는 '적의 적인 동지'가 되는 것이지요. 실제로 나치가 이 지역을 점령했을 때 밑으로부터 자발적인 협력이 굉장히 많았습니다. 리투아니아인들, 우크라이나 민족주의자들이 유대인을 색출해낸다든가, 소련에 저항하는 반공주의 군대를 조직하는 등, 나치의 적극적인 협력자들이 됐습니다. 소비에트 체제하에서 파시스트의 낙인이 찍혔던 이들이 다시 민족의 영웅으로 부각되는 현상, 이런 부분들이 대만과 조선의 '친일파'에 대한 역사적 평가와 그 정치성을 이해하는 데 어떤 시사점을 줄 수 있지 않을까 생각합니다. 앞으로 동아시아 전반에 걸쳐 일방적으로 헤게모니를 관철시키는 주체가 누구나에 따라, '친일파'에 대한 역사적 평가도 달라질 수 있다고 생각합니다.

사카이 충격적인 지적이로군요. 방금 임 선생의 분석에서 제가 한 가지 배운 것은, 이제까지 민족주의는 식민주의 혹은 제국주의에 대립하는 운동이며 민족 해방과 제국주의는 모순되는 운동이라고만 단순히 생각해왔는데, 민족주의와 식민주의, 혹은 민족주의와 제국주의라는 것이 상호 촉진이 가능한, 반발하면서 동시에 공존할 수 있는 하나의 시스템을 가지고 있는 것이 아닌가 하는 점입니다. 개념적인 규정 문제가 될 것 같은데요, 한 가지 여쭤보고 싶은 것은 이 경우 문화적 헤게모니라는 사고 방식입니다. 헤게모니의 성격의 하나로, 역사적 현실이 변함에 따라 끊임없이 조성해서 마치 일관된 시스템이 있는 것처럼 상황을 재현하는 기능이 그 안에 포함되어 있다고 생각합니다만, 그 경우에 경제적 혹은 정치적인 구조 변화에 대해서 문화적 헤게모니가 이른바 자기 보존, 즉 오래된 질서 감각을 유지해나가기 위해서 어떤 방식으로 작동하는지가 궁금합니다.

임지현 어려운 문제네요. 저도 정리된 생각은 아닌데요, 거기에는 몇 가지 서로 다른 층위들이 있을 것 같습니다. 먼저 아주 추상적인 차원에서 얘기하고 싶은 것은, 우리가 흔히 생각하는 것처럼 정치·경제의 구조적 변화가 사람들의 사고 방식이나 문화, 좁은 의미의 문화가 아니라 사람들이 자신의 일상적인 삶을 생산하고 소비하고 교환하는 그러한 삶의 방식으로서의 문화에는 큰 변화를 주지 못한다는 점입니다. 즉 상징적 문화 구성체와 그 안에서 표명되는 아비투스가 사회·경제 구조보다 더 오래 지속되고 더 큰 역사적 규정력을 갖기도 한다는 것입니다.

부르주아 혁명으로서의 프랑스 대혁명이나, 사회주의 혁명으로서의 볼셰비키 혁명을 한번 예로 들어보죠. 저도 20대 학생 때는 혁명을 통해 정치권력을 장악하여 사회·경제 구조를 바꾸고 법 제도를 바꾸면 세상이 순식간에 바뀐다고 생각했고 또 그렇게 믿어왔습니다. 그러나 실제로 사람들의 일상적 삶의 토대로서의 문화라는 점에 주목해보면 혁명이 가져온 변화가 생각보다 크지 않다는 것을 볼 수 있습니다.

예컨대 린 헌트(Lynn Hunt)의 《프랑스 혁명의 가족 로망스(*The family romance of the French Revolution*)》를 보면, '법 앞에서의 시민적 평등'이 여성의 삶에 가져온 변화는 거의 없습니다. 가족이라는 테두리 내에서 사람들이 삶을 살아가던 관성, 아비투스 같은 것들은 거의 바뀌지 않았던 것이지요. 또 볼셰비키 혁명이 사람들의 일상적 사고나 삶의 방식에 가져다준 변화도 생각만큼 크진 않습니다. 러시아 혁명에 대한 '새로운 문화사'적 연구들이 우리에게 보여주는 바는 구체제의 삶의 관성이 참으로 끈질기다는 것입니다. 아비투스가 바뀐 것이 아니라 그 아비투스를 에워싸고 있는 수

식어나 의상이 바뀐 것이지요. 단적인 예를 들자면, 2월 혁명이 성공한 후에도 페트로그라드 거리로 뛰쳐나온 노동자들이 외치는 구호는, 이번에는 '좋은 차르'를 뽑자는 겁니다. 이들의 의식 속에 자리잡은 혁명은 나쁜 차르를 좋은 차르로 바꾸는 정도지요. 이는 사회·경제 구조의 민주적 변화에도 불구하고, 왜 프롤레타리아 독재가 레닌이나 스탈린에 대한 개인 숭배로 바뀌었는가를 잘 설명해주는 대목이라고 생각합니다. 그것은 나쁜 헤게모니를 가진 권력집단을 좋은 헤게모니를 가진 집단으로 대체하여 그 집단이 시민사회를 옳은 방향으로 지도한다는, 기존의 혁명론이 가진 한계이기도 하겠습니다만…….

그럼, 이제 두 번째 문제로 넘어가죠. 첫 번째 지적과도 연결되는 것이겠습니다만, 담론적 실천의 문제가 있겠지요. 담론이 정치·경제적 구조, 혹은 토대의 단순한 반영으로서의 상부구조가 아니라, 바로 그 자체가 사람들의 삶과 실천을 규정하고 토대를 규정하는 측면이 있다는 점입니다. 그것은 사람들의 실천이 바로 현실에 대한 대응이 아니라 '지각된 현실'에 대한 대응이기 때문에 그러합니다. 가령 상상적 표상으로서의 동양과 서양을 놓고 볼 때, 구동양의 물적 토대가 구서양의 물적 토대를 넘어서서 오리엔탈리즘의 물적 토대가 무너졌다고 해도, 문화적 측면에서는 여전히 오리엔탈리즘의 담론적 헤게모니가 작동하고 있다는 것이죠. 동양과 서양의 관계에서 그 담론적 헤게모니가 작동하는 방식은 예컨대 영어를 제2의 공식언어로 쓰자는 주장 등에서 잘 나타나는 게 아닌가 합니다. 또 영어뿐만 아니라 다국적기업이 주도하고 유럽이나 서양의 중심에서 생산되어 동양에서 소비되는 다양한 제품과 광고가 만들어내는 이미지의 홍수들, 그러니까 자본주의 세계체제에 편입된 이상 사람들은 태어나면서부터 이미 일상 속에 범람하는 영어나 서구의 다양한 제품과 광고 들, 패션, 음식, 이런 것들을 통해서 사유와 의식이 규격화되는 것이지요. 이처럼 규격화된 삶은 곧 오리엔탈리즘을 내면화한 삶이기도 하구요. 서구가 강요한 오리엔탈리즘이 아니라 우리 안에 내면화된 오리엔탈리즘이 존재하는 한, 한국이나 일본의 국민 소득이 서구보다 높아진다고 해서 오리엔탈리즘이 없어지는 것은 아닙니다. 담론이 생산되고 소비되는 구조 자체가 이미 서구적 근대의 틀 안에 갇혀 있는 이상, 그것은 참으로 벗어나기 어려운 부분이 아닌가 하는 생각이 듭니다. 사카이 선생께서 〈흔적(*trases*)〉[34]에서 지적한 바 있듯이, 비서구에서는 특수한 사실 자료들을 서구로 수출하고 서구에서는 그 '특수성' 의 재료들을 바탕으로 만들어진 이론의 '보편성' 을 비서구로 수출하는, 지식의 생산-유통-소비 구조 역시 오리엔탈리즘의 내면화를 잘 드러내는 예가 아닌가 합니다.

사카이 거기에 반대하고 저항하는 흐름도 있을 것 같은데요?

감정적 카타르시스, 미래 지향적 성찰

임지현 그렇지 않아도 끝으로 지적하고 싶은 것은 유럽중심주의의

(34) 〈흔적〉
'다언어' 학술지 〈흔적〉은 기존의 근대성론을 폐기하면서 새로운 '지구적 근대성' 을 논의하는 적극적인 정치-문화적 공간이자, 그 자체가 데리다의 말처럼 정당한 '해적질' 을 수행하는 진지입니다. 14개국에서 48명의 편집동인과 24명의 편집고문단으로 구성된 〈흔적〉은, 지속적인 학술 세미나 활동을 통해 모아진 성과를 6개월마다 각국의 언어로 번역, 출간한다는 방침을 세웠습니다. 자크 데리다, 피터 오스본, 스튜어트 홀, 안토니오 네그리, 가라타니 고진, 가야트리 스피박, 왕 후이 등 참여 인물의 면면에서 신좌파적 구도를 읽을 수 있습니다. 한국에서는 강내희, 심광현, 이진경 등 6명이 편집동인으로 참여하고 있습니다.

의 문화적 헤게모니, 혹은 담론적 헤게모니에 저항하려는 움직임에 관한 것입니다. 물론 서구에 대한 저항의 움직임이 없었던 것은 아닙니다. 문제는 그것이 대개 국가권력에 의해서 민중을 동원하는 차원에서 이루어졌다는 점입니다. 사실 내셔널리즘 담론은 바깥을 향한 격한 외침으로 시작되지만, 대중을 동원하기 위한 내부용으로 발전하는 경우도 많습니다. 국가권력이 밑으로부터의 감정과 정서에 호소하여 대중을 동원하는 기제로 사용한 것이죠. 그런데 서구의 문화적 헤게모니에 저항하는 내셔널리즘의 담론 자체가 더 강한 국민국가를 지향하는 운동이라는 데 문제가 있습니다. 이는 결국 프랑스 대혁명 이후 서구적 근대가 만들어낸 정치 질서, 그리고 그 안에 내장된 문화적 헤게모니, 담론적 헤게모니, 담론적 질서 속에 편입된 상태에서 자신의 목표를 설정한 꼴입니다. 주변부의 저항 내셔널리즘이 '반서구적 서구화'를 지향하는 역설이 성립하는 것도 이런 맥락에서입니다. 그것은 결국 반서구적 운동이 서구의 지배담론 속에 포섭되었다는 것을 의미하는 것 아닐까요? 그 현상적 대립 구도에도 불구하고, 옥시덴탈리즘과 오리엔탈리즘이 서로가 서로를 강화하고 살찌우는 적대적 공존 관계를 형성하고 있다는 그런 얘기도 가능하지 않을까요?

이 지점에서 헤게모니의 또 다른 차원을 이야기할 수 있을 것 같습니다. 그건 뭐냐 하면, 서양이 동양이라는 표상을 통해서 자신들 속의 소수자와 주변인 들을 배제했듯이, 옥시덴탈리즘이나 그 담론적 질서에 편승하는 저항 내셔널리즘을 만들어내는 운동 자체가 주변부의 국가권력과 결합하면서 서양이라는 상상의 지리를 배제함으로써 국민적'통합을 더 강화한다는 거죠. 그것은 한마디로 '국민 만들기' 과정이라고 할 수 있죠. 미완의 근대성, 역사적 과제로서의 국민 만들기를 완성시켜나간다는 것은 곧 국가권력이 자신에 대한 국민적 동의를 도출해나가는 과정이기도 하지요. 어떻게 보면 프랑스 대혁명 이래, 또 각별히는 1차대전의 동원체제를 거치면서 대중이 역사 무대의 전면으로 등장한 이래, 국민국가는 권력에 대한 국민적 합의를 '주권'의 이름으로 끊임없이 관철시키고자 했습니다. 내셔널리즘으로 표상된 문화적 헤게모니가 사회의 하드웨어라고나 할까요, 혹은 구조에 관철되는 정치·경제적 헤게모니로 전화하는 그 이면에는 국민국가의 틀, 또는 국민 만들기의 과정이 자리잡고 있는 것이지요.

사카이 맨 끝의 국민 통합과 헤게모니의 관계에 대해서는 최근 몇 달 동안 많이 생각해보았습니다. 미국의 경우에는 오리엔탈리즘의 재흥(再興)이라는 식으로 국민 통합이 강렬하게 진행되고 있습니다. 즉 비서양 사회를 멸시하는 태도를 긍정함으로써 오리엔탈리즘을 다시 불러낸다는 식으로 국민 통합이 진행됩니다. 이것은 별로 새로운 것도 아닙니다만, 이른바 백미주의가 국민 통합의 핵으로 등장합니다. 이 과정을 임 선생께서는 합의독재로 묘사하실 것입니다. 저는 익찬체제(翼賛體制)로, 아래로부터 자기 검열의 욕망이 속속 나오는 식의 체제로 생각합니다.

얼마 전에 여기서 지금 통역을 하시는 이타가키 류타 씨가 번역해주신 아주 좋은 논문을 읽었습니다. 그것은 문부식 씨의 논문으로, 한국에서 반미 민족주의가 사실은 대중이 가지고 있는 미국 지향, 그리고 옥시덴탈리즘의 욕망을 충분히 파악하지 못했다는 점에 대한 스스로의 통절한 반성을 포함한 내용이었습니다. 반미 지식인이 움직이지 않는 데 반해 한국의 대중들은 훨씬 더 빠르게 헤게모니에 의해 움직였습니다. 게다가 옥시덴탈리즘과 소비주의가 결합하여 대중들의 욕망을 더욱더 재편해나갔다는 사실을 한국의 반미 민족주의자들은 전혀 이해하지 못했습니다. 문씨의 글은 그것에 대한 아주 심각한 반성을 촉구하는 주장이라고 생각합니다만, 임 선생께서 제시하신 합의독재라는 개념에도 그러한 이른바 자기 반성의 계기가 있었습니까?

임지현 글쎄요, 제 이야기를 하자니 조금 쑥스럽네요. 저에겐 21세기의 문턱에 들어선 지금도 여전히 한국 사회를 떠다니는 박정희에 대한 향수가 결정적인 계기가 되었습니다. 그것은 권력의 강제나 강요와는 상관없는, 밑으로부터의 자발적인 움직임입니다. 물론 그것은 IMF 위기가 한국 사회에 가져다준 부산물이라는 측면도 있습니다만, 그보다 더 근원적인 무엇인가가 있다는 것이 저의 제1감이었습니다. 무엇보다도 박정희 시대의 기억을 둘러싼 역사의 내전에서 박정희와 유신잔당에게 일방적으로 책임을 전가하거나, 그들을 도덕적으로 성토하는 자세는 감정적 카타르시스를 줄지는 모르겠으나, 미래 지향적인 성찰은 아니지요. 또 '국민의 정부'라는 수사가 이미 박정희 시대의 '조국 근대화' 담론을 신자유주의와 애국주의의 모순된 조합으로 연결시켜 새로운 지배와 동원의 담론을 만들어내는 것은 아닌가 하는 의심도 했습니다. 만약 남한의 진보세력이 박정희가 제시한 '조국 근대화'의 담론적 틀을 공유하는 바탕 위에서 도덕적 비난으로 일관한다면, 그것은 결국 지배담론에 포섭된 체제 내적 저항에 불과하리라는 우려도 있었구요.

그러나 무엇보다도 먼저 역사가로서 자신의 도덕적 관념 속에

리얼리티를 억지로 꿰어맞추어온 것은 아닌가 하는 반성, 특히 현실사회주의의 실상을 접하고는 저의 지적 게으름에 대한 반성이 들었습니다. 사상사를 공부한다는 것에 대한 회의도 들었구요. 결국 박정희의 집단적 기억을 둘러싼 역사의 내전이 한반도의 미래를 담보하는 싸움으로 발전하기 위해서는, 그 집단적 기억에 각인된 지배담론과 그것이 행사하는 헤게모니의 메커니즘을 정확히 이해하는 것이 우선적으로 요구된다는 데 생각이 미쳤고, 그것은 다시 저항하고 투쟁하는 민중의 신화에서 벗어나, 지배 헤게모니에 포섭되어 권력에 갈채를 보내는 민중의 또 다른 존재 방식을 이해해야겠다는 절박한 생각으로 저를 이끌었습니다.

사카이 그밖에 다른 계기는 없었는지요?

임지현 평범한 독일인들과 나치즘의 관계에 대한 크리스토퍼 브라우닝(Christopher Browning)의 통찰력 있는 연구나, 현실사회주의에 대한 폴란드 역사학계의 과거 청산 논쟁도 생각에 보탬이 되었지요. 모든 죄와 책임은 '그들'에게 있고 '우리'는 순결한 희생자일 뿐이라는 단순논리는 사실 반성적 성찰이라기보다는 심정적 위안의 논리에 불과한 것 아닐까요? 체코에서 공산주의 협력자 숙청과 청산 문제(lustracja)에 대한 논쟁의 와중에서 하벨(Vaclav Havel)이 잘 이야기했듯이, 가해자와 피해자를 나누는 선은 '그들'과 '우리' 사이에만 있는 것이 아니라 '그들'의 내부에도, 또 '우리'의 내부에도 있는 것이지요. 물론 제 생각은 반민중적 우파나 기계적 좌파가 오해하듯이, 전체주의 국가권력에 갈채를 보낸 민중의 역사적 책임을 묻는다거나, 그들을 역사의 법정에 고발하겠다는 식의 엘리트주의적 발상과는 거리가 멉니다. 전체주의적 억압의 이면에 숨어 있는 지배 헤게모니와 자발적 동원체제의 메커니즘을 밝히는 것이 제 문제 의식입니다. 그럼에도 불구하고 그 글이 발표되었을 때는, 이른바 '정통 좌파'들한테 호되게 당했습니다. 민중을 파시스트 또는 적으로 본다는 것이지요. 물론 그러한 비난에서 제 견해를 바꾸어야 할 아무런 타당성도 발견하지 못했습니다만…….

한 걸음 더 발전시켜 보면, 그것은 국민국가와 내셔널리즘에 대한 저의 일관된 비판작업과도 연관됩니다. 국민적 통합이 일정한 수준을 넘어서 거의 완성태에 가깝게 진전될수록 '합의독재'의 기반은 점점 더 강화된다는 것이지요. 이때 그 국민국가의 담론이 오리엔탈리즘인가, 옥시덴탈리즘인가는 큰 문제가 아니라고 생각합니다. 가령 나치 같은 경우는 어떨까요? 슬라브 문명에 대한 나치즘의 시선은 다분히 오리엔탈리즘적입니다만, 영국과 프랑스 등 서구를 향한 시선에는 옥시덴탈리즘이 강하게 배어 있습니다. 나치즘에 내장된 오리엔탈리즘과 옥시덴탈리즘의 잠재적 갈등은, 그러나 카를 슈미트가 명쾌하게 제시한 '주권독재'의 개념 앞에서는 쉽게 화해합니다. '주권독재'의 개념 앞에서 그 차이가 사라지는 것은 비단 오리엔탈리즘과 옥시덴탈리즘만이 아닙니다. 영·미식의 대중민주주의와 파시즘, 나치즘도 어느 면에서는 '국민주권'이라는 코드를 공유하고 있습니다. 미국과 서유럽이 자랑하는 '시민적 내셔널리즘(civic nationalism)'도 사실은 동유럽이나 주변부의 일탈적 내셔널리즘과 큰 차이가 없다고 생각합니다. 무엇보다도 9·11테러 이후 미국 사회에서의 병적인 내셔널리즘적 열광이 그것을 잘 보여줍니다.

한편, 현실사회주의는 과연 '주권독재'의 틀에서 자유로웠는가 하는 의문이 듭니다. 19세기 후반 이후의 사회주의운동이나 노동운동을 보면, 항상 인터내셔널리즘을 내세웠지만 그것은 머릿속에서만 작동했고 가슴은 항상 내셔널리즘이었다는 점을 지적하지 않을 수 없습니다. 물론 선구적 이론가들 중에 진정한 인터내셔널리스트들이 있기는 했지만, 기본적으로 맑시즘의 패러다임 자체가 실천의 맥락에서는 국민국가의 틀 속에 갇혀 있던 측면이 많았다는 거죠. 맑스는 프롤레타리아 혁명이 '하나의 세계혁명'이고 세계 전체를 무대로 삼는다고 선언하면서도, 《공산당 선언》에서 보여주는 것처럼, 프롤레타리아의 투쟁이 우선은 일국적이며, 프롤레타리아가 국민국가 내부의 정치적 지배권을 장악하여 '민족계급(nationale Klasse)'이 되어야 한다는 점을 분명히 했습니다. 후대의 맑시스트들이 이 점을 확대해석하면서 맑스의 전략 자체가 국민국가의 틀 속에 갇히게 된 것이지요. 또 이론적 차원을 떠나, 프롤레타리아 대중, 또는 평범한 노동자들의 일반적인 행동 방식에서 보면, 국민국가에 포섭된 맑시즘의 양상은 더욱 분명히 드러납니다. 21세기의 문턱에 들어선 지금까지, 이론적 선언의 차원을 떠나 노동운동이 진정으로 국제주의적이었던 적은 한번도 없었다고 생각합니다. 선진자본주의 국가의 경우에 그것은 제국주의 국가권력이 식민지를 정복했을 때 환호하는 노동자들의 '사회제국주의(social imperialism)'로 나타난다면, 주변부에서는 민족적 억압을 강조하고 민족 해방을 지향하는 '사회애국주의(social patriotism)'로 나타난다는 거죠. 이렇게 본다면 부르주아의 운동뿐만 아니라 프롤레타리아트의 운동도 국민국가의 틀 속에 포섭되기는 마찬가지였다는 결론이 가능하리라 봅니다.

변화하는 시간과 공간들

임지현 잘 주무셨나요. 어젠 적지 않은 이야기를 나누었습니다. 간추린다면, 동양과 서양을 어떤 고정된 실체로 생각하는 것 자체가 기본적으로 근대의 산물이라는 것, 그리고 서로 충돌하는 것처럼 보이는 오리엔탈리즘과 옥시덴탈리즘이 근대 국민국가를 매개로 어떻게 만났는지를 최승희나 미시마 유키오 등등의 예를 통해서 건드려 보았습니다. 오리엔탈리즘이나 옥시덴탈리즘이나 기본적으로 서양의 근대가 만들어낸 진보에 대한 욕망을 안에 품고 있다는 사실을 확인할 수 있었습니다.

그럼 이제, 저를 포함해서 대중의 삶 속에 내장된 근대에 대한 욕망을 과연 어떻게 평가해야 할 것인지, 21세기에도 그것은 하나의 '장기지속'으로 관철될 것인지, 보다 더 사람이 사람답게 살 수 있는 사회를 지향하기 위해서 그 장기지속의 욕망을 과연 어떻게 넘어설 것인지에 대한 이야기로 마무리를 해보았으면 합니다. 먼저 문화이론 연구자로서의 선생님의 생각을 듣고 싶습니다.

삶 속에 내재된 '근대'의 욕망들

사카이 근대를 생각할 때에 한 가지 어려운 점이 있습니다. 역사가들 사이에서는 근대를 하나의 시대 구분으로 생각하는 경우가 많습니다. 왜 그러냐 하면 19세기에 전형적인 소위 실증적인 역사학에서는 유럽의 시기 구분을 고대, 중세 그리고 근대라는 큰 틀로 사용하는 경우가 많았기 때문입니다. 혹자에 의하면 근대가 르네상스부터 시작되고, 또 다른 혹자에 의하면 18세기 혁명에 의한 새로운 정체 성립의 시기부터 시작된다는 식으로, 시대의 차이로 파악하는 경우도 많습니다. 개념으로서의 근대가 가지는 어려움은, 시대라는 사고 방식의 차원, 즉 편년적(編年的)인 시대 구분과는 다른 차원에 근대가 있는 것이 아닌가 하는 점과 관련이 있습니다.

그러한 근대의 시대 구분이 일반화되기 전에 특히 동아시아에서 가장 널리 쓰인 시대 구분은 세대에 의한 계보적인 구분이었습니다. 세대의 구분이기 때문에 자신의 시대, 아버지의 시대, 할아버지의 시대라는 형태로, 즉 세대가 바뀌어가는 가운데서 자신의 가족의 계보와 더불어 시대가 계속 서술되어갔습니다. 그리고 그것이 몇 대 전으로까지 올라가는 것이지요. 동아시아 왕조 거의 대부분이 그 기본적인 계보 형태를 계승했습니다. 그래서 지금도 일본에서는 올해를 헤이세이(平成) 13년이라고 하는데, 헤이세이 전이 쇼와(昭和)이고 쇼와 전이 다이쇼(大正)이고 다이쇼 전이 메이지(明治)입니다. 이런 식으로 시대를 나누는 것이 세대에 의한 구분법인데요, 이것이 태곳적부터 천황의 세대에 의해 계속 이어져왔습니다. 그래서 일본의 경우는 일단 표면상 천황 일가가 계속 존재해왔다고 되어 있습니다만, 다른 나라의 경우는 새로운 종족이나 계벌(系閥)이 권력을 잡으면 새로운 왕조가 시작되고 그 왕조 시대의 연속으로 시대가 구별됩니다. 즉 청이 있고 그 전에 명이 있고 그 전에 원이 있다는 식의, 혹은 조선이 있고 그 전에 고려가 있고 그 전에 신라가 있다는 식의 시대 구분 말입니다. 그런 이유로, 한 시대에서 다른 시대로 진보하는 그런 전체는 역사 속에서 전제될 필요가 없었습니다.

그러나 그런 식으로 구분된 시간의 심급(審級), 혹은 레벨에는 근대라는 사고 방식이 존재하지 않습니다. 편년적인 시간은, 움직여가는 것의 위치를 마치 번지수나 도로표지판처럼 하나하나의 장소를 정함으로써 시간의 변천을 서술하는 방식입니다. 이에 비해 근대적 시간은 마치 자동차가 달릴 때처럼 그 자동차의 속도계의 바늘에 해당하는 지표가 마련되어 있습니다. 그것은 어떤 장소에 고정시킬 수 있는 것이 아니라 움직임의 정도와 같은 것입니다. 그렇다면 속도로서 생각되는 근대의 시간은 언제나 방향을 가집니다. 어디를 향해서 가고 있는지 모르면 속도도 결정할 수 없으니까요. 근대에 들어 서유럽 사상사에서 새로운 수(數)에 대한 사고 방식이 생겨났는데, 이 사고 방식이 가장 전형적으로 나타난 것이 미분입니다(이것은 이제 중학생도 이해하지만, 17세기부터 18세기에 걸쳐 논쟁을 불러일으켰습니다). 미분은 고정시킬 수 있는 양이 아니라, 그 양이 스스로를 넘어서는 운동에 의해 가능해지는 조작(操作)입니다. 그래서 미분의 양은 선 위에서의 위치의 양과는 차원이 다릅니다.

이 유추로 생각한다면, 근대가 르네상스에서부터 시작되었는가, 아니면 영국의 자본주의 창성기부터인가, 아니면 의회제 민주주의의 출발부터인가, 국민국가의 성립부터인가 등 얼마든지 기점을 잡을 수 있지만 사실 이것이 근대를 생각하는 데 본질적인 것은 아니라는 점을 알 수 있습니다. 근대에 들어서면, 지금 존재하는 현실만을 생각하는 데 머물지 않고 끊임없이 현실을 어떻게 바꿀 것인가가 문제가 됩니다. 자기를 초극하려고 하는가 하는, 자기를 끊임없이 다른 것으로 바꾸려고 하는 사회로 파악하는 것입니다. 그래서 근대는 언제나 자기 초극적인 사회 편성으로 생각됩니다. 1940년대에 근대의 초극이라는 말이 유행했습니다만 그것은 단지 근대적이었다는 말인 셈이지요.

물론 이것은 자본주의의 전개와 깊게 연관되어 있습니다. 따라서 20세기에 들어서면 그 사회의 현재를 나타내는 지표로 중요해지는 것은 GNP와 같은 숫자지요. 이 숫자에 따라서 대통령이나 수상이 바뀔 수도 있습니다. 즉 얼마나 끊임없이 증가하고 있는가가 그 사회를 생각하는 가장 중요한 지표가 되어가는 것이지요.

근대적 시공간의 탄생

임지현 시간으로서의 근대, 또는 시대로서의 근대가 아니라 운동으로서의 근대, 즉 끊임없이 자기를 증식하려는 그런 욕망을 가진 운동으로서의 근대에 대한 선생님의 지적은 상당히 흥미롭습니다. 그런데 뚜렷한 지향점을 향해 끊임없이 자기를 증식하고자 하는 이 욕망은, 서양과 동양의 이분법적 구도에서 본다면, 그 지향점은 항상 만들어진 서양이 아니었나 합니다. 그 때문에, 만들어진 서양은 역으로 동양을 길들이는 서양, 즉 하나의 전범으로 설정된 서양과 그 모델에 따라서 길들여져야 할 동양이라는 그런 발상이 가능했던 것 같습니다. 그런데 문제는, 21세기를 살아가고 또 싸워나가야 할 동아시아 지식인의 한 사람으로서 이야기한다면, 그 지향해야 할 모델로서의 서양과 길들여져야 할 동양을 작위적으로 구분했던 근대에 대한 비판이, 우리 자신의 목소리를 통해서 나왔다기보다는 그것 역시 '서양', 즉 유럽의 지식인이나 미국의 지식인들에 의해서 나왔다는 점입니다. 이것은 반드시 짚고 넘어가야 할 대목이 아닌가 생각합니다.

예컨대 식민지였던 사회에서 포스트콜로니얼리즘이 나왔던 것이 아니라 식민지 종주국의 지식인에게서 포스트콜로니얼리즘이 나왔다는 것이지요. 물론 '서벌턴 연구(subaltern studies)' 같은 경우는 주변부에서 만들어져 주변부의 패러다임을 서양의 지식세계에 제시하기도 했지만, 그들 역시 인도 출신 지식인들로, 제1세계에서 활약하고 있었다는 점에서 이의를 제기하는 사람들도 있다고 알고 있습니다. 이것은 지식의 생산과 유통, 소비 과정을 지배하는 유럽중심적 지식 체계의 문제를 드러내는 것이 아닐까요? 말하자면 일본이나 한국 등의 동아시아, 혹은 주변부의 다른 나라 지식인들은 사실과 관련된 일차자료나 통계 등의 원재료를 유럽에 제공하고, 유럽이나 미국의 이른바 양심적인 혹은 진보적인 학자들은 그것을 기반으로 패러다임을 만들어 다시 주변부에 역으로 수출하는 방식이지요.

그렇다면 전지구적 차원에서 근대를 극복하자는 공통의 문제 의식에도 불구하고, 이미 우리들 내부에 또 다른 위계 질서가 존재한다는 사실을 느낄 수 있는데요. 자, 그렇다면 그런 것들을 극복할 수 있는 방법들은 무엇이 있을까, 그러니까 유럽이나 미국의 지식인들이 제기한 근대 비판, 근대를 극복하려는 문제 의식과 그것을 담는 그릇으로서의 다양한 패러다임들의 중요성을 충분히 인정하면서도, 동시에 동아시아 지식인으로서 그것을 어떻게 전유하고 또 우리의 시각이 담긴, 우리의 목소리가 담긴, 그러한 근대 비판은 어떻게 가능한지, 뭐 그런 얘기로 이번 대담을 마무리했으면 합니다. 어려운 이야기일텐데……. 그러니까 한마디로 요약하자면, 오리엔탈리즘을 비판하고 극복하려는 우리의 논의 속에도 또 다른 오리엔탈리즘적인 위계 질서가 존재하는 것은 아닌가 하는 의심이지요.

사카이 임 선생께서도 잘 아시겠지만 1960년대에 레비-스트로스가 《야생의 사고》라는 책을 썼습니다. 이 책에서 레비-스트로스는 사회제도로서 경험된 분류체계의 관점에서 인류 사회를 대략 둘로 나누었습니다. 하나는 차가운 사회, 다른 하나는 따뜻한 사회 혹은 뜨거운 사회입니다. 차가운 사회란 스스로의 이미지를 끊임없이 보존하는 사회입니다. 거기서는 재생산은 일어나지만 그 과정에서 시간적인 변화가 사회에 변화를 가져오는 정도를 가능한 한 적게 하려고 합니다. 이에 비해 뜨거운 사회란 끊임없이 스스로를 변화해가는 사회라는 식으로 이해했습니다. 그리고 장 폴 사르트르의 변증법적 이성의 역사, 나아가서 역사주의 일반을 뜨거운 사회에 특유한 시간의식이라고 생각해, 거기서부터 사르트르의 서양중심주의를 비판하려고 했습니다. 레비-스트로스는 차가운 사회와 뜨거운 사회의 시간의식은 우열을 매길 수 없으며 어느 쪽이 진실에 가까운지도 결정할 수 없다고 주장했습니다. 요컨대 레비-스트로스는 그때 뜨거운 사회는 서양이고 차가운 사회는 서양 이외의 사회라고 생각했던 것 같습니다. 거기에서 뜨거운 사회에는 변화하는 역사, 혹은 역사의식이 있어서 변화가 가져오는 불안에 떠는 사회인 데 반해, 차가운 사회는 이른바 근대적인 의미의 역사가 없는 사회라는 식으로 대략적으로 받아들여졌습니다.

어제도 말씀드렸지만 가령 영국이나 프랑스에 가보면 문득 뭔가를 느낍니다. 뭐냐 하면 저의 경우—임 선생의 경우도 그렇습니다만—제가 지금 입고 있는 옷을 생각해보면 바지를 입고 신발을 신고 허리띠를 하고 셔츠를 입고 있습니다. 그런데 저의 증조할아버지를 생각해보면 아마 그이는 바지를 입은 적도, 셔츠를 입은 적도 없었을 것입니다. 요컨대 바지나 허리띠, 셔츠라는 말을 아마 몰랐을 것입니다. 그러나 영국이나 프랑스 사람들은 바지나 허리띠, 셔츠와 같은 것들을 그들도 입고 있고, 또 그들의 증조할아버지도 입었을 것입니다. 물론 스타일은 달랐겠지만 큰 변화는 없었겠지요. 달리 말해 그들에게 서양이라는 동일성은 역사적 변화를 최소한도로 재현하기 위해 기능합니다. 일상생활의 여러 가지 사례들을 생각해보면, 지금 서유럽 사람들은 가령 식탁에서 식사를 하고 침대에서 잔다는 식으로, 증조할아버지나 할머니 세대로부터 반복된 습관을 계승하고 있으며, 일상생활 속의 많은 말들이 증조할아버지 시대와 거의 다를 바 없다고 믿고 있을 수 있습니다. 물론 그들이 4대(四代)에 걸쳐 똑같은 습관을 계승해왔다고 말하는 것은 아닙니다. 자신들이 서양 내부에 있다고 믿기 때문에 그들은 자신들에게 일어난 역사적 변화를 가능한 한 적게 재현할 수 있습니다. 세대 교체와 습관의 반복을 중첩해서 생각할 수 있기에, 과거의 서양의 유산을 자신들의 조상들로부터 계승한 유산처럼 생각할 수 있는 셈입니다. 즉 레비-스트로스의 분석을 따르면 서양은 신화적인 범주입니다.

임지현 그렇겠군요. 그렇다면 오늘날의 동양이 오히려 더 뜨거운 사회가 되나요, 그럼?

사카이 그렇다고 볼 수 있지요. 비서양에서 자라난 사람들의 경우에는, 예를 들면 증조할아버지의 시대에 일본에서 침대에서 잔 사람은 아마 인구의 1%도 되지 않을 것입니다. 이것은 역으로 말하면 우리 사회가 사실은 급속하게 변해가고 있으며 게다가 이 변화를 적게 재현할 장치를 갖추고 있지 못한 것입니다. 먹는 것도, 입는 것도, 가족제도도, 통치제도도, 과거 수세기 동안 급격하게 변해온 사실로부터 우리를 보호해주는 장치가 없는 것입니다. 이런 관점에서 보면, 동아시아와 같은 사회가 뜨거운 사회이며 서유럽이 차가운 사회라고 생각할 수밖에 없습니다. 혹은 서양에서 주변부라고 일컬어지는 사회 속에서야말로 급격한 역사적 변화가 체험되고 있으며, 오히려 유럽이나 북아메리카야말로 그러한 의미에서 아주 정태적인 사회가 되어가고 있는 것 아닐까요? 그러한 관점에서 보기 시작하면 근대적인 역사는 아시아나 아프리카, 라틴아메리카에서 전형적인 형태로 발견되는 것 아닐까요? 사실 20세기에 일어난 상황은 분명히 자본주의의 전개이기는 하지만, 그 덕분에 서양이 더욱더 분석 범주로서는 의미를 갖지 못하는 사태가 벌어지지 않았나 싶습니다.

물론 지금도 경제나 정치를 생각할 때 그 기본개념들은 거의 서유럽에서 만들어진 것입니다. 정치, 민족, 권리, 문학, 이성, 과학, 사회, 종교와 같은, 현재 동아시아의 언론·학문에서 사용되는 기본개념들은 거의 다 19세기에 유럽어로부터 만들어진 신조어입니다. 기원으로 생각하면 확실히 전세계 사람들은 서유럽에서 만들어진 개념을 사용해서 다양한 생활이나 사고를 영위해야 하는 상황에 놓여 있습니다. 특히 한국이나 일본과 같이, 자본주의에 의한 사회 개편이 철저하게 이루어진 곳에서는 서유럽에서 기원한 개념이나 제도, 기술이 없이는 일상생활은 생각조차 할 수 없습니다. 하지만 유럽의 수학 자체도 원래는 이슬람 세계에서 온 것이며, 근세 초반까지 수학자의 자격에는 아랍어 지식이 포함되어 있었고, 종이는 중국에서 들어왔습니다. 그렇다고 지금 우리가 수학을 배우거나 종이를 사용할 때마다, 이슬람 세계나 중국에 의존하고 있다는 의식을 갖느냐 하면, 그런 의미의 기원에 대해서는 전혀 신경을 쓰지 않고 생활하고 있습니다. 자본주의적인 교류가 있는 곳에서 개념이나 제도, 기술의 기원을 문제삼아도 그것은 이제 거의 정당성이 없습니다. 그렇다면 분명히 200년 전에 존 로크에 의해 소유권이라는 것이 개념적으로 규정되었다고 해도, 우리가 현실에서 그 개념을 쓰면서 생활하고 있는 한, 존 로크가 한국인이었다, 혹은 마르크스가 일본인이었다고 말해도 상관없는 상황에서 우리는 살고 있습니다. 그래서 그 기원 문제에 대해 우리가 유럽에서 배웠다는 점을 솔직하게 인정한다고 해서 우리의 지금 생활이 유럽인의 생활에 비해서 비본래적이라거나 파생적이라는 논의는 성립하지 않습니다.

특히 과학기술에 관해, 유럽인은 스스로의 힘으로 새로운 사고방식이나 이론을 발명했는데 아시아인은 단지 모방했을 뿐이다, 그러므로 아시아인은 스스로 이론이나 기술을 발명해야 한다고 말하는 사람이 종종 있는데, 잘 생각해보면 에디슨이 라디오를 발명한 후에 그 기술이 세계로 확산되었을 때 사실 처음에 모방한 사람은 아마 미국의 다른 기술자였을 것이며 모방한다는 것은, 말하자면 아시아인이고 미국인이고 없다는 것이지요. 왜냐하면 모방되지 않으면 그것이 하나의 새로운 발명으로 확산되지도 않을 거니까요. 그러므로 이제 그런 방식으로 동양인, 혹은 비서양인의 독창성을 생각할 필요는 없을 것 같습니다.

임지현 그런 논의가 학문 영역에서도 활발하게 이루어졌나 모르겠네요.

기원과 모방

사카이 100년 전에 막스 베버가 《프로테스탄티즘의 윤리와 자본주의 정신》을 썼을 때 맨 처음에 그가 문제삼은 것은, 왜 유럽에서만 수학이나 과학기술이 발전할 수 있었느냐 하는 것이었습니다. 그런 전제하에서라면 유럽 이외의 세계에서는 수학이나 과학기술 따위를 스스로 만들 수 없습니다. 하지만 100년 후인 지금, 자연과학이나 수학 분야에서 그 이론이 유럽계냐 아시아계냐, 혹은 미국계냐를 따지는 사람은 거의 없습니다.

새로운 이론으로 쓸 만하면 전세계의 모든 사람들이 쓰는 것이지요. 하지만 사회과학이나 인문과학에는 아직도 그런 경향이 남아 있습니다. 그러나 아마 인문과학에도 자연과학에서와 마찬가지 상황이 일어날 것입니다. 만약 우수한 이론이 아시아 학자에 의해 만들어졌더라도 그것이 쓸 만하다면 유럽의 학자가 써도 될 것이고, 미국 지식인이 써도 되며, 동시에 아시아 지식인이 유럽에서 생긴 이론을 쓰는 것 또한 완전히 자유로울 것입니다. 오히려 그것이 어디 기원인가 하는 것을 걱정하지 않고도 문제를 고찰할 수 있는 환경을 어떻게 만들 수 있는가 하는 점이 동양·서양의 구분이 남아 있는 현실의 바탕에 있지 않나 싶습니다.

임지현 네, 굉장히 중요한 이야기를 하신 것 같습니다. 역사학에서는 그것을 기원주의라고 하는데, 처음은 어디였는가라는 식으로 기원에 집착하는 경향이 강합니다. 그런데 그것은 역사학의 본질적인 속성이라기보다는 역시 내셔널리즘적 역사 서술의 특징이 아닐까 생각합니다. 왜냐하면 기원을 찾는 작업의 무의식에는 기본적으로 '세계 최초(for the first time in the world)' 신드롬이 개입되어 있기 때문입니다. '우리나라에서 처음으로 발명된' 그 무엇을 통해, '우리 민족이 이렇게 훌륭한 문화 유산을 가지고 있다'는 식으로 민족적 자부심을 고양시키는 것이지요. 근대 역사학의 기원주의는 역사학이 국민 만들기의 첨병이었다는 사실과 관련됩니다. 네, 그런 점에서 저도 기원에 집착해선 안 된다, 혹은 기원이란 것이 그렇게 중요하지는 않다는 사카이 선생의 말씀에 전적으로 동감합니다. 그러나 또 한편에서는—아니, 여기에서 굉장히 중요한 문제가 제기된 것 같은데요—모방과 창조라는 다소 진부하고 상투적인 기준으로도 볼 수 있겠지만, 더 중요하게는 전유하는 것인가, 전유되는 것인가라는 시각이 중요하지 않나 합니다.

그런데 문제는 전유하는 행위와 전유당하는 행위가 그렇게 분명하게 구분되지 않는다는 점입니다. 선명하게 구분되기보다는 구분이 불가능할 정도로 얽혀 있는 경우가 더 많습니다. 며칠 전 사카이 선생께서 마련한 학회에서도 영어를 전유하는 방식으로서의 〈영어를 크레올화하기: 전유하기 혹은 전유되기?(Creolizing English: Appropriating or Appropriated?)〉라는 짤막한 글을 발표했습니다만, 동아시아에도 비슷한 역사적 경험이 있습니다. 예컨대 일본의 '만요 가나(萬葉假名, 한자의 음만을 따서 표기)'나 한국의 '이두'를 일종의 '원크레올화(proto-croelization)' 과정으로 볼 수 있다는 거지요. 한문을, 혹은 중국어에 축적된 문화적 성과를, 일본이나 한국이 '만요 가나'나 '이두'를 통해 전유하려고 한다는, 그러한 의미에서 초보적 단계의 크레올화라고 볼 수 있다는 거지요. 물론 언어학적 의미에서 엄격하게 따지면 반드시 그렇다고 이야기할 수 있을지는 자신이 없습니다만, '만요 가나'나 '이두'를 통해서 한국이나 일본이 서로 다른 상황 속에서 나름대로 한자를 수용하고 활용하려고 시도했다는 사실 자체를 부인할 수는 없겠지요. 즉 중국어를 전유하려는 시도임에는 틀림없다는 것입니다.

그런데 한자를 전유하려는 그러한 노력 속에는 중국적 세계 질서에 포섭된다는 또 다른 측면이 자리잡고 있습니다. 특히 한자와 중국의 학문이 들어올 때, 그와 더불어 중국의 통치 방식, 지배 방식뿐만 아니라 중국적 사고 방식도 같이 들어오는 것입니다. 중국 언어학을 하는 친구가 있는데, 이 친구의 얘기에 의하면—천자문 있잖아요? 한자 수업의 기본인데, 누구나 외우는 이 천자문이 자연스럽게 지배 헤게모니를 받아들이게끔 구성되어 있다는 것입니다. 그렇기 때문에 천자문 텍스트가 시대에 따라, 장소에 따라 달라진다는 겁니다. 지배 헤게모니의 성격이 달라지기 때문에 천자문의 구성이 달라진다는 것이죠. 그 얘기는 뭐냐 하면, 천자문을 받아들일 때에 중국적 세계 질서에 포섭되는, 즉 중국을 중심으로 하는 동아시아 질서 속에 하나의 하위체계로서 속하게 된다는 측면도 있겠지만, 또 다른 측면에서는 중국의 지배 방식을 받아들여서 중국의 권력이 구사했던 헤게모니 행사 방식을 조선이나 일본의 지배계급이 배운다는 것이죠. 예컨대 중국의 국화체계가 들어온다든지, 또 중국의 다양한 제도가 도입된다든지 하는 측면, 그러니까 중국적 세계 질서에 포섭되면서 동시에 조선이나 일본 내부에서는 그 국가권력이 피지배자와 변방의 소수민족을 통치하는 중국적인 헤게모니의 작동 방식을 배운다는 그러한 측면이 있습니다. 그러니까 전유하는가, 혹은 전유되는가의 문제가…….

사카이 기원과 그것을 모방한다는 식으로 임 선생께서 문제화하신 전유하기(appropriating)와 전유되기(appropriated) 사이의 엄격한 구별이 사실은 불가능하다, 그리 쉽지 않다는 점을 알게 되었습니다. 이것은 어제 했던 논의로 다시 한번 되돌아가게 하는데, 거기서 생각해야 할 점은, 서양이라는 실체가 어딘가에 있고 그 서양에 의해 지배되거나 지배되지 않거나 하는 것이 문제가 아니라, 기본적으로 권력 관계, 지배 관계라고 하는 것이 서양이라는 헤게모니의 문제로서 일어난다고 하는 점입니다. 그래서 서양이라는 실체가 있고 그것에 대항하는 국민의지가 비서양인 주변 측에 있으며, 그 속에서 지배 혹은 피지배 관계가 일어난다고 생각하는 자체가 이미 서양이라는 헤게모니 속에서 기능하게 되어버립니다. 쌍-형상화의 도식으로 사태를 생각하는 것은 서양이라는 헤게모니에 종속되는 것입니다. 이것은 아마 어제의 논의에서 하나의 결론으로 나왔던 것이 아닌가 합니다.

이 서양이라는 헤게모니의 중요한 기능은 언제나 서양이라는 것이 있고 그것과는 다른 곳에 주변부가 독자적으로 있으며 그 서양에 의해 주변부가 지배된다는 식으로 지배와 피지배의 관계를 단순화시켜버린다는 점입니다. 나아가 중국의 프로토-오리엔탈리즘(proto-orientalism)에 대해 언급하셨는데, 물론 중국중심성이라는 것이 확실히 있었겠지만 이 경우의 중국중심성은 중국인이라는 국민도 아니며 중국인이라는 민족도 아니고 중국에 살고 있는 극소수의 엘리트가 그 주변 지역에 사는 엘리트들에 대해 갖는 지배 관계라고 봅니다. 엘리트층이 한문을 사용함으로써 발생하는 지배 관계라고 생각할 수도 있겠습니다. 그런데 재미있는 것은 중국이든 한반도든 일본이든, 거의 대부분의 피지배층이 중국중심적인 세계관에 빠져 있었습니다. 그래서 일본 군도에 있는 대부분의 사람들 역시 일본인이라는 정체성을 가지고 있는 것도 아니고, 중국에 있는 대부분의 사람들 역시 자신이 중국인이라고 생각하는 것도 아니라는 것입니다. 물론 그런 상황에서도 수많은 지배 관계가 있었다고 생각합니다만, 그것은 중국이라는 문명권이나 혹은 민족과 다른 민족의 지배 관계로는 성립되어 있지 않았습니다. 그에 비해 서양이라는 헤게모니 속에서 자신이 서양인이라고 생각하는 사람들은 모두 그외의 사람들을 종속적인 상태로 만들 수 있다, 즉 서양이라는 헤게모니 속에서 서양 자신은 매우 다양함에도 불구하고 하나의 인종인 양 스스로를 제시합니다. 서양이라는 상상체와 백인이라는 상상체가 언제나 유착되어버리는 것은 아마 그 때문이 아닌가 합니다.

서양이라는 상상체와 백인이라는 상상체의 근친성을 생각하는 이유로는 인종주의가 가진 근대성이 있습니다. 인종주의를 근대 이전의 상태에서 발견하는 것은 상당히 어려울 것이라는 점이 하나 있고, 또 하나는—이것은 구체적인 사례입니다만—11세기에 일본 군도의 교토에서 씌어진 《겐지 이야기》 속에 아주 재미있는 서술이 있는데, 그것은 한반도에서 온 특사를 교토의 궁정이 맞이하는 일화입니다. 흥미로운 점은 한반도에서 온 특사는 금방 궁정 속에 받아들여지는데—실제 회화는 아마 할 수 없었을 것입니다. 하지만 한문을 써서 할 수는 있었겠지요—여기서 한반도에서 온 특사는 분명한 경어(敬語)로 서술되어 있습니다. 그래서 고려에서 온 특사는 교토의 궁정귀족을 대하는 것과 비슷하게 대우받았음을 알 수 있습니다. 하지만 그 뒤에 바로 나오는 교토 외부에 사는 농민에 대한 서술을 보면, 농민은 짐승과 같은 말을 한다고 되어 있습니다. 즉 한반도에서 온 특사는 인간이지만 일반서민은 서울에서 50km밖에 떨어지지 않은 교외에 살아도 인간으로 인정되지 않았다는 겁니다. 물론 같은 일본인이라는 의식은 전혀 없지요. 즉 인간이라는 범주가 아주 다른 식으로 정의되어 있었다는 것을《겐지 이야기》를 통해서 인상깊게 읽었습니다.

신자유주의의 이중성

임지현 네, 듣고 보니 제가 좀 단순화시킨 측면이 있군요. 특히《겐지 이야기》는 아주 흥미롭습니다. 그건 마치 18세기 폴란드 귀족들이 폴란드 농민들을 배제하면서도 리투아니아나 루테니아의 귀족들을 같은 '귀족 공화정'의 동료시민으로 취급한 것과도 비슷합니다. 선생님 말씀을 듣고 나서야 생각이 났는데요, 중국에 대한 서양의 기술에서도 비슷한 사례들이 보입니다. 마르코 폴로의 시대까지만 해도 유럽인들이 중국에 대해 남긴 기록을 보면, 문명 간의 분명한 '차이(difference)'를 자각하고 그에 대해 흥미롭게 기록하기는 하지만, 적어도 '차별(discrimination)'이나 서양의 우월감은 전혀 찾아볼 수 없습니다. 그런데 18세기 이후에 유럽인들이 동양을 기술한 것을 보면, 차이가 어느새 차별로 전화되어 있는 문맥들이 발견됩니다. 그런데 중국중심적 동아시아 세계 질서의 '프로토-오리엔탈리즘'은, 말씀하신 대로 민중들의 삶이나 사고 방식과는 무관하게 소수의 엘리트 그룹 사이에서만 존재했는데, 그것은 어떻게 보면 고립된 사상의 성채로서, 주변부의 보통사람들에게까지 서양의 헤게모니를 관철시키는 오늘날의 오리엔탈리즘과는 질적으로 다른 것이 아닌가 합니다. 오늘날의 오리엔탈리즘이 갖는 문제는 그것이 이미 근대적인 국민국가의 시스템 위에서 공교육이나 매스컴 등 다양한 기제들을 통해 국민 통합과 더불어 우선 자국 내에서 자기 사회의 소수자를 배제하는 방식으로 관철되고, 더 나아가서는 자본주의의 세계화와 더불어 주변부의 엘리트 집단뿐만 아니라 보통사람들에게까지 일종의 내면화된 가치 체계로 존재한다는 데 있습니다. 그것을 '일상적 오리엔탈리즘'이라고 부를 수 있을지는 모르겠습니다만…….

사카이 그렇다면 서양은 어디에서, 어떻게 존재하는 겁니까?

임지현 사카이 선생께서 얘기하신 것처럼, 사실 서양은 홍콩에도 있고, 일본에도 있고, 중국에도 있고, 심지어는 방글라데시에도 있습니다. 동양 역시 미국에도 있고, 영국에도 있고, 프랑스에도 있고, 독일에도 있고, 러시아에도 있습니다. 사실 동양과 서양을 문명적 또는 지리적 실재로 구분하는 것은 불가능합니다. 또 그러한 실체적 구분에 고착되는 한, 오리엔탈리즘이 만들어낸 동양과 서양의 이분법을 전복시키는 것은 사실상 불가능하지 않나 생각합니다. 동양이나 서양이 지리적 경계나 국민국가의 정치적 경계를 넘어서 이렇게 두루 존재한다는 사실에 대한 인식은, 이 '지구화(globalization)' 시대의 새로운 지배담론인 '신자유주의(neo-liberalism)'에 저항하고 그것을 넘어설 수 있는 대항담론의 형성에 일정한 시사점을 줄 수 있을 것 같습니다.

예컨대 아직까지 한국에서 지배적인 '신자유주의'에 반대하는 기본논리는 국민국가의 강화, 혹은 저항기제로서의 내셔널리즘을 강화하자는 것입니다. 문제는 그러한 논리를 밑에서 떠받치고 있는 발상, 더 정확히 말하면 인식론적 틀입니다. 그것은 동양과 서양이 우리 내부에 존재하고 있다는 사실을 완전히 무시해버리고, 오리엔탈리즘이 만들어낸 동양과 서양의 구분, 그리고 유럽의 선진자본주의 국가 대 주변부라는 가상의 구분법에 기초해 있습니다. 이 도식적 구분법에서는 유럽의 '서양'과 한국의 '서양'이 공모하고, 한국의 '동양'과 유럽의 '동양'이 연대할 수 있다는 발상이 근원적으로 불가능합니다. 좀더 비유를 밀고나가면, 한국의 저항 내셔널리즘의 논리는 한국의 '서양'을 강화해 유럽과 미국의 '서양'에 대항한다는 논리가 됩니다. 결과적으로 미국의 '동양' 뿐 아니라 한국의 '동양' 또한 배제하는 이 논리는, 한국의 저항민족주의 혹은 민중적 민족주의가 갖고 있는 그야말로 심각한 자기 모순이 아닌가 생각합니다. 그 점에서, 아마 마지막 대담에서 이야기가 되겠지만, 예컨대 하트(Michael Hardt)와 네그리(Antonio Negri)가 《제국》에서 제시한 '포스트모던 공화주의(postmodern republicanism)'의 가능성은 처음부터 봉쇄된 셈입니다. 물론 그것이 얼마나 실현 가능성이 있는가는 별개의 문제라고 생각합니다만……. 끝으로 다시 한번 짚고 싶은 것은 국민국가의 틀을 자명한 것으로 전제하는 사고 방식 자체가 이미 서구적 헤게모니가 관철된 결과라는 점입니다.

사카이 맞습니다. 역사적으로 보면 민족, 국민, 인종이라는 개념은 18세기 말부터 19세기에 걸쳐서 점차 정착되어갑니다. 그것을 완전히 부정적으로 취급해버리는 것은 문제가 있습니다. 왜냐하면

민족이나 인종 그리고 국민이라는 개념이 역사적으로 중요한 역할을 해왔다는 사실을 잊어서는 안 되기 때문입니다. 그 중요한 역할이란 그 이전 사회에서 있었던 엘리트층과 그밖의 층의 엄청난 분리를 파괴해서 어떤 균질적인 공동체가 있어야 한다는 원리를 만들기 위해 노력했다는 것입니다. 그러나 지금 문제가 되고 있는 것은 그렇게 해서 만들어진 민족, 혹은 국민이 인종주의와 연결되어 이번에는 그 민족 밖에 있는 사람에 대해서 철저하게 폭력적인 차별을 한다는 점입니다. 차별을 하지 않으면 국민공동체를 유지할 수 없다는 식으로 합리화한다는 것이지요. 그래서 지금 말씀하신 것처럼, 신자유주의는 한편에서는 세계적인 규모로 소수의 부유층을 만들어내는 동시에, 다른 한편에서는 그 속에 심각한 계급 차별을 만들어냅니다. 그에 대항하기 위해 일종의 포퓰리즘을 만들어내서 민족이나 국민 혹은 인종에 의존하는 방식으로 빈부 격차에 다시 한번 대응하고 싶다는 소망이 일어나는 것은 당연하다고 생각합니다. 더욱이 이런 민족이나 국민이나 인종이라는 식의 상당히 배타적인 방식으로 계층적인 분리를 비판하는 것이 아니라, 이와는 다른 방식으로 그것을 비판하기 위한 중요한 개념을 우리 자신이 어떻게 만들어나갈 것인가가 아마 지구화와 대결하기 위한 가장 중요한 과제 중 하나가 아닐까 합니다.

임지현 국민이라는 개념이 지녔던 역사적 역할을 인정해야 한다는 지적에는 전적으로 찬성합니다. 프랑스 혁명 당시 국민이라는

개념이 처음 현실화되었을 때 적어도 그것은 신분제적 벽을 무너뜨리고 법 앞에서의 시민적 평등을 주장했다는 점에서 봉건적 신분 질서로부터의 해방을 의미한 것임은 틀림없다고 생각합니다. 문제는 내셔널리즘의 기치가 그 해방의 이름 아래 비국민을 배제하고, '형제애'의 이름 아래 여성을 배제하는, 차별과 폭력의 메커니즘을 위장하고 있었다는 것입니다. 그러므로 해방의 이름 아래 새로운 차별과 억압을 정당화했던 근대적 해방의 모순을 드러내고 준엄하게 비판할 때, 서구의 지식인들이 자신들의 근대 국민국가를 이상화했던 방식에 대한 비판이 가능하지 않을까 싶습니다. 더 나아가서는 주변부의 지식인들이 그것을 모델로 설정하고 저항의 이름 아래 무의식적으로 추종했던 방식, 또 근대 부르주아적 해방의 대안을 제시하고자 했던 좌파들조차—최소한 그 운동에서는—근대적 해방의 틀을 벗어나지 못하고 오히려 국민국가적 틀에 포섭되었다는 점 등에 대해서도 비판의 끈을 놓아서는 곤란하다고 생각합니다.

이러한 관점에서 본다면, '신자유주의'가 '지구화'를 지향하면서도 동시에 국민국가의 틀을 강화한다는 이중성이 분명하게 드러납니다. 유럽연합이 그 대표적인 예가 되겠습니다만, 그것은 그 연합에 속한 개별 국민국가의 경계를 느슨하게 만들면서 동시에 '국가이성' 개념을 유럽이라는, 외연이 확대된 틀에 적용함으로써 사실은 더 규모가 크고 경계가 강고한 국민국가의 틀을 만들었습니다. 이러한 이중성에 대한 명확한 인식이야말로, '전지구화'의 역사 과정을 밑으로부터의 전지구적 연대를 향해 전유하기 위한 첫걸음이 아닐까 합니다. 이 부분에 대해서는 다음 대담에서 다시 한번 본격적으로 이야기했으면 합니다. 사케가 소주보다 술이 좋아 그런

지 도쿄에서 대담을 하니 훨씬 얘기가 잘 풀리는 것 같습니다.

대담을 시작한 지도 벌써 5시간이 지났네요. 마지막으로 하실 말씀이 있으시면 마무리 겸해서 해주십시오.

사카이 이 정도면 충분하다고 생각합니다. 지금 도쿄에서는 사케도, 한국의 소주도 둘 다 마실 수 있으니까요.

'남성다움' 과 '여성다움' 은 자연적인 차이에 기초하기보다는 국민국가가 형성되면서 만들어진 것입니다. 근대 자본주의가 성립하면서 이러한 가부장제가 더욱 강화되었다는 겁니다. 가족노동에서 임노동으로 노동 방식이 변화하면서 말이지요. 가부장제를 전근대의 산물로 보는 시각에서 자본주의 임노동체제의 성립과 관련된 근대의 산물로 바라보는 새로운 이해 방식이 필요합니다.

임지현

4장 젠더, 인종— 차별과 편견을 잉태한 제국의 오만

인종의 위계 질서는 사회적 신분이나 식민지 관계를 통해서 학습되어왔습니다. 그런데 현재는 욕망의 상품화를 통해 학습되는 방식으로 변해버렸습니다. 상품이 고급스럽다는 것을 호소하려면 반드시 인종의 위계 질서를 전면에 내세워야 합니다. 고급 레스토랑은 백인 여성을 모델로 써야 하고, 고급 승용차의 경우는 철두철미하게 백인이라는 기호를 사용한다는 겁니다.

사카이 나오키

4장 〈보편적 존재로서 남성, 타자화되는 여성〉 〈식민지-제국에서의 남성과 여성〉은 2002년 1~2월까지 진행된 e-mail 대담, 휴머니스트의 두 번째 초청으로 한국을 방문한 사카이 나오키 선생이 2002년 5월 13일 연세대 상남기념관 세미나실에서 열린 다섯 번째 대담과, 14일 같은 장소에서 열린 여섯 번째 대담을 재구성한 것입니다.

보편적 존재로서 남성, 타자화되는 여성

임지현 사카이 선생님, 프롤레타리아트와 계급의 경계보다는 젠더의 경계를 먼저 이야기하는 편이 낫다고 판단됩니다. 젠더까지 포함해서 경계짓기로서의 근대에 대한 이야기를 마치고, 그에 대한 대안으로서의 맑시즘조차도 왜 그 틀에서 벗어나지 못했는가를 탈근대의 전망과 더불어 마지막으로 처리하는 편이 낫지 않을까 합니다. 큰 이견은 없으시리라 판단되어, 우선 일차분을 적어 보냅니다.

우리 사회에는 남성과 여성은 태어나는 순간부터 그 성적 본질이 규정된다는 통념이 상식으로 널리 퍼져 있습니다. 남성과 여성의 성적 차이, 또는 남성적 존재와 여성적 존재를 '자연현상'으로 간주하는 사회생물학적 환원론이 이론적으로 그것을 뒷받침하고 있습니다. 예컨대 이런 것이죠. 독립성, 공격성, 의지력, 지성, 창조성, 대담성 등이 변치 않는 남성의 생득적 본질이라면, 여성은 종속성, 부드러움, 도덕성, 수동성 등의 특질을 타고난다는 것이지요. 자연적인 성의 차이에 대한 이와 같은 본질론적 이해는 한국이나 일본의 일반인들 대다수가 공유하는 개념이 아닌가 합니다.

그러나 성의 역사를 잠깐만 들여다보아도, 성에 대한 이와 같은 본질론적 이해가 근대의 산물이라는 점이 분명하게 드러납니다. 예컨대 18세기 후반에 이르기까지 서양에서 지배적인 성 담론은 '남녀 동형설'이었습니다. 몸의 안과 밖에 있다는 안팎의 차이를 제외하면 남녀는 똑같은 생식기를 갖고 있다는 것이지요. 여성의 난소와 남성의 고환을 동시에 지칭하는 'orcheis'라는 단어의 용례에서도 그것은 잘 나타납니다. 'orcheis'가 남녀 중 어느 쪽을 가리키는지는 문장의 전후 맥락을 따져보아야 알 수 있을 정도였으니까요. 사실 18세기 초까지 여성의 자궁을 지칭하는 전문용어는 라틴어와 그리스어 같은 고전어는 물론이고 유럽의 어떤 언어에도 존재하지 않았다고 합니다.

버지니아 울프에 따르면, 인간의 성적 본성에 대한 '남녀 동형설'의 인식이 바뀌기 시작하는 것은 18세기 후반이라고 합니다. 생물학이 발전하면서, 남녀 간의 성에는 근본적인 차이가 있다는 주장이 대두합니다. 그리고 그것은 곧 신체적 차이를 넘어 문화적 차이를 강조하는 수사학으로 발전하게 되지요. 예컨대 세포생리학은, 남성은 '능동적이고 활동적이며 열정적이고 변화무쌍한' 데 비해 여성은 '수동적이고 보수적이며 느리고 안정적'이라는 '사실'을 설명하는 과학적 근거로 둔갑하게 됩니다. 해부학과 생리학 등의 새로운 과학이 남성과 여성의 재현에서 위계 질서의 형이상학을 정당화하는 이론적 도구로 전락한 것입니다. 이는 남성과 여성이 발명되는 첫 단계가 아닌가 합니다.

자연적 성(sex)과 문화적 성(gender)

이 과정에서 남성은 대문자 인간의 보편적 존재로 상승하고, 여성은 손쉽게 타자화됩니다. 자연적 성(sex)의 수평적 차이에 대한 생물학의 담론이 이처럼 문화적 성(gender)의 수직적 차별에 대한 지배담론으로 탈바꿈한 데에는 여러 가지 이유가 있겠지만, 역시 민족국가의 발전 전략을 먼저 꼽지 않을 수 없습니다. 특히 민족국가를 떠받치고 있는 제도의 한 축인 징병제, 곧 국민 개병주의에서 그 발생론적 기원을 찾을 수 있습니다. 남성과 여성의 경계짓기 또한, 프랑스 혁명을 신호로 유럽 각국에서 민족국가가 형성되는 역사적 과정과 긴밀하게 맞물려 있습니다.

징병제를 문명으로부터 야만으로의 타락이라고 비판한 상층계급과 교양시민층, 자신들이 왜 몇 년씩이나 군대에 복무해야 하고 또 전쟁터에 나가 목숨을 바쳐야 하는지를 몰랐던 하층계급을 설득하고 동원하기 위한 이데올로기적 기제로서 '남성성'이 발명된 것이지요. 이들을 군대에 동원하는 것은 국가의 강제력만으로는 불가능했고, 또 효율적인 군대 체제를 갖추기 위해서는 단순히 위로부터의 강제뿐만 아니라 밑으로부터의 자발적인 복종이 요구되었던 것이 아닐까요?

상층으로부터 하층에 이르기까지 징병제에 대한 광범위한 사회적 저항을 극복하고 동원된 병사들에게 자발적 충성과 애국적 헌신을 요구하기 위해서는 말하자면 '북치는 소년'의 전설이 필요했던 것이지요. 조국 프랑스와 나폴레옹 황제를 위해 벌벌 떨며 군대 행진곡을 치다가 알프스 산정에서 얼어 죽었다는 '북치는 소년'의 이야기나, 나폴레옹에 대항하는 '해방전쟁'에 동원된 독일 남성들을 영웅으로 만드는 영웅서사는, 군사화된 남성 영웅이 민족담론과 결합된 전형적인 민중/영웅적 서사 구조를 보여줍니다. 어려서부터 귀에 못이 박히게 들어온, 국난 극복을 위해 단호하고 용감하게 떨쳐 일어난 이순신과 을지문덕, 또는 의병장들에 대한 한국의 이야기도 마찬가지입니다. 이 서사 구조에서 사랑과 충성으로 자신의 신성한 조국에 복무하는 남성은 자유롭고 대담하며 전투적인 이미지로 그려집니다. 이민족의 침입에 맞서 조국의 여성과 어린이를 보호하는 전투적인 남성성은 곧잘 조국과 민족을 위한 영웅적인 죽음이라는 이미지와 겹쳐집니다. 이때 여성은 전쟁에 나간 남성을 대신해서 가정을 지키고 어린이를 애국자로 교육시키는 사적 영역의 수호자로 그려집니다. 민족국가의 국가권력은 이렇게 해서 발명된 남성에 대한 특허권을 획득하고, 그것은 지배담론으로서 시민사회에 뿌리박으면서 민족국가의 헤게모니를 강화하는 방식으로 작동합니다. 일본의 경우도 상황은 유사할 것으로 생각되는데, 일본의 역사적 예를 좀 들어주셨으면 합니다.

사카이 임 선생님, 답장이 너무 늦어서 미안합니다. 한꺼번에 여러 가지 일이 생겨서 이리 뛰고 저리 뛰느라 정신이 없었습니다. 아래에 쓴 것은 임 선생의 의견에 대한 답신입니다. 이번에는 젠더 문제와 식민주의는 넣지 않았습니다. 이렇게 늦어진 김에 그 문제는 다음으로 돌렸으면 합니다. 하지만 젠더 이야기는 꼭 해야 된다고 생각합니다. 거기에서 위안부 문제로 들어갈 수 있을 테니까요.

말씀하신 대로 남성성과 여성성이 현재와 같이 형성된 때는 일본의 경우에도 19세기 후반 이후입니다. 가장 전형적인 지표는 '동성애'라는 사고 방식이겠지요. 메이지(明治) 시대(1868~1912) 전반에 일본 열도에는 '동성애'라는 사고 방식이 존재하지 않았고 그 이전에도 없었습니다. 물론 성적인 것 일반에 대한 금기는 있었지만, 이성애(異性愛)에 비해 '동성애'라는 관념에 포함되는 동성 간의 육체적 교섭이나 친밀한 감정을 특별히 죄악시하거나 억압하지는 않았습니다. 그래서 메이지 시대 이전인 에도(江戶) 시대(1600~1867)까지는 이성애와 동성애가 동등하게 공적으로 이야기되거나 농담의 대상이 되기도 했습니다. 이성애와 동성애, 양자에 대해 많은 저작이 씌어지고, 17세기 이후 발흥한 인쇄기술과 출판산업 덕택에 이성애와 동성애에 관한 서적이 많이 출판되었습니다.

그에 관한 재미있는 예가 있는데요, 그것은 18세기의 유명한 유학자로 쇼군(將軍)의 고문까지 지냈던 오규 소라이(荻生徂徠)가 쓴 책 속에 나옵니다. 오규는 지금의 도쿄, 당시의 에도에서 새로운 어학 교육을 하던 사람으로, 아주 평판이 나 있던 사설학교(私塾)의 경영자이며 어학용 참고서도 몇 권 썼습니다. 물론 그 무렵의 어학 교육은 주로 중국 서적을 읽는 것에 집중되어 있었으므로, 오규가 가르친 외국어도 중국 고전어였습니다. 오규는 특히 번역을 중요시했기 때문에 그의 책에는 중국 고전을 당시의 언어로 번역하는 한문 일역 연습문제와, 반대로 일문이나 일한(日漢) 혼용문으로 씌어진 문장을 중국 고전어로 번역하는 한문 작문 연습문제가 나오는데, 그중의 하나가 16세기에 조선을 침공했던 도요토미 히데요시(豊臣秀吉)의 부하인 부장과 그의 시동 사이에 있었던 육체 관계를 다룬, 우스운 짧은 이야기입니다. 무사와 시동의 육체 관계에 대한 이야기를 "한역하라"는 연습문제였습니다. 교육적인 교재에 남성 간의 연애에 관한 기술이나 묘사가 나와도 당시에는 이상하지 않았습니다. 요컨대 현재 우리가 사용하고 있는 '동성애', 즉 금기나 죄의식을 내포한 사고 방식이 존재하지 않았습니다.

그런데 메이지 시대에 국문학이라는 근대 학문이 성립하여 국사와 함께 국민 교육의 기간(基幹) 학문이 되자, 이성애는 공적으로 연구하는 것이 허용된 데 비해 동성애는 국사에서도, 국문학에서도 말살되어버렸습니다. 에도 시대의 문헌을 연구한 적이 있다면 누구든지 알고 있는 이야기를 전혀 쓸 수 없게 된 것입니다. 그 대신에 이성애의 범위 내에서 일부일처제를 전제로 한 '연애'의 신격화와 정신화가 일어났습니다. ('연애'의 신격화와 더불어 여성의 처녀성이 신격화됩니다. 그때까지 처녀성은 특별한 계층을 제외하고는 특별히 문제되지 않았습니다.) 국민문학 중에서 '소설'이 가장 중요한 장르가 되고 그 소설은 '연애'라는 주제를 고집하게 됩니다.

'연애' 이야기가 국민 형성에서 담당한 역할은 매우 크지 않았을까요? 그래서 저는 이광수가 연애소설 집필 과정에서 한국의 국민의식 형성과 문학의 근대화를 추구했다고 하는 사실을, 그의 번역에 관한 관심과 함께 쉽게 납득할 수 있습니다. 민족이나 국민은 균질적인 공동체를 상정하는데, 이 공동체는 남과 여로 딱 잘라서 이분되어 있으며, 이 두 구성 집단은 서로 이성애의 연애 관계에 의해 결합되어 있습니다. 게다가 이 두 집단 간에는 계층적인 상하 관계가 있어서 남성의 우위와 여성의 열위는 이미 주어진 전제가 되어 있으며, 남성끼리는 여성을 매개로 하면서도 사실은 여성을 배제한 동맹 관계를 만들고 있습니다. 국민 형성에서 필수적인 박애(fraternity)라는 가치가 은밀하게 의미하고 있는 것은, 민족이나 국민을 만드는 데 에바 세즈위크가 말하는 남성 간 동맹(homosociality)에 의해 남성끼리 결합하는 것이 필요했기 때문이겠지요. 자유주의는 때로 이 점을 무시하려 하지만 국민주의와 페미니즘은 아무리 해도 모순되지 않을 수 없으며, 이 모순은 국민 형성에서의 남성 간 동맹에서 유래하는 것이 아닐까 생각합니다.

임 선생께서 지적하셨듯이, 근대적인 국민군을 만드는 데 박애 개념이 징병제와 깊은 관계를 맺고 있습니다. 신분이나 직업, 지방차를 무시하고 인구를 그저 두 개의 범주로 나누어, 상반되는 '남자다움'과 '여자다움'이라는 성격을 부여하여 인구 전체를 보완관계로서 구성하려 합니다. 일본에서 '연애'의 이상화는 19세기 말에 '소설'이라는 장르가 모색된 시기에 급속하게 진행됩니다. 이 시기는 또한 일본어라는 국민어가 발달해가는 시기이기도 합니다.

현재 널리 사용되고 있는 구어의 일본어에는 여성어와 남성어의 차이가 분명히 있음을 잘 알고 계시겠지요. 구어에서의 성차는 일본어의 특색으로서 널리 알려져 있습니다. 이 때문에 외국인이 여성어와 남성어의 차이에 그다지 주의를 기울이지 않고 이성의 선생님, 즉 남성이 여자 선생으로부터, 또는 여성이 남자 선생으로부터 일본어를 배웠을 때 이따금 흥미로운 일이 일어납니다. 외국인 남성이 여성어를 쓴다거나, 외국인 여성이 남성어를 쓰는 상황 말입니다. 여성이 남성어를 쓴다는 것은 여성이 남성의 옷을 입는 것과 마찬가지로 별다른 위화감을 야기하지 않지만, 남성이 여성어를 사용하는 것은 그것을 듣는 일본인에게 커다란 위화감이나 웃음을 불러일으킬 수 있습니다. 그것은 '동성애'의 금기에 저촉되기 때문입니다. 게다가 여성어와 남성어의 차이는 일본어라는 국민어가 완성되어가는 과정에서 생겨난 것이겠지요. 메이지 시대 이전에 신분이나 계층 혹은 직업에 관계 없이 '남자다움'이나 '여자다움'이라는 사고 방식이 있었다고는 도저히 생각할 수 없기 때문입니다.

요컨대 그때까지 신분이나 계층에 의해 세분화되어 있던 인간이 남과 여로 이분될 때, 동시에 인간은 일본의 경우라면 일본인과 외국인으로, 한국의 경우라면 한국인과 외국인으로 구분되겠지요. 여기서 등장하는 것이 이른바 국민적 인간주의입니다. 국민적 인간주의에 따르면, 민족국가(국민국가)에서 인간은 평등한 권리를 부여받을 것입니다. 다만 거기서 말하는 인간이란 남성이며, 여성이나 국적을 갖지 않는 자는 배제됩니다.

가부장제의 이미지는 신화다

임지현 자, 그럼 젠더 이야기로 들어가죠. 지난 겨울 이메일을 한 통씩 주고받았지만 그게 전부였습니다. 서로 바빠서 그 이상은 하지 못했죠.(웃음) 바쁘기도 했지만 역시 이렇게 마주 보고 이야길 해야 얘기가 잘 풀리는 것 같습니다. 이메일을 통해 주고받은 얘기는 결국 근대가 어떻게 남성과 여성을 구분하게 되었는가 하는 역사적 계기에 관한 것이었습니다. 남성다움과 여성다움이라는 게 우리가 흔히 얘기하는 것처럼 성적인 자연적 차이에 기초한 것이기보다는 역시 근대 국민국가가 형성되면서 만들어낸 거라는 얘길 했습니다. 그런 면에서 이것은 가부장주의, 역사적 가부장주의를 어떻게 평가할 것인가 하는 문제와 연관됩니다.

대부분의 페미니스트들은 가부장주의가 오랜 인류 역사와 더불어서, 즉 모계제 사회에서 부계제 사회로 넘어간 이래 계속 존재해왔던 것이라고 평가합니다만, 제가 지적하고 싶은 점은 오히려 근대 자본주의가 성립하면서 가부장제가 더 강화된 측면이 있다는 겁니다. 즉 가족노동으로부터 임노동으로의 노동 방식의 변화에 주목할 필요가 있다는 겁니다. 예컨대 중세까지만 해도 봉건 소농이나 가내 수공업에 지배적인 노동의 사회적 존재 방식은 가족노동이었습니다. 즉 남편, 아내, 아이들 구분 없이 온 가족이 노동하는 형태이기 때문에, 공동노동에 참여하는 가족 구성원은 그 크기야 다르겠지만 자신의 목소리를 가지게 된 것이죠. 그런데 자본주의의 근대적인 임노동 체계가 확립되면서 임금노동자로서 남자가 돈을 벌게 되고 여성은 가정을 지키는 형식의 성의 노동 분업이 핵가족 제도와 함께 자리잡게 됩니다. 이것은 이미 영국과 네덜란드 등에 대한 비교사적 연구를 통해 실증적으로 어느 정도 밝혀진 것입니다만, 그것이야말로 오늘날 우리가 가진 완강한, 혹은 아주 견고한 가부장제의 기초가 아닌가 합니다.

물론 이것은 기본적으로 서유럽의 역사적 사실에 근거를 둔 것이기는 하지만, 동아시아의 경우에도 적용될 수 있는 것이 아닌가 합니다. 그것은 흔히 주변부의 완강한 가부장제를 전근대의 산물로 바라보는 시각에서 벗어나, 자본주의 임노동 체제의 성립과 관련된 근대의 산물로 바라보는 새로운 이해 방식을 요구하는 것이기도 합니다.

사카이 세계적으로 볼 때 거의 모든 사회에서 그렇지 않은가 싶습니다. 나아가 지금까지 100여 년 동안의 자본주의의 전개는 핵가족이라는 환상 속에서 유지되어왔다고 할 수 있습니다. 인간이 자연스럽게 성장한다는 말은 한 아이가 아버지 한 사람과 어머니 한 사람이 있는 곳에서 자라나 성인이 되고 그가 또 마찬가지 형태로 새로이 한 사람의 아버지, 한 사람의 어머니로 구성되는 가족을 만든다는 의미인데, 이제 그런 가족 환상은 붕괴되고 있습니다. 이러한 가족 환상에는, 아버지는 밖에서 일을 하고 어머니는 안에서 일을 한다는 분업이 전제되어 있었습니다. 그런 핵가족의 이념은 이미 19세기에 성립되는데요, 국가에 의해 파급된 곳도 있지만 20세기 들어 급속히 성립된 곳도 있지요. 물론 그런 이념이 아직은 단순한 이상에 불과할 뿐, 실제로 국가에 의해서 일부다처제가 용인되고 있는 곳도 있습니다.

그러나 사회가 진보하면 핵가족화한다는 환상은, 세계의 지식인들과 정책 결정자들뿐만 아니라 중산계급 이상의 사람들도 은밀히 귀의(歸依)한 '진보' 관념을 오래도록 지배해왔습니다. 그런데 그러한 환상이 붕괴되기 시작하면서 가족의 다양성이 세계적인 규모로 노출되기 시작했습니다. 가족 개념이 대폭 변화되고 또한 다양화되면서—실제로 일본의 에도 시대에도 그러했습니다만 산업화된 사회 중 몇몇 곳에서는 결혼하지 않은 사람들이 남성의 경우에도 거의 절반 정도가 됩니다. 한때 북유럽이나 합중국(사카이 나오키는 미국을 '合州國'이라고 번역한다) 내의 아프리카계 미국인 사회에서 '미혼모'가 센세이셔널한 문제가 된 적이 있었습니다—인구 재생산이 핵가족의 환상에 의존하지 않고 이루어진다는 사실이 분명해진 거죠. 또 어린이를 기를 때 사람들이 직면하게 되는, 친밀하고도 기초적인 관계가 좁은 의미의 가족 안에서는 해결될 수 없는 그런 사태가 지금 일어나고 있는 것이죠. 이건 극소수의 사회에서 일어나는 현상이 아니라 거의 세계적으로 일어나고 있는 사태라고 생각합니다.

임지현 그러니까 지금까지 우리는 부계 혈통의 대가족제도가 가부장주의의 기초라고 생각해왔는데 사실은 이 자본주의체제에서의 가족의 변화, 즉 대가족에서 핵가족으로의 변화, 그리고 아버지가 가족을 부양하는 자본주의적 임노동의 출현이야말로 오늘날 저희들이 갖고 있는 가부장제도의 핵심이 됐다, 그렇게 얘기할 수 있을 것 같습니다. 그것은 최근 인도의 여성 노동에 대한 노동사 연구 결과에서도 잘 드러나는데, 1980년대 이후에 경제적 위기에 직면한 여성들이 집 밖에서 일자리를 찾으면서 오히려 가부장제가 깨져나가는 과정을 그린 아주 실증적인 연구가 있습니다. 상당히 흥미로운 결과라고 생각합니다.

조금 전에 에도 시대 남자의 절반 정도가 결혼을 안 했다는 그런 통계를 말씀해주셨는데, 한국의 경우는 어떨지 모르겠습니다. 그러나 부계 혈통의 대가족제도와 그에 기초한 전통적 가부장주의라는 통념은 의심의 여지가 많습니다. 그것은 스스로 대가족을 구성할 수 있었던 양반이나 사대부 등의 지배층에 한정된 현상이었고, 피지배층의 경우에는 쉽게 말하면 장가를 못 간 사람들도 많았을 거고 또 결혼을 했다고 해도 직계 가족을 겨우 꾸려나가는 정도가 아니었을까요?

최근에 공개된 17세기 혹은 18세기의 문서는 이와 관련하여 아주 흥미로운 사실을 알려줍니다. 조선 후기에 평민 출신으로 부자가 된 남자의 일종의 회고록 같은 것인데, 이 사람은 부인이 다섯 번이나 바뀝니다. 부인이 죽었기 때문이기도 하지만, 대부분의 경우에는 여자들이 다른 남자와 눈이 맞아서 도망갔기 때문입니다. 제 기억이 흐릿하기는 하지만, 적어도 다섯 명 중 세 명 정도는 다른 남자와 사랑에 빠져서 도망을 갔다는 그런 얘기를, 한탄하면서 쓴 글입니다. 이것은 우리가 알고 있는 전통적인 가부장제 아래서는 상상도 할 수 없는 일이란 말이죠. 그런데 바로 이러한 문서들의 존재는 결국 우리가 갖고 있는 전통적인 가부장제 상이라는 게 상당히 신화적이라는 것을 알려줍니다.

그래서 역으로 추적해보면, 이건 물론 추측에 불과합니다만, 자본주의 임금노동제에 기초한 근대 가부장제가 성립하면서 그 가부장제 이미지를 과거의 전통 속에 그냥 투영시켜버려서 전통적인 가부장제라는 것을 만들어내는 측면이 적지 않으리라는 생각입니다. 예컨대 전근대 가부장제가—존재했다고 하더라도—지배층에 한정된 특수한 것이었다면, 근대의 가부장제는 피지배층에까지도 확산되는 그러한 것이었습니다. 역시 균질적인 근대 주체로서의 국민을 만드는 과정에서 가부장제가 재정립되고 확산되었다고 보는 것이 타당하지 않을까 하는 생각입니다.

사카이 방금 말씀하신 상황은 일본의 경우에도 해당됩니다. 제가 본 자료 중에 메이지 초기에 최초로 가족 통계를 낸 게 있어요. 1869년 통계인데요, 당시 일본의 이혼율은 독일의 6배였다고 되어 있습니다. 물론 가족제도가 똑같지는 않으니 단순비교는 위험합니다만, 1870년대에 나폴레옹 법전을 규범으로 한 민법이 채용되고, 핵가족이 국가에 의해 하나의 이념으로 채택되어 통계적인 비교 조건이 갖추어진 후에도, 서유럽 여러 나라와 비교할 때 대체로 2차대전까지는 줄곧 일본이 서유럽보다 이혼율이 높았다고 합니다. 방금 말씀하신 대로죠. 우선 이혼이 대단히 많았구요, 심지어 농촌 여성들 중에는 아이를 낳고 난 후에도 상대 남성이 싫을 때에는 친정집으로 돌아가버리거나 달아나버리는 경우가 아주 많았습니다. 실은 제 큰 이모도 그런 분이신데요, 좋고싫은 것이 분명한 활달한 분이었기 때문인지 집으로 돌아온 경험이 있으세요. 1920, 30년대에는 여성 쪽에서 주도하여 이혼을 하는 경우가 비교적 쉽게 받아들여진 것으로 기억됩니다. 하지만 아시아 태평양 전쟁 후 일본에서 이런 이야기는 금기시되었고, 부모님은 제가 성인이 될 때까지

이 사실을 알려주지 않으셨지요.

임지현 상당히 흥미롭네요.(웃음) 오늘날 우리가 알고 있는 가부장제라는 것은 전근대 사회에서 소수 지배층에게만 한정되어 있던 가부장제가 결국 국민 만들기 과정에서 전체 국민에게로 확산되고 재정립된 것이라고 볼 수 있겠네요. 그런 점에서 본다면 가부장제라는 것은 역시 남성과 여성을 가르고 남성을 여성보다 우위에 놓는, 근대의 형성 과정에서 근대 문명이, 혹은 근대성이 관철된 결과라고 생각합니다. 조금 엉뚱한 예가 될지 모르겠습니다만, 폴란드어에 '바바(Baba)'라는 단어가 있습니다. 일본어에도 비슷한 뉘앙스의 단어가 있으리라 믿습니다만, 강하고 교활하고 억척스러운 나이든 여성을 바바라고 부르는데, 저는 그 의미가 긍정적인 것에서 부정적인 것으로 전성되지 않았나 추측합니다. 남성과 대등하게 일하고 삶의 지혜가 축적된 나이든 여성을 가리키는 긍정적인 의미가 어느 시점부터 경멸적인 의미로 어의가 전성되는 것이지요. 영어에서도 그러한 현상은 손쉽게 발견됩니다. '미스터'의 여성형인 '미스트리스'가 부정적인 의미의 '정부'라는 뜻으로 쓰이는 것 등도 그러한 예지요. 또 'man'과 'woman'의 뉘앙스가 다른 것도 비슷한 맥락에서 이해할 수 있겠지요. 물론 여기에서 가부장제가 근대의 발명품이라고 주장하겠다는 것은 아닙니다. 주장하고 싶은 것은 가부장제의 대중화라고나 할까, 아니면 가부장제의 국민화가 이루어진다는 것이죠.

사카이 '바바'라는 건 러시아어입니까?

임지현 폴란드어인데요, 러시아어로도 '바바'라고 부릅니다.

사카이 정말 묘한 일치로군요. 현대 일본에서는 '바바'가 '바바–'라고 해서 경멸적인 함의가 강한 말로 쓰이고 있습니다. 국민화 과정에서 자립한 중년 여성에 대한 경멸감이 정당화됩니다. 그후 현대로 오면서 핵가족이 후퇴함에 따라 사회적 지위가 하락한, 실력사회에서는 더 이상 살아갈 수 없는 그런 남성들이 자신보다 능력있는 여성을 가리켜 '바바–'라고 부릅니다. 특히 흥미로운 점은 역사적으로 그리 멀지 않은 과거에 만들어진 가부장제와 핵가족이라는 것이, 일본의 경우 1970년대까지는 마치 영원히 존재해온 제도나 되는 것처럼 대부분의 사람들이 믿었다는 것입니다.

이건 일본뿐만 아니라 영국, 프랑스, 미국 등 산업화된 나라에서는 거의 그렇게 믿어왔지요. 저 자신도 어린 시절에는 그것이 자연스러운 상태, 본연의 모습이라고 생각하고 있었어요. 핵가족이 일본의 역사 속에서 줄곧 존속해왔다고 여기고 있었던 것이지요. 그 시절에서 현재 상태로 이행한 속도는 실로 엄청납니다. 이것은 미국의 가족 붕괴속도에 비해 훨씬 빨라요. 합중국의 경우에는 핵가족에 대한 이데올로기적인 집착이 일본보다 엄청 강하고, 또 가족이 점점 무너져가는 속에서도 그것을 유지하려는 반동도 강한 데 비해, 일본의 경우에는 최근 20년 간 단숨에 붕괴해버리고 말았습니다. 방금 말씀하신 의미에서 가족이 자연화되어온 과정과 국민국가가 자연화되어온 과정은 평행 과정으로(parallelly)밖에는 볼 수 없겠네요. 그렇다면 1970년대까지는 국민국가라는 것이—마치 커다란 사회라면 응당 그래야 할—처음부터 자연스러운 모습으로 결정되어 있었다고 할 수 있을 것 같습니다.

임지현 저도 전적으로 동의합니다. 핵가족, 근대적 가부장제, 국민국가 등, 이런 것들이 영구적이며 인간 본성에 잘 맞는 자연스러운 것으로 보이게 만드는 현상이야말로 근대 국민국가의 지배담론 또는 지배 헤게모니가 잘 작동하고 있다는 좋은 예가 아닌가 생각합니다. 문제는 지배층뿐만 아니라 기층의 사람들조차 다 자연스럽게 생각하기 시작했다는 것이죠. 그런 면에서 가부장제의 국민화 또는 섹시즘의 국민화 같은 것이 일어나지 않았느냐고 생각하는 겁니다. 최근에 섹시즘의 국민화 혹은 가부장제를 잘 보여주는 영화가 하나 있었는데, 혹시 〈빌리 엘리어트〉라는 영화를 보신 적이 있으신지요?

사카이 못 봤습니다.

보는 주체와 보이는 대상

임지현 이 영화는 영국 탄광촌의 아주 전투적인 노동자 가족을 다루고 있습니다. 아버지는 할아버지의 뒤를 이어 탄광에서 오랫동안 일해온 계급의식이 강한 전투적인 노동자이고, 큰 아들 역시 파업에 적극적으로 참여하는 전투적인 노동자이지요. 영화 속의 아버지는 '빌리'라는 작은 아들한테 노동자계급의 전통에 따라서 권투를 가르치는데 빌리는 권투 도장 맞은편에 있는 발레 스쿨에 마음을 두고 춤을 배웁니다. 어려운 살림에도 아버지가 권투 배우라고 주는 돈으로 몰래 춤을 배우기 시작하는 거죠. 나중에 아버지가 이를 알고 펄쩍 뛰고 난리가 납니다. 빌리의 자랑스러운 할아버지 때부터 권투를 배웠고, 아버지도 권투를 배웠으며, 그래서 건강하고 남성다운, 씩씩하고 용감한 노동자를 대대로 키워온 집안의 전통을 무시하고 사내 녀석이 춤을, 그것도 발레를 배운다는 것이지요. 그러나 결국은 이러한 갈등을 극복하고 아버지를 설득해서 발레를 배워 우수한 발레리노로 성장하는 과정에 대한 이야깁니다.

물론 영화는 빌리 엘리어트가 발레리노로 성장하는 해피엔딩으로 끝나지만, 대부분의 경우에는 그렇게 안 됐을 거라고 생각해요. 이 얘기는 바로 근대 국민국가의 지배담론으로서의 섹시즘, 가부장제가 그 국민국가 혹은 자본에 대해서 저항하는 전투적인 노동자계급의 의식 심층에까지 얼마나 깊이 침투되어 있는가를 잘 보여주는 예라고 보입니다. 또 하나, 그 영화에서 빌리와 아주 가까이 지냈던 조연급 남자친구가 나오는데 그 친구가 동성애적 성적 정체성을 가진 인물로 묘사된다는 거죠. 그런데 그 동성애적 성적 정체성을 가진 소년을 바라보는 주위의 시선은 발레를 배우는 빌리에 대한 아버지의 시선과 크게 다를 바가 없습니다. 그래서 이 영화는 발레로 상징되는 여성성, 그리고 빌리의 '이상한' 남자친구인 그 동성애자에 대한 주위의 시선을 통해, 근대 국민국가의 남성주의와 이성애주의의 논리가 어떻게 그 국민국가에 저항했던 노동자계급의 의식 심층에까지 깊이 침투됐는가를 잘 보여주어서 아주 흥미로웠습니다.

사카이 최근에 〈폴몬티〉라는 영화를 봤는데요, 〈빌리 엘리어트〉와는 좀 다른 방향에서이긴 합니다만, 남성이 스트리퍼(stripper)가 되는 결말 부분에서 보는 자와 보이는 자라는 젠더의 차이를 그려 보여주더군요. 이 영화도 노동자계급을 중심으로 전개되는데요, 계급과 젠더가 어떻게 포개지는지 하는 양상이 훌륭하게 표현되어 있습니다. 임 선생께서 지적하신 중요한 점은 노동자계급의 성차별주의란 자본주의 안에서 가장 중압을 받고 있는 층이 자본제의 지배적인 이데올로기를 가장 극단적으로 담당하는, 그런 담당자가 되어버린다는 사실입니다. 그런 의미에서 성차별주의는 노동자계급에게서 가장 노골적으로 드러납니다. 동시에 인종주의도 노동자계급 속에서 가장 노골적으로 생겨나지요. 그러니까 얼핏 보면 국민국가의 경우에는 성차별주의나 인종주의에 반대하는 평등 개념이 기능하는 것처럼 보이지만, 실은 인종주의 없이는 국민국가 자체가 기능을 안 합니다. 바로 이 점을 가장 잘 보여주는 것은 세계 어디를 보더라도 역시 노동자계급이 아닌가 싶습니다.

임지현 찬성입니다. 결국 그 이야기가 보여주는 바는 맑시즘의 계급 중심적 변혁전략, 즉 혁명이나 사회주의가 확립되고 계급 해방이 이루어지면 성의 해방이나 민족 해방이 자동적으로 뒤따라오고, 인종 차별이나 성적·민족적 억압 구조 등이 사라진다는 계급 중심적 변혁전략이 실은 얼마나 잘못된 것인지를 상징적으로 잘 드러내주는 예라고 생각합니다. 예컨대 민주적 사회주의의 선구자라고 평가받는 로자 룩셈부르크 같은 경우도 사실은 그 극단적 프롤레타리아 유일주의 때문에 성의 해방이라는 문제에 대해서는 굉장히 둔감했습니다. 마치 계급 해방이 이루어지면 민족 해방이나 사회 해방은 자동적으로 성취된다는 그런 관념을 갖고 있었던 것이죠. 그러니까 클라라 제트킨(Clara Zetkin)[35]이 여성 문제에 관심을 가지고 여성 문제를 토론하는 자리에 참석해달라고 요청하자, "내가 페미니스트가 되는 건 상상도 할 수 없다. 왜 그렇게 문제를 자꾸 지엽적인 데로 끌고 들어가려고 하느냐"면서 오히려 클라라 제트킨을 비판할 수 있었던 거지요.

젠더의 관점에서 보면, 사회주의 페미니즘의 선구자라고 할 수 있는 클라라 제트킨이나 콜론타이(Aleksandra Kollontai)조차도 여성해방론자라고 보기 어려운 면이 많습니다. 기본적으로 이들이 주장하는 건 '프롤레타리아 모성론' 또는 사회주의 모성론입니다. 공적 생활에 대한 여성의 참여나 여성 참정권을 주장하기는 하지만, 훌륭한 프롤레타리아의 아들딸을 낳아서 계급의식을 갖춘 프롤레타리아의 훌륭한 아들딸로 성장시키면 그것이 바로 여성이 사회주의 혁명에 기여하는 길이라면서 성차에 따른 분업을 주장하는 거죠. 또 콜론타이의 경우, 러시아 혁명 이후에 여성도 사회주의 건설에 참여해야 한다는 논리를 펴는데, 여성은 유치원 선생이나 탁아소 보모, 간호사 등등, 자기의 본성에 맞는 일에 매진하는 것이 혁명 건설에 기여한다는 식입니다.

오늘날의 시각에서 본다면 결코 페미니즘이라고 할 수 없는 그러한 주장들이죠. 사실 1920~30년대 소련에서의 성담론을 보면 굉장히 남성주의적입니다. 예컨대 조형적으로 사회주의는 '관통(penetration)'을 상징하는 탑으로 자주 상징됩니다. 또 여성은 사랑하는 남자와 결혼하는 게 아니라 당성이 좋고 혁명에 기여하는 남성과, 설사 결혼하지 않더라도 그 사람과 하룻밤 자고 좋은 프롤레타리아 씨를 받아서 좋은 프롤레타리아 자식을 만들어 사회주의 조국에 바치는 것, 이것이야말로 바로 진정한 프롤레타리아 여성이 해야 할 역할이라는 메시지가 담긴 문학작품이 높게 평가받습

(35) **클라라 제트킨**
1910년 여성이 세계 절반의 주인임을 천명하고 기념하는 '세계 여성의 날'을 제창한 독일 노동운동 지도자입니다. 그녀는 사회주의적 페미니스트라고 할 수 있습니다. 레닌의 혁명 동지였던 클라라는 여성들이 공적·사적인 영역에서의 억압 형태들에 대해 인식해야 할 필요가 있다고 이야기합니다.

니다. 1930년대 소련의 성담론을 지배한 것은 사실상 섹시즘 논리였습니다. 그것은 소련이 단순히 문화적으로 후진적이다, 혹은 소련이 전근대 사회였기 때문에 가부장제가 아주 강하게 남아 있었다는 그런 이유에서가 아니라, 오히려 사회주의적 근대가 이미 그 출발에서부터 섹시즘의 문제를 해결할 수 없는 패러다임이 아니었는가 하는 의문을 불러일으킵니다. 즉 사회주의에 내재된 근대적 패러다임이 가진 한계가 아니겠느냐는 것이지요. 사실상 현실사회주의에서 실현된 여성의 권리 수준이나 남녀 평등의 수준을 보면 정말 놀라울 정도로 빈약하기 짝이 없습니다. 그것은 68혁명 당시 페미니스트 그룹의 사회주의 비판과도 연결됩니다만…….

성 차별과 인종 차별

사카이 지금은 소멸되어 사민당 안에 일부만 잔존하고 있는 일본사회당 있지 않습니까, 일본사회당도 그와 비슷한 문제를 제기했어요. 일본공산당 또한 비슷한 문제를 해결하지 못하고 인종주의적인 체질을 그대로 보유하고 있습니다. 10년쯤 전 이야기인데요, 한 사회당원 연구자가 성차별주의와 인종주의의 위험이 있다고 지적받은 적이 있었어요. 그렇지만 그는 전혀 이해를 못했나 봅니다. 민족이나 성차(性差) 문제를 역사화할 준비가 전혀 되어 있지 않았던 것이지요. 자신이 민족주의적인 사회주의자라는 자각이 없었어요. 그래서 한 가지 여쭙고 싶은 것이 있는데요, 일반적으로 사회주의 국가의 경우, 뭐 소련도 그랬습니다만, 민족 문제가 어떤 의미에서는 국민 통합논리로 활용되어왔기 때문에, 사회주의 국가의 경우 적어도 표면상으로는 인종이나 민족에 따른 차별의식은 부정적으로 취급되었지요. 제 기억에는 소련이 미국에 대해 프로파간

다를 할 때 언제나 인종을 차별하는 현실을 끄집어냈는데요. 그후 사회주의체제가 사라지자 인종주의는 단숨에 모습을 드러냈습니다. 러시아 안에 인종주의는 오롯이 남아 있었던 것이죠. 왜 그렇게 되는 것인지, 어떤 메커니즘에 의해 그렇게 되는 것인지 알고 싶습니다.

임지현 아주 좋은 지적을 해주셨는데요. 일반적으로 사회주의가 붕괴되고 나니까 동유럽에서 민족주의 혹은 인종주의가 부활하고 있다고 평가하는데, 사실은 부활하고 있는 게 아니라 단지 표면으로 드러났을 뿐이라는 게 제 생각입니다. 바꾸어 말해서 그것은 현실사회주의체제 내에서 항상 잠복하고 있었다는 겁니다. 수사적 차원에서는 항상 프롤레타리아 국제주의를 표방했으면서도, 현실사회주의의 운동논리는 항상 "프롤레타리아 계급은 먼저 자기 네이션 내에서 정치권력을 장악해야 한다"는 〈공산당 선언〉의 그 유명한 구절, 그 틀 속에 갇혀 있었다는 겁니다. 그것은 다시 스탈린의 '일국 사회주의론'을 정당화하고, 더 나아가서는 뭐랄까요, 일종의 '내셔널 맑시스트(National Marxist)'적인 경향을 정당화한 측면이 있습니다. 트로츠키주의 같은 일부의 정파를 제외하고는 현실 역사 속에서 움직인 맑시스트들은 내셔널 맑시스트라고 얘기할 수 있습니다. 그 점에서 표방한 이념이 무엇이든 간에 역사 현실 속에서의 사회주의는 국민국가의 완성형으로서의 사회주의를 상정한 점이 있다는 겁니다.

그것은 다시 근대화론과 현실사회주의의 접합이라는 문제와 연결됩니다. 러시아 혁명 당시 볼셰비키들 자신이 이미 사회주의를 후진국 근대화의 한 방식으로 받아들인 측면이 강합니다. 그것은

1931년 스탈린의 연설에서 함축적으로 잘 드러납니다. 연설의 요지는 대략 이렇습니다. 러시아는 영국보다 50년 내지 100년 뒤떨어져 있다, 10년 안에 이들을 따라잡지 못하면 옛날에 러시아가 몽골족이나 폴란드 귀족들의 말발굽 아래 짓밟힌 것과 똑같이 사회주의 러시아도 다시 짓밟힐 거다, 그러니까 빨리 선진자본주의 국가들을 따라잡는 근대화, 산업화가 절박하다는 것이었습니다.

또 다른 요인을 든다면, 사회주의 혁명이 민족적 억압이나 차별을 자동적으로 해결한다는 논리가 역설적으로 민족적 억압 구조를 그대로 온존시킨 측면이 있습니다. 예컨대 볼셰비키 혁명 당시 '군인민위원(War Commissar)' 인 부닌(Bunin)이 전방을 시찰하면서 적군 병사들과 인터뷰한 기록이 있는데, 여기서 아주 흥미로운 대목이 나옵니다. 그 기록을 보면, 병사들에게 부닌이 공산주의에 대해서 어떻게 생각하느냐고 하니까 많은 적군 병사들이 코뮤니즘은 유대도당들이 외국에서 수입한 이데올로기이고 우리 자랑스런 러시아인들은 볼셰비키라고 답을 합니다. 볼셰비즘은 토착 이데올로기이고 코뮤니즘은 수입된 이데올로기로 서로 다르다고 인식을 한 거죠. 그런데 문제는 적군 병사들의 의식 심층에 자리잡은 민족주의적인 인식을 청산하려는 노력, 그것과 싸우려는 노력은 전혀 하지 않고 사회주의 혁명이 자동적으로 해결해줄 거라고 믿고나가거든요. 그 결과 국제주의는 실종되고 혁명이 내셔널리즘에 발목이 잡힌 것입니다.

또 하나의 요인을 든다면, 권력의 문제가 놓여 있습니다. 사실 혁명이 일어난 후에 사회주의 권력층은 민중의 의식 심층에 자리잡고 있는 비사회주의적인 요소들과 싸우기보다는 그것들을 최대한 활용하려는 경향이 강했습니다. 그람시의 용어를 빌려 말한다면, 러시아 혁명은 전형적인 기동전이었습니다. 진지전의 문제 의식은 결여되어 있었지요. 그러니까 어떤 면에서 현실사회주의의 실패는 기동전의 승리를 진지전의 패배가 삼켜버린 데서 찾을 수 있습니다. 특히 스탈린의 지배담론은 제정러시아의 강고한 진지인 반유대주의나 대러시아 애국주의와 싸우기보다는 그것들에 기생하는 측면이 더 많았습니다.

그리고 그것은 2차대전 이후 동유럽에서도 그대로 재현되죠. 예컨대 중동의 6일 전쟁 직후인 1968년, 동유럽의 모든 공산당들이 대대적으로 주도한 반유대주의 캠페인이 그 대표적인 예입니다. 물론 이는 반시오니즘 캠페인이라고 명명되었지만 실질적인 내용은 반유대주의 캠페인입니다. 즉 토착 공산당원들이 유대계 공산당원들을 숙청하는 과정입니다. 또 거칠게 구분한다면, 유대인 공산당원은 국제주의적 성향이 강하고 토착 공산당원들은 아무래도 내셔널리즘적 성격이 강하단 말이죠. 스탈린주의-내셔널리즘적인 토착 공산당원 세력이 개혁주의-국제주의적인 유대계 공산당원들을 몰아내는 것이 1968년 반시오니즘 캠페인의 목적이었습니다. 이런 점들을 고려한다면, 베를린 장벽의 붕괴 이후 동유럽에서 부활한 내셔널리즘과 현실사회주의 사이에서 단절보다는 아주 큰 연속성을 볼 수 있습니다.

사카이 이야기를 더 진전시키기 위해 몇 가지를 확인하도록 하죠. 우선 성차의 편성 문제는 국민국가의 형성에 있어 결정적인 역할을 합니다. 또한 성차의 편성은 식민주의와도 깊이 결부되어 있습니다. 왜냐하면 식민주의적인 권력 관계는 거의 예외없이 성차 용어들로 표상되기 때문이지요. 식민주의적 지배는 대부분의 경우

식민주의자에게 식민지의 피지배층이 '강간' 당했다고 표상됩니다. 뿐만 아니라 피식민지 주민이 '여성화' 된 형태로 이야기됩니다. 그때 인종적인 우열 관계는 성차 관계로 언표됩니다. 결국 식민주의에는 인종적인 우열 관계를 만들어내면서 동시에 인종주의적인 우열 관계를 성차 관계로 언표하려는 강한 경향이 내재되어 있습니다. 임 선생께서 말씀하시는 그 계기에 대해서는 충분히 이해하겠습니다. 제가 알고 있기로도, 예컨대 가장 전형적으로 나타나는 것이 마르크스가 《자본론》에서 한 유명한 말일 텐데요, 19세기 후반의 계급 분열이 미국 노동자계급에게는 인종 차별과 결부된 형태로 일어났다는 사실입니다. 특히 19세기 후반이 되면 합중국에도 산업자본주의체제가 침투하면서 국민국가가 광범위하게 형성됩니다. 그러면서 인종이라는 사고 방식이 개인 속으로 점점 더 내면화됩니다. 물론 인종주의가 오랜 역사를 가지고 있다는 건 아주 당연한 사실입니다. 그 이전에는 노예제도가 엄존하고 있었고 18세기부터 유색인종 차별이 법제화되기도 했죠.

하지만 그런 점을 인정하더라도, 세계적인 규모에서 인종이라는 사고 방식이 광범위한 계층의 개인들에 의해 내면화되는 것은 아무래도 19세기 후반입니다. 그와 동시에 19세기 후반에는 국민국가가 세계적인 규모로 자연화되기도 합니다. 그리고 최근 연구 결과 중 널리 받아들여진 것인데요, 19세기 후반까지 백인이라는 범주는 그다지 명확하게 규정되지 않았다고 합니다. 예를 들어 아일랜드인이 유럽에서 미국으로 이민을 올 때, 아일랜드인은 백인으로 간주되지 않았지요. 실은 아일랜드인들이 미국 국민으로 통합되는 과정에서, 혹은 폴란드나 러시아에서 온 이민들이 미국 국민으로 통합되는 단계에서 아일랜드인들도 점차 백인이 되어갑니다. 원주민들이었던 토착 아메리카인들이나 아프리카계 사람들보다 좀더 우월한 지위를 확보하기 위해, 계급적으로 자신들의 우위를 보증하기 위해, 또 자연화하기 위해 점차 스스로 백인이 되어간 것입니다.

물론 그 이전부터 백미주의는 존재했지만, 미국인, 혹은 그야말로 본래적인 미국인은 백인이어야 한다는 사고 방식은 19세기 후반 들어 출현하지 않았나 싶습니다. 에티엔 발리바르가 말한 대로, 합중국의 경우에 백인이라는 건 '허구의 민족'인 셈이지요. 대단히 흥미로운 점은, 그런 방식으로 인종 차별이 제도화됨에 따라 먼저 철저하게 시행된 조치가 다른 인종 간의 성(性) 관계 금지였다는 것입니다. 이 점에서 동남아시아의 경우는 흥미롭습니다. 여기서는 어떤 시점에 이르기까지 중국에서 온 이민자가 현지인들과 통혼(通婚)하는 경우가 점점 더 늘어나고 있었습니다. 그런데 국민국가가 형성되어가면서 인종 간의 통혼이 점점 더 제한받게 된 것이죠. 전문가에게 들은 얘긴데요, 그런 경향은 미국만이 아니라 동남아시아에서도 일어나고 있다고 합니다. 그리고 현재의 통설이나 상식으로는 민족과 인종은 다소 다른 것으로 여겨지고 있습니다만, 영어에 전형적으로 드러나듯이 네이션이라는 말을 사용하면 국민이, 그리고 다음에는 민족이, 그리고 때때로 인종이 결부됩니다.

세계적으로 국민국가가 완성되어왔다는 것과, 범주로서의 인종과 민족이 완성되어왔다는 것이 거의 겹쳐져서 나타난다는 것이 제 생각입니다. 언뜻 생각해보면 국민국가가 만들어지는 거니까 각각의 국민국가 속에서 남성과 여성, 혹은 다양한 민족이라는 형태가 만들어지는 것처럼 보이고, 그러면서 동시에 세계적으로 범주가 형성되는 듯한 느낌이 듭니다. 한국이나 일본의 경우도 마찬가지라고 생각합니다. 중국에서도 그런 것 같은데요. 처음 영어 nationality를 번역했을 때 '국수(國粹)'라는 말을 썼습니다(이때 사카이 선생은 종이 위에 '國粹'라고 한자를 쓰면서 말을 이어간다). 그렇게 번역이 된 건데요, 이게 어느새 민족의 순수성이 되고 인종의 순수성이 됩니다. 그런데 그때 가장 먼저 문제가 되는 것이 바로 성 관계입니다. 요컨대 민족의 순수성을 말할 때면 언제나 그 이면에는 성적인 이미지가 존재하고, 또 그 이면에는 식민지적 권력 관계의 이미지가 따라나옵니다. 국민국가의 대부분, 특히 동유럽이나 아시아 국가들의 경우는, 어떻게 하면 민족의 순수성을 지킬까 하는 방식으로 국민을 만드는, 아예 새로 만들어내는 발상이 나오게 됩니다.

임지현 한국에서는 쇼비니즘을 국수주의로 번역합니다. 일본의 번역어가 한국으로 온 것 아닌가요? (통역: 쇼비니즘은 지금 배외주의라고 합니다.) 아 그런가요? 한국에서는 쇼비니즘을 국수주의라고 번역하는데, 아주 나쁜 번역어는 아닌 것 같습니다.(웃음) 그런데 '국수'에도 역시 두 가지 서로 다른 층위가 있는 것 같습니다. 방어자의 입장이 그 하나라면, 공격자의 입장이 다른 하나겠지요. 특히 자신을 우월한 인종/민족이라고 믿는 공격자는 열등한 인종/민족의 여성의 지위는 우월한 인종의 여성의 지위보다 훨씬 더 낮다라는 식의 스테레오 타입을 만들어내는 거죠. 예컨대 영국의 제국주의자들이 인도의 사티 관습을 보편적인 전통으로 설정해놓고, 문명화된 영국의 백인 남성들이 그러한 야만적인 전통으로 고통받는 원주민 여성을 구출한다는 성적 이미지를 만드는 것이지요. 이 성적 이미지의 이면에는, 백인은 문명화된 인종이며 그 문명화된 인종은 여성의 권리를 존중하는 젠틀맨의 이미지가 있고, 인도는 여성에 대한 전통적인 억압과 차별에 근거한 야만 사회이자 야만 인종이라는 이미지가 있으므로, 전통의 족쇄에서 벗어나지 못하고 고통받는 원주민 여성을 백인 남성들이 구출한다는 이미지가 자리잡고 있습니다.

그런 면에서 인종과 젠더의 문제는 또다시 식민주의와 자연스럽게 연결되는 것이 아닌가 생각합니다. 남한의 일상에서 일어난 아주 비근한 예를 들어보겠습니다. 미군 GI들이 남한에 주둔하면서 미군들을 상대로 영업을 하는 다방이나 술집에 있는 여성들을 마담이라고 불렀는데요, 이 여성들을 불어의 마담이라고 부른 데는 두 가지 의미가 있는 것 같습니다. 하나는 약간 비꼬는 측면이 있고, 다른 하나는 이런 여성들에 대해서도 우리는 마담이라고 존중해주는 문명적인 젠틀맨이다는 그런 맥락이, 양면성이 있었다는 것이죠. 그런데 한 가지 흥미로운 점은 결과적으로 한국에서 마담이라고 하면 여성에 대해서 비하하는 뉘앙스를 갖고 있다는 것입니다. 이것도 아주 상징적인 예가 아닌가 합니다.

종속된 내셔널리즘의 슬픔

사카이 한 가지 궁금한 점이 있습니다. 우리는 지금까지 인종, 민족, 국민이라는 것이 균질화되어 있고 따라서 하나의 민족이라면 응당 하나의 민족에 바탕을 둔 국민주의를 만들려고 한다는 그런 식의 내셔널리즘을 분석해오지 않았습니까? 그렇지만 소련의 경우도 그렇고, 일찍이 일본 제국도 그러했구요, 현재의 미합중국처럼 이른바 다민족국가가 역시 동일한 시기에 존속하고 있었습니다. 제1차 세계대전 직후 윌슨 대통령의 민족자결주의선언이 나온 후에도 다민족제국은 존속했으며 오히려 그 수가 늘어나는 경향마저 있었습니다. 그러한 다민족국가의 내셔널리즘은 지금 임 선생께서 말씀하신 의미의 성차별주의나 인종주의를 초월하고 있다고들 생각하는데요, 저로서는 과연 그럴까 하는 의구심을 가지고 있습니다. 여기서 저는 내셔널리즘 비판에서 한 가지 중요한 포인트를 말씀드리고 싶습니다. 그런 식으로 단일민족주의적 내셔널리즘과 민족을 초월한 다민족주의적 내셔널리즘이 있다고 할 때, 다민족적 국민주의를 긍정한 위에서 단일민족주의적 국민주의를 비판하는 자세로는 내셔널리즘을 충분히 비판할 수 없다고 보는데요, 임 선생 생각은 어떠신지요?

임지현 예, 전적으로 동감합니다. 다민족으로 구성된 국가의 내셔널리즘이라고 해도 국민 통합이라는 목표를 포기하지는 않는다는 것이죠. 그 점에서는 차이가 없다고 생각합니다. 오히려 다민족 국가의 내셔널리즘일수록 굉장히 열려 있는 것처럼 보이면서도 국민 통합이 일민족국가보다 어렵기 때문에 국민을 만들기 위한 보조장치들이 훨씬 더 발달해 있기도 합니다. 그에 비례해서 '국민 만들기'에 동참하기를 거부하거나 들어올 수 없는 집단들을 배제하고 밀어버리는 논리는 훨씬 더 엄격하고 견고하다고 일단 상정해볼 수 있지 않을까 합니다.

예컨대 미국에서 시민권을 얻는 사람들에 대한 이야기에서 다민족국가의 내셔널리즘을 이해하는 단서가 보입니다. 브레히트(Bertolt Brecht)의 시 가운데 〈좋은 판사〉라는 것이 있는데요, 거기서는 영어를 한마디도 할 줄 모르는, 그래서 여러 번 시민권을 거부당한 한 이탈리아 이민에게 시민권을 주려고 애쓰는, 그야말로 좋은 판사에 대한 시입니다. 브레히트가 2차대전 중 미국에 망명하고 있을 때 쓴 시라고 생각되는데, 물론 그런 좋은 판사도 있겠지만 리얼리티와는 거리가 먼 시가 아닌가 합니다. 실제로 제가 미국 시민권을 얻은 한국 사람한테 들은 얘긴데요, 시민권 부여 여부를 심사하는 마지막 질문에서 판사가 "당신은 당신이 태어난 나라와 미국이 전쟁을 할 때 기꺼이 미국 편에 서서 싸울수 있는가"를 물어본다고 합니다. 물론 정답은 "네"입니다. 이것은 다민족국가의 내셔널리즘일수록 밖으로는 열려 있는 것처럼 보이면서도, 은폐된 방식으로 기능하는, 억압적이거나 배타적인 국민 통합의 기제들이 많다는 것을 의미한다고 생각합니다.

사카이 독선적인 경향이 점점 강화되고 있는 미국의 국민주의를 생각하지 않을 수 없네요. 9·11 이후의 사태의 전개가 세계적인 범위에서 사람들에게 영향을 주고 있으니까요. 제 생각에는 제2차 세계대전부터 새로운 방식의 국민주의가 발생해온 것이 아닌가 싶습니다. 이 내셔널리즘은 지금까지와는 조금 다른 것으로, 예컨대 한반도 사람들의 시각에서 보면 그런 국민주의가 지니는 폭력성이 가장 잘 보일 것 같습니다.

두 단계로 나누어 설명드리도록 하지요. 제1단계는 이미 제2차 세계대전 중에 제국에서 총동원체제의 일환으로 진행해오던 국민주의의 방향입니다. 이 단계는 이른바 '국민학교'가 일본 제국 내에서 만들어져가는 모습이 뚜렷이 상징하고 있습니다. 그리고 제2단계는 아시아 태평양 전쟁 후 합중국이 집단방위체제라는 차원에서 아시아에 형성해온 체제로 상징될 수 있습니다. 전후 합중국은 대영 제국과 대일본 제국을 흡수하여 세계 제국을 만들어냈는데, 거기서 집단방위체제는 핵심적으로 작용합니다. 이 체제를 만드는 과정에서 합중국은 영국이나 일본의 식민지 제도를 이용하였으며, 그들의 실패를 통해서도 많은 것을 배웠으리라 생각합니다. 시기적으로 현재에 가까운 제2단계부터 생각해봅시다. 제2차 세계대전 후 미국은 어떻게 하면 자신들의 시민이 전쟁에서 죽지 않을 수 있을까 하는 점을 대단히 중시했습니다. 그 이면에는 새로운 제국주의체제에 부합하는 식민지 지배전략을 어떻게 만들어갈 것인가 하는 고려가 깔려 있었던 것이지요. 중국에서 일본이 저지른 잘못을 어떻게 하면 피해갈 것인가 하는 문제와도 관련되구요.

요컨대 민족적으로나 인종적으로 다른 주민들이 살고 있는 지역의 전투에는 합중국 군대를 보내기보다는 현지인을 이용하거나, 합중국 이외의 외국 군대를 철저히 이용하겠다는 것입니다. 걸프 전쟁에서 합중국 군대가 유엔을 활용한 것도 바로 이런 이점 때문이었습니다. 일본군의 경우는 중국에서 현지 군대와 직접 싸웠기 때문에 현지 주민이나 반일(反日) 군대의 직접적인 증오의 대상이 되었고, 저항의 총부리 또한 일본군 쪽으로 직접 향하게 되었습니다. 저항이 격화될수록 현지인에 대한 탄압 또한 격화됩니다. 난징(南京) 학살은 그 전형적인 결과라고 할 수 있지요. 그런 사태를 막기 위해 어떤 수단을 썼냐 하면, 자신들의 안전을 위해 타국 병사들을 점점 더 체계적으로 활용한 거예요. 자국 군대를 배후에 숨기고 현지의 '민주주의 세력'의 군대를 적과 대치시킵니다. 그랬을 때 현지인의 증오는 합중국 군대나 미국인 쪽으로 향하지 않고 현지 군대 쪽으로 향하게 되죠. 한국전쟁은 이런 메커니즘이 형성되는 중요한 과정이었습니다. 또 베트남 전쟁에서 존슨 정권과 박정희 정권이 뒷거래를 한 게 바로 이런 방식이었습니다. 한국 군대를 베트남에 보낸 것 말이에요. 그 점에 대해서는 주로 박근호(朴根好) 씨의 연구를 통해 알게 되었습니다.

그렇지만 현지 '민주주의 세력'의 병사들을 진정 그들의 내면으로부터 움직이는 이데올로기를 과연 어디에서 찾을 수 있을까요? 예를 들어 한국 병사들에게 합중국을 위해 죽으라고 한다면 설득력이 없지 않겠어요? 혹은 일본 자위대 병사들에게 팍스 아메리카나를 위해 희생하라고 하는 것은 그야말로 무리겠지요. 그래서 한국의 내셔널리즘이나 일본의 내셔널리즘에 의존할 수밖에 없게 됩니다.

합중국의 위성국가에게 그 나라의 국민주의는 대단히 중요한 이데올로기적 자산이기 때문에 합중국은 이 자산을 이용하여 세계적인 집단방위체제를 운용할 필요가 있습니다. 종속국가의 국민주의는 국민의 독립을 지향하는 반(反)식민주의적 내셔널리즘이라는 모습을 유지하면서 실은 새로운 식민지체제를 유지하기 위한 윤활유가 되어버립니다. 미국에 종속된 국가 내부에도 합중국의 지배에 반발하는 국민주의가 있지만, 그럼에도 불구하고 그러한 국민주의가 미국의 군사 시스템 안에서 그 나라 군대가 합중국에 좀더 쉽게 협력할 수 있게 해주는 국민주의로 그 역할이 변화되어가는 것입니다. 가령 전후 일본의 내셔널리즘을 살펴보면, 보수파가 사용하는 내셔널리즘은 종종 자위대를 긍정하고 일본의 군국화(軍國化)를 추진하기 위한 커다란 힘으로 작용해왔습니다.

이러한 집단방위체제 속에서 만들어진 한국 군대는 도대체 누구를 죽이는 건가, 이 문제를 생각할 때 임 선생께서 상징적으로 시사하신 사태가 발생하는 겁니다. 그 질문 앞에서 한국 군대는, 마치 미국 시민이 되려고 미국에 온 이민자들처럼, 당신은 어느 쪽에 충성을 맹세하느냐 하는 선택을 강요당합니다. 그렇게 강요된 선택은 그 나라의 정부—한국의 경우에는 한국 정부가 되겠습니다만—의 명령에 따라서 군사 행동에 참가한다는 충성을 맹세한 것인데, 실은 그 군사 행동의 적이 자기네 나라의 시민들일 수도 있는 셈입니다. 한국민을 사랑하기 때문에 한국군 병사로서 국가의 명령에 따라 총을 드는데, 그때의 적이 바로 한국 시민이 되는 그런 사태가 발생할 수 있습니다. 구조적으로 그런 사태를 낳는 체제가 만들어진 것이지요. 광주의 비극은 그 상징적 표현입니다. 베트남에서 남베트남 병사가 전쟁 중에 자신의 나라에 충성을 맹세하고 행동하는데, 그의 적이 실은 베트남에 살고 있는 사람들일 가능성이 얼마든지 존재했던 것입니다. 제2차 세계대전 후 그런 사태가 점점 더 강화되고 있습니다. 그럴 경우 국민주의의 논리에 입각하고 있음에도 불구하고 국민주의가 내전을 위한 도구로 전락할 가능성은 대단히 높다고 보입니다. 국민주의가 대리전쟁의 도구가 된 것입니다. 국민주의가 변질된 것이죠.

임지현 제국의 헤게모니에 종속된 내셔널리즘이 갖는 희극, 아니 비극이지요. 저는 젠더의 관점에서 이렇게 질문을 던져보고 싶습니다. 근대 국민국가의 주류에서 배제된 유색인종이나 인디언, 히스패닉 등은 차치한다고 해도, 가령 거꾸로 미국의 백인 페미니스트들은 국민 통합에 대해서 어떻게 반응을 했는가 하는 것입니다. 예컨대 미국의 여성들이 남성들과 똑같이 군에 입대하여 전투기 조종사나 잠수함의 승무원이 된다든가 하는 방식으로 여성의 권익을 찾아나가려는 그런 흐름이 눈에 띄는데, 과연 페미니즘의 그러한 접근 방식이 미국에서 인종 차별과 연결된 섹시즘의 문제를 해소할 수 있는 해결책인가 의심이 들 때가 많습니다. 오히려 그런 것들은 가령 총력전체제 당시 일본의 페미니스트들이 국민화 전략에 포섭된 그러한 오류를 되풀이하는 것은 아닌가 하는 생각이 든단 말이죠. 미국의 페미니스트들이 기존의 국민국가, 즉 다민족국가로서 미국의 내셔널리즘이 가지는 그러한 위계 질서에 도전하고 거기에 틈을 벌리는 전략은 어떤 것이 있는지, 또 미국의 페미니즘 전략을—한 가지로 환원할 수는 없겠지만—어떻게 생각하시는지

의견을 듣고 싶습니다.

사카이 그 문제는 우에노 치즈코(上野千鶴子) 씨가 미국의 페미니스트들에 대해서 말한 바 있는데요. 미국의 페미니스트들이 성차별주의나 인종주의에 대해서 강하게 반발도 하고 비판도 합니다만, 그럼에도 불구하고 자신들의 내셔널리즘에 대한 비판은 쏙 빠져 있습니다. 아시아 학회에서 우에노 씨가 그런 비판을 했더니 동석(同席)한 패널 중 합중국 여성 연구자가 합중국의 국민주의를 통상적인 국민주의와 동일시할 수 없다고 하는 예외주의적인 반응을 보였습니다. 왜 그러냐 하면, 사회주의가 사실 내셔널 맑시즘에 불과했듯이, 미국의 반(反)성차별주의나 반인종주의도 기본적으로는 내셔널한 반성차별주의, 내셔널한 반인종주의에 불과했기 때문입니다. 그런데 인종 차별과 성 차별 구조를 생각해보면 알 수 있듯이, 성차별주의나 인종주의는 그냥 훌쩍 넘을 수 있는 것이 아닙니다. 지금 자신이 인종주의자라고 자처하는 사람은 세계 어디에도 없습니다. 성차별주의자라고 자처하는 사람도 물론 없지요. 하지만 성차별주의나 인종주의는 어디에나 존재합니다. 그러니까 성차별주의나 인종주의는 너나할 것 없이 뛰어넘읍시다, 뛰어넘읍시다고 말하는 바로 그런 형태로 실은 재생산되어온 것입니다.

인종과 젠더 상에 차별이 있다면, 당연히 현실 속에 그런 일이 일어날 만한 이유가 있는 것 아니겠습니까? 그런데 내셔널한 반성차별주의와 내셔널한 반인종주의에서는 언제나 그 이유가 빠진 채로 문제가 제기되는 측면이 있습니다. 그러다 보니까 다양한 방식으로 세계적인 분쟁이 발생했을 때 그 분쟁을 전위(轉位)하는 방식으로서 인종 차별이나 성 차별이 들어선다는 사실을 충분히 보지 못하는 것 같습니다.

가장 전형적인 예가, 9·11 이후 대단히 강렬하게 나오고 있는 테러리스트라는 단어일 것입니다. 아까 문명화된 백인 신사가 전통에 속박된 식민지 유색인종 여성을 구원한다고 하는 식민주의적 나르시시즘을 언급하셨는데요, 특히 이번 경우를 보면 아프가니스탄에서 이슬람의 이미지가 나온 다음, 그것은 여성을 철저히 학대하는 야만적인 남자의 이미지로 구성되었습니다. 테러리스트 이미지가 아예 처음부터 인종화되는 형국입니다. 최근 1년 간, 그러니까 지난 9월 11일부터 지금까지 대중매체들은 오폭에 의해 현지인들을 몇백 명이나 죽이고도, 합중국 군대는 반테러리즘 활동을 하고 있다는 그런 환상을 조장하는 다양한 장치를 엄청나게 많이 만들어냈습니다. 한마디로 공상이요 판타지라고 하겠습니다. 그것이 결국 무엇으로 회수(回收)되어버리느냐 하면 American nationality란 말씀이죠. '합중국의 국수성'으로 회수되고 마는 겁니다.

임지현 예, 사실은 내셔널 안티섹시즘이나 내셔널 안티레이시즘이나 내셔널 맑시즘이나 내셔널 안티임페리얼리즘도 같은 맥락에서 얘기될 수 있을 것 같아요. 그러니까 저항 자체가 지배에 포섭되어 있는 형태죠. 결국 국민국가에 대한 근원적인 문제 제기를 하지 않는 한, 지금 사카이 선생께서 말씀하신 것처럼 원인이 뭔지를 모르고 비판하는 형국이나 마찬가지로 지배에 포섭된 저항으로 그치는, 결국에는……뭐랄까, 찻잔 속의 혁명처럼 국민국가의 완강한 지배 헤게모니를 뚫고 나오기보다는 그 헤게모니를 인정하는 테두리 내에서 저항의 꿈을 가꾸어가는 꼴이지요.

이 점에서 사카이 선생님과 좀더 의견을 나누고 싶은 부분이 있습니다. 가령 식민지 시기 한반도의 이른바 내셔널 페미니스트 그룹이 일본 제국주의의 섹시즘과 어떻게 인식론적 틀을 공유하고 있는지 먼저 짚어보았으면 하고요, 총력전체제 당시 일본의 페미니스트 그룹은 어떻게 국민화 전략에 포섭되었는지, 또 그러한 역사적 경험이 현대의 페미니즘에 주는 정치적 함의는 무엇인지 등에 대해 솔직히 이야기해보았으면 합니다.

사카이 좋습니다. 잠시 휴식하고 시작하는 게 어떨까요?

지배에 포섭된 저항 담론

임지현 아까 선생님께서는 미국의 경우 지배에 포섭된 저항의 예로 내셔널 안티섹시즘, 내셔널 안티레이시즘 등등을 얘기하셨습니다. 아마 식민지 시기 제국주의에 저항하는 내셔널리즘에서도 비슷한 양상이 발견되지 않을까 생각합니다. 즉 제국주의에 저항하는 반체제의 논리뿐만 아니라 제국에 포섭된 그러한 저항의 논리라는 측면이 존재한다는 것이지요. 이미 그것은 프라카쉬(Gyan Prakash) 같은 이들이 어떻게 인도의 저항민족주의가 오리엔탈리즘의 논리, 유럽중심주의 논리에 포섭되었는지를 잘 지적한 바 있습니다만, 식민지 조선에서의 민족과 젠더의 관계로 눈을 돌려도 그러한 현상은 곧 드러납니다.

가령 1930년대 식민지 조선의 내셔널 페미니스트들의 출산에 대한 담론을 예로 들어보겠습니다. 제가 있는 한양대학교 사학과의 대학원생이 아주 흥미로운 논문을 썼는데요, 그 친구가 밝힌 바에 따르면, 총력전체제가 전개되면서 일본 제국주의는 조선의 여성들에게 가능하면 많은 아이를 낳도록 요구합니다. 다산을 장려한 것이죠. 그것은 총력전체제를 수행할 수 있는 인적 자원, 즉 제국의 신민을 최대한 확보한다는 그런 차원에서죠. 제국의 이러한 다산 장려정책에 대해 조선의 내셔널 페미니스트들은 오히려 출산 제한의 논리로 맞섭니다. 산아 제한의 이 논리는 제국의 다산논리에 정면으로 맞서고 있지만, 유감스럽게도 그 기본논리는 우생학의 논리가 그대로 반영된 겁니다. 그러니까 모든 조선의 여성들이 산아 제한을 해야 한다는 논리가 아니라, 많이 배우고 머리가 좋고 가문이 좋은 인텔리 여성들은 애를 많이 낳되, 가난하고 둔하고 무지한 여성들은 가능한 한 적게 낳아야 한다는 것입니다. 말하자면 우수한 인자들은 애를 많이 낳고 열등한 인자들은 애를 적게 낳아서 조선 민족의 우생학적 개량을 시도했던 것이지요. 사실 이것은 사회 다위니즘[36]의 입장에서 제국의 지배를 정당화했던 논리를 그대로 차용해서 조선 민족의 우생학적 개량이라는 논리로 나아간 것입니다.

그런데 흥미로운 점은 비단 민족주의적인 페미니스트들뿐만 아니라 사회주의적 페미니스트들도 그러한 논리에 동참하고 있었다는 사실이죠. 그러니까 조선의 사회주의 페미니스트, 즉 젠더의 측

(36) **사회 다위니즘**

근대적 생명과학의 뿌리가 된 다윈의 진화론은 인간을 보잘것없는 존재로 만들면서, 그 과학적 엄정성으로써 자연을 바라보는 인간의 태도를 혁명적으로 변화시켰습니다. 하지만 진화론은 자연에 대한 인간의 태도만을 변화시킨 게 아니라, 사회에 대한 인간의 관점에도 엄청난 영향을 끼쳤습니다. 《종의 기원》(1859)을 읽는 사람들은 단지 사람과 원숭이가 같은 조상을 가졌다는 사실만을 배우는 것이 아니라, 적자생존의 원칙, 자연선택의 원칙을 배우게 됩니다. 책을 덮고 나서 사람들은 이렇게 말합니다. "생존 투쟁에서는 유리한 유기체들만이 살아남는다, 그것이 자연선택이론이다, 사람의 사회도 결국은 '동물의 왕국' 이다, 약육강식은 과학적 원리다, 강한 자가 살아남는 것은 당연하다, 이기주의는 조금도 비난받을 것이 아니다……."
다윈에 대한 이런 해석은 그 이후에 솟아오른 모든 우익 이데올로기들의 과학적 기반을 이루었습니다. 실제로 허버트 스펜서가 대중화한 사회 다위니즘이나, 에드워드 윌슨이 유행시킨 '사회생물학' 은 진화론에 기대어 인간의 불평등을 정당화하는 위계적 이데올로기라고 할 수 있습니다.

면에서나 계급의 측면에서나 이데올로기의 측면에서 나치즘의 가장 대척점에 서 있다고 생각되는 이들에게서 나치의 우생학적 논리가 그대로 재현되는 역설은 참으로 이해하기 어렵습니다. 글쎄요, 그런 면에서 그것은 내셔널리즘, 혹은 국민국가의 부국강병론에 포섭된 페미니즘의 패러다임에 파탄을 예고한 것이라고도 하겠지요. 제국의 페미니스트라고 해서 크게 다를 바 없으리라 생각하는데요, 가령 일본 페미니스트들은 어땠을까요? 아까 잠깐 우에노 치즈코 씨 이야기를 하셨습니다만, 일본 페미니즘과 저항의 관계에 대해서 좀더 이야기를 들었으면 합니다.

사카이 저항해야 할 사람들이 왜 그다지도 완벽하게 통합되고 말았는가를 살펴보려면 약간의 우회로가 필요하다고 생각합니다. 1992년부터 현재까지 이어온 성과를 바탕으로 깔면서 총력전체제에 대한 제 의견을 말씀드리겠습니다.[37]

1920년대 일본의 자본주의는 장기간의 위기를 맞이합니다. 그러나 1930년대가 되면 자본주의의 위기에 대항하여 대폭적인 사회개혁을 시도합니다. 이것은 제1차 세계대전의 경험에 입각한 전면적인 사회 편제 변경의 시도로서, 일본에만 해당되는 현상은 아닙니다. 총력전체제란 합중국의 뉴딜 정책, 일본의 만주국 건설, 소

(37) 1992년부터 10년 동안 도쿄외국어대학, 히토츠바시(一橋) 대학, 그리고 제가 있는 코넬 대학 등의 연구자들이 공동으로 연구를 했는데요, 그 결과가 야마노우치 야수시(山之内靖), 빅터 코슈맨, 나리타 류이치(成田龍一) 등이 편집한 《총력전과 현대화》(영어판은 코넬 대학 동아시아 프로그램에서 출간)와 브렛 드 베리, 이요타니 도시오(伊豫谷登士翁), 그리고 제가 편집에 참여한 《내셔널리티의 탈구축》(영어판은 코넬 대학 동아시아 프로그램에서 출간) 등 두 권의 논문집으로 1995년에 발표되고, 그 이후의 연구 성과들은 이요타니 도시오의 총괄 아래 《글로벌라이제이션 시리즈》 전 4권으로 2003년부터 간행되고 있습니다.

련에서 시행된 일련의 5개년 계획, 독일의 강제적 균질화 등을 모두 시야에 넣은, 새롭고도 광범위한 사회 편제를 가리킵니다. 총력전체제의 특징 중 하나는 자본주의가 산출한 계급 분리나, 차별받는 주변집단을 국민국가에 최대한 통합시켜, 국가 전체가 그것을 전쟁을 수행하기 위한 자산으로 가장 유효하게 이용하려고 하는 체제라는 점입니다. 바로 그런 목적 아래 자본의 논리에 저항하는 노동운동이나 식민지체제에서 배제되는 피식민지 주민들, 그리고 가부장제에 이의를 제기하는 페미니스트 등을 포섭하려는 운동이었습니다. 열등한 지위에 놓인 이런 사람들에게 다양한 권리를 부여함으로써 내면으로부터 협력하도록 만드는 사회체제, 총력전체제는 바로 그런 사회체제를 창출하려는 방향성을 갖고 있었지요.

예를 들어 조선이나 대만에서도 식민지 주민들을 그저 차별만 했던 게 아닙니다. 일본인으로 만들어서 결국 일본 병사나 노동자로 일본에 협력하도록 만드는 정책 또한 존재했습니다. 바로 그것은 총력전체제의 논리에 따른 것입니다. 그 때문에 개인의 일상생활에까지 국가가 개입해 들어가 생활양식의 개혁이나 교육을 추진하여 인구 전체의 잠재력을 증가시키는 한편, 도시만이 아니라 지방과 농촌의 문화를 활성화하여 노동 생산력을 최대한으로 향상시키는 그런 방향성도 갖고 있었던 것입니다.

이것은 제국주의에 저항하는 페미니즘, 사회주의적인 페미니즘, 그리고 내셔널한 페미니스트들이 전부 통합되어버린 하나의 거대한 과정으로, 세계대전 중에 대단히 중요한 역할을 수행합니다. 한마디로 생활의 합리화라는 커다란 흐름이 있지 않았나 하는 생각이 듭니다. 생활의 합리화 속에는 단지 정부가 군사력을 증가시킨다든가, 혹은 장래의 수입을 증가시키는 방식뿐만 아니라, 오히려 각각의 가정이 저마다의 생활을 개선하여 더 합리적이고 건강한 가족을 만들어가는 그런 방식으로 관리를 한다는 사고 방식이 존재했던 것입니다. 가정 안에 가계부를 끌어들여서 마치 기업을 경영하듯이 주부가 가정을 과학적으로 경영하게 하는 시도는 그 일단(一端)일 것입니다. 사회 구석구석까지 과학적 합리성을 보급시키고 근대적 합리성을 개인의 일상 속에까지 침투시키려고 하는 시도이지요. 개인의 건강이나 교육을 국가가 보살피려 드는 체제라고 할 수 있습니다. 이런 제도가 총력전이 끝난 1945년 이후 현재까지 계속되는데요, 그러다가 1980년대에 세계적으로 커다란 전환이 일어납니다. 다시 말해 총력전체제를 재검토하는 과정에서 대학의 독립법인화나 사회복지와 관련한 신자유주의의 주장이 맹위를 떨치고 있지 않습니까?

하지만 총력전체제의 유제는 지금도 강력하게 남아 있습니다. 예를 들어 국민건강보험이라는 사고 방식, 그리고 국민교육이라는 사고 방식 말입니다. 언뜻 보면 그런 것들은 국가가 제국 신민들에게 뭔가를 강제하는 것이 아니라 오히려 각각의 가정이 자신들의 수입을 합리적으로 이용하고, 나아가 자신들의 자녀나 가정의 재생산에 가장 유효하게 작동하는 합리적인 방법을 가르쳐준다는 식으로 생각할 수 있습니다. 일본과 중국의 전쟁이 격화되는 1937년에 후생성이라는 새로운 성(省)이 생기는데요, 그 뒤로는 자녀들이 태어날 때 국가가 어머니와 아이를 돌봐주기도 하고 모자(母子)수첩이라는, 어린이 건강 관리 기록수첩을 발행하기도 합니다. 모자수첩에는 어린이의 성장이 계속해서 기록되어 있을 뿐만 아니라, 언제 예방 접종을 해야 하는지, 정기적으로 건강 관리를 위한 검진을 받아야 한다는 말도 적혀 있습니다. 아주 알아보기 쉽게 씌어져 있지요. 국가가 각각의 가정을, 어린이와 어머니를 돌봐주는 그런 시스템이지요.

같은 시기에 프랑스에서는 국민전선 정권이 바캉스를 국가화합니다. 잘 아시다시피 그후 나치가 국민 휴가를 부여하는 시스템을 만들죠. 얼핏 보면 여기서는 국가나 기업에 의한 국민 착취가 강화되었다는 느낌은 들지 않습니다.

총력전체제라고들 합니다만, 1930년대의 현실은 꽤나 묘했던 모양입니다. 분명히 전쟁은 수행되고 있었지만, 그 전쟁이라는 것은 주로 중국 대륙에서 벌어지고 있었고 또 수행하는 주체도 중국 대륙에 간 성인남자 병사들이었던 것이죠. 그 대신 본토에서는—물론 당시 일본에는 조선 반도와 대만도 포함되는데요—전쟁이 벌어지지 않았고 경제활동은 오히려 번영하고 있었습니다. 당시 상황을 보면 일본과 독일은 경제적으로 엄청난 회복세를 보이는 데 비해 미국은 불황 상태가 계속되고 있었습니다. 그런 상황에서 만주국 같은 곳에서는 관료들이 그 당시 가장 첨단이라고 여겨지는 다양한 사회정책을 실험하고 있었습니다. 그렇기 때문에 일반대중들은 국가에 의한 강제가 강화되었다고 보지 않았던 것 같습니다.

다른 한편 영화나 대중매체 그리고 출판물 같은 부문에서는 대단히 교묘하고도 다양한 기술을 구사하여 대중의 의식을 제어하는 방법이 크게 발달하고 있었습니다. 대중매체의 정치가 얼마나 중요한지 점차 인식되면서 영화가 식민지 정책의 일환으로 만주나 상해의 대규모 스튜디오에서 대량생산됩니다.

총력전체제는 늘 억압적인 것이 아니라 그 속에서 다양한 기술이 합리적으로 발명되고, 개인 차원에서도 자신들이 독립되어 있다는 이미지를 갖게 하는데, 이것이 바로 총력전체제의 특징 중 하나라고 생각합니다. 게다가 그 속에서 경제적인 성과를 얻을 수 있었고, 그런 식으로 하루하루가 새롭고, 새로운 기술에 의해 전진해 간다는, 그런 느낌을 가질 수 있었던 시기가 아니었나 싶습니다. 그 결과 아주 기묘한 관계가 생겨났습니다. 국가와 개인, 국가와 국민의 관계가, 요컨대 국민이 국가에 의존하는 것, 즉 다양한 건강보험이나 여타 복지 시스템에 완전히 의존하는 것이 지극히 당연해졌습니다. 따라서 그런 의존 관계를 확실히 보증하라고 국가에 요구하는 것이 당연시되는 시기가 되었습니다. 예전에 미셸 푸코가 '생체 권력'이라는 말로 표현하려고 한 권력 체제가 가장 효과적으로 만들어진 시기가 바로 이때였다고 생각합니다.

사적 욕망의 국가적 통제

임지현 바꿔 말하면 신체에 각인된 국민국가의 문제라고 할 수 있을까요? 그리고 그것이야말로 국민국가의 지배 헤게모니가 아무런 마찰이나 갈등 없이, 지배하고자 하는 욕망을 드러내지 않으면서, 지배하지 않는 듯한 외향을 갖추면서 지배를 내면화하는 좋은 예라고 생각합니다. 그러니까 어떻게 보면 파시즘이라는 것은 근대를 욕망한 권력이 대중민주주의와는 또 다른 방식으로 근대를 욕망한 길이라고 얘기할 수 있습니다. 이 점에서 사실 대중독재와 대중민주주의는 근대 국민국가의 쌍생아라고 얘기할 수 있겠죠. 이 점에서 그것은 다시 '국민독재'라는 더 큰 범주로 묶을 수 있겠습니다만……. 글쎄요, 체코의 망명작가 밀란 쿤데라가 서유럽의 복지국가를 파시즘이다고 주장했을 때는, 지배하지 않는 듯한 외양을 띠면서 사실상 지배를 욕망하는 근대 국민국가의 위협을 거의 작가적 본능으로 느낀 게 아닐까 하는 생각이 듭니다.

그럼 다시 젠더의 문제로 돌아가보죠. 이끼 사카이 선생께서 총력전체제 때 일본 페미니스트들과 여성을 포섭하는 일종의 문화적 기제, 또는 일상생활에서 재생산되는 지배의 의미로 생활의 합리화를 드셨는데, 한국의 경우에는 특히 박정희 시대의 가족계획정책 같은 데에서 그것이 가장 잘 드러나는 게 아닌가 생각합니다. 그때 표어가 "아들 딸 구별말고 둘만 낳아 잘 기르자"였습니다. 애들을 많이 낳으면 너희들 생활이 곤궁해지니까 둘만 낳아서 제대로 키워서 국가와 사회에 제몫을 하는 사람, 즉 훌륭한 국민으로 키우자는 뜻이 그 밑에 깔려 있었던 것이죠. 이와 관련하여 80년대 초에 실시된 농촌 여성들에 대한 흥미로운 인터뷰와 연구자료가 있습니다. 이 인터뷰에서 애를 셋 낳은 여성이 국가에 죄송해서 죽겠다는 얘기를 한단 말이죠. 둘만 낳아서 잘 키우자 했는데, 애를 셋이나 낳은 나는 국가에 대한 죄인이다는 의식이 표출된 것입니다. 그것은 결국 지극히 사적인 가족생활, 혹은 자식에 대한 부모의 욕망을 국가가 가족계획의 합리성, 생활의 합리성이라는 것을 모토로 해서 얼마나 효율적으로 통제했고 또 그것이 사람들의 의식 심층에 얼마나 깊이 뿌리내렸는지를 잘 보여주는 예라고 생각합니다.

다른 한편에는 최근(2001년 7월 18일) 국회에서 통과된 모성 보호법이라는 것이 있습니다. 그런데 이 모성 보호법의 제정 과정에서 논의된 발언들을 보면, 이른바 여성의 권리를 대변한다는, 깨어있는 여성 국회의원들의 입에서 나오는 얘기조차 철저하게 동원논리입니다. 즉 이제 여성 노동력도 국가와 조국과 민족의 발전을 위해 적극적으로 활용해야 하는데, 그러기 위해서는 이 모성 보호법 같은 것이 필수적이다, 모성 보호법이 없기 때문에 출산율이 감소

되고, 그 결과 국가 안보나 국가 경쟁력이 기본에서부터 흔들린다 등등의 발언이 스스럼없이 터져나옵니다. 그 밑에 깔려 있는 문제의식은, 국가적 동원체제에 여성 노동력을 어떻게 효율적으로 배치할 것인가 하는 겁니다. 그러니까 어떻게 보면 식민지 시기, 다산을 장려했던 제국의 동원논리가 사실상 전후 남한 사회의 국가 동원체제로 거의 그대로 이어졌다고도 얘기할 수 있죠. 북한의 경우도 예외는 아닐 거라고 생각합니다.

사카이 저도 상당히 유사한 과정이었다고 보는데요, 한 가지 다른 점이 있다고 생각합니다. 1930년대 문헌을 보면, 당시 일본 정부는 두 가지 적을 끊임없이 의식하고 있었습니다. 하나는 사유재산을 부정하고 천황의 주권을 부정하는 공산주의입니다. 다른 하나는 흥미롭게도 민족주의입니다. 조선 총독부가 간행한 간행물을 봐도 여러 차례 나오는데요, 당시 일본 정부는 민족주의, 즉 민족적 국민주의(ethnic nationalism)를 무척이나 두려워하고 있었습니다. 당시 일본 국가는 이른바 민족적 국민주의에 대해 철저히 경계하고 있었던 것이지요. 이건 금방 알 수 있죠, 일본 제국은 식민지의 독립과 반란에 대해 강박관념을 갖고 있었으니까요. 이러한 강박관념을 어떻게 처리해왔느냐를 당시 지식인들의 작업을 통해 살펴보면, 일관성은 없습니다만, 다만 한 가지, 논리를 만들어내려고 했던 방향성은 조금 드러납니다. 1919년에 일어난 독립운동이나 1930년 대만 무사(霧社)의 반란 같은 예가 있어, 제국도 식민지 주민의 권리 요구에 대해서 민감해지지 않을 수 없었지요. 내지인과 식민지 주민 사이에는 권리에서 확연한 차별이 있었습니다. 따라서 총력전체제를 밀고나가려면 그런 차별 구조에 손을 대지 않을 수 없었지요. 하지만 식민지에서 특권을 향유하던 하층 내지인은 차별이 철폐되면 자신이 특권을 상실하니까 식민지 주민을 국민으로 통합하는 정책에 대해 저항하게 됩니다.

1945년 이전까지 식민지 주민과 일본 본토의 주민 사이에는 권리나 지위 등에서 차별이 분명히 존재했는데, 그러면서도 식민지 주민의 통합을 추구하지 않을 수 없는 그런 상황이었습니다. 그 방책으로 나온 것이, 차별을 단숨에 해소하는 것이 아니라 조금씩 해소해서 겉으로 보기에는 모든 식민지 주민이 장래에는 다 같은 일본인이 될 수 있다는 논리였습니다. 식민지 정부가 그 단계에서 생각해낸 것이 바로 보편주의적인 내셔널리즘이라고 할 수 있겠습니다. 총력전체제가 보편적인 국민주의로 귀착되는 것은 당연지사였죠. 1930년대의 한편에서는《고사기(古事記)》등 고전을 신성화하는 극단적인 국수주의자의 시녀들이 등장합니다. 그렇지만 당시 관료층을 보면, 예컨대 한일 일체(一體), 내선 일체 운운하면서 내지와 식민지의 차이를 초월한, 혹은 민족을 초월한 국민이라는, 일본 국민 공동체를 만들어내려는 이념을 강렬하게 표출합니다. 한편에서는 반란에 대한 공포가, 다른 한편에서는 식민지 주민의 생산력도 향상시키고 싶은 소망이 있었던 것이지요. 나아가 1930년대에 대륙에서 전쟁이 벌어져 많은 내지인 남성들이 중국 전선으로 보내지고 그 위에서 호황이 계속 이어졌기 때문에 노동력이 부족해집니다. 그 때문에 두 가지 노동력을 생각하지 않을 수 없었습니다(하긴 이것은 전쟁 상태에서는 언제나 발생하는 상황입니다만). 새로운 노동력의 원천은, 하나는 여성이고 다른 하나는 식민지의 노동력을 차용하는 것입니다.

이는 제1차 세계대전 중의 서유럽에서는 물론이고 제2차 세계대전 중의 합중국에서도 발생하는 현상으로, 전쟁 중에 여성의 지위가 향상되는 걸 볼 수 있습니다. 합중국에서는 마이너리티의 지위 역시 상대적으로 향상됩니다. 그러나 노동력을 그런 형태로 징용하여 사용하려면 두 가지가 반드시 필요했습니다. 그런 형태로 산업계에 들어오는 노동자를 훈련시키는 것과, 그들의 대우를 점차 개선시키는 것입니다. 훈련을 시키려면 아무래도 강제적인 균질화가 필요해지죠.

니시카와 유코(西川祐子)를 비롯한 역사가들의 연구에 따르면, 그 단계의 페미니스트들은 여성이 약자라는 것, 혹은 다양한 차별을 겪지 않을 수 없었다는 것에 대해서 비판을 했는데요, 그런 비판적인 주장을 실천할 수 있는 현실적인 마당(場)이 생겨난 것입니다. 요시오카 야요이(吉岡彌生), 타카무레 이츠에(高群逸枝), 이치카와 후사에(市川房枝) 등의 페미니스트들은 점차 총동원논리로 기울어져갑니다. 실제로 국민 총동원체제에는 페미니스트가 다수 채용되고 정부기관이나 지방관청에도 자리가 마련됩니다. 그들은 이런 정황에서 대단한 활약을 보이며 여성의 지위를 향상시켜갑니다. 하지만 그런 식으로 여성의 지위를 향상시켜가다 보니, 총력전체제 안에서 국가에게 의존하고 그 대신 복지 보수를 받는 구조에 대해서, 그리고 생활의 합리화가 진행되는 방향에 대해서 페미니스트들이 오히려 적극적으로 참여하게 되었다고 할 수 있습니다.

임지현 방금 잘 말씀하셨지만, 식민지 조선의 경우에도 총력전체제에서 여성 노동력과 식민지의 노동력을 어떻게 동원할 것인가 하는 문제뿐만 아니라 또 식민지 여성을 겨냥한 동원정책도 있었으리라고 봅니다. 일본 제국주의 지배의 초기 단계에 주도적인 여성담론은 일본으로부터 수입된 '양처현모론' 이었습니다. 좋은 아내, 현명한 어머니라는 이미지는, 남성은 공적 영역에 배치하면서 여성은 가정이라는 사적 영역에 가두는 방식이죠. 그것이 1910년대에 일본에 의해서 도입된 개념입니다. 그런데 조금 더 시야를 넓혀서 보면, 이것은 가령 인도 벵갈의 민족주의자들이 만들어낸 민족의 어머니, 민족의 원형을 지키는 민족의 자궁으로서의 여성 이미지와 아주 유사합니다. 제국주의가 지배하는 공적 영역, 물질적 영역, 자본의 영역에서 벗어나 그들의 지배가 미치지 못하는 사적 영역, 정신적 영역에서 인도의 민족성을 수호하는 민족의 어머니로서의 여성에 대한 인도의 벵갈 민족주의담론과 '양처현모론' 은 맥이 닿아 있다는 느낌이 듭니다. 그러니까 성담론에 관한 한, 제국의 논리나 민족의 논리가 큰 차이가 없다는 것이죠.

물론 일본의 양처현모론이 서구 열강의 위협에 당면한 일본의 내셔널리스트들이 만들어낸 담론일 가능성을 부정해서도 안 되겠습니다만, 제국이나 식민지의 민족 엘리트들이 국민국가를 하나의 목표로 설정하고 있다는 점, 그리고 그 국민국가의 성적 주체로 남성을 상정하고 있다는 점에서 결코 우연의 일치는 아니라고 생각합니다. 그런데 총력전체제에 들어가면 양처현모론은 폐기되거나 부분적으로 수정되어야 할 개념이 되고 맙니다. 왜냐하면 여성과 남성을 막론하고 식민지 노동력을 동원해야 하는 그런 상황에 빠질 수 있기 때문이지요. 그래서 일본 제국주의는 1930년대에 이르면—조선인들의 어떤 물론 권력에 의해서 부분조직의 기본원칙이 주어진 것이긴 하지만—면회나 부회 등의 조직을 통해 조선인들이 모여서 공공적인 것을 논의할 수 있는 장이 만들어지는 거죠. 그러니까 조선에서 국가권력과 아무런 상관없이 살던 보통사람들이 그러한 조직, 국가권력이 만들어낸 하부조직을 통해서 공공적인 일에 개입할 수 있는 여지가 만들어지고, 국가체제 속에 유기적으로 식민지 민중을 포섭하는 제도/장치 들이 만들어지는 것이 총력전체제의 식민주의죠.

사카이 그 단계에서 중요한 점은 식민지로부터 온 사람들이 그저 편입되어버린 게 아니라 적어도 처음에는 일본의 식민지체제에 대해 비판도 할 수 있었다는 것입니다. 프롤레타리아 문학 계열의 사람들이 압도적으로 많았기 때문에 식민지로부터의 발언이 제국에 대해서 전적으로 저항적이지 못했다고는 할 수 없으며, 1920년대 후반부터 1930년대 초라는 상황 자체가 제국에 대한 비판적 발언을 수용할 수 있었다는 것입니다. 그런데 30년대가 되면 일반적으로 그런 저항 논리 자체가—임 선생께서 지금까지 말씀하셨듯이—그런 저항을 포섭시키는 사상적 틀을 제공하게 되는데, 특히 국가에 가까운 제국 지식인들이 바로 그런 것을 만들어내려고 했다는 겁니다. 1930년대에 대량으로 나온 출판물을 바탕으로 지적 공공권(知的公共圈)이 구성되는데요, 여기에서 대단히 이율배반적인 싸움이 전개됩니다. 한편에서는 식민지로부터 직접 나오거나, 아니면 식민지 주민들의 경험을 바탕으로 하여 나오는 것으로, 일본 식민주의에 대한 비판 가능성이 커졌습니다. 다른 한편에서는 어떤 식으로 체제를 변화시키면 그런 비판을 편입시킬 수 있을까 하는 문제도 동시에 출현하였습니다. 이것이 바로 주체 구성의 문제, 혹은 새로운 주체 생산의 문제를, 다민족국가를 생산하는 데에 적합한 주체로 원활하게 구성하기 위한 메커니즘 속으로 편입시키려는 시도였습니다. 그곳은 실로 이데올로기적인 싸움이 벌어지는 장소였습니다.

임지현 보편적 내셔널리즘, 유니버설 내셔널리즘 같은 것이 그 이데올로기가 되는 거겠죠. 포섭당하는 식민지 주체의 입장에서는 자기 안의 어떤 것이 제국의 국가체제에 의한 그러한 포섭을 손쉽게 만들었는가를 한번 생각해봐야 할 텐데요. 먼저 지적해야 할 것은 기본적으로 이들이 이른바 민족의 힘을 욕망한 근대 내셔널리스트들이라는 것이죠. 그래서 일본 자체가 에스닉 내셔널리즘을 버리고 내선 일치를 강조하는 유니버설 내셔널리즘을 표방했을 때, 말하자면 강력한 힘을 지닌 일본이라는 네이션이 오픈되어 자신에게 문을 열어준다면 항상 민족의 힘을 욕망한 그 근대 내셔널리스트들은 일본이라는 네이션에 동화되어 자신의 욕망을 실현하는 계기로 삼고자 생각할 수 있었다는 겁니다. 멘털리티의 관점에서 본다면, 이탈리아의 미래파, 즉 기계 문명의 진보성과 근대성을 욕망했던 이탈리아의 미래파가 손쉽게 파시즘의 근대화론에 투항했던 그런 맥락과도 이어질 수 있겠습니다만…….

또 다른 하나를 지적한다면, 아주 실제적인 것인데, 1930년대 일본의 만주 진출이 조선에 경기 특수를 가져왔다는 것이죠. 만주라는 새로운 시장을 가짐으로써 조선의 산업이 경기 특수를 맞이하게 되는데, 이것은 일본 제국주의가 만주 시장을 개척한 데에서 얻은 반사이익입니다. 그건 마치 19세기 말 제정러시아의 팽창주의가 카프카스 지역을 넘어서 시장을 확대함에 따라서 러시아의 지배 아래 있던 폴란드 왕국의 산업이 러시아 특수를 누리게 되는 것과 비슷합니다. 러시아의 지배하에 있었다는 것은 러시아의 보호관세정책의 혜택을 받는다는 것이고 따라서 팽창된 러시아 시장은 폴란드의 자본주의 발전에 굉장히 중요한 물적 기반을 제공한 셈입니다. 로자 룩셈부르크가 폴란드의 독립을 반대한 이유 중의 하나도 여기에 있습니다만, 어쨌든 이렇게 본다면 일본의 총력전체제는 식민지에서도 위로부터의 일방적인 강제만이 아니라 밑으로부터의 자발적인 동참을 어느 정도 유도한 것이라고 볼 수 있습니다. 예컨대 일본 제국주의가 징병제를 실시한 게 1943년부터라고 알고 있는데요, 그 이전의 조선 지원병 숫자나, 1943년에 징병제를 통해 징집된 인원은 30만 정도로 거의 비슷합니다. 지원병 제도를 실시할 때나 징병 제도를 실시할 때나 군대에 입대한 조선인 장정의 수는 큰 차이가 없다는 거죠.

조금 예민한 문제이긴 합니다만, 어떤 면에서는 정신대 문제도 총력전체제 당시 일본이 내지에서 여성들을 동원하는 논리가 식민지 여성들을 동원하는 논리로 전화된 측면이 있지 않나 합니다. 말하자면 제국의 지배 방식과 식민지 내에서의 성적인 억압이 맞물린 전형적인 예라고 볼 수 있다는 거죠. 총력전체제 당시 식민지 조선의 여성 지도자들이 했던 연설이나 쓴 글을 보면, 국가권력에 포섭된 일본의 페미니스트들과 사실 큰 차이를 찾아볼 수 없습니다. 단지 차이가 있다면, 일본 페미니스트는 일본 내셔널리즘과 결탁했기 때문에 그들에 대한 비판은 일본의 내셔널리즘에 대한 비판이 전개된 이후에야 나왔던 반면, 그 당시 조선의 여성 지도자들은—그들을 페미니스트라고 볼 수 있다면—조선 여성들을 일본 제국주의의 성 노예로 만드는 데 관여했기 때문에 해방 직후부터 바로 비판이 나왔던 거죠. 그런데 그 비판은 식민지 시기 조선의 일부 페미니즘이라는 것이 어떻게 비판의 무기에서 동조의 무기로 전환했는가, 즉 어떻게 식민지 국가권력이 이들을 포섭할 수 있었는가 하는 문제 제기보다는, 이들은 친일파다는 식의 감정적인 차원에 머문 채 더 근원적인 비판이 이루어지지 못했다는 생각이 듭니다. 식민지 국가권력에 포섭된 조선의 페미니즘에 대한 비판이 해방 이후 남한의 국가권력에 포섭될 국민적 페미니즘의 위험성에 대한 비판을 염두에 둔 전략적 배치라면, 정신대 문제를 제국의 동원논리와의 관련 속에서 보는 것 역시 회피해서는 안 된다고 생각합니다.

사카이 1942년 대만에서 〈지원병〉이라는 재미있는 소설이 출판되었습니다. 자전적인 단편소설인데요. 물론 이 작가는 일본 제국이 붕괴된 1945년 이후에 친일파라고 호되게 비판을 받습니다만 소설 자체는 대단히 흥미롭습니다. 왜 재미있냐 하면, 도대체 왜 대만 청년들이 일본 병사로서 지원하였는가 하는 문제에 대해, 단순히 '강제였다' 가 아니라 대단히 설득력 있게 설명하고 있기 때문입니다. 작가는 주인공이 지원하는 이유로, 일본의 제도가 대만 사람들을 차별하는 데 대한 분노와 동시에 그에 대한 절망을 꼽고 있습니다. 절망한 주인공은 자신의 저항의 표시로 자진해서 일본 병사가 되고 맙니다.

제국 내의 식민지 차별은 가혹한 것이었습니다. 개인이 그러한 차별 구조 안에 던져졌을 때 개인의 내면에서 그것을 어떻게 처리하는가라는 어려운 문제도 거기에서 발생하는 것이죠. 첫 번째 처리 방식은 일본 체제를 완전히 부정하는 것입니다. 그렇지만 부정하면 배제될 뿐만 아니라 생명까지도 위험해지죠. 또 대만 사회에서 자신이 확보하고 있던 사회적 지위도 전부 무너져버립니다. 사실 대만 사회에서 어떤 지위를 갖는다는 것 자체가 이미 식민지체제에 편입되어 있는 셈이지요. 특히 인텔리의 경우, 이 작품에서 소설가가 등장한다는 점에서 인텔리라고 말씀드리는 건데요, 대만의 서민들과 긴장 관계에 있었습니다. 이들은 교양이나 과학 지식 등 여러 가지 면에서 대만의 서민들과는 크게 달랐기 때문에 생활 감각을 공유할 수 없었습니다.

하지만 서민들이 그 상태 그대로 있다면 내지에 대한 대만의 열등감은 영원히 변하지 않습니다. 그렇기 때문에 그는 어떻게든 서민들을 근대화시킴으로써 대만 사회에 공헌하고 싶다고 생각합니다. 하지만 근대라는 표상은 종주국 일본에 의해 독점된 상태입니다. 그의 입장에서는 대만을 근대화한다는 것은 대만을 일본화한다는 것과 차이가 없습니다. 인텔리의 경우에는 대만을 근대화하는 것과 자신이 일본 병사로 지원하는 것은 불가피하게 겹쳐집니다. 결국 이런 상황에서 지원병이 되는 사람은 그냥 일본 제국에 종속되는 것이 아니라, (일본 제국이 아닌) 대만 사람들을 어떻게든 근대화시키고 싶다는 생각에서 역으로 제국 안으로 들어가고 마는 것이지요. 아마도 이광수로 대표되는 이른바 친일파 지식인들의 논리에도 마찬가지의 고뇌가 담겨 있었으리라 짐작됩니다.

임지현 당연히 있었다고 생각합니다. 단지 역사적 맥락은 다를 수 있겠지요. 혹시 〈지원병〉이라는 소설의 주인공이 대만 원주민이고, 따라서 대만 원주민 대 본토에서 온 한족이라는 민족적 갈등 구조가 전제된 것은 아닌지 묻고 싶습니다. 그러니까 어떤 면에서 일본 제국주의는 지금까지의 적이었던 중국 본토에서 건너온 한족의 적이므로, 적의 적은 동지라는 그러한 식의 동맹 관계가 성립될 여지는 없었나 하는 것입니다. 마치 2차대전 때 우크라이나나 리투

아니아의 내셔널리스트들이 나치를 적극적으로 환영한 것과 비슷한 경우가 아니었나 하는 것이지요. 왜냐하면 자신들을 점령하고 억압하던 러시아인이나 폴란드인의 적이 나치니까, 적의 적이 나치니까 나치는 곧 우리 동지다는 논리가 성립되는 것이죠.

사카이 대만의 소수 원주민들이 우수한 일본 병사가 된 이야기는 널리 알려져 있습니다. 아까 말씀하신 무사 사건의 경우에도 천 명 가까운 소수 원주민들이 일본 정부에 의해 살해당하는데요, 그후 살아남은 남성들 중 다수가 헌신적인 일본 병사가 되었다는 이야기입니다. 그들은 일본을 미워했을 겁니다. 일본을 미워하면 미워할수록 우수한 일본 병사가 되어갔습니다. 제국에는 그런 측면이 있습니다. 하지만 이 소설은 조금 다른 사회 계층 사람들을 다루고 있습니다. 당시에 소수 원주민 문제를 언급한 소설도 발표되었지만, 1940년대 전반이니까 소위 대륙에서 건너온 사람들과 대만계 사람들 사이의 권력 관계는 그다지 첨예하지 않았던 때입니다. 1947년 이후의 상황은 말씀하신 대로입니다만, 이 소설에서는 계급 문제가 나온다는 점에 차이가 있습니다. 주인공인 그가 일본 대학 출신의 인텔리라는 사실은 곧 대만 사회에서 계급적으로 소외되어 있음을 보여줍니다. 소외되어 있으니까 오히려 대만 사람들과 동일화되고 싶은 바람을 가지게 되는 것이죠. 일반적인 내셔널리즘에서 지식인은 커다란 역할을 수행합니다. 내셔널리즘을 담당하는 인텔리층은 대부분 국민으로부터 소외되어 있는데, 서민들과의 관련성이 별로 없는 사람이 가장 내셔널리스틱하기 쉽습니다. 또 내셔널리즘은 서민들 속에서 자발적으로 나오는 게 아니라는 점도 이해할 수 있습니다.

1930년대 일본 지식인들, 특히 철학자들은 다민족적인 제국에서 국민 주체를 어떻게 구성할 수 있을까 하는 문제에 골몰하고 있었습니다. 다민족적인 제국에서 국민 주체의 논리를 세우고, 총력전 체제에 걸맞는 주체를 생산할 수 있는 철학적 논리를 교토 학파로 대표되는 일본 지식인들이 만들어냈는데요, 그때 그들이 중요시한 것은 국민국가에 적합한 주체를 만들어내려면 그것은 이미 소외된 주체여야 한다는 점이었습니다. 아시아 태평양 전쟁 이후 북한이 전개하는 '주체'라는 개념도 교토 학파가 만들어낸 주체성 논리로부터 많은 것을 차용하지 않았을까요? 사회학적 의미의 소외와 철학적인 의미의 소외를 무매개적으로 혼동하면 곤란하겠지만, 사회의 근대화에서 소외당한 인간에 대해 생각하는 것이 대단히 중요한 의미를 지녔던 것은 사실입니다. 그런 의미에서 근대 국민국가는 언제나 그렇게 소외된 지식인들을 필요로 합니다. 그런 소외된 지식인들이 실은 가장 강렬한 내셔널리즘 논리를 제시하기 때문에, 그런 지식인을 식민지에서 발견하여 그 지식인의 내셔널리스틱한 경향을 제국 안에 포섭하려고 생각했던 것입니다. 소외의 논리야말로 근대화 논리의 근저에 존재하는 것입니다. 국민국가 일반에서 국민주의적인 지도력을 발휘하는 인텔리층은 거의 대부분 소외된 인텔리층입니다. 그런 지식인이—〈지원병〉에서는 대만의 지식인입니다만—대만 사회를 근대화하려는 내셔널리즘을 일본 제국이 철저히 이용하려고 한 것 같습니다.

새로운 차별과 배제

임지현 예, 제가 너무 앞질러 나가 오해를 한 것 같군요. 그래도 중국 본토가 타이완을 포섭하게 된 것은 일본 제국주의가 들어가기 전의 일이었다고 알고 있고, 그런 면에서 타이완 원주민들이 본토의 타이완 복속 과정에 뿌리를 둔 갈등 같은 것이 혹시 일본 제국주의의 대만 지배에서 작용한 면은 없는지, 즉 그러한 과거가 대만 지식인의 친일본 심리에 작용하지는 않았는지, 한번 그렇게 의심을 했을 뿐입니다. 그런 면에서 대만 원주민 출신의 지식인들이 조선의 지식인들보다는 일본의 제국주의 지배에 더 친화력을 가질 수 있는…….

상대적으로 조선에서는 대만의 원주민 대 본토인 같은 갈등은 없었다고 볼 수 있지요. 반면 일본 제국주의의 지배에 대한 조선인들의 반응을 살필 때, 염두에 두어야 하는 것은 양반과 상민 사이의 신분적 갈등입니다. 한국사 연구자에게 들은 이야기인데요, 1905년 을사보호조약과 1910년 한일합방 기간 중에 지방의 양반들이 남긴 기록들은 이 점에서 아주 흥미롭습니다. 이 당시 양반들이 제일 한탄하는 게 뭐냐 하면 세상이 바뀌었다는 거죠. 그러면서 이 지방의 양반들이 제일 분노하는 것은, 나라를 빼앗겼다는 게 아니라 상민들이 '호형호제' 한다는 거지요. 양반들은 자신들을 어르신으로 모시면서 굽신거리던 상민들이 하루아침에 같이 놀자는 식으로 바뀌니까 당황스럽기도 하고 또 그에 대한 분노를 참을 수 없었던 겁니다.

그러니까 이것은 순전히 가설이지만, 일본 제국주의에 대한 조선인들의 태도는 양반 출신과 상민 출신이 각각 다를 수 있고, 또 양반층에서도 상층 양반과 중간층 또는 몰락한 양반에 따라 다르지 않았을까 생각합니다. 가령, 상민 출신의 지식인이나 세상 돌아가는 것을 느낄 수 있는 상민들은 한일합방으로 세상이 바뀌었다는 것에 대해서 어느 정도 긍정적인 감정이 들 수 있다는 거죠. 왜냐면 양반과 상놈의 차별이 없는 사회 시스템으로 바뀌었기 때문이죠. 그런 상민적 혹은 몰락 양반적 지식인의 전형을 보여주는 게 이광수입니다. 친일조직인 일진회의 경우 평안도 출신들이 절반에 가까운 비율을 차지하는데, 이들의 친일감정에는 조선의 봉건적 중앙정부에 대한 반감과 근대화에 대한 열망들이 뒤섞여 있습니다. 이광수는 한국의 **나쓰메 소세키**[38]라고 할 수 있는 인물인데, 어려서 고아가 되어 천도교에서 교육을 시키고 키웠다고 합니다. 밑바닥에서 일어나서 당대 조선 최고의 지식인이 된 사람이죠. 세상이 바뀌지 않았다면 꿈도 꾸지 못할 일입니다. 근대에 대한 절실한 욕망이 제국의 논리 속에 이들을 포섭하는 기제로 작용했다는 점에서는 대만의 그 지원병이 가졌던 상황과 유사하지 않나 합니다. 이광수 등과 달리 사회주의자들이 비교적 제국의 담론적 공세 앞에서 자신을 지킬 수 있었던 것은, 제국이 아니라 러시아 혁명에서 근대화의 가능성을 보았기 때문이기도 하지요. 그것은 다시 이들의 사회주의 이해가 종속된 식민지 혹은 후진국 근대화론이었다는 앞서의 설명과도 연결됩니다만…….

사카이 저도 선생님과 비슷한 추측을 했습니다. 하지만 이광수와

(38) **나쓰메 소세키**
일본 근대 문학의 대가이며 메이지 시대를 대표하는 소설가입니다. 일본의 셰익스피어라고 생각하면 쉽게 이해할 수 있을 겁니다. 도쿄대학 영문과를 졸업한 후 마츠야마 중학교 교사를 거쳐, 도쿄대학 강사와 아사히 신문사 기자를 지냈습니다. 1909년 9월부터 10월까지 만주와 한국을 여행하고《만한 이곳저곳》이라는 기행문을 아사히 신문에 연재했는데, 당시 한국인의 옷차림과 이국적인 풍경을 묘사했다고 합니다. 그는 서구 합리주의, 동양의 미의식, 유교적 윤리관 등에 사상의 기반을 두고 인간의 근원적 문제를 고뇌하는 내용의 수많은 작품을 남겼습니다.

비슷하다고는 해도 사회적 출신으로 보자면 역전되어 있는 것 같습니다. 아까 말씀드린 그 지원병의 경우는 소수민족 출신이 아닙니다. 하층의 소수자가 아니라 상층의 소수자이지요. 일본에서 교육받은 걸 보면 유복한 가정에서 태어난 의사 아들인 겁니다. 결국 그는 상층 양반 출신들과 유사한 처지였을 것입니다. 하지만 내지 일본인들로부터는 역시 차별받는 처지이지요. 다만 지금 말씀하신 피차별민과의 관계는 상당히 중요한데요, 조금 다른 맥락이긴 합니다만 잠시 말씀드리고 싶네요. 메이지 유신의 단계에서 피차별민과 일반 농민들 사이에서 그와 비슷한 일이 일어났습니다. 역사가인 히로타 마사키 씨가 멋지게 분석한 바 있습니다만, 메이지 시대에 이르러 사민평등(四民平等)에 따라 피차별민이 해방되는 것에 대해 상민(常民) 측에서 크게 반발했습니다. 바로 그때 근대 일본에 살고 있던 피차별민에 대한 차별 행동이 시작됩니다. 국민국가 제도와 함께 새로운 차별 구조가 초래된 것이죠. 그러니까 국민이라는 사고 방식이 처음 들어왔을 때 실은 피차별민에 대한 차별 행동이 확 바뀌면서 거의 인종주의에 가까운 차별로 변해갑니다. 국민이라는 사고 방식이 들어오자 차별 구조가 변해버린 것입니다. 현재 일본에 사는 피차별민에 대한 차별은 바로 그때의 차별이 연장되어온 것입니다. 다시 말해 그것은 메이지 국민국가와 함께 생겨난 차별입니다.

임지현 그런데 이런 측면은 없었을까요? 부락민이라 불리는 소수자에 대한 차별은 확실히 근대 국민국가에 의해 체계화됐지만, 다른 한편으로 인구의 대부분을 차지하는 농민들과 쇼군, 혹은 농민들과 무사귀족 간의 차이는 메이지 국민국가가 시도한 균질적인 국민 만들기 과정을 통해서 좁혀지거나, 혹은 없어진 것은 아닌가 하는 점입니다. 아무래도 국민 만들기, 혹은 근대 국민국가의 형성 과정이 곧 신분제를 폐지하고 모든 시민들은 법 앞에 평등하다는 국민의 균질화를 선언하는 과정이었다는 점을 간과할 수는 없을 것 같습니다. 바로 그것이야말로 아래 신분에 있던 사람들에게 국민 만들기 과정이 내면화되는 그런 계기로 작동한 것이겠지요. 프랑스식으로 하면 이른바 제 3신분의 해방이 국민 만들기의 첫 단계였다면, 총력전체제 같은 데에서 그 동안 비국민으로 배제되었던 여성과 소수민족, 식민지인들과 같은 다양한 비국민들을 다시 국민으로 포섭하여 국민의 외연을 넓히는 과정이 국민 만들기의 새로운 단계가 아닐까 합니다. '국민'이라는 이름이 그 국민에 포섭된 보통사람들에게 커다란 매력으로 다가온 것도 같은 맥락에서 이해해야지 않을까 합니다. 밑으로부터의 국민적 지지 또는 합의가 성립하는 것도 바로 이 지점에서구요.

사카이 동감입니다. 하지만 국민국가의 심화는 동시에 새로운 차별을 만들어냈습니다. 국민국가는 국민의 평등을 내걸고 국민을 균질화시켜나가는데요, 국민의 차별화를 통해서 균질화를 지향한다는 역설적인 구조가 불가피했던 셈입니다. 그런데 그 차별 구조가 또한 '지원병'이라는 주체를 불가피하게 만들어내죠. 그런 점에서 국민국가는 결코 안정되거나 고정된 구조가 아니라 끊임없이 자기를 변혁시켜나가는 구조입니다. 정말이지, 국민국가는 독일 관념론이 말한 '주체'로서 존재하지요. 또 교토 학파의 철학이 독일 관념론이 말한 '주체'를 더욱 정교화시키기도 했구요. 당시 일본의 관료나 지식인들이 식민지의 주민들을 그런 방식으로 주체화시켜서 제국 속으로 모두 포섭할 수 있다고 여겼던 것도 바로 그런 의미에서일 겁니다.

이 대목에서 제국주의적인 국민주의와 관련하여 지금까지 전혀 드러나지 않았던 사실 한 가지를 말씀드리고 싶습니다. 민족주의적인 국민주의나 민족 차별, 그리고 방금 말씀드린 보편주의적인 국민주의는 상호 모순되기 때문에 같은 사회 편제 속에 공존할 수 없다고 생각해왔습니다. 그러니까 민족 차별이 존재하면서 동시에 보편주의적인 국민주의가 존재할 때에는 둘 중 한쪽은 허위의식이라고 간주해온 것이지요. 요컨대 민족주의적인 국민주의와 민족주의, 그리고 민족 차별 혹은 인종 차별과 보편주의적인 국민주의, 이들은 논리적으로 모순 관계다, 따라서 한쪽이 존재하면 다른 한쪽은 존재할 수 없다, 이런 식이었지요. 만일 양쪽 모두 발견될 때에는 보편주의적 국민주의가 틀림없이 거짓이라고 생각했습니다. 하지만 민족의 순수혈통이나 이민족을 배제하는 파시즘과의 관계에서 보면, 파시즘과 보편주의적인 논리는 공존할 수 있다는 것이 점점 분명해지고 있습니다. 현재 미합중국의 국민주의에 전형적으로 드러나듯이 파시즘은 제국주의에서도 생겨납니다. 총력전체제였던 일본 제국주의가 동시에 파시즘의 성격을 가지고 있었던 것은 그리 놀랄 만한 일이 아닙니다. 이 점이 점점 분명해지고 있다고 생각하지 않으십니까?

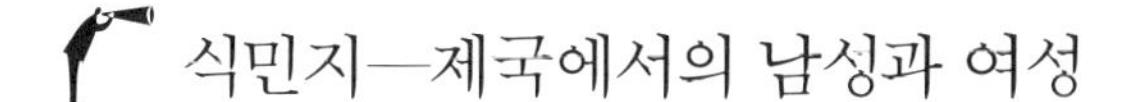

식민지—제국에서의 남성과 여성

임지현 컨디션이 좋아 보이십니다. 어제는 식민지 지식인, 대만이나 조선의 지식인들이 제국의 차별 구조에 대해서 적응하는 방식 등에 대한 이야기를 나누었습니다. 그것은 지식인 개인의 실존적인 문제이기도 하지만 동시에 근대화와 동화의 문제, 신분의 문제 등등이 실타래처럼 얽힌 복합적인 문제라는 데 인식을 같이했고 그 복합성에 대한 다양한 이야기들을 나누었습니다. 조금 미진한 부분이 있으면 마저 해주시죠.

사카이 지원병 이야기를 더 하고 싶군요. 지원병이라는 것은 분명 황민화 정책에 영합한 것으로 보이는데요. 근데 거기서 볼 수 있는 것은 두 식민지 지식인들이 식민지 대중과 괴리가 있는 반면에 식민지 종주국과도 괴리가 있다. 괴리가 있는 그런 상황에서 그 식민지 대중과 식민지 종주국 사이에 있는 두 지식인이 식민지 대중과 고민을 하려고 하고 거기서 해결책을 모색할 때 그런 문제가 나타납니다.

그 부분에 제가 특히 관심을 갖는 것은 친일파 문제를 다루면서 얘기했지만 미국에 있는 소수자 지식인으로서의 제 입장과도 일맥상통하는 면이 있기 때문입니다. 마이너리티 지식인이 보편적인 내셔널리즘을 지원하면서 거기서 소수자들의 지위, 사회적 지위를 조금이라도 향상시킬 수 있다는 걸 생각하게 된 거죠. 그래서 그런 상황에서는 민족적 내셔널리즘과 보편적 내셔널리즘이 대립 관계에 있는 것 같으면서도 사실은 공범 관계에 있다고 보는 것입니다.

임지현 에, 상당히 흥미로운 지적 같습니다. 일반적으로 보편적 내셔널리즘이 민족적 내셔널리즘(ethnic nationalism)보다 진일보했다거나 관용적이라고 생각하기 쉬운데 실제로는 그렇지 않은 것 같습니다. '국민주의'가 '민족주의'보다 진보적이라는 생각 등이 그러한데, 그것은 사실 한국 사회에서 아직도 지배적인 생각입니다. 김대중 정부가 자신을 '국민의 정부'라고 자랑스럽게 규정한 데서도 그것은 잘 드러납니다. 그러나 그것은 구체적인 맥락에 따라 다를 수밖에 없습니다. 경우에 따라서는 고유한 민족성(ethnicity)이나 그것의 정체성을 강조할 때 차라리 '다문화주의(multiculturalism)'가 장려되는 경향이 있습니다. 반면에 보편적 내셔널리즘은 프랑스의 예에서 알 수 있듯이, 프랑스 국민에 통합되지 않으려는 자들에게는 더 가차없습니다. 한국에서는 많은 사람들이 프랑스는 톨레랑스의 나라라고 착각하는데, 실제로 프랑스의 보편적 내셔널리즘이 더 무섭습니다. 프랑스 국민에 통합되고자 하는 사람들에게는 열려 있지만, 그 안에 들어오지 않는 경우에는 가차없이 배제하고 차별하는 게 분명하게 들어오지요. 어찌보면 톨레랑스에 대한 한국 사람들의 환상이야말로, 여전히 국민은 진보적이라는 그런 생각을 반영하는 것인지도 모르겠습니다. 그러니까 프랑스의 경우 한편에서는 톨레랑스라는 미덕을 강조하는 듯이 보이지만, 영국이나 미국과는 달리 '다문화주의' 조차 인정하지 않는단 말이에요. 왜? 프랑스의 내셔널리즘은 보편적이고 열려 있으니까 언제든지 들어올 수 있다, 그러나 그러기 위해서는 프랑스적인 것에 동화되어야 한다는 점을 전제하는 것이죠.

반면에 오히려 고유한 민족성을 인정하는 민족적 내셔널리즘은 보편적 내셔널리즘보다 훨씬 더 편협해보이는 측면이 있지만, 그렇기 때문에 맥락에 따라서는 다른 민족의 고유성이나 민족적 내셔널리즘에 대해서도 일정하게 양보하고 인정할 수밖에 없고, 그러한 면에서 오히려 '다문화주의' 로 나아가는 그런 역설이 존재하는 것이 아닌가 생각합니다. 정리해서 얘기한다면, 경우에 따라서는 오히려 보편적 내셔널리즘이 훨씬 더 폐쇄적이고 억압적이고 배제하는 반면에 민족적 내셔널리즘은 그 국민국가 내의 마이너리티의 힘이 강할 때, 마이너리티의 목소리에 힘이 실릴 때는 오히려 개방적인 다문화주의로 나아가는 그런 경향이 있다는 것입니다.

할머니들의 기억과 내셔널리즘

사카이 하지만 지금까지는 다문화적인 내셔널리즘에 대해서는 보편적인 내셔널리즘, 단일민족에 대해서는 다민족국가, 그런 식으로 내셔널리즘을 분류해왔는데요. 하지만 그런 분류를 할 때 유의해야 할 점이 있습니다. 그건 뭐냐 하면 네이션이나 문화 그리고 언어까지도 다시 한번 얘기해보고 싶은데요. 그렇게 과연 하나의 민족이나 하나의 문화, 그런 식으로 물건처럼 쓸 수 있는 건지 그 부분에 대해서는 제대로 생각해볼 필요가 있을 것 같습니다.

그러니까 원리적으로 생각하면 사실 단일 민족국가와 다민족국가를 구별하는 것도 어렵지 않나 하는 생각이 듭니다. 그런 것은 특정한 역사적·사회적인 문맥 속에서만 말할 수 있는 것이지, 일반화시키면 안 된다고 생각합니다.

그래서 그런 민족의 단위로 생각하는 건 사실 문맥에 따라서 변하는 것이어서, 상당히 유동적이고 실제화하는 게 거의 불가능하다고 생각할 수 있습니다. 그래서 민족이라는 개념은 다른 민족이라는 게 있을 때, 다른 국가와의 대비 속에서만 등장합니다. 그래서 민족이라는 개념은 사실 식민지체제와의 관계 속에서 등장합니다. 그렇지만 식민지체제가 성립되기 전에도 민족이라는 개념에 대해 어느 정도까지는 말할 수 있습니다. 그런 의미에서 민족이라는 개념이 갖는 두 가지 측면, 즉 긍정적인 측면과 부정적인 측면을 볼 수 있을 것 같습니다. 그러니까 억압당한 사람들이 자신들의 연대를 만들어나가기 위해서 그 민족이라는 개념을 쓸 때, 그때는 그 민족 개념이 아주 유효하고 의미가 있다고 생각합니다. 하지만 그 문맥을 벗어나도 과연 민족이라는 말을 쓸 수 있는 건지, 국민국가가 성립될 때 항상 문제가 되는 것도 그 점인데, 과연 억압 상태에서 벗어났을 때도, 그 문맥을 벗어났을 때도 아직 민족이라는 개념을 가질 수 있는지 하는 부분에 대해서는…….

임지현 선생님의 지적은 내셔널리즘의 분류가 정형화되는 것에 대한 정당한 우려라고 생각합니다. 실제로 민족이라는 말이 항상 상대를 전제로 할 때 나타난다는 것은 의심의 여지가 없습니다. 한국에서도 민족이라는 말이 처음 쓰인 건 20세기 들어와서의 일이거든요. 그 이전까지는 민족이라는 말이 없었던 거죠. 심지어는

'농민' 이라는 말도 1920년대에 이르러서 처음으로 쓰이게 됩니다. 그러니까 19세기 말까지 조선에서 사람들의 범주화, 집단화는 주로 신분 질서의 토대 위에서 이루어졌다는 것이죠. 혹은 외국과의 관계도 한국 민족 대 일본 민족, 중국 민족이라는 민족의 맥락이 아니라, 전통적인 왕조 구분으로서 '왜' '중국' '조선' 의 맥락으로 이해되었습니다. 민족이라는 말이 호소력을 갖게 된 것은 일본 제국주의의 영향력, 혹은 위협이 점차로 가시화되면서부터입니다. 그때 민족이라는 말이 제국에 의해 억압받는 자들의 연대를 함축하고 있는 것은 틀림없는 사실 같습니다. 그리고 바로 그러한 점 때문에 저항민족주의의 정통성을 주장하게 된 거구요.

그러나 식민지에서 해방되어 독자적인 국민국가가 수립된 이후 '민족' 은 금방 동원 이데올로기의 핵심 개념으로 변질됩니다. 그것은 무엇보다도 민족이라는 개념이 갖고 있는 집단적 구속성 때문입니다. 특히 식민지의 저항민족주의의 경우에는 유기체적 사회이론에 기대고 있는데, 예컨대 단군 할아버지 이래 조선 민족은 하나이며 떼려야 뗄 수 없는 유기체라는 논리가 그것입니다. 민족은 전일적 하나라는 유기체적 민족관은 항상 민족이라는 큰 자기, 대아(大我)를 위해서 '나' 라는 소아(小我)를 희생해야 한다는 논리를 함축합니다. 그런데 유기체적 민족담론이 규정한 '소아' 의 내용을 살펴보면, 그것은 대개 인간의 기본적인 권리에 대한 요구들, 민주주의에 대한 요구들, 또는 생존권에 대한 요구들입니다. 조국과 민족의 무궁한 발전이라는 대아를 위해서 개인, 즉 소아의 작은 욕망들은 종속되거나 유보될 수 있으며, 혹은 무시해도 괜찮다는 논리는 바로 이러한 인간적 삶에 대한 요구들을 부정하는 것을 정당화합니다. 이것은 바로 억압받은 자의 집단적 연대로서의 민족 개념이 결국은 국가의 동원논리, 혹은 국가권력에 의한 착취의 논리로 변질되는 지점이라고 생각합니다.

그런데 사실 이 식민지 시기의 억압받는 자의 연대라는 긍정성과, 독자적인 국민국가가 수립된 이후의 동원논리라는 부정성은 서로 다른 두 개의 국면이 아니라 처음부터 서로 얽혀 있었다는 것이죠. 그것은 민족 개념이 갖는 집단적 구속성 때문에 특히 그렇다고 보이는데, 예컨대 어제도 잠깐 얘기가 나왔습니다만 식민지 시기 내셔널리스트 페미니스트들의 우생학적 산아 제한 논리는, 사랑하는 남자의 아이를 낳고 싶은 평범한 여성들의 소박한 욕망을 민족의 발전이라는 역사적(?) 요구 속에 이미 종속시켜버리는 것이죠. 젠더의 문제에서 본다면 그렇습니다.

하나만 더 예를 든다면 최근 정신대 문제에 대한 한국 사회의 논의 구조에서도 그것은 잘 나타납니다. 정신대에 끌려갔던 김 아무개 아무개, 혹은 손 아무개라는 할머니 개개인의 아픔이 어느새 어떤 민족적인 것으로 전유된다는 거죠. 그래서 그것은 조선 민족에 일본 제국주의가 가한 민족적 억압의 전형으로 표상되고, 그 과정에서 할머니들이 겪어야만 했던 개인적인 상처와 아픔은 순식간에 지워지는 거죠. 그러니까 정신대 문제 같은 과거사를 기억하는 데서도 개인의 고통과 아픔, 개인의 기억 대신에 국가의 기억, 민족의 기억, 민족의 아픔, 민족의 고통이 전면에 나서는 것이죠. 문제는 뭐냐 하면 누가 그 국가와 민족 담론의 헤게모니를 가지고 있느냐는 것입니다. 남성이라는 것이죠. 젠더의 관점에서 본다면, 그것은 다시 여성에 대한 남성의 억압 구조를 재확인하는 방식으로 할머니들의 기억을 국민국가가 전유하는 과정이라고 볼 수 있습니다.

사카이 중요한 지적을 해주셨습니다. 여기서 문제가 되는 건 개인과 전체라는 것입니다. 그러니까 개개인의 경험이라는 게 어느새 전체, 여기서는 민족인데요, 바로 그 민족의 경험으로 바뀌는 겁니다. 그런데 그게 사실은 다문화주의와 공통적인 구조를 갖고 있는 것 같습니다. 방금 말씀하셨듯이, 어떤 민족의 경험으로서 이루어져온 것이 실상은 극소수의 경험이라고 한다면, 극소수의 사람들과 그밖의 사람들 사이에는 괴리가 존재하게 됩니다. 이를테면 위안부들의 경험은 당사자에게는 확실한 경험이지만, 같은 국민이어도 나머지 사람들에게는 완전히 다른 경험일 것입니다. 그렇다면 한 사회 속에도, 물론 여기서 사회란 국민국가입니다만, 괴리가 얼마든지 있는 것입니다. 이른바 다문화주의라는 것은 이러한 경험의 괴리, 즉 다양한 형태의 경험 간에 생기는 틈을 하나의 국민이라는 방식으로 통합할 수 없게 되었을 때 국가가 불가피하게 택하게 되는 방책으로 보입니다.

국민국가 내에 많은 사회적 항쟁의 단층(斷層)들이 드러났을 때, 그리하여 '우리는 같은 국민이니까 같은 운명을 공유한다' 는 식의 간단한 공감의 수사학으로는 도저히 처리할 수 없게 되었을 때, 이러한 사태가 발발하는 것이겠지요. 이 괴리라는 것을 캐나다나 미국의 경우에 적용해보면, 원주민들과 이민자들의 경험은 판이하고, 또 인종적인 차별을 끊임없이 당하고 있는 사람들과 인종적으로 완전히 백인이 되어버린 사람들의 역사적 경험은 너무나도 다릅니다. 호주의 경우에도 원주민과 그 이외의 사람들 간의 괴리가 매우 심해서 과거를 말하는 방식도 전혀 다릅니다. 모두 국민적인 공감이라는 동일한 형태 속으로 쑤셔넣을 수 없을 만큼 크게 벌어져 있습니다. 또 일본의 경우 원폭 피해자들 문제도 마찬가지입니다. 가령 한반도에서 강제로 연행되어왔다가 피해를 당한 피폭자들과 내지인으로서 피폭당한 사람들 문제인데요, 어떻게 이들을 같은 일본인이라는 방식으로 취급할 수 있겠습니까? 바로 그런 이유로 다문화주의라는 방법으로 문제를 파악하려고 하는 것입니다. 그런 면에서 그 어떤 사회라도 기왕에 존재하던 괴리가 가시화되면 다문화주의로 되지 않을 수 없다고 생각합니다.

그런데 그 다문화주의라는 것이 언제나 이중 구조를 갖고 있거든요. 한편으로는 한 사회 내에 존재하는 사회집단들 간의 이질성을 인정하는데요, 그렇지 않으면 일상적인 일들을 처리할 수 없기 때문이지요. 그런데 다른 한편으로 각각의 사회집단은 전체로의 통합을 예상한 전제 위에서 파악되는 단위입니다. 그렇기 때문에 아까 나왔던 소아와 대아의 논의를 다시 거론하지 않을 수 없습니다. 개체와 전체라는 두 가지 수준에 민족이라는 중간항을 넣어 소아와 중아(中我), 중아와 대아라는 식으로 만들어가는 것이 바로 다문화주의입니다. 소아와 대아의 민족적 논의가 이중 구조인 한, 민족주의와 보편주의적인 국민주의는 잘 분석해보면 동일한 이중 구조로 이해할 수밖에 없지 않을까요?

다문화주의의 이중 구조

임지현 예. '다문화주의'의 문제로 되돌아가면, 우선 미국의 경우 서로 이질적인 사람들이 모여 하나가 되었다는 '용광로(melting pot)' 이론이 더 이상 현실 정합성을 갖지 못한데서 나온 대안이 아닌가 생각합니다. '여럿으로 구성된 하나(E Pluribus unum)'라는 미국 정부의 문장(紋章)을 살리기 위해서라도 이질성을 인정하지 않을 수가 없는 거죠. 그래서 '하나' 대신에 '여럿'이 다시 강조되기 시작한 거죠. 그것은 특히 미국처럼 다민족사회가 갖는 '국민 통합' 의 한계가 노정된 결과라고도 볼 수 있는데, 그러나 또 한편에서는 그 한계가 노정되었기 때문에 국민 통합을 향한 새로운 전략으로서 다문화주의가 나타난 측면도 있다는 것입니다. 이처럼 여러 민족을 하나의 국민으로 만든다면 그 '여럿' 은 대등하다는 전제가 성립되어야 하는데, '다문화주의' 의 문화들이 정말 대등한가라는 의문이 든단 말이죠. 즉 다문화주의 내부에서 다양한 문화들 간의 위계 질서는 없는가 하는 점입니다. 아마도 미국의 경우에는 WASP를 정점으로 하는 위계 구도가 있겠지요. 영국의 경우 역시 앵글로색슨을 축으로 하는 질서가 있을 것 같고…….

'다문화주의' 의 정책에 기초하여 이민자 그룹 혹은 마이너리티의 고유한 문화가 만들어지는데, 그것이 과연 마이너리티의 밑으로부터 자생적으로 생겨난 것인가, 혹시 문화적 위계 질서의 정점에 있는 상위 집단이 마이너리티의 문화를 오리엔탈리즘의 시각에서 정의내리는 것은 아닌가 하는 그런 의문을 던질 필요가 있겠지요. 제 딸들이 어렸을 때 영국에서 초등학교를 다닌 적이 있는데, 한국계 학생이 여럿 있으니까 학교에서 마이너리트 문화 이해의 행사의 하나로 '한국의 날' 이라는 행사를 개최했습니다. 우리 애들은 한복도 없는데 그 날만은 학교에 한복을 입고 가야 됐단 말이죠. 그리고 보통 때는 집에서도 잘 안 먹는 '민속음식' 으로서의 한국 음식을 해가야 되고……. 오히려 집에서 늘 먹는 김치 같은 것은 교실에 냄새가 밴다고 평상시에는 싸가지도 못하고 그러는데. 어쨌든 갑자기 서울에 계신 저희 어머니께 부탁해서 한복을 서울에서 공수하고, 애들을 한국적으로 보이게 하느라 집사람이 애를 먹었던 모양인데, 그것은 다문화주의의 문화라는 게 마이너리티의 일상생활과 결부되어 있는 문화라기보다는 역시 위에서 만들어진 문화라는 생각이 강하게 들었습니다.

사카이 적절하면서도 아주 통렬한 예를 들어주셨네요. 앞장에서 논의했듯이, 우선 문제가 되는 것은 인종적인 위계에 의거하여 살아가는 사람들이 오리엔탈리즘이나 이국취미적인 시각을 통해 마이너리티의 표상을 선택하여 그 정형화된 표상을 마이너리티에게 강요한다는 겁니다. 확실히 그런 경향이 존재하는 것 같습니다. 하지만 세계의 대부분에서는 그보다 더 상황이 진전된 것으로 보입니다. 다시 말해 그런 식으로 오리엔탈리즘에 의해 선택된 표상을 이제는 마이너리티측이 기꺼이 받아들이는, 혹은 차라리 마이너리티측이 그것을 장려하는 경향까지 나타난 겁니다.

마이너리티는 인종적 위계에 의거하여 살아가는 사람들에 의해 무시당하기 때문에 괴로워하는 사람들 아닙니까? 그런 마이너리티가 자신들이 그런 식으로 인지될 수 있다는 점 때문에 오히려 그런 구조를 기꺼이 받아들이는 경우가 종종 있습니다. 그 결과 대단히 우스꽝스러운 예입니다만, 일본에서는 《겐지 이야기》를 한 페이지도 읽은 적이 없는 사람이 어쩌다 외국에서 파티에 초대받아 가면 거기서 《겐지 이야기》에 대해 떠들게 되는 겁니다. 그리고 거기서 자신이 《겐지 이야기》를 대표할 수 있는 것처럼 일본문화의 대표자가 되는 겁니다. 일본인론이나 일본 문화론 운운하는 논의는 대개 그러한 인종적인 열등의식에 몸부림치는 일본인에 의해 오리엔탈리즘의 스테레오 타입이 내면화된 것입니다. 그런 식으로 일본적인 것의 존재 방식이나 마이너리티의 존재 방식이 광범위하게 조직되어온 것이 저간의 사정입니다. 그러니까 현재는 위로부터 오리엔탈리즘을 강요하는 것이 아니라 거꾸로 마이너리티가 스스로를 오리엔탈리즘화하는 경향이 강렬하게 작동하고 있는 것이죠.

임지현 전적으로 찬성입니다. 그러나 소수자들이 스스로 선택할 여지는 매우 좁은 것 같습니다. 자신들의 정체성을 표상하는 것을 스스로 선택했다고 해도, 오히려 서양인들에게 일본적인 것을 보여주기 위해서 그들의 호기심에 잘 어필될 수 있는 것을 끄집어냈을 수도 있고, 또 서양 친구들이 이것은 일본적인 것이다고 규정내린 것을 이거야말로 일본적인 것이다고 스스로 착각을 한 측면도 있겠지요. 예컨대 일본과 한국의 관계, 혹은 한국과 서양의 관계에서 한국의 고유한 문화적 특징으로 많은 사람들이 조선의 '한'을 얘기한단 말이에요. '한'이 많은 민족이니 '한'의 정서니 하는 말을 어려서부터 귀에 못이 박히게 들었습니다. 아리랑과 같은 민요에서부터 현대적으로 재해석된 판소리 영화에 이르기까지 한의 정서가 흐른다고들 이야기하는데, 가만히 살펴보면 조선의 한, 미학으로 승화된 조선의 한에 대한 이야기는 사실 야나기 무네요시라고 하는, 조선 미술사를 처음으로 체계화한 일본인 연구자에 의해서 처음 만들어진 것입니다.

물론 야나기 무네요시는 조선에 대해서 동정적 애정(sympathy)을 가지고 있었습니다. 그런데 그것은 굉장히 위험할 수가 있어요. 심퍼시라는 것은 상대방과 동등한 입장에서 자신의 감정을 이입하는 엠퍼시(empathy)와는 달리, 항상 우월한 위치에 있는 사람이 열등한 위치에 있는 아래 사람을 보는 동정적 시각에 불과한 것이지요. 야나기 무네요시를 가리켜 흔히 진짜 조선을 사랑하고 아낀 일본인, 조선의 아름다움을 발견한 사람이라고 이야기하지만, 조선의 미에 대한 야나기 무네요시의 시선을 그리 단순하게 평가할 수 있는 건 아닙니다. 예컨대 그는 항상 조선 백자의 아름다움을 여성의 부드러움으로 상징화합니다. 제국을 남성으로 보고 식민지를 여성화하는 전형적인 제국주의적 시선에서 그도 자유롭지 못했던 것이지요. 그런 그가 조선의 아름다움은 역시 한의 미학이다 하니까, 이걸 마치 한국의 전통미학인 것처럼 얘기하고, 누구든지 외국인과 만나면 아, 한을 어떻게 번역해야 하나 고민하면서 조선의 미학은 한이다는 이야기를 하게 되는 것입니다.

사카이 전적으로 동감입니다. 현재 세계에서 민족 문화라고 하는 것들 대부분이 오리엔탈리즘화의 결과입니다. 나아가 마이너리티측이나 비서양측이 서양이 강요하는 이미지에 따라 자신을 만들어 내고는 그것을 민족 전통이라는 식으로 세계 속에 주장하고 있는 것입니다. 물론 그중에는 유교적인 것이라든지 다양한 종교적 전통 등에 뿌리박고 있는 경우도 있기 때문에 싸잡아서 말하기는 곤란합니다만, 그런 경향이 대단히 강하다는 것만은 분명합니다. 다만 이런 식으로 표상할 때 무엇이 은폐되어버렸는가 하는 문제는 간과하지 말아야 합니다. 표상에 의해 뭔가가 은폐되어버렸다는 것은, 민족 문화의 계보학, 니체가 말한 의미의 계보학[39]입니다만, 그런 계보학적 관점에서 보면 민족 문화의 표상이 산출되기 전에 역시 치열한 투쟁이 전개되었다는 사실이 드러납니다. 그 투쟁에서 패배했기 때문에 마이너리티의 위치로 전락해버린 것이죠. 그렇게 치열했던 투쟁이 어느새 서로 무난하게, 혹은 서로 제멋대로 감상적으로 공감할 수 있는 형태의 표상으로 변해버립니다. 그 기원에 무엇이 존재했는가? 민족 문화를 비판함과 동시에 기원이 되었던 투쟁이나 대립, 갈등은 어떤 형태였느냐를 역사적으로 생각해보는 것이 중요하다고 봅니다.

임지현 우리가 자명한 것으로 전제하는 스테레오 타입화된 표상은 내셔널 히스토리라는 이름 아래 우리의 의식 속에 주입된 것입니다. 반면 그 표상의 심층에서 꿈틀대고 있는 갈등과 투쟁은 개개인의 기억 속에 남아 있다는 것이죠. 저 자신은 정작 역사학과에 적을 두고 역사를 가르치면서 역사를 공부하면서 밥 먹고 살지만, 오히려 역사가 지워버린 기억들을 끄집어내서 내셔널 히스토리에 도전하고 해체하는 것이 역사가로서의 제 임무라고 생각하고 있습니다. 역사라는 것이 결국은 사람들이 갖고 있는 과거에 대한 다양한 기억들을 어떤 하나의—아스만(Jan Assmann)의 표현을 빌린다면—문화적 기억으로 만드는 것이죠. 문화적 기억이라는 것은 결국 지금 여기에서 다양한 집단들과 국가권력의 이해들이 맞부딪치면서 만들어지는 과거에 대한 현재적 기억입니다. 특히 내셔널 히스토리는 국가권력이 주도하여 만들어낸 기억입니다. 그것이 국

(39) **계보학**
이전의 역사 연구 방법은 발전의 연속성과 패턴을 발견하려고 하는 데 반해, 계보학은 단절, 불연속, 표층에 관여하고 "어떠한 단조로운 합목적성(finality)에서도 벗어난 단독적 사건들을 기록"하려고 시도합니다. 계보학은 니체가 처음 시작했고 후에 미셸 푸코가 니체의 반체계적 방법과 전제 들을 많이 채택하였습니다. 푸코는 철학과 역사에서 발굴하려 하는 '심층의 의미'란 모든 사상과 존재의 절대적 기반으로가 아니라 담론에 의한 발명품으로 존재하는 구축물에 지나지 않음을 입증하려 합니다. 계보학자의 목표는 "사물은 어떠한 본질도 갖고 있지 않다"는 것, "사물의 본질은 이질적인 형식들로부터 조각조각 끌어모으는 방식으로 날조된다"는 것을 입증하는 것입니다. 따라서 계보학은 종결(closure), 합목적성, 해석의 종료를 기피하고, 오히려 담론적 사건의 표층을 검사하는 데에 주로 관여하고, 역사가 객관성을 가장하고 있을 때조차 해석을 통해 역사의 방향을 정하려는 시도가 무수히 많았음을 기록하고 있습니다.

민국가의 다양한 헤게모니 장치들을 통해 사람들의 신체에 각인되고, 그 결과 사람들은 자신이 가지고 있던 기억들을 지워버리고 국가에서 이야기하는 공식적인 기억만이 과거에 일어났던 일이라고 착각을 하게 되는 것이죠.

일본국 총리대신의 신사 참배 문제도 같은 맥락에서 이해할 수 있습니다. 죽은 자를 위로하는 것이 문제가 아니라, 지금 일본 사회에서 국가권력의 헤게모니가 개입된 집단적 기억을 만들어내는 중요한 기제라는 것이 문제겠지요. 한국 같으면 국립묘지, 현충사 등이 이에 해당합니다. 박정희 대통령은 현충사를 스물몇 번을 방문했다고 해요. 현판 글씨도 쓰고……. 이것들이 다 사실은 개개인이 가진 사적인 기억을 국가적 기억으로 만드는 중요한 기제들입니다.

집단적 기억의 문제는 다시 마이너리티의 문제와도 연관됩니다. 그들은 제국이나 고향에서 만들어지는 집단적 기억과는 또 다른 기억을 만드는 주체이니까요. 이 과정에서 한 가지 흥미로운 것은 제국에 사는 마이너리티들이 과거의 자기 고향인 구식민지에 대해서 가지는 일종의 변종 오리엔탈리즘입니다. 예컨대 몇 년 전 미국 사회당의 초청을 받아서 시카고에서 강연을 한 적이 있는데, 마이너리티들의 연대를 모색하는 커뮤니티 센터 운영자의 말로는 유독 한국 사람들만이 협조를 잘 안 한다는 겁니다. 그 친구가 소개를 해서 거기서 활동하는 한국인 활동가들을 만나보니까, 이 사람들이 시카고라는 다민족적 공간에서 자기들이 어떻게 살고 어떻게 싸워야 할 것인가를 고민하기보다는 조국의 통일이나 남한의 민주화에 모든 관심이 쏠려 있다는 느낌을 받았습니다. 그나마 이들의 한반도에 대해 갖고 있는 인식도 그 동안의 변화가 반영되지 않은 극히 정체된 것이었습니다. 현재 자기의 삶이 뿌리내리고 있는 그 사회의 현안보다 조국 통일이나 남한의 민주화에 과도하게 관심이 집중되어 있다는 것은, 이들의 인식이 뭔가 좀 일그러져 있다는 것을 보여주는 건 아닌가 하는 생각이 들었습니다. 그리고 그 바탕에는 미국이라는 이른바 '선진사회'에 살면서 후진적인 조국을 걱정하는 그러한 시각이 사실은 배어 있었다는 겁니다. 매우 예민한 문제인데……. 제국에 사는 마이너리티들이 매우 민족적이면서 또 동시에 자기 민족에 대해서 오리엔탈리즘을 재생산하는 그런 멘털리티를 갖고 있다고 생각합니다.

제국에 사는 마이너리티들의 기억

사카이 베네딕트 앤더슨이 원격지 내셔널리즘(long distance nationalism)이라는 개념을 얘기한 적이 있는데요(앤더슨은 이보다 더 새롭게 전개되는 양상을 구상했다고 여겨집니다만), 고향이나 조국에서 떨어져 살고 있는 까닭에 오히려 더 강한 내셔널리즘을 갖게 된다는 겁니다. 그러니까 지금과 같이 지구화가 가속화되어가는 과정에서 다양한 기술에 힘입어 그 동안의 거리가 줄어들게 되구요, 그런 의미에서 현재의 한국과 미국 간에는 차이가 없어지게 되는 겁니다. 그럴 때에 조국의 문화의식이나 전통 운운하는 사고방식이—희미해지는 게 아니라 오히려—비대해지면서 사람들은 강렬한 노스탤지어 속에서 삶을 영위하게 됩니다. 이럴 때 방금 말씀하신 원격지 내셔널리즘은 커다란 현실적 의미를 띠게 됩니다. 예를 들어 한국계 미국인들이 자신이 지금 살고 있는 곳에서 다양한 형태로 존재하는 차별이나 투쟁을 얼마나 잘 파악하고 있느냐 하는 문제를 원격지 내셔널리즘이라는 차원에서 조명해볼 수 있다

는 얘기입니다. 아마도 그런 방식으로 조국을 생각하다 보면 오히려 구체적인 삶 속에서 부딪치게 되는 갈등이나 문제를 포착하지 못할 가능성이 높습니다. 그런 점에서 원격지 내셔널리즘은 그런 갈등이나 문제들을 보지 않게 해주는 하나의 장치가 되어버린 게 아닌가 싶습니다. 전형적인 예를 하나 들어보겠습니다. 한국에서 미국으로 이민을 간 사람 중에는 한국전쟁을 경험한 분들이 많습니다. 특히 전쟁을 직접 경험한 사람들은 저희 두 사람보다 약간 나이가 많을 텐데요, 그들에게 한국전쟁은 대단히 가혹한 경험이었을 겁니다. 하지만 그들의 그런 경험과, 미국의 내셔널 히스토리 속에서 기억되고 있는 한국전쟁의 이미지 사이에는 엄청난 괴리가 있습니다. 그 괴리가 앞서 얘기한 원격지 내셔널리즘이 어떤 의미에서는 기묘하게도 그 기억만은 회피하게 되는 그런 사정이 있는 것 같습니다.

그래서 그런 개개인의 기억 속에 남아 있는 과거와, 내셔널 히스토리 속에서 중성화되고 살균된, 요컨대 그런 식으로 만들어진 기억을 변별하는 게 관건인데, 여기서 제가 유용하다고 생각한 방식을 한 가지 말씀드릴까 합니다. 그것은 그런 식으로 만들어지는 한국의 내셔널 히스토리와 미국 혹은 일본의 내셔널 히스토리를 나란히 비교해보는 방식입니다. 그렇게 서로 다른 내셔널 히스토리를 같은 평면에서 비교해보면 그 두 내셔널리즘은 당연히 커다란 모순을 일으킵니다. 두 내셔널리즘이 완전히 다른 이야기를 하고 있기 때문에, 거기서 우리는 각각의 국가에서 무엇이 사라져갔느냐를 분명히 발견할 수 있을 겁니다. 바로 그런 점에서 일본의 역사 교과서와 한국의 역사 교과서를 나란히 놓고 검토하는 작업은, 단지 한국과 일본이 각자 올바른 역사를 찾아내는 것만이 아니라, 그 두 내셔널 히스토리 속에서 무엇이 사라져갔느냐를 발견하기 위해 대단히 중요하다고 생각합니다.

임지현 아주 적확하게 지적해주신 것 같습니다. 그런데 사실 지금까지 일본의 새로운 역사 교과서 파동에 대해서 이른바 일본의 양심적인 역사학자들이나 한국의 역사학자들의 반응은 단순히 '사실 왜곡'의 차원이 아니었나 생각합니다. 심지어 한국의 역사학계에서는 얼마나 어처구니없는 이야기를 하는가 하면, 한국 정부를 통해서 일본 정부에 압력을 넣어 틀린 부분을 고치자는 겁니다. 그야말로 어처구니없는 국가적인 발상이지요. 결국 문제의 근원을 보지 못한 것이죠. 내셔널 히스토리 교과서라는 것이 갖고 있는 현재적/역사적 의미에 대한 명확한 인식이 없으니까, 일본의 국가권력에 압력을 넣어서 문제의 교과서를 고친다는 발상이야말로, 새로운 역사 교과서를 만든 사람들의 발상과 동일하다는 것을 인식하지 못하는 것이지요. 아주 상징적인 예인데, 일본의 새로운 역사 교과서를 적극적으로 지지해온 일본의 보수언론인 산케이 신문이 최근 사설에서 한국의 국정 교과서를 그들이 따라야 할 모델로 아주 높이 평가했다는 이야기를 일본의 친구한테 들었습니다.(웃음) 그러니까 이 역설이야말로 사실은 일본의 새로운 역사 교과서 문제를 둘러싼 한일 양국의 지식사회가 반응하는 모습을 아주 요약적으로 보여준 것이 아닌가 생각합니다.

제국에 사는 마이너리티의 치열한 문제 의식이 가장 빛을 발할 수 있는 지점도 여기라고 봅니다. 한국의 국정 역사 교과서와 일본의 새역사 교과서에 대해서 동시에 가장 날카로운 비판 의식을 가질 수 있는 존재 조건에 놓여 있는 거의 유일한 집단이 이른바 자이니치(재일) 지식인들, 자이니치 역사가들이 아닐까 생각합니다. 왜냐하면 그들은 일본의 내셔널리즘에 의해 배제당하고 남한이나 북한의 내셔널리즘에 의해 동원의 대상으로 도구화되는 방식으로 사실상 같이 당해왔단 말이죠. 그런데 이들 중 일부는 재일교포들을 끊임없이 배제하고 억압해왔던 일본의 내셔널리즘에 저항하는 길이 한국의 내셔널리즘이라고 생각하고 있습니다. 그러나 실상은 남한이나 북한이나 자기 권력의 민족적 정통성을 수식하는 도구로서 재일교포들의 애국심을 이용하고 동원했을 뿐입니다. 일본 사회에서 인간으로서의 동등한 권리, 그 사회 성원으로서, 또 시민으

로서 권리를 찾으려는 재일교포들의 투쟁을 지원하기보다는, 서로 민족적 정통성을 두고 싸우는 남과 북의 국가권력이 그 싸움을 일본의 재일교포 사회로 연장시켰을 뿐입니다. 또 재일교포들이 일본 내셔널리즘의 억압에 대해 저항하는 유일한 길이 남이든 북이든 한반도의 내셔널리즘이라고 생각하는 한, 이들은 남·북한 내셔널리즘의 동원대상에서 벗어나기 어렵습니다. 일본의 내셔널리즘뿐만 아니라 남·북한의 내셔널리즘이 갖는 억압의 이중 구도에 대한 자각이 전제된다면, 이들이야말로 내셔널 히스토리에 잠재된 배제와 차별 그리고 억압의 논리를 해체하고 새로운 역사상을 구축할 수 있는 중요한 집단적 주체라고 생각합니다. 이미 3세대 재일 지식인들 중에는 그처럼 새로운 전망을 보여주는 분들이 꽤 활동하고 있습니다만…….

일본의 내셔널리즘과 한반도의 내셔널리즘이 갖는 억압의 이중 구도에 대한 아주 상징적인 예를 하나 들어보겠습니다. 2002년 2월 도쿄에서 30대 초반 정도의 재일교포 여성에게 들은 이야기입니다. 그 여성은 조총련계의 조선학교를 다녔는데, 학교에서 일본어를 쓰면 벌점을 받았다고 합니다. 하루에 몇 번 이상 일본어를 사용하다 발각되면, 방과 후에 남아서 청소를 하고 벌을 받았다는 거죠. 그들은 대개 일본에서 나고 자랐고 또 일본에서 초등학교를 다녔기 때문에 일본어가 모국어인 셈이니, 조선어만 쓴다는 것이 결코 쉬운 일은 아니었을 겁니다. 그런데 그 사람이 나중에 일제 시대사를 공부하다 보니까, 총력전체제 당시 강제적 동화정책이 실시되면서 식민지 조선의 학교에서 일본어를 쓰지 않고 조선어를 쓰면 벌받았다는 사실에 충격을 받았다는 겁니다. 결국은 제국이 써먹던 논리를 일본에 있는 조선인 학교에서 그대로 써먹었다는 거죠.

마이너리티들의 역사적 조건

사카이 하지만, 하나 잊지 말아야 할 것은 각국의 마이너리티라는 사람들은 어떤 의미에서는 깊이, 그리고 끊임없이 상처받고 있다는 점입니다. 마이너리티라고 규정을 받는 것 자체가 이미 그러한 역사적 조건을 어느 정도 표현하고 있겠지요. 그럴 때 역사라는 것에는 아까 말씀드린 대로 기억을 보존하고 현재를 정당화하는 방향은 물론 존재합니다만, 역사의 또 한 측면인 임파워먼트(empowerment), 그러니까 사람들에게 힘을 주는 방향이 있다는 것을 강조하고 싶습니다. 국민사(national history)라는 형식이 이렇게 강한 위력을 가진 것은 사람들에게 힘을 주고 단결시키는 능력이 있기 때문입니다.

임 선생께서도 말씀하셨듯이, 국민사는 그런 식으로 단결한 사람들이 폭력성을 띠는 지점까지 치닫게 됩니다. 그렇게 임파워먼트해주는 부분에서 각각이, 예컨대 조선사나 한국사가 재일 조선인들에게 대단히 강한 추동력으로 작용할 수 있습니다. 물론 그것을 받아들이는 것이 무조건 좋은 일만은 아니겠습니다만, 그들이 그렇게 하지 않고 살아갈 수 있는 다양한 수단이나 방법을 생각할 필요가 있지 않을까 싶습니다. 임파워먼트 방식은 그렇게 상처받고 불우한 입장에서 살아가는 사람들에게 힘을 주는 기능과 함께, 국민사가 그러하듯이 현상을 유지하기 위한 일종의 속임수 역할도 합니다. 그러한 두 방향을 적절히 해석하여 그 구조를 남김없이 분석해야 합니다. 그렇지 않으면 역으로 마이너리티의 처지에 놓인 사람들에게는 임파워먼트 수단마저 없어져버리는 것으로 귀결될 수도 있기 때문입니다. 제가 이렇게 임 선생과 이런 기획 아래 토론하는 것이 그런 방식의 구조에 대한 해석에 다소나마 기여할 수 있지 않을까—물론 희망사항입니다만—생각합니다. 임파워먼트의 구조와 관련하여 또 한 가지 말씀드리고 싶은 게 있는데요, 그러한 국민사에 왜 니체의 계보학이 중요한지 하는 것입니다. 니체가 원한(resentment)이라는 단어를 사용해서 표현한 하나의 구조, 즉 대단히 고통스러운 현실 속에서 마치 그와는 다른 현실을 별도로 상정함으로써 거기서 자기 구원을 받는 듯한 믿음을 만들어내는 장치가 국민사에도 존재합니다. 바로 이 점과 관련해서도 그 구조는 철저히 해석될 필요가 있다고 생각합니다.

임지현 예, 기본적으로는 동감입니다. 재일교포 지식인들에게 한국의 내셔널 히스토리가 임파워먼트의 기능을 한다는 것은 부정할 수 없겠습니다만, 이미 그것도 1세대, 2세대, 3세대 간에 차이가 있지 않을까 생각합니다. 실제로 재일교포 3세대 정도죠. 지금은 꽤 됐으니까. (통역: 4세대) 아, 그런가요, 정정하겠습니다. 재일교포 4세대 청소년을 위한 여름 캠프가 일본에서 열린다고 들었습니다. 거기에서 역사를 가르치는 사람이 저한테 해준 얘기입니다. 이미 이들에게는 단군 할아버지부터 시작되는 한국의 역사가 별반 감흥을 불러일으키지 못한다는 것입니다. 그것은 미국에서 태어나고 자라, 한국어도 잘 못하고 미국식 생활 방식과 사고 방식에 젖은 재미교포 3세대에게서도 마찬가지입니다. 한국의 내셔널 히스토리가 더 이상 그들에게 임파워먼트의 역할을 하지 못한다는 것이지요. 그래서 미국의 청소년 캠프에서 재미교포들의 이민의 역사를 가르치니까, 당장 관심이 고조되고 소수자에 대한 억압과 차별의 논리를 자연스레 알게 되고 그에 대한 문제 의식까지 생기더라는 것이, 그들을 가르친 교포 교수들의 이야기입니다. 그러니까 이들에게 임파워먼트의 기능을 하는 것이 이젠 더 이상 일본의 내셔널 히스토리, 미국의 내셔널 히스토리, 즉 미국의 주류-국가권력이나 일본의 주류-국가권력의 헤게모니가 개입된 내셔널 히스토리에 대한 반명제로서의 한국의 내셔널 히스토리가 아니라는 것입니다. 오히려 재일교포 이민의 역사, 재미교포 이민의 역사를 가르치면서 그들이 어떻게 고난을 받아왔고 미국 사회와 일본 사회에서 어떻게 비주류로 끊임없이 배제되고 억압되어왔으며 어떻게 투쟁해왔는가를 가르칠 때 오히려 거기에서부터 어떤 가능성이 있지 않을까 싶습니다. 그리고 바로 그러한 역사야말로 그들의 실제 생활의 기억에 뿌리박은 역사가 될 수 있고, 더 나아가서는 일본의 내셔널 히스토리뿐만 아니라 한국의 내셔널 히스토리가 가진 억압적인 측면들, 권력담론을 드러내는 좋은 계기로 작동하지 않을까 생각합니다. (통역: 여름 캠프를 한국에서 합니까?) 아뇨, 아뇨, 일본에서. (통역: 아, 일본에서요, 민단이 조직해서……) 예, 민단 쪽에서 조직해서.

사카이 일본에 강신자(姜信子)라는 사람이 있는데요, 아마 30대로 생각됩니다만, 대단히 뛰어난 재일한국인론/재일조선인론을 쓰신 분입니다. 그분의 책 중 《기향(棄鄕) 노트》라는 게 있는데요, 그 속에 지금 바로 임 선생께서 말씀하신 새로운 방식, 즉 재일조선인들이 일본의 내셔널 히스토리도 아니면서 한국의 내셔널 히스토리에도 회수(回收)되지 않는, 달리 말하면 한편으론 양쪽 모두에 대해 관련성을 가지면서도 다른 한편으론 양쪽 모두에 대해 비판적인 입장을 취할 수 있는, 그러한 자신들의 생활사, 자신들의 생활에 뿌리박은 역사적인 사고 방식을 어떻게 해서든지 끄집어내려고 하는 모색이 들어 있습니다.

임지현 우선 제목 자체가 상당히 흥미로운데요, 그들의 현재적 삶의 문제와 결부된 변화겠지요. 예컨대 재일교포 1세대를 보면 일본인과의 통혼에서 상당히 흥미로운 현상이 나타납니다. 우선 일본인과 결혼하는 비율이 굉장히 낮습니다. 통혼 자체가 굉장히 적지요. 우선 거기에는 조선인에 대한 일본인의 편견이 큰 작용을 했을 거고, 조선인들끼리 결혼해야 된다는, 민족적 정체성을 지키겠다는 그런 무의식도 있었겠지요. 그나마 일본인과 통혼이 이루어진 몇 안 되는 경우를 보더라도, 조선인 남성과 일본인 여성의 결혼 비율이 일본인 남성과 조선인 여성의 결혼 비율보다 훨씬 높습니다. 거의 열 배에 가까운 수치를 보여주는데요. 일본인 남성과 조선인 여성의 결혼 비율이 그렇게 미미하다는 얘기는, 말하자면 내 딸은 절대 일본놈한테 안 준다는 의식이 밑바닥에 깔려 있다는 거죠. 그러니까 조선인 남자가 일본인 여자를 데려오는 건 괜찮은데 우리 조선의 딸이 일본 남자한테 시집가서는 절대로 안 된다는 완강한, 뭐랄까 아버지가 딸에 대해서 행사하는, 혹은 오빠가 여동생에 대해서 행사하는, 가정 내에서 섹시즘과 민족담론이 결합되어 있는 전형적인 예라고 보입니다. 그런데 지금 3세대, 4세대 조선인 여성이 일본인 남성과 사랑에 빠졌을 때 그 같은 논리가 더 이상 통하겠느냐는 것이죠. 역으로 일본 남성의 집안에서 반대한다고 해도 상황은 마찬가지겠습니다만. 내셔널 히스토리, 혹은 그것과 연결된 애향 노트가 이젠 더 이상 사랑을 통제할 수 없는 것 아닐까요? 그러니까 기향 노트에는 단순히 한국을 버린다는 의미만이 아니라 일본도 버린다는 이중적 의미가 있는 것 아닐까요? 자신이 태어나고 자란 일본 사회의 배제와 억압의 논리에 대해서 싸우고, 또 동시에 자기 부모의 고향인 한국의 내셔널리즘이 그들 삶에 침투해서 민족의 경계 아래 종속시키려는 그런 부분에 대해서 동시에 싸워나가겠다는 의지의 표현이 아닐까요? 3세대, 4세대 재일교포들이 자신들의 삶에 힘을 싣는 것은 오히려 이러한 사고 방식이고, 그때 비로소 그들은 한국이나 일본이라는 국민국가에 갇혀 있던 그러한 틀에서 벗어나 근대를 넘어서는 새로운 전망을 제시할 수 있지 않을까 생각합니다.

식민지를 욕망한 제국의 시선

사카이 그러한 가능성은 여기저기서 나오고 있다고 생각합니다. 하지만 그런 상황에 더하여 생각하지 않으면 안 되는 것이 있습니다. 바로 국민국가의 형태 자체가 급속하게 변모하고 있다는 점입니다. 왜냐하면 국민국가의 기능이 다양한 지점에서 급속도로 변모해가고 있기 때문이지요. 지금까지 국민국가는 궁극적인 주권형태로 간주되어왔습니다만, 이제 그런 이해 방식은 더 이상 통용되지 않습니다. 국민국가의 주권은 분명히 퇴조해왔습니다. 기묘하게 들리시겠지만 바로 그런 사태로 인해 역으로 대단히 극단적인 내셔널리즘이, 즉 부시 정권의 극단적인 내셔널리즘이 보여주는 것처럼, 언뜻 보기에는 시대착오적인 그런 내셔널리즘이 급속도로—미국이나 일본뿐만 아니라—세계적인 규모에서 출현하고 있다는 생각이 듭니다. 다시 말하면 작금의 극단적인 내셔널리스트들은 케케묵은 내셔널리즘처럼 보이는 이야기를 구사하고 있지만, 그것은 기묘한 형태로—내셔널리즘을 가득 채우기보다는 오히려—공동화(空洞化)하고 있는 것입니다. 그리고 그렇게 공동화하고 있는 내셔널리즘의 언어들이 자꾸만 반복해서 사용되고 있는 현실에 주목해보면, 내셔널리즘이나 내셔널 히스토리라는 것의 기능 방식이 크게 변하고 있는 것은 아닐까 하는 생각이 듭니다. 긍정적인 국민사 구사 방식, 그러니까 근대적인 국민사를 만들어냄으로써 미래를 향해 국민을 차차 몰아가는 방식이 점점 더 쇠퇴하고 그 대신—꽤나 기묘한 일입니다만—사회와 세계가 다양하게 변화해가는 상황에서 그 변화해가는 모습을 보고 싶지 않은, 일종의 거부 반응 같은 방식으로 국민사가 분출하고 있는 것 같습니다. 국민사란 이제 반동성의 표현 이외에 어떤 것도 아닙니다.

이런 상황에 비춰볼 때 1950년대부터 1960년대까지 일본에서 국민사는 큰 역할을 했다고 할 수 있습니다. 그때의 국민사 속에는 일본의 근대에 대한 비판, 특히 전쟁 전의 일본에 대한 비판이 들어 있었으며, 그 비판을 바탕으로 전후 일본 사회 속에서 민주주의를 만들어가려는 의도가 대단히 강하게 함축되어 있었습니다. 물론 국민사는 일본 민족의 단결을 고취하고 전쟁이나 식민지 경험을 소거해버리는 효과도 동시에 가지고 있었습니다. 그런데 근자의 국민사는 동일한 틀을 사용하면서도 그런 식으로 미래를 지향하고 민주주의를 만들어내려는, 혹은 민주주의를 확고히 하려는 의도가 거의 없습니다. 국민사라는 틀을 바탕으로 민주주의를 이야기했던 대표적인 지식인으로 마루야마 마사오, 이에나가 사부로(家永三郎, 1913~ . 역사학자) 이시모다 쇼오(石母田正, 1912~86. 역사학자) 같은 유명한 역사학자가 있습니다만, 지금은 그들의 논의가 완전히 잘못된 방식이나 혹은 반동적인 방식으로 이용되고 있을 뿐입니다. 그런 방식의 논의 자체를 비판하지 않고 그냥 국민사 속에는 근대적인 민주주의를 만드는 데 필요한 요소가 있다, 그러므로 국민사를 지켜내야만 한다, 뭐 이런 식의 주장들을 하는데 이것은 실로 전도된 것이 아닐 수 없습니다.

임지현 바로 그 내셔널 히스토리, 혹은 국민국가적 틀 속에서의 민주주의 지향이라는 것이 비단 마루야마 마사오뿐만 아니라 일본의 맑시스트들에게도 내장되어 있었던 것은 아닐까요? 저 개인적으로는 새 역사 교과서를 만드는 모임에 맑시스트들이 대거 참여한 것을 두고 '전향'이라고 이야기하는 것이 타당한가라는 의문을 갖고 있습니다. 오히려 그것은 국민국가에 포섭된 인식론의 자연스런 귀결이 아닐까 합니다. 그러니까 예컨대 내셔널 데모크리트나 내셔널 맑시스트의 인식론적 틀에서는 일본이라는 국가가 위기에 빠졌을 때 강조점이 아무래도 내셔널에 두어질 수밖에 없고, 그런 점에서 '민족적 정체성'을 강조하는 역사 교육의 문제 제기에 동조하는 측면이 많다는 것입니다. 또 하나 흥미로운 것은 민족적 정체성에 대한 강조가 일국적 차원에 그치는 것이 아니라 원격지 내셔널리즘의 경우에 더 강렬하게 나타난다는 점입니다.

예를 하나 들어보겠습니다. 미국에 있는 한국계 재미교포 중에는 반공주의자들이 많습니다. 한국전쟁 때 이북에서 내려온 실향민들이 미국으로 이민 간 경우가 특히 그렇습니다. 이들이 나이가 들어 북의 고향을 찾아갑니다. 미국 국적을 갖고 있기 때문에 상대적으로 방문하기가 쉬운 거죠. 그런데 이 반공주의자들이 북한을 방문해서는 좀 과장하자면 친북 인사가 돼서 돌아오는 경우가 많다는 겁니다. 그 이유가 뭐냐 하면, 북한에 갔더니 여전히 과거 조선의 어머니상, 조선의 여성상이 그대로 살아 있다는 거예요. 여성들이 남성에게 공손하고 고분고분하고, 그리고 옛날에 우리 어머니들이 자식이라면 끔찍이 아끼고 했던, 뭐 그런 전통적인 조선의 여성상이 남아 있다는 것입니다. 그러니까 오리엔탈리즘적인 시각에서 구제국주의자들이 식민지를 여성성으로 상징했던 것처럼, 이들 또한 북한을 여성성으로 표상화하고 자신들이 발견한 전통적 여성상과 민족적 정체성을 일치시킵니다.

놀랍게도 이러한 시각은 남한의 이른바 통일민족주의자들, 진보적 민족주의자들의 북한 방문기에도 어김없이 나타납니다. 그들 역시 옛날의 포근한 어머니상이 그대로 남아 있는 북한에서 고향에 돌아온 듯한 느낌을 갖는다는 것이죠. 미국에 사는 재미교포들은 반공 실향민들이고 남한에서 북한을 방문한 사람들은 어떻게 보면 북한의 주체사상에 상당히 친화력을 가지고 있는 통일민족주의자들인데, 이들이 북한을 바라보는 시각이 놀라울 정도로 비슷하다는 것은 상당히 흥미로운 현상이라고 생각합니다. 그것은 다른 한편으로 남한의 우파 민족주의자들, 남한 사회의 주류 전체가 중국이나 소련에 사는 고려인 사회, 연변의 조선인 사회를 바라보는 시각하고도 상당히 유사합니다. 어떻게 보면 식민지를 욕망했던 제국의 시선, 바로 그 욕망의 시선이 연변의 조선인들이나 러시아의 고려인들을 바라보는 한반도 민족주의의 시선에 묻어 있다는 겁니다. 그러니까 이것만 봐도 민족적 정체성이라는 것이 얼마나 이질적인 요소들의 묶음인지를, 또 그 안에 내재하는 권력의 위계질서를 잘 보여주는지를 알 수 있습니다.

사카이 냉전이 거의 의미를 상실한 지금도, 특히 재미한국인 2세, 3세에게는 슬프게도 반공주의의 유제가 잔존하고 있습니다. 제1세대의 반공주의는 그 나름대로 납득할 만한 측면이 있었습니다. 하지만 그 이후의 세대에도—더욱이 반공만이 아니라 반유물론, 반사회주의 같은 방식으로, 심지어 어린 아이들 속에도—잔존하고 있다는 건 정말이지 심각한 문제가 아닐 수 없습니다. 그것이 미국의 정치 풍토하고도 잘 맞아떨어지기 때문에 사태는 더욱 악화되고 있는 것 같습니다. 그런데 냉전 이후에는 그런 유제로는 개인의 문제는 물론 가족의 문제도 대처할 수 없게 되는 상황이 자꾸만 생깁니다. 그러한 의미에서 2세, 3세 들이 참으로 괴로운 입장에 있다는 사실을—저 자신도 그런 학생들을 가르치고 있기 때문에—충분히 느낄 수 있습니다. 부모 세대의 뭔가가 아이들에게 남아 있는 것

입니다. 반유물론으로, 그러니까 종교적인 형태로 남아 있는데, 무신론적인 것은 절대 거부하는 식으로 그 구조가 남아 있죠.

또 한 가지는 제국 혹은 다민족국가 속에 놓여 있는 마이너리티가 직면하는 문제입니다(물론 이것은 다른 다민족국가에도 종종 있는 일입니다만). 그런 마이너리티들은 한두 번 경멸당한 게 아니기 때문에 그 과정에서 상승 지향의 회로를 끊임없이 추구하게 됩니다. 상승 지향으로부터 어떻게 하면 스스로 벗어날 수 있을까, 이것은 참으로 어려운 문제입니다. 위쪽으로, 위쪽으로 끊임없이 올라가다 보면 어느새 제국주의자의 시선으로 자신들의 부모나 조상의 나라를 보게 됩니다. 어떤 의미에서는 스스로가 그런 입장이 되고 싶어서 분투해온 것이겠지만, 좀더 큰 단위에서 이 문제를 살펴볼 필요가 있습니다. 방금도 지적하셨습니다만, 근대 일본은 그런 의미에서 세계의 위계 질서 속에서 상승하고자 하는 지향을 줄곧 실행해왔고, 그렇게 끊임없이 위쪽을 올려다보면서 언젠가는 오리엔탈리즘적인 시선으로 아시아나 그 주변을 바라보게 되기를 줄기차게 희망해왔습니다. 그것은 1980년대까지는 별탈없이 진행되어 왔습니다만 1990년대에 이르자 좀 어렵게 되었습니다. 아시아의 다른 나라와 비교해 일본이 특별히 진보적인 것도 아니고, 일본인이 아시아의 다른 나라 사람들에 비해 특별히 과학적 합리성이 뛰어난 것도 아닙니다. 지금까지는 전전(戰前)의 유제인 식민지체제로 인해, 일본인이 근대적인 감성을 갖추고 있으며 다른 아시아인들보다 근대성을 더 철저히 구현해왔다는 식으로 믿어왔습니다. 한마디로 말해서 제멋대로 믿어온 것이죠. 그러나 개인 대 개인으로 경쟁해보면 금방 알 수 있듯이, 학력으로 보나 창조성 면에서 보나 일본 사회의 상대적 지위는 점점 하락하고 있습니다. 요컨대 일본인이기 때문에, 혹은 서양인이기 때문에, 개인적으로 특별히 우수할 리는 없다는 사실이 점점 분명해지고 있습니다. 서유럽이나 북미 지역에서는 이런 자각이 이른바 백인 패닉(panic)을 야기했습니다만, 현재의 일본이 그와 유사한 위기감을 산출하고 있는 게 아닐까요?

근대 역사학이 2세기 동안 해온 작업을 해체하고 새로운 역사상을 구축하는 것은 실로 엄청난 작업입니다. 역사학의 실정은 이제야 겨우 문제를 제기하기 시작했고 뒤집어보기 시작한 정도입니다. 기존의 역사 서술이 잘못되어 있다는 것은 알겠는데, 문제를 제기하고 해체하는 것까지는 가능한데, 그것들을 재구축하는 데는 아직도 많은 업적의 축적과 시간이 필요하지 않을까요? 어설픈 대안을 찾기보다는, 지난 200년 동안 쌓아온 신화에 대한 집요한 비판이 필요하다는 생각입니다.

임지현

5장 오만과 편견—그 대항의 가능성은 무엇인가?

지금까지 생각해온 공동체 개념은 민족이나 국민, 문명, 지역공동체라는 형태로 빠져버리게 됩니다. 그와는 다른 방식으로 사람들의 공동성을 확보하는 방향을 찾아보고 싶습니다. 그래서 저는 번역이라는 사고 방식에 관심을 갖게 되었습니다. 번역은 서로 다르다는 것에서 출발하면서 바로 그 속에서 상대와 관계를 만들어가는 작업이죠. 따라서 번역의 사고 방식을 대폭적으로 변화시키면 민족, 언어, 종교 등 동일하다는 사실에 바탕을 둔 공동체나 국가 속에 포섭되지 않는 공동체를 사유할 수 있지 않을까요?

사카이 나오키

5장 〈세상의 관계들을 다시 읽어야 한다〉 〈전지구적 연대, 새로운 사유와 실천의 출발점〉은 2002년 5월 15일 연세대학교 상남기념관 세미나실에서 열린 임지현과 사카이 나오키의 마지막 대담을 재구성한 것입니다.

세상의 관계들을 다시 읽어야 한다

임지현 4장의 마지막 부분에서 아주 흥미로운 이야기를 해주신 것 같습니다. 한 국민국가 내에서 항상 주류에 서고 싶어하는 마이너리티의 욕망이 있는가 하면, 일국 내에서 주류를 향한 그 욕망이 국민국가와 국민국가의 관계에서는 주변부에 있는 국민국가가 중심의 제국적 국민국가를 닮고 싶어하는 욕망으로 재현되는 그러한 과정에 대한 날카로운 관찰을 보여주셨습니다. 그런데 마이너리티가 제국의 주류에 편입되고 싶어하는 욕망을 가지고 있는 것은 그들이 게토(ghetto)적인 환경 속에서 살아왔던 것과 밀접한 연관이 있습니다. 그러나 근대 국민국가의 틀이 서서히 무너지면서 마이너리티가 처해 있던 게토적 상황에 일정한 변화가 일어난 것이 아닌가, 그리고 바로 그러한 마이너리티 게토의 붕괴는 이들 마이너리티로 하여금 기존의 국민국가의 틀을 넘어선 전망, 즉 게토에서 유목민으로 시선의 변화를 가져온 것은 아닌지 묻고 싶습니다.

사카이 확실히 기존의 국민국가 속에 존재해온 민족적인 위계 질서나 계급적인 위계 질서는 커다란 변화를 겪어온 것 같습니다. 그에 따라 인종이라는 범주도 급속히 유동적인 것으로 바뀌고 있습니다. 그런 과정에서 한 가지 심각하게 드러난 문제가 있습니다. 얼마 전까지만 해도 다음과 같은 상식적인 전제가 있었는데(물론 역사적으로 검증된 것은 아닙니다만), 밖에서 흘러들어온 사람들, 예컨대 이민자나 외국인 노동자들은 언어도 그렇고 교육적인 측면에서도 그 나라 제도의 은혜를 입지 못했기 때문에 사회적으로 가장 낮은 층, 저변으로 편입된다고 생각해왔습니다. 물론 제가 그런 생각을 전적으로 인정한다는 것이 아니라 다만 그와 같은 전제가 있었다는 말씀을 드리는 겁니다.

그런데 최근에 벌어지고 있는 사태를 보십시오. 그런 식으로 바깥에서 들어온 이민자가 위계 질서의 가장 하층에 들어와서 점점 위로 상승해간다는 패턴은 완전히 붕괴돼버렸습니다. 비숙련 노동자가 들어와서 저임금 노동에 종사하는 유형은 물론 계속되고 있습니다만, 문화자본을 어느 정도 가진 사람들이 들어와서 밑바닥의 노동자계급을 뛰어넘어 중산계급 위쪽으로 이동하는 일도 생겼습니다. 1970년대에는 전문지식을 지닌 의사나 기술자가 인도나 파키스탄에서 영국으로 들어가 새로운 중산계급을 이루었습니다. 1980년대 미국의 고등학교에서는, 과학 분야만큼은 아시아계 학생들에게 못 당한다는 이상한 신화가 만들어졌으며, 대학에서는 전체 인구 대비로는 몇 퍼센트 되지도 않는 아시아계 학생들이 입학자 총수의 3분의 1 이상을 점하는 사태가 발생하고 있습니다. 나아가 그전에 전제로서 교육제도의 위계 질서 자체도 문제가 됩니다. 얼마 전까지만 해도 교육 시스템은 국민국가의 내부에서 자기 완결적이었습니다. 교육이란 해당 국민국가를 위하여 가장 쓸모있는 인재를 만들어내는 시스템으로 기능해왔습니다. 또 바로 그런 점에서 국민교육은 정당화되어온 것입니다. 그 점에서 국민교육이라는 사고 방식 자체가 어느 정도 유효하게 작동하고 있었으며, 따라서 전형적인 국민국가인 한국과 일본에서 국민교육이란 국민을 점차 교육해가며 그중에서 가장 우수한 사람이 사회 계층의 상위에 들어가는 것이 당연하다고 생각돼왔습니다. 그에 따라 학교의 위계가 정해져서 소학교, 중학교, 고등학교, 대학교라는 위계는 마치 피라미드처럼 위로 올라갈수록 점점 좁아져서, 대학이—인구적인 차원에서—학생수가 가장 적은 최고 학부라고 간주됩니다. 그리고 대학에도 서열화가 발생해서 가장 상위에 있는 대학에 가는 사람이 정부나 산업계의 최고위층을 형성한다는 그런 시스템이 기능해온 것입니다. 상승 지향이란 이런 교육제도의 위계 질서에서 상승하는 것을 가리키며, 동시에 그것은 보다 근대적으로 되는 과정이면서, 또한 지도적인 역할을 수행할 수 있는 인간이 되어가는 과정이기도 했습니다.

그런데 이제 국제적인 사회 속에서 새로운 형태의 인적 이동이 발생하고 있습니다. 최하층이 위로 상승해가는 그런 패턴 대신 양질의 교육을 받은 사람들이 다른 국민국가에서도 대단히 높은 지위에서 시작할 수 있는 패턴으로 변한 것입니다. 다시 말하자면 하나의 국민국가 내에서만 상승을 생각하는 그런 패턴이 점차 붕괴되고 있는 겁니다. 최고학부인 대학의 기능이 크게 변하고 있는 것도 그런 변화의 징표입니다. 대학은 이미 국민교육의 최고학부로서의 기능이 아니라, 넓은 세계 노동시장 속에 인재를 배출해내는 곳으로, 또 그런 관점에서 다른 사람들을 받아들이는 곳으로 그 기능이 변했다고 볼 수 있습니다. 대학은 한 국민 내부에서 다른 대학과 경쟁하는 것이 아니라, 다른 국민의 노동시장 또한 시야에 넣고 경쟁하기 시작했습니다. 그러다 보니 국민국가에 오래 살고 있던 사람들의 층(層)과 외부에서 들어온 사람들의 층을 바라봄에 있어서, 외부에서 들어온 사람들이 처음에는 하층으로 들어와서 그 후 계속해서 위로 상승해간다는 그런 이해 방식은 점점 불가능한 상황이 되어가고 있습니다. 노동자의 입장에서 보면, 계급적인 항쟁이 하나의 국민 속에서 전개되지 않고 국제적인 장에서 전개되기 때문에, 계급 투쟁이 단숨에 국민국가의 외부로 흘러넘치게 됩니다. 이것은 국민국가가 계급 투쟁을 조정하는 기능을 상실했다는 걸 잘 보여주고 있습니다. 이제 국민국가의 원칙으로 지금까지 존재했던 생각, 즉 외부에서 들어온 사람은 국민 문화의 외부자이므로 열등한 지위에 있다는 그런 낡은 사고 방식과, 노동의 이동으로 인해 생겨난 새로운 현상을 조화시키는 게 점점 어려워지고 있습니다.

새로운 현상과 변화들

임지현 상당히 흥미로운 말씀을 해주셨는데요, 동아시아의 상황을 본다면 이러한 변화와 동아시아의 현실이 얼마나 일치하는지 의문입니다. 일본의 경우는 어떤지 모르겠습니다만, 한국의 경우는 여전히 국민교육의 틀이 강고하다는 생각입니다. 불과 몇 년 전까지만 해도 한국에서는 일본 제국의 유제인 '국민학교'라는 말을 썼습니다. 이는 2차대전 종전 이후 일본에서는 더 이상 쓰지 않는 말이지요. 또 대학이라는 곳이 여전히 국가 발전, 혹은 국내 산업 발전을 위한 산업전사를 키워내는 곳으로 기능하도록 끊임없이 권력으로부터, 혹은 자본으로부터 강요받는 게 한국의 상황이 아닐까 싶습니다. 더 흥미로운 점은 상층에서 상층으로 이동하는 21세기의 새로운 유목민들은 거의 백인 전문직업인들에게만 한정된 현상이라는 것입니다. 구체적으로 말하자면 동남아, 예컨대 네팔이나 필리핀이나 방글라데시 등에서 온 외국인 노동자들은 여전히 한국인 노동자들과는 비교할 수 없을 정도로 열악한 환경에서 노동법의 보호를 전혀 받지 못하며 살아간다는 것이죠. 다른 한편에서는 은행이나 증권회사 등의 금융 부문, 또 투자 분석회사 등에서 주로 백인들로 구성된 고액 연봉의 전문가들을 영입하는 양극화된 양상이 지금 저희 동아시아의 현실이 아닌가 생각합니다. 말하자면 물적 조건이나 역사적 조건에서는 근대를 넘어서는 탈근대의 조건들이 형성되어 있지만, 그 사회 내부의 힘의 배치나 관계에 따라 근대의 유산이 오히려 확대재생산되는 측면도 있다는 거죠.

아주 간단한 예를 한두 가지 들어보겠습니다. 70년대 미군 기지촌의 경우 자기 주요고객이 흑인이냐 백인이냐에 따라 기지촌 여성들 사이에 위계가 잡혔단 말이죠. 그러니까 흑인을 상대하는 여성보다는 백인을 상대하는 여성이 더 우위에 있고 그래서 백인을 상대하는 여성은 흑인을 상대하는 여성을 아예 동류로 취급하지 않았다는 거죠. 당시 미국 내에서는 인권운동과 반전운동이 격화되면서 인종주의 문제가 상당히 첨예했는데, 기지촌 여성들의 그러한 태도가 미군 내의 흑백 갈등을 심화시키니 오히려 미군 당국이 한국 정부에, 제발 기지촌 여성들에게 그러지 좀 말게 해달라고 부탁한 웃지 못할 촌극이 있었습니다. 또 하나는 아주 최근의 예인데요, 미국에 거주하는 한 재미교포 사회학자에 의해서 인종에 대한 한국 대학생들의 의식을 밝히는 설문조사 결과가 논문으로 작성된 바 있습니다. 그것을 보면 몇 가지 흥미로운 현상이 나타나는데요, 첫째는 한국 민주화의 성지라고 할 수 있는 광주 지역 대학생들의 인종에 대한 의식이 가장 보수적으로 나타난다는 거죠. 일반화하기는 어렵겠습니다만, 그것은 80년대의 한국 민주화라는 것이 굉장히 제한된 의미의 민주화였음을 시사해주는 것이 아닌가 합니다. 즉 통일민족주의=민주화라는 등식이 우리 사회에 알게 모르게 존재해 있었고, 또 그 내셔널리즘의 편협성이 바로 인종에 대한 의식 조사에서 광주 지역의 대학생들이 가장 폐쇄적이고 배타적인 의식을 가지고 있다고 나타난 것이 아닌가 생각합니다. 또 한 가지 흥미로운 현상은, 지역을 막론하고 외국인종에 대한 한국 대학생들의 선호도를 조사해보니까 백인에 대한 선호도가 압도적으로 우위에 있다는 점입니다. 그 다음을 중국이 차지하고, 일본의 경우는 과거의 식민지 경험 때문에 조금 낮지만, 동남아에서 온 외국인 노동자들과 흑인들이 가장 낮게 나왔다는 거죠. 이것은 바로 21세기 한국 대학생들의 의식 속에도 근대의 인종주의가 여전히 관철되고 있음을 보여줍니다. 더 나아가서는 탈근대적인 물적 조건들, 역사적 조건들이 만들어졌다고 해서 그것이 바로 근대의 여러 위계 질서를 넘어서는 필요충분조건은 아니지 않나 하는 반증이기도 합니다. 그렇다면 그러한 탈근대의 물적 조건에서 정말로 근대를 넘어설 수 있는 전략은 무엇인지 고민되는 대목이 아닐 수 없는데요, 그에 대한 선생님의 생각을 들어보고 싶습니다.

사카이 아주 흥미로운 이야기인데요, 그중에서도 특히 두 가지가 관심을 끄는군요. 우선 동아시아나 동남아시아에서 많이 느낄 수 있습니다만, 일본에서도 60, 70년대에 자주 발생했다고 생각되는 현상인데요, 광고나 선전 그리고 대중매체를 통해 사람들의 의식이 급속히 인종화되었다는 점입니다. 이건 무엇을 말하는 것일까요? 예를 들어 상품이 고급스럽다는 것을 호소하기 위해서 인종의 위계 질서가 전면적으로 이용된 측면이 있습니다. 말하자면 고급 레스토랑들은 주로 백인 여성을 모델로 쓴다든가, 혹은 고급 승용차는 고급스러움을 표현하기 위해 철두철미하게 백인이라는 기호(sign)를 사용한다는 겁니다. 그때까지 인종의 위계 질서는 사회적 신분이나 제국-식민지 관계를 통해서 학습되어왔는데, 이제는 욕망의 상품화를 통해서 학습되는 방식으로 변한 것이죠. 유럽과 북미 지역의 학자들이 지적한 점입니다만, 일본 미술계를 보면 일종의 유럽적인 이미지가 대단히 낡은 오리엔탈리즘 이미지로서 그대로 온존되고 있으며, 더 나아가서는 그것이 도리어 일종의 상품가치마저 산출한다고 합니다. 사람들은 유럽에 여행을 갈 때 동아시아에 갈 때보다 비싼 것이 당연하다고 여기는데, 그런 식으로 드러나는 것이 바로 인종주의죠. 그런 의미에서 고급스러운 물건이란 언제나 유럽의 전통적인 건물, 식사, 의복 등과 결부되어 나타납니다. 고급스러운 것은 뭐든지 유럽 쪽과 관련되지요. 소비사회에서 소비자의 욕망 또한 그러합니다. 소비자의 욕망을 환기시키기 위해 인종적 위계 질서를 철두철미 이용하고 있으니까요.

임지현 미국에서 공부하는 아시아계 학생들이 가진, 인종에 대한 멘털리티는 어떻습니까?

인종적 편견의 극복 가능성

사카이 일본이나 한국에서 온 학생들과 개별적으로 이야기를 해보면, 사적인 관계에서는 인종적인 열등의식이 점점 줄어들고 있

습니다. 최근 들어 그런 경향은 더욱 뚜렷해지고 있습니다. 예를 하나 들어볼까요? 1970년대, 그러니까 제가 아직 학생이었을 때, 일본에서 열린 국제회의에 처음으로 참석을 했습니다. 그때 국제회의를 준비한 일본인들은 외국인을 지나치게 의식하고 있었어요. 그들에게 외국인이란 당시 '외인(外人)'이라는 호칭으로 학습되어 온 사람들인데, 당연히 백인이며 서양인이었습니다. 북미 지역에서 온 사람들에게는 최고급 호텔로 안내하고 대단한 정식 리셉션

을 베풀어주었으며 예복을 입고 접대했습니다. 그러던 것이 80년대부터 시작해서 90년대에 이르면—물론 국제회의 자체가 늘어나기도 했지만—과거처럼 북미 지역이나 유럽, 그러니까 백인이라 불리는 그런 사람들이 참가하는 것에 대해 중요성이나 의미를 전보다는 좀 덜 부여하게 되었습니다.

한 예를 들면 80년대에 어떤 회의에서 여러분도 잘 아시는 대단한 유명인사인 프레드릭 제임슨(Fredric Jameson)을 초청한 적이 있었는데, 그때 영문학과 교수들은 학생들이 제임슨에게 직접 질문하는 것을 금지시킨 거예요. 그런 대학자에게 학생들이 직접 말을 거는 행위는 허용할 수 없다, 뭐 이런 거였지요. 그것이 90년대 들어서, 특히 최근에는 더합니다만, 더 이상 백인 학자니까 특별대우를 해야 한다는 식의 태도는 점점 없어져가고 있고, 특히 젊은 세대는 그런 것을 전혀 의식하지 않고 그들을 아주 편하고 소탈하게 만날 수 있게 되었습니다. 그리고 상품, 의복, 전기 제품 등에 대한 소비자들의 태도에도 적잖은 변화가 일어났습니다. 예전 세대는 미국이나 유럽에서 만든 상품을 선호했지만 젊은 세대일수록 상품을 만든 주체, 즉 어떤 인종이 만든 것인가를 별로 의식하지 않는 경향이 있습니다. 물론 이국취미적인 요인이 작동하고 있는지도 모른다는 점에서 경계할 필요는 있겠습니다만.

1970년대에는 말이죠, 한국산이라는 것만으로 일제보다 싸다든가 품질이 떨어진다는 편견이 있었거든요. 그런 편견은 나이가 적을수록 옅어지고 있습니다. 미국 학생들의 의식 변화에 대해서는 나중에 말씀드리겠지만, 아무튼 젊은 세대들에게도 그런 의미의 인종주의적 위계가 남아 있는 것은 사실입니다. 하지만 그런 인종주의적인 위계에 대해 어떤 태도를 취하느냐 하는 각도에서 접근해보면, 낡은 위계 질서로부터 어느 정도 자유로워진 것 같다는 느낌이 듭니다(물론 젊을수록 인종주의로부터 자유롭다고 일률적으로 단정할 수는 없지만요). 여기서 중요한 것은 인종이라는 게 실체가 있는 것이 아니라는 점입니다. 실체는 없지만 언제나 경제적인, 혹은 정치적인 권력의 위계 질서와 연동하고 있다는 것입니다. 완전히 같다고는 할 수 없지만, 다른 한편 연동하고 있기 때문에 경제적인 위계 질서가 변하면 인종적인 위계 질서 또한 일정하게 변화하게 됩니다. 요컨대 반드시 없어진다고는 할 수 없지만 변화를 보인다는 점만은 분명합니다.

임지현 예, 어떤 면에서는 헤게모니가 관철되는 과정이 2차대전 이후 금욕의 정치에서 욕망의 정치로 바뀌는 과정에 대한 이야기라고도 생각됩니다. 2차대전 이전 전통적인 헤게모니의 관철 방식은 국민국가의 틀 속에 사람들의 욕망을 자제시키는 식이었다는 말이죠. 파시즘이나 유기체적 민족 개념에 서서 대아를 위해 소아를 희생하라는 식으로 사람들의 욕망을 억누르는 방식이었다면, 2차대전 이후의 소비사회에서는 사람들의 욕망을 부추기는 방식으로, 그러나 특정한 방향으로 유도하는 식으로 욕망을 찍어내는 것이죠. 그리고 사람들은 방금 지적하신 것처럼 광고의 홍수라든가 선전, 다양한 교육 등을 통해서 태어나면서부터 만들어진 욕망의 지도를 마음껏 따라가는 것이죠. 그러니까 지배를 받는다든가 억압을 당한다는 느낌을 전혀 갖지 않고 자연스럽게 자기 욕망을 충족시키는데, 어떻게 보면 그렇게 자신의 욕망을 충족시키는 과정 자체가 바로 헤게모니가 관찰되는 과정입니다.

지배 자체가 굉장히 고도화되었다고나 할까, 아주 세련된 형태라고 얘기할 수 있겠습니다. 그러니까 더 이상 나치가 얘기했던 '최종 해결책' 이나 미국의 짐 크로 법(Jim Crow Law)[40]이 상징하

(40) **짐 크로 법**
1950~60년대까지도 미국에서 자유와 평등이란 백인들만의 것이었습니다. 노예 해방 후 100년이 지나도록 흑인들은 여전히 차별 대우를 받고 있었고, 특히 남부에서는 더욱 심했습니다. '짐 크로 법' 이 바로 그러한 역할을 했습니다. '짐 크로 법' 은 흑백 분리정책입니다. 흑인과 백인 들은 사는 지역, 학교, 공중변소도 달랐고, 흑인들은 버스에서 앞자리에 앉지 못했으며, 음식점에서도 '유색인용' 이라 씌어진 뒷문을 이용해야 했습니다.

는 식의, 아주 눈에 드러나는 명백한 인종주의는 더 이상 존재할 수 없다고 봐도 과언이 아닙니다. 그런데 문제는 이겁니다. 차라리 인종주의가 명백하게 눈에 보일 때는 타깃이 분명했는데, 가령 짐 크로 법을 없애면 됐고 나치를 붕괴시키면 됐는데, 지금은 일상생활 속에, 우리의 욕망 속에 지배 헤게모니가 녹아 있다는 것이죠. 몇 년 전 제가 제기했던 '일상적 파시즘'의 문제 의식은 바로 이런 점들, 즉 고도화된 지배 그리고 아주 세련된 헤게모니를 겨냥한 것인데요…….

아까 프레드릭 제임슨이 일본을 방문했을 때의 일화를 소개하셨는데요, 한국에서도 비슷한 예가 있었습니다. 몇 년 전 하버마스가 한국을 방문해서 강연을 한 적이 있는데, 그때 한국의 지식인들이 그에게 한반도의 통일에 대한 전망을 물었습니다. 그러자 그것은 당신네들이 알지 내가 어떻게 알겠느냐고 하버마스가 답한, 아주 웃지 못할 에피소드가 있었습니다. 또 제 얘기에 대한 반론으로 한국 민족의 특수성, 다른 나라와 달리 한국은 민족적 응집력에서 특별나다고 주장하는 친구들은 대개 홉스봄(Eric J. Hobsbawm)을 인용해서 말을 합니다. 홉스봄이 자신의 책에서 한국의 민족적 특수성에 대해 간단히 언급한 것은 그의 세미나에 참석한 한국 유학생들을 통해서 들은 이야기에 불과할 뿐인데, 한국 문제에 대해서까지 홉스봄의 권위를 빌려서 이야기한다는 건 유럽중심적 사고방식이 한국의 지식사회에 얼마나 깊이 뿌리내리고 있는가를 그야말로 잘 보여주는 예라고 생각합니다.

그런데 또 한편에선 1990년대 베를린 장벽이 붕괴된 이후에 한국의 지식인들은 색다른 경험을 하게 됩니다. 특히 동유럽을 여행한 지식인들 사이에서 나온 얘기인데, 동유럽을 처음 갔을 때 백인들이 이렇게 못사는 것을 보니까 참 이상하다는 생각이 들었다는 거예요. 동유럽 현실사회주의의 착잡한 현실에 대한 이해가 한국인들이 갖고 있던 백인에 대한 스테레오 타입을 깨는 계기로 작용한 셈이지요. 그러나 다른 한편에서는 한국인들의 의식 속에 서유럽과 동유럽의 위계 구도가 존재하고 있습니다. 예컨대 동유럽에 간 한국인들의 시선은 상당 부분 내려다보는 시선입니다. 말하자면 동유럽과 한국을 비교해보면, 한국이 서양이 되고 동유럽이 동양이 되는 그런 위치의 변화가 일어나는 것입니다. 그러면서 또 다른 한편에서는 서유럽에 대한 콤플렉스를 극복하는 방식이 아니라, 오히려 동유럽이나 동남아시아 같은 나라에 대한 오리엔탈리즘적 시선을 강화함으로써 그 콤플렉스에서 벗어나려는 아주 복합적인 양상이 드러나는 것 같습니다.

욕망의 상품화가 만들어낸 '서양'

사카이 전적으로 동감합니다. 그런 점과 관련하여 일상적 파시즘을 생각해보면, 그러한 유럽중심주의는 일상적 파시즘의 헤게모니적인 운동의 하나로 생각해야 한다는 말씀에 전적으로 찬성합니다. 그러니까 헤게모니는 정적인(static) 것이나 혹은 이미 구성이 완료된 완성물이 아니라, 끊임없이 변화하면서 그 변화에 대응하여 새로운 헤게모니적인 위계 질서를 만들어가는 것입니다. 그렇기 때문에, 말씀하신 대로 백인이나 서양이라는 것이 실제로 어디에 존재하는 것이 아니라, 끊임없이 새로이 창출되고 또 재배치되고 있다는 점을 늘 주목하지 않으면 안 된다고 생각합니다.

동아시아에서 개최된 한 회의에서 청중 가운데 한 분이 이런 문제를 제기했어요. "패널로 앞에 나와 발언하는 사람이 모두 백인 아니냐, 그러니까 유럽중심적인 입장에서 발언하는 것이 아니냐"는 비판이었죠. 그때 제가 느낀 것은 그런 식으로 유럽중심주의를 이해한다면 그것이 실제로 어떻게 기능하는지를 완전히 놓친다는 점입니다. 아시아 여기저기를 다니다 보면, 퍼뜩 '아, 나도 모르는 사이에 내가 서양인으로 행동하고 있구나' 하는 사실을 깨닫게 되는 경우가 종종 있습니다. 마치 관광객은 죄다 서양인밖에 없다는 듯이, 숙박시설이나 관광객용 교통기관 등이 모두 서양인을 염두에 두고 정비되어 있습니다. 거기에는 또한 모든 사람들이 서양인으로 행동하는 것이 당연하다는 듯이, 관광 여행 자체가 그런 전제 위에서 짜여져 있다는 사정도 관련이 있을 겁니다. 관광업이라는 것은 세계적으로 엄청난 규모의 사업인데요, 세계 어느 공항을 가보더라도 언제나 새로 지어지는 공항은 서양 어디에선가 본 공항의 이미지를 따릅니다. 다시 말하면 가장 새로운 것은 서양적이다는 그런 믿음이 남아 있다는 것이죠. 공항 시설이 새로워졌다고 하면 사람들은 그 이미지를 곧장 서양화된다는 이미지로 이해해버립니다. 이것은 북미 지역이나 유럽에서보다 아시아에서 오히려 심하게 나타납니다. 하지만 '새로운 이미지는 곧 서양이다'는 이런 도식은 슬슬 수명이 끝나가고 있는 것 아닐까요?

생각해두어야 할 것은 이 도식이 수명을 다했을 때, 지금까지 서양인이었거나 백인이었던 사람들이 그런 변화를 어떻게 느낄 것인가 하는 것도 결코 무시해서는 안 된다는 사실입니다. 왜냐하면 그것이 세계적인 불안감을 만들어가는 하나의 요인이 되고 있기 때문입니다. 예를 들어 홍콩과 나리타(成田) 공항을 비교해보면 나리타 공항을 아무리 새롭게 단장해도 오래되었다는 이미지를 감출 수는 없습니다. 마찬가지로 인천과 존 F. 케네디 공항을 비교해

보면 존 F. 케네디 공항이 오래되었다는 이미지는 엄존하고 있는 것입니다. 더욱이 지금 이야기한 낡은 위계 질서의 조직 방식이나 조직 이미지가 크게 변모하자, 상승이 아예 불가능한 사람들이 세계적인 규모에서 엄청난 수로 확산되고, 동시에 국경을 초월하여 상승할 수 있는 계층의 사람들이—물론 그 수는 많지 않습니다만—세계적으로 분포하기 시작했습니다. '이미지의 새로움이 곧 서양'이라고 할 때의 서양은 욕망의 상품화가 만들어낸 것인데, 이 서양은 지도상의 유럽이나 북미 지역과는 더 이상 관계가 없습니다. 일본의 예를 들자면 최근 몇 년 간 고등학교를 졸업한 사람들의 취업률이 급속도로 낮아지고 있습니다. 이 통계를 어디까지 믿어야 할지는 모르겠지만, 1990년대 전반에는 고졸자의 약 90%가 졸업하고 1년 이내에 취업을 할 수 있었다고 합니다. 하지만 최근의 통계를 보면 50% 이하로 떨어졌다고 합니다. 그들이 예전에 일본의 중산계급이 누리던 생활 수준을 그대로 향유할 수 있다는 보장은 어디에도 없습니다. 마찬가지로 미국에서 백인 중산층이 동아시아의 중산층보다 상대적으로 높은 생활 수준을 유지할 수 있다는 보장 또한 어디에도 없습니다. 물론 여기서 과연 생활 수준이란 뭔가, 생활 수준을 비교한다는 건 어떤 의미일까 하는 문제는 간단히 대답할 수 없습니다. 이런 문제들이 복잡하게 얽히면서, 과연 그런 사람들이 갖게 되는 환멸이나 좌절감을 정치적으로 어떻게 처리해야 하느냐 하는 문제가 대단히 중요하게 대두되었다고 생각합니다.

임지현 예, 어떻게 보면 바로 이 좌절감의 원인을 찾아내서 그 뿌리를 캐는 방식이 아니라 좌절감을 은폐하는 방식으로 내셔널리즘이 작동하는, 말하자면 반세계화 내셔널리즘이 작동하는 맥락을 짚으신 것 같습니다. 예컨대 남한의 경우 IMF 위기 이전과 이후를 비교해보면 상층과 하층의 소득 격차가 엄청나게 벌어진 것을 알 수 있습니다. 박정희 유신체제의 급속한 근대화 과정에서 빈부 격차를 상당히 우려했던 것과는 반대지요. 제가 대학 다닐 때인 70년대 또는 80년대에 많은 좌파 경제학자들이 빈부 격차를 항상 지적하고 이것이 한국 사회의 큰 문제라고 이야기했는데, 실제로 비교사적으로 보니까 남한의 빈부 격차라는 것이 다른 자본주의 주변국에 비해 굉장히 적었다는 것입니다. 그 이야기는 무엇이냐 하면, 상대적으로 박정희 시대의 관제 내셔널리즘과 그것을 수식하는 인민주의적 선동이 일정한 물적 토대를 갖고 있었다는 것입니다. 복지정책을 실시할 만한 물적 기반은 없었지만, 적어도 정치적으로는 하층계급의 사회적 소외감을 좁히려는 노력을 했습니다. 그것은 복지정책을 펼 만큼 자본주의가 발전하지 못해 복지국가적 형태의 국민 통합이 불가능한 상황에서, 결국 빈부 격차를 가능한 한 낮춤으로써 사회·경제적 소외감이 국민 통합을 해치지 않도록 배려했다는 애기입니다. 이는 박정희 정권이 모든 노동운동을 '빨갱이'로 몰아쳤음에도 불구하고, 사실상 남한에서 노동자들의 쟁의나 파업이 필리핀이나 싱가폴과는 비교할 수 없을 정도로 적었던 중요한 이유이기도 합니다. 그러니까 어떤 면에서는 조국 근대화를 위한 '산업전사'로 호명된 노동자계급이 박정희 체제의 관제 내셔널리즘에 상당히 포섭되어 있었다는 애기이기도 한대요.

사카이 아마 임 선생께서 총력전체제와 합의독재를 비교하는 문제에 흥미를 가지게 된 것도 그런 현상과 관련이 있겠죠? 일본 같은 경우는 2차대전 중 산업시설의 절반이 파괴되었고 사회가 전반적으로 빈곤했는데, 바로 그런 상황을 잘 이용함으로써 전후 일본에서는 전국민의 중산층화라는 환상을 만들어낼 수 있었습니다. 그래서 80년대까지 '일본은 계급적인 격차가 거의 없는 사회' 라는 통념이 매우 광범위하게 퍼져 있었습니다. 그러던 것이 90년대가 되면 소득 격차가 분명히 드러나기 시작하는데요, 문제는 단지 현재의 소득이 이러니저러니하다는 차원보다, 장래에 얼마만한 희망을 가질 수 있느냐 하는 차원에서 볼 때 대단히 큰 격차가 이미 생겨버렸다는 점입니다.

임지현 그러니까 이런 기억이 납니다. 자민당 의원이 일본이야말로 사회주의 국가들보다 더 사회주의적인 사회다라고 공식적으로 발언한 적이 있지요, 아마.

사카이 말씀하신 대로 자민당이 장기집권할 수 있었던 이유는 바로 그런 메커니즘을 만들어냈기 때문입니다. 그런 상태는 현실적으로 사회 계급이 없다기보다는, 끊임없이 고도 성장을 이룩함으로써 사람들이 미래를 향해 희망을 가탁(假託)할 수 있고, 또 가탁하는 한에서 자신들이 장래에 중산계급적인 생활을 오래도록 유지할 수 있다는 환상, 혹은 지금은 중산계급적인 생활을 할 수 없어도 내 자식들은 중산계급적인 생활을 할 수 있을 것이라는 환상을 자민당이 만들어냈기 때문에 가능했습니다. 하지만 그런 경제 성장은 90년대 들어 멈추었습니다. 그렇게 되니까 단숨에 예전의 환상이 해체되어버리는 사태가 발생한 거죠. 개인적인 얘기를 하자면 사실 저 자신이 고도 성장기의 산물이라고 할 수 있습니다. 제 과거를 반추해보면 그건 아주 분명하죠.

제가 아직 유치원에 다니고 있을 때 얘긴데요, 그때는 버스 이외에 자동차를 탄다는 것은 일 년에 몇 번 있을까 말까 한 상황이었습니다. 그것도 택시가 아니면 으리으리한 부잣집의 차를 얻어타는 그런 경우뿐이었죠. 그러던 제가 그로부터 15년 후 대학생이 되어서는 우리 집 차를 운전했습니다. 말 그대로 자가용을 갖게 된 거죠. 유치원에 다닐 때만 해도 자가용을 가진다는 것은 상상조차 할 수 없었는데, 대학 다닐 때는 이미 당연한 것이 되었고, 그로부터 10년이 지났을 때는 이제 두 번째 자가용을 어디에 주차하면 좋을지 고민하게 되었습니다. 그런 얘기를 미국에 있는 친구한테 했더니 미국에서도 똑같았다고 얘기하더라구요. 전쟁 전엔 미국의 평균치 중류층도—미국의 자동차 대수가 세계에서 가장 많았다고 해도—자가용을 가진다는 것은 아직 꿈속에서나 가능한 일이었습니다. 그러다가 1950년대가 되니 자가용을 가지는 것은 아주 당연한 일이 되었습니다. 제가 미국과 일본에서, 학생들에게 자기 세대하고 다음 세대를 비교할 때 자기 세대보다 다음 세대가 더 풍요로운 생활을 누릴 거라고 생각하는가? 그렇게 질문을 해봤거든요. 자기 세대보다 다음 세대가 더 풍요로울 것이라고 대답한 학생은 단 한 명도 없었습니다. 다음에는 그 부모 세대하고 비교를 해봤습니다. 자기 세대가 부모 세대보다 더 풍요롭다고 생각하는가라고 물었거든요. 그랬더니 풍요롭다거나 앞으로 풍요로울 것이라고 대답한 학생은 10분의 1에 불과했고, 나머지 압도적인 다수는 이후 자신들의 삶이 부모 세대보다 빈곤할 것이라고 대답했습니다. 현재 미국과 일본의 분위기가 어떤지 잘 드러나는 일화라고 생각되어 소개드렸는데요, 결국 미래에 대해 투자한다거나 미래에 희망을 건다거나 하는 식으로 사회 통합을 이루어내던 국민국가의 통합 방식은 이제 대단히 어렵게 되었습니다. 한국의 경우는 아직 거기까지 가지 않았을지 모르겠습니다만, 적어도 일본의 경우나 최근 10년 간 대단히 높은 성장률을 보이고 있는 미국의 경우에도, 그러한 방식으로 미래에 희망을 맡김으로써, 파이를 크게 만들어 국민 통합을 이루어내는 방식은 대단히 어려워졌다는 것이 분명합니다.

임지현 한국의 경우도 상황은 비슷하지 않을까 생각합니다. 어떻게 보면 나치가 기획했던 폭스바겐 프로젝트가 2차대전 이후에 완성이 됐다, 실현이 됐다고 얘기할 수 있습니다. 폭스바겐 프로젝트뿐만 아니라 나치의 경우, 예컨대 '기쁨을 통한 노동' 프로젝트의 선전을 보면, 노동자들이 바캉스와 레저를 즐기는 것을 미래의 희망으로 내세우면서 노동자계급을 나치의 지지세력으로 끌어들이는, 즉 나치의 지배 헤게모니를 관철시키는 과정이었다고 얘기할 수 있습니다. 폭스바겐 프로젝트나 '기쁨을 통한 노동' 같은 선전 기제들이 노동자계급에게 어필할 수 상황이 분명히 존재했고, 그러한 상황들이—그것의 실현 여부와 상관없이—국민국가의 헤게모니를 강화시켜주는 중요한 장치가 아니었나 생각합니다. 1960년대 말 박정희 정권도 '퍼블릭 카'의 전망을 제시한 적이 있습니다. 폭스바겐을 영어식으로 표현한 것일 텐데, 조그만 2기통짜리 500cc 차였습니다. 동유럽 국가들의 경우에도 비슷해서, 70년대 초반에 폴란드에서는 말루카라고 하는, 역시 550cc짜리 2기통 엔진을 얹은 작은 피아트를 생산해냈습니다. 현실사회주의든 자본주의든, 60년대와 70년대에 이르러서, 한국에서는 조금 늦게 80년대에 이르러서 폭스바겐 프로젝트가 완성된 것입니다. 그런데 사람들이 가지고 있는, 그럼 왜? 다음 세대는 우리 세대보다 풍요로울 것인가에 대해서는 부정적이고, 부모 세대보다도 우리 세대가 더 풍요로울 것인가는 질문에 대해서는 10분의 1만이 긍정적으로 대답했느냐는 거죠. (통역: 그게 아니라 자기가 앞으로 부모 세대만큼 잘 살 것인가?)

'근대'를 어떻게 생각할 것인가?

임지현 후속 세대들이 자신들의 미래에 대해서는 비관적이라는 것이지요. 그러한 여론 조사 결과가 나오는 것은, 폭스바겐 프로젝트가 일단 실현되고 나니까, 그것이 삶의 질을 높이는 데 얼마나 기여할 수 있는지에 대한 회의가 생겨서겠지요. 환상이 깨진 것이지요. 폭스바겐 프로젝트가 완성되고 나서도 삶의 질이 실질적으로는 별로 높아진 것 같지 않다는 자각, 그 다음에는—지그문트 바우만의 표현을 빌리면—단단한 근대성에서 부드러운 근대성으로 변모하면서 노동시장의 유연성이 대두하고 결국 생계 자체에 대한 불안감으로 바로 이어진다는 것이죠. 자본 이동의 자유와 글로벌리제이션이 가져다준 생의 불안정성에 대한 불안감이, 미래에 대한 장밋빛 전망보다는 잿빛 전망으로 이끄는 것이 아닐까 생각합니다. 바우만의 표현을 다시 빌리면, 근대 국민국가의 틀 내에서 자본과 노동이 결혼서약처럼 맺은, 비가 오나 눈이 오나 늙어서나 젊어서나 아프거나 건강할 때나 끝까지 같이 가자는, 아주 견고한 적대적 동맹 관계가 깨져버린 것이죠. 사실 가족 관계의 변화뿐만 아니라 자본과 노동의 관계 또한 이미 변모하고 있다는 것이죠. 자본과 노동이 손을 잡는 형태가 아니라 이제 자본과 소비자가 결합되는 형태로 변모하는 과정……

이러한 상황의 변화는 단일 국민국가 내에서 노동자계급이 자본에 저항해 권력을 장악하고 변혁을 일으킨다는 기존의 일국적 변혁 전망이 얼마나 무의미해졌는가를 잘 드러내준다고 생각합니다. 그런 면에서 탈근대의 변혁 전망은 어떠한 방식으로 수립되어야 하는가 하는 고민을 우리한테 던져주는 것이죠. 소비자의 욕망을 찍어내는, 욕망을 억제하는 것이 아니라 부추기고 특정한 방향으로 유도하는 그러한 힘으로서의 자본의 헤게모니, 혹은 후기 근대적 주체에게 각인된 헤게모니와 어떻게 싸워나갈 것인가가 앞으로의 중요한 과제라고 생각합니다. 메타포를 쓴다면, 국민국가적 파시즘에서 소비자 파시즘으로 변모하는 작금의 양상에도 깊은 주의를 기울여야 한다는 것이지요.

사카이 우선 근대를 어떻게 파악할 것인가 하는 문제와, 그 다음 그렇게 파악된 근대에 대해서 '근대가 아닌 포스트모던'이라고 주장하는 방식을 제시할 수 있겠습니다. 근대에 대해서는 여러 가지 규정 방식이 있고 또 저마다 고유한 맥락을 가지고 있습니다. 임 선생께서 문제삼으신 근대는 적어도 현재의 논의 맥락에서는 고도성장에 의해 지탱되는 형태, 또한 소비자 사회가 만들어지고 그 속에서 욕망이 관리되고 그 욕망 속에서 적어도 미래에 대해 어떤 희망을 가질 수 있는 형태로, 사람들이 국민 통합되어가는 그런 도식이라고 생각되는데요, 그런 맥락에서는 어떻게 근대를 역사적으로 위치지을 수 있을까요?

임지현 한마디로 규정하기는 어렵겠지만, 일단은 초기 근대와 후기 근대로 한번 나누어 생각해볼 수 있지 않을까요? 즉 국민국가가 폭스바겐 프로젝트 등을 통해 국민 만들기의 완성을 향해 나아가는 과정을 초기 근대로 잡는다면, 만들어진 국민의 기반 위에서 국민국가가 복지국가의 형태를 띠면서 소비자 대중사회로 넘어가는 것을 후기 근대라고 얘기할 수 있지 않을까요? 초기 근대는 아직 폭스바겐 프로젝트로 상징되는 국민 만들기가 실현되는 과정이기 때문에 국민국가의 이러저러한 역사적 과제만 실현되면 행복이 보장된다는 청사진이 제시되는 데 비해, 후기 근대는 복지국가의 틀 속에서 이미 일정하게 국가가 약속을 이행하고 대중의 욕망을 충족시켰기 때문에 문제가 없어야 하는데, 약속된 파라다이스 대신에 근대에 잠재되어 있던 여러 가지 리스크들이 터져나오는 것이죠. 따라서 초기 근대가 어떻게 근대를 완성시킬 것인가의 고민에 몰두했다면, 후기 근대는 근대 자체에 대해 고민하기 시작하는 것입니다.

여기서 또 하나 고려해야 할 것은 현실사회주의의 붕괴입니다. 현실사회주의의 붕괴는 인간의 이성에 근거해서 완벽한 프로젝트를 만들고 거기에 맞추어 사회를 개조하면 인간은 행복해질 것이라는 근대의 계몽적 기획이 파산됐다는 것을 상징적으로 보여주는데, 그것은 근대적 사유의 파산을 의미하는 것이 아닌가 생각합니다. 차라리 유토피아를 꿈꾸지 않는 것, 아니 좀더 정확히 말하면, 꿈꾸는 것까지는 좋은데 확신을 갖고 실현하려고 하는 시도는 위험하다는 것이 우리가 얻은 교훈이지요. 레섹 코와코프스키(Leszek Kołakowski)라고, 안제이 발리츠키(Andrzej Walicki)와 같이 60년대 말까지 바르샤바 대학 철학과에 있던 사람인데, 이 양반이 이런 얘기를 한단 말이에요. 이윤을 동기로 움직이는 사회는 정말 끔찍하다, 자본주의 사회를 얘기한 거죠. 그런데 더 끔찍한 건 사람들에게 행복을 강요하는 체제다, 그러니까 인간의 이성에 입각해서, 혹은 변증법적 유물론의 이른바 과학적 법칙에 의거해서 이렇게 되는 사회가 행복한 사회이고 그것은 역사의 과학적 발전 법칙에 의해서 입증된 것이니, 사람들은 반드시 이렇게 사는 것이 가장 행복하다고 강요하는 것이지요. 현실사회주의는 결국 자본주의적 근대를 넘어서는 대안이라기보다는 그것의 이복형제에 불과했던 것입니다.

사카이 저는 역사 문제에 대해 생각해보고 싶습니다. 지금까지는 일정한 역사적 전개 과정을 상정하고 그 속에서 선진과 후진이라는 사고 방식하에서 구분하였기 때문에 우리는 끊임없이 앞으로 전진할 수 있다는 커다란 틀을 견지할 수 있었습니다. 바로 그러한 역사의 틀이, 예컨대 아까 우리의 논의 과정에서 나온, 서양의 실정성(positivity)을 지탱해왔습니다. 서양이라는 게 단지 어딘가에 실제로 존재하는 지도상의 지역이나 구체적인 인종으로 존재할 뿐이라면, 굳이 '서양'이라는 식으로 문제가 제기되지는 않을 겁니다. 서양인이나 서양사가 어떤 특권적인 형상으로서 세계적으로 이토록 맹위를 떨칠 수도 없었을 것이구요. 서양은 역사적으로 가장 앞서가고 있는 장소로서의 자격을 부여받고 있습니다. 그래서 세계의 비서양 지역에 사는 사람들이 끊임없이 서양을 목표로 삼는 것이며, 그런 점에서 서양은 보편적인 지표로 정립되어 있다고 할 수 있습니다. 근대는 단지 연대기적으로 현재에 가까운 그런 것이 아닙니다. 또한 급속한 사회적 변화가 일어난 곳도 아닙니다. 지정학적인 배치와 연대기가 중복되어 상상될 때 비로소 이해할 수 있는 그런 성격의 것입니다. 이렇게 설정된 서양이라는 지표 없

이는 근대라는 관념 자체를 이해할 수 없습니다.

19세기 이후 거대한 힘을 발휘한 역사주의가 발생한 것과, 서양이라는 지표가 지구적인 규모에서 성립한 것을 따로 떼어 생각할 수는 없습니다. 지금까지는 후진 지역, 혹은 문명의 발달이 지체된 사람들을 상정하고 마치 후진 지역의 사람들은 과거의 사람들이라는 식으로 생각하고, 현실의 지정학적인 세계를 연대기적인 전후 관계 속에 배치함으로써, 미래의 이미지를 동시에 만들어낼 수 있었습니다. 이는 아주 기묘한 작업인데요, 나의 조상이 과거의 사람이라는 건 이해할 수 있습니다. 나의 할머니와 할아버지도 100년 이상 전에 태어났으니까 과거인이겠지요. 그런데 선진/후진이라는 역사주의의 틀에서는 우리와 동시대에 살고 있는 아프리카인을 과거의 사람으로 간주합니다. 마치 지체된 시대를 현재 살고 있다는 듯이.

그러니까 더 진보된 시대, 선진적이고 가장 첨단 시대를 살고 있다는 것과, 그 뒤를 좇고 있는 지역이라는 형태로 세계를 연대기적으로 구획하고, 후진 지역은 어떻게 해서든 선진 지역을 따라잡으려고 합니다. 아까 얘기 중에 나온 인종적 위계 질서는 바로 이러한 역사주의적인 도식에 대응하여 조직되어왔습니다. 선진/후진 도식을 과거에 적용시킬 수 있는 한에서 미래의 궤적을 예상할 수 있습니다. 그렇게 되면 미래는 이미 결정된 것이 되어버립니다. 다시 말해 우리는 미래를 이미 약속된 것인 양 상상할 수 있게 됩니다. 아까 말씀하신 대로, 유토피아가 없어지고 잿빛 미래에 직면해야 하는 사태가 일어났을 때, 우선 의심하지 않을 수 없는 것이 지금까지 기능해온 역사나 역사주의의 도식이 과연 여전히 유지될 수 있겠는가일 겁니다. 미래를 잘 투사할 수 없을 때, 필시 세계를 선진과 후진으로 명쾌하게 구분하는 방식 그 자체의 타당성도 의심하지 않을 수 없게 됩니다. 앙리 메셔닉이라는 프랑스 학자가 근대에 관해 얘기하는 걸 보면—그 사람의 관심은 단지 사회적인 근대화만이 아니라 모더니즘 문제와도 관련되어 있기 때문에 지금의 논의와는 딱 들어맞지 않을지도 모르지만—그가 생각하는 근대는 미래를 향해 끊임없이 현재를 변화시켜가는 방식이에요. 그렇다면 그가 보기에 전근대 사회와 근대 사회의 가장 큰 차이는 뭔가? 전근대 사회는 현재를 끊임없이 변화시켜가려 하는 것이 아니라 현재를 온존시키는 형태로 사회 통합을 이루려는 데 비해, 근대 사회는 끊임없이 현대를 변혁시킴으로써 사회 통합을 달성해가는 사회라는 게 그의 대답입니다. 요컨대 근대를 끊임없이 변화하고 있는 것으로, 그렇게 자신을 스스로 변화시켜가는 능력 같은 것으로 사고하는 것이지요. 그런 점에서 그의 근대 이해는 인간주의적이라고 할 수 있습니다. 19세기의 역사주의나 독일 관념론 속에서 운위되는 근대적인 주체의 존재 방식을 아주 철저하게 관철시킨 사고방식이라고 판단되는데요, 그렇게 철저하게 관철시키다 보니 인간은 더 이상 존재하지 못하고 그만 붕괴되어버립니다.

임지현 그러한 근대관을 현재 우리가 맞닥뜨린 사회적 조건에 적용한다면 어떤 문제들이 튀어나올까요?

사카이 아주 어려운 문제들이 생겨날 겁니다. 근대를 선진/후진이라는 역사주의적 틀 없이 그저 끊임없이 변혁하는 것이라고 생각한다면, 근대 그 자체의 내실이 없어져버리지 않겠습니까? 거꾸로 말하면 선진/후진이라는 지도(地圖) 없이 그저 변화해가기만

하면 그게 바로 근대가 되어버리니까, 또 변화된 사회가 세계 어딘가에 많이 생기면 그게 바로 근대니까, 결국 근대라는 게 무엇인지 도무지 규정할 수 없게 되고 맙니다. 또한 현재 가장 사회 변화가 심한 사회가 가장 근대적인 사회가 되어버립니다. 그런 관점을 가지고 현재 세계의 정황을 살펴보면, 동남아시아와 한국, 중국 그리고 몇몇 나라들이야말로 강렬하고도 급속한 사회 변화가 계속해서 일어나고 있다고 볼 수 있습니다. 경제적인 시각에서 따져보면 확실히 그렇지요.

그런 의미에서 생각해보면 동남아시아나 동아시아의 일부 사회가 가장 근대적으로 되어가고 있으므로, 그 지역이 근대의 첨단, 즉 서양이라는 도식이 생겨납니다. 특정 사회, 즉 국민국가에 초점을 맞출 경우 근대의 규정은 의미가 있는 것처럼 보입니다. 그러나 사회를 뛰어넘어 이동하는 노동자나 난민에 초점을 맞춰보면 근대는 완전히 다른 양상을 보이며 전개되고 있습니다. 요컨대 자본주의가 가장 위력을 발휘하고 있는 지역이 서양이라는 그런 결론을 피할 수 없습니다.

앙리 메셔닉은 유럽 안에서 사유하는 사람이라서 유럽 이외의 사회는 시야에 넣지 않았습니다만, 그런 식으로 파악된 근대에는, '근대적인 사회는 이것' 이라든가, '이 사회가 근대적이다/근대적이지 않다' 라고 판단하는 기준이 이미 없어져버렸다고 할 수 있습니다. 그럴 경우 사회 변혁이라는 것도, 입장에 따라 완전히 다르게 간주될 수밖에 없습니다. 즉 일정한 변화가 자신에게 긍정적으로 받아들여지는 사람과, 그것을 부정적으로밖에 파악할 수 없는 사람, 혹은 그것을 끊임없이 부정적으로만 받아들이는 사람 간에는, 다시 말해서 사회 변혁에 의해 피해를 보는 사람과 혜택을 누리는 사람 간에는 입장 차가 너무나 큽니다. 그런 식으로 보면 근대가 각자에게 가지는 의미는 완전히 다를 수밖에 없습니다. 바로 그런 대목과 관련하여, 일종의 유토피아를 만들어내는 역사가 다시 한번 필요한 게 아니냐는 문제가 제기되는 것입니다.

역사주의적인 도식의 위험성

임지현 예, 방금 말씀하신 메셔닉이란 사람의 '근대'론에는 헤겔적인 냄새가 많이 나는 것 같습니다. 예컨대 헤겔의 명제, "현존하는 것은 이성적인 것이고 이성적인 것은 현존하는 것이다"에서 앞에 초점을 맞추면, 현존하는 것은 이성적인 것이니까 현존하는 것은 건드리지 않아야 한다는 논리가 성립됨으로써, 전근대론을 옹호하는 논리가 됩니다. 반면 "이성적인 것은 현존하는 것이다"에 초점을 맞추면, 현존하는 것 중에 이성적이지 않은 것은 제거하고 이성적인 것으로 바꿔야 하니까 현재를 변혁하는 논리로 이어지는 것이지요. 헤겔의 논리가 가진 이러한 양면성이 메셔닉에게서도 보이는 것 같습니다. 아마 독일의 관념론을 극단적으로 밀고간 측면이 있다는 선생의 지적은 바로 이러한 점을 말씀하신 것이 아닌가 싶습니다.

그 사람의 도식을 전적으로 받아들이기는 힘들겠지만, 가령 전근대적 유토피아와 근대적 유토피아를 구분해보면, 근대라는 것을 어떻게 받아들일지 하는 부분에 대한 실마리를 찾을 수 있을 것 같습니다. 유토피아의 전근대성/근대성은 토마스 모어(Thomas More)를 기점으로 나누어지는데요, 전근대 유토피아론의 특징은 일하지 않고 행복하게 잘 먹고 잘 사는 것입니다. 반면 토마스 모어 이후의 근대 유토피아, 예컨대 벨러미(Edward Bellamy)나 카베

(Etienne Cabet) 등의 19세기 근대 유토피아 사상을 보면, 기계적으로 노동을 잘 배치해 효율적으로 생산하고 그것은 잘 분배하는, 그러니까 열심히 일해야 먹고사는 행복한 사회가 특징입니다. 열심히 일하는 데서 행복을 찾는 사람이 얼마나 되는지는 잘 모르겠습니다만, 근대 유토피아론 자체가 사실은 노동동원의 의도, 혹은 노동동원의 패러다임을 밑바닥에 깔고 있다는 것입니다. 특히 19세기의 사회주의적 유토피아의 경우에 이것은 더 두드러지게 나타나는데…….

그런 면에서 가령 노동운동의 패러다임을 근대의 틀에서 벗어나서 탈근대의 패러다임으로 바꾼다는 것은, 예컨대 노동가치설의 물신주의에서 벗어나 **폴 라파르그**(Paul Lafargue)[41]의 '게으를 수 있는 권리' 등에 주목하자는 것입니다. 열심히 일해서 투하된 노동가치만큼의 임금을 받아서 그 돈을 행복하게 쓰자고 하지만, 그 돈은 이미 노동자의 레저 생활에 깊이 침투되어 있는 대기업의 레저 산업을 번창시킬 뿐입니다. 어느 면에서는 노동뿐만 아니라 여가를 통해서 삶을 소비해버리는 것입니다. 그렇다면 노동가치설에 입각한 노동의 저항운동 자체가 근대 논리에 포섭된 것은 아닌가 하는 의구심을 떨치기 어렵습니다. 레저 산업이 유도하는 욕망에 이끌려 돈을 소비하고, 또 그 여가를 위해 고된 노동을 감내하는 방식이 아니라, 적은 노동과 많은 여가를 지향하면서 자기 자신에게 충만한 삶을 이끌어가는 방식으로 운동의 지향을 바꿀 수도 있

(41) **폴 라파르그**
《게으를 수 있는 권리》라는 책을 쓴 사람입니다. 마르크스의 사위였는데요, 마르크스는 그의 노동 거부 주장에 대해 무정부주의적이라며 비판했습니다. 라파르그는, 노동은 놀이라는 것 속에서 생각해야 한다고 주장했습니다. '게으를 수 있는 권리'를 누리면서 노동의 즐거움을 찾는 것입니다.

지 않나 하는 것입니다. 라파르그의 '게으를 수 있는 권리'가 주목되는 것도 바로 이러한 맥락에서입니다. 어느 면에서는 노동이 여가보다 중요하다고 생각하는 발상 자체에 대해서 의문을 던지는 것도 필요하겠습니다만……. 사실 노동의 신성함을 강조한다는 발상 자체가 이미 칼뱅(Jean Calvin)의 영향을 받고 있습니다. 특히 규율, 금욕, 청렴 등을 노동윤리로 강조한 레닌의 경우, 근대 부르주아의 노동윤리를 확립한 칼뱅에게 많이 빚지고 있으며, 그것은 일하지 않는 자는 먹지도 말라는 성경 구절을 차용한 구소련 헌법에서 다시 한번 확인됩니다. 적어도 노동 관념에서는 자본주의뿐만 아니라 20세기 사회주의도 칼뱅의 적자(嫡子)였던 것입니다. 부르주아 노동윤리를 공유하는 사회주의 해방은 결국 자본주의적 근대를 넘어서는 해방이 아니라 그것에 포섭된 해방에 불과했다는 것을 보여주는 좋은 예라고 생각합니다. 그래서 맑시즘이 노동 해방의 논리에서 노동동원의 논리로 변모하고, 근대를 넘어선 해방이 아니라 근대에 포박된 해방에서 멈출 수밖에 없었던 거죠.

사카이 역사주의에 대해 계속 말씀하시고 계신데요, 그렇다면 역사학에서는 이런 문제를 어떻게 넘어서려고 하는지 궁금합니다.

임지현 역사를 업으로 삼는 저에게는 굉장히 당혹스런 질문입니다. 그러니까 철학적인 차원에서 역사주의의 문제를 제기하는 것은 전적으로 찬성인데, 현재 역사학의 수준은 원론적인 문제 제기에만 그칠 뿐, 그 새로운 문제 의식에서 역사가 다시 씌어지지는 못하고 있는 실정이라는 거죠. 예컨대 학부에서 '서양의 역사와 문화'라는 일종의 개설사를 가르친 바 있는데, 첫 시간에 학생들에게

한 이야기가, 이 '서양의 역사와 문화'라는 수업의 제목에 어떤 문제가 있는지 하는 것이었습니다. 우리가 계속 이야기해왔듯이 만들어진, 그리고 관계 속에서 끊임없이 유동하는 서양을 염두에 둔다면 과목 자체가 성립이 안 되는 거죠. 또 다른 예로 일본 봉건제론을 들 수 있습니다. 미야지마 히로시 선생도 얼마 전에 그런 얘기를 했습니다만, 일본에 봉건제가 존재했다는 일본 역사학계의 이른바 정설도 사실은 이데올로기의 혐의가 짙습니다. 그것은 일본이 동아시아 다른 나라에 비해서 빨리 선진 자본국가가 될 수 있었던 비결을 해명하는 열쇠로서 제시되었습니다. 일본에서는 아시아의 다른 국가와 달리 서구적인 의미의 봉건제가 존재했고, 그렇기 때문에 급속한 산업화와 자본주의가 쉽게 정착할 수 있었다는 것이지요. 한국의 역사 서술에서 정설로 받아들여지고 있는 이른바 자본주의 맹아론도 비슷한 맥락에 서 있습니다. 해방 이후 한국의 역사학계는 한반도에도 자본주의가 독자적으로 발전하려는 흐름이 있었다는 증거를 찾아내려고 필사적으로 노력해왔습니다. 근대 한국에서 독자적인 자본주의가 발전하려고 했는데 일본의 제국주의가 들어와 자본주의의 정상적인 발전을 방해해, 그 결과 한반도의 자본주의 또는 근대는 기형적이고 왜곡된 형태로 흘렀다는 시각이 그 밑에는 깔려 있습니다. 이것은 인도의 민족주의적 역사 서술이나 맑스주의적 역사 서술에서도 거의 공통적으로 발견되는 것이 아닌가 생각합니다. 이처럼 구체적인 역사 서술을 놓고 보면, 맑시스트 역사 서술이든 내셔널리스트 역사 서술이든, 제국주의적 역사 서술이든 민족해방적 역사 서술이든, 근대 역사주의가 함축하는 선진과 후진의 이분법에 기초해 있다는 것을 부인하기 힘들 겁니다.

근대 역사학 자체가 역사주의적 도식의 기초에 의해서 만들어진 것이고 내셔널 히스토리가 그 도식에 입각해 있다면, 그것을 깨기 위해서는 고대사부터 현대사까지 완전히 다시 씌어져야 한다는 거죠. 그것은 근대 역사학이 2세기 동안 해온 작업을 해체하고 새로운 역사상을 구축하는 실로 엄청난 작업입니다. 그런데 역사학의 실정은 어떤가 하면, 이제야 겨우 문제를 제기하기 시작하고 뒤집어보기 시작한 정도입니다. 그래서 저는 해체를 지향하는 논문은 쓰겠지만, 사실 강의는 거의 못하겠어요. 기존의 역사 서술이 잘못되어 있다는 것은 알겠고, 거기에 문제를 제기하고 해체하는 것까지는 가능한데, 그것들을 재구축하는 데는 아직도 많은 업적의 축적과 시간이 필요하지 않나 생각합니다. 그것은 탈근대의 문제 의식을 공유하는 역사학자라면 누구나 직면한 딜레마가 아닐까 합니다.

역사학의 딜레마

사카이 그렇습니다. 역사학을 제도적인 차원에서 전면적으로 새롭게 보지 않으면 안 되는 지점까지 온 것입니다. 언제까지나 국민사라는 틀 안에서만 쓸 수는 없는 노릇이고 서양사를 특권화시킨 세계사라는 발상을 철저히 변화시켜나가지 않으면 안 되겠습니다. 예를 들어 아시아의 근현대사를 보더라도, 역사주의의 전형인 근대화론은 아시아에서 일본이 거둔 자본주의의 '성공'을 설명하기 위해, 봉건제가 존재했다는 설명 방식을 도입하고 그것을 바탕으로 일본에도 서유럽과 유사한 역사 조건이 있었다고 주장하려 했던 것입니다. 중국이나 한국은 전근대 단계에 봉건제가 존재하지 않았으니까 자본주의가 발전하지 않았다는 식으로. 이러한 역사관은, 전전에는 일본의 제국주의를 정당화하는 근거가 되었으며, 전후에는 일본을 미국의 집단방위체제의 우등생이자, 공산주의에 대한 동아시아의 방파제로서 정당화하기 위한 논의로 이어졌습니다. 그런데 중국이나 한국에서 자본주의가 눈에 띄게 발전하기 시작하자마자 근대화론자들은 입을 다물고 맙니다.

근대화론에는 서유럽이나 '서양'에서 발달한 자본주의는 정상이고 그밖의 장소에서 발달한 자본주의는 왜곡된 것이라는 전제가 늘 들러붙어 있었습니다. 이것은 선진/후진 도식과 국민사의 조합으로부터 필연적으로 야기되는 귀결일 것입니다. 역사주의라는 것이 이렇게 힘을 발휘할 수 있었던 것은, 아까 임 선생께서는 소비사회에 욕망을 관리하는 구조가 있었다고 말씀하셨지만, 저는 소비사회가 등장하기 전인 19세기에 이미 역사주의가 강력한 욕망 환기장치로서 존재했다고 생각합니다. 그렇게 강력한 욕망 환기장치였던 역사주의가 이만큼 확산되었다는 것은, 그것이 사람들로 하여금 자신을 변혁하도록 강력히 요구하면서 사회적인 통합과 사회적인 목적을 부여해주는 능력을 갖고 있었다는 얘기가 됩니다.

바로 그런 역사주의에 대항하기 위해—방금 말씀하셨듯이, 모든 역사를 지금 당장 새로 쓴다는 것은 아마 불가능할 거구요—우리가 할 수 있는 일은 이러한 역사주의의 틀에 들어맞지 않는, 혹은 역사주의적인 도식을 사용하지 않고도 우리가 현실적으로 경험하고 있는 문제를 묘사하거나 분석하는 것이라고 생각합니다. 그것은 가능할 뿐만 아니라 당장 시작해야 한다고 생각합니다.

더욱이 국민사에 대해 긍정적인 이미지를 가지고 있는 역사가가 아직도 있다는 점과 관련하여, 그들이 왜 긍정적인 이미지를 계속해서 가지고 있느냐에 대해 분석할 필요가 있습니다. 아마도 그들이 갖고 있는 근대 이미지 안에는 고도 성장기의 체험이 들어 있는 것 같습니다. 하지만 그것은 당시의 다양한 역사적 조건에 의해 가능하게 된 것이라는 사실, 다시 말해서 근대가 내재적으로 끊임없이 새로운 고도 성장을 낳는다든지, 혹은 그럴 가능성을 확보/유지하고 있다든지 하는 보증은 어디에도 없다는 사실, 바로 그 점을 확실히 제시할 필요가 있다고 생각합니다.

임지현 조국 근대화에 대한 이미지도 같이 물려 있겠지요?

사카이 국민사가 가장 강력하게 작동한 것은 바로 그러한 이미지를 통해서일 겁니다. 역사주의는 다양한 사회를 선진과 후진과 같은 상하 관계 속에 위치짓는데요, 인종이나 사회 계급, 국민국가 사이의 관계, 젠더, 문명 그리고 문화 등등, 정말이지 다종다양한 위계 질서의 문제가 있다고 생각합니다. 인종 간의, 사회 계급 간의, 또 국가 간의 상하 관계는 부단히 유동하는 것입니다. 인종이나 계급이 유동하는 바로 그 모습이 선진/후진이라는 위계 질서에 투사되는 것입니다. 그 속에서 아무래도 저 자신이 무시할 수는 없는 것이, 근대에 대한 강렬한 노스탤지어가 생겨나게 될 때에는 인종이나 계급의 위계 질서가 내재적으로 크게 변화되고 그 변화에 대한 불안과 결부되어 선진/후진이라는 위계 질서가 생겨나게 된다는 것입니다.

예를 들어 자본주의가 전지구적으로 전개되면서 사회적·경제적 지위가 계속해서 몰락해가고 있는 일본의 중산계급은 후진국인 중국이나 한국이 '따라붙었다' 고 느끼고, 중국인이 일본인의 부와 기술을 몰래 훔쳐갔다고 느끼는 겁니다. 잘 아시겠지만 이와 마찬가지로 미국에서도 계급 격차가 점점 더 벌어져서, 비교적 높은 경제 성장을 이룩했다는 1990년대에도 소득 격차는 오히려 커졌습니다. 그래서 백인 노동자 사이에 실업이나 가족 붕괴의 불안이 확산되고 있구요. 그러한 불안이 인종적인 위계 질서의 문제로 제시되는 것입니다. 또 앞서 언급한 영국 영화 〈풀몬티〉에서는 노동자계급 남성이 실업을 당하면서 '여성은 육아를 맡아보고 남성은 가정 밖에서 임금을 받아 가계를 유지한다'는, 그런 성 분업에 의해 결정된 남성의 역할을 더 이상 수행하지 못하게 됩니다. 결국 노동자계급 남성이 자신의 남성성의 위기에 빠진 것입니다. 사회적으로 기대되는 역할을 수행하지 못하게 되면 여성에 대한 자신의 우위는 붕괴되며 남성으로서의 자신감도 상실하게 됩니다. 사실 사람들의 동일성은 욕망의 체계에 의해 지탱되고 있습니다.

그런데 사회 변동에 의해, 그때까지 안정되어 있고 사람들의 동일성을 지탱하고 있다고 믿어졌던 위계 질서가 흔들흔들거리면서 붕괴되어갑니다. 바로 그때 사람들은 무정형(無定形)의 불안으로부터 습격을 당하게 됩니다. 그런 불안감 자체를 제거할 수는 없겠지만 불안감이 왜 생겨날 수밖에 없는지에 대해서 분석하거나, 그런 불안이 그토록 강렬하게, 그리고 여전히 나타나는 이유가, 이제는 낡은 것이 되어버린 그 옛날의 '욕망 생성의 관리 에코노미(economy)' 속에 사람들이 아직 갇혀 있기 때문이다는 것은 우선 지적해둘 필요가 있다고 생각합니다. 그런 의미에서 저는 포스트모더니즘에 대해 대단히 소극적인 입장을 가지고 있습니다. 포스트모던이라는 형태로 근대와는 다른 어떤 구조나 조건을 포지티브하게 이야기하는 것은 아무래도 불가능하기 때문입니다. 또 바로 그런 점에서 우리 자신도 미래에 대해서는, 미래를 등지고 뒤를 보면서 미래로 향해가는 그런 방식으로밖에 미래로 나아갈 수 없는 게 아닐까 생각하고 있습니다.

미래에 대해서 예상할 수 없게 된다는 것, 그러면서 역사주의가 의문시되는 구조에 대해 말씀드렸는데요, 바로 그런 구조를 저는 포스트모던이라고 생각하고 있습니다. 연대기적인 개념이 아닌 거지요. 근대 이후에 다른 시대가 오는 게 아니라, 근대 속에서 근대 그 자체가 회의적으로 되지 않을 수 없는 것을 포스트모던이라고 생각하는 것입니다. 그런 의미에서 근대는 포스트모던으로서 시작되었다는 표현은 타당하다고 생각합니다.

임지현 제게는 아주 신선하게 들립니다. 아, 근대사를 이렇게 볼 수 있구나 하는 생각에 절로 무릎을 치게 되는군요. 지성사가의 입장에서 근대를 떠받쳐온 사상적 축을 더듬어보면, 그것이 리버럴리즘이든 맑시즘이든, 이성에 입각해서 미래를 과학적으로 예측한다고 주장을 해왔다는 말이죠. 그런데 미래를 과학적으로 예측하는 것, 그리고 그러한 확신이야말로 얼마나 무서운 폭력으로 변할 수 있는가를 이미 지난 세기의 역사가 가르쳐준 바 있습니다. 또 어떤 면에서는 과학적 이성에 입각해서 미래를 예측한다는 그러한 과학적 전망도 결국은 개개인이 실존적 차원에서 가질 수 있는 어떤 우연성, 이성으로는 끝내 풀 수 없는 삶의 우연성이랄까, 숙명성에 대해서는 잠재의식이나 무의식에 대한 분석까지 동원해서 어떻게든 풀어보려고 했지만 궁극적으로는 실패했다는 것입니다. 베네딕트 앤더슨(Benedict Anderson)이 지적했듯이, 근대의 모든 진화론적 사상은 바로 그 삶의 우연성이랄까, 숙명성에 대해서 무기력한 설명만을 제공해주었을 뿐입니다. 결국 종교적인 유대가 깨지고 왕조적인 연속성이 깨진 그러한 상황에서, 근대적인 사상이 설명해주지 못하는 삶의 우연성이나 숙명성을, 내셔널리즘이 조상과 후손의 연속성이라든지, 민족이라는 집단적 존재의 연속성이라는 관념을 가지고 순식간에 파고들어서 큰 힘을 발휘할 수 있었다는 앤더슨의 설명은 적절한 것 같습니다. 한편에서는 합리주의적인 것을 강조하여 탈주술화를 도모하면서도 재주술화되는 근대의 역설, 왜 그 세속적인 사상이 시민종교화되고 또 세속종교화되는가 하는……. 근대 속에 이미 근대가 도모했던 미래에 대한 예측이 불가능하다는 지적도 같은 맥락에서 이해하고 싶습니다.

근대의 역설

사카이 1930년대는 어떤 의미에서는 위기의식이 대단히 높아진 시대라고 할 수 있습니다. 그때 이성의 문제가 표면으로 떠올랐습니다. 근대의 이성이라는 것이 한편으로는 그것에 의해 미래를 열어갈 수 있다는 측면도 있었지만, 그와 동시에 그런 확신은 이성에 자신을 바침으로써, 어떤 의미에서는 그것을 믿음으로써 생산된 것이었습니다. 역사주의 속에는 단지 이성이 역사적 시간을 주도할 뿐만 아니라, 이성에 자신을 바침으로써 역으로 역사를 만들어간다는 측면이 있었다고 생각합니다. 이것은 1930년대에는 유럽의 위기라는 형태로 문제시되었습니다. 가장 유명한 예가 바로 후설의 이성적 목적론이라는 사고 방식일 텐데요, 유럽은 자신을 이성에 바침으로써 역으로 이성을 수호할 수 있다는 사고 방식을 갖고 있었던 것이죠. 후설의 입장에서 보면 유럽이 세계사의 중심이라는 것은, 이성 신앙의 문제이며 이성적인 것에 대한 투기(投企)였습니다. 유럽인이 유럽 이외의 인간과 다른 종(種)일 수 있다면, 그것은 이성에 대한 투기이며 초월론적인 주관성에 대한 주체적인 헌신 때문이라는 얘기니까요.

하지만 지금 우리가 직면하고 있는 문제는 유럽이나 서양이라는 틀만 가지고는 이해할 수 없는 성질의 것입니다. 왜냐하면 유럽 이외의 땅에 사는 사람들의 입장에서도 이 위기는 마찬가지 의미를 지니는 상황이기 때문입니다. 달리 말하자면 유럽이 선진적이라거나 세계의 중심이기 때문에 유럽의 탈락은 곧 위기다, 이렇게 말할 수 있는 상황이 아니라는 겁니다. 이 위기를 '서구의 몰락'이라는 식으로 사고하는 것은 실로 위험천만합니다. 결국 문제는 유럽, 혹은 서양이 중심인 그런 근대가 아니라, 이미 전지구적인 규모로 확장된 근대에 대해서, 유럽인이든 아니든 모두가 관련되지 않을 수 없게 된 상황에 대해서, 우리가 어떻게 대처해나갈까 하는 것입니다. 그런 의미에서 근대의 문제는 이제 서양에 국한된 게 아니라 세계의 모든 사람들이 한결같이 직면하고 있는 것으로 새로이 생각하지 않으면 안 됩니다. 그래서 제 생각으로는 근대를 뛰어넘는 것이, 예컨대 서양을 뛰어넘는다든가 서양 이외의 원리를 탐구하는 방식으로는 더 이상 포착할 수 없게 된 것 같습니다. 서양은 이미 세계적인 규모로 확산되었습니다. 우리는 서양과 비서양이라는 차이를 전제하는 역사주의로부터 탈출해야만 합니다. 이 문제에 대해 어떻게 생각해야 할까요? 삶의 우연성이나, 우리가 다른 장소, 다른 맥락 속에서 조우하는 다양한 문제들을 하나하나 처리해감으로써만 대답할 수 있다고 생각합니다.

임지현 역설적인 것은, 후설이 이성적 목적론에 대해 거론하던 시점에 이미 이성은 도구적 이성으로 전락하고 있었습니다. 단지 이성의 찬양론자들만이 모르고 있었을 뿐이죠. 저에게는 서구적 근대, 근대적 합리주의, 이성중심주의에 대해서 회의하게 된 아주 개인적인 계기가 있었는데, 그것은 아우슈비츠에서의 충격이었습니다. 그 그로테스크한 분위기가 아니라, 아우슈비츠 박물관에 전시된 한 독일인 군의관이 히틀러에게 보낸 편지 사본이 그랬습니다. 그 편지는 "나한테 유능한 조교 10명만 보내주면 훨씬 더 빠르고 값싼 방법으로 유대인들을 죽이는 방법을 개발해낼 수 있었을 텐데, 참 아쉽다"는 내용을 담고 있었습니다. 그때 처음으로 "야! 이 이성이라는 것이 얼마나 무서울 수 있는가, 합리적인 사고라는 것이 얼마나 무서울 수 있는가"를 뼈저리게 느꼈습니다.

사카이 후설은 홀로코스트가 발발하기 전인 1938년에 사망했습니다만, 그때도 그는 아직 주관적으로는 나치즘과 대결하려 했다고 생각합니다. 그는 유럽 파시즘에 대한 대항으로서 초월론적 현상학이라는 투기를 생각하고 있었습니다. 하지만 그가 전인류적 보편성을 짊어질 유럽적 인간성을 어떤 식으로 옹호할까라는 발상에서 벗어나지 못하는 한, 그의 논리는 나치의 논리와 기묘한 유사성을 드러냅니다. 결국 어떤 문명이나 인종, 혹은 문화의 우월성을 퇴폐나 몰락으로부터 지켜내려면 어떻게 해야 하는가 하는 발상을 계속 유지하는 한, 좀더 좁혀서 말씀드리면 내셔널한 발상을 버리지 못하는 한, 지금의 문제는 기본적으로 해결될 수 없다고 생각합니다. 그런 의미에서 우리가 해결해야만 하는 문제는 지구적으로 확산되고 있는 문제이며, 그것은 각각의 역사적 맥락을 떠나서는 생각할 수 없기에, 각각의 문제들을 하나하나 처리해가는 방식을 축적해갈 수밖에 없을 것입니다. 하지만 이때 각각의 장소나 문맥을 존중한다는 문제 의식이 곧장 민족이나 국민을 존중하는 방식으로 횡령되어버리는 그런 사태가 발생하지 않도록 문제 제기 방식을 고민해야 합니다.

임지현 그런데 민족이나 국민이 얼핏 보면 특수나 개체를 존중하는 것처럼 보이지만, 그럴 때는 이미 무언가 보편을 하나 상정해놓은 상황에서 개체를 존중하는 것이 아닌가 합니다. 대개의 경우 그 보편은 사실 서양을 보편으로 삼고 있으며, 결국에는 유럽중심적 역사주의의 도식에 갇힌 보편과 개체가 아니었나 생각합니다. 반면에 민족과 국민은, 안으로는 철저하게 하나의 통일되고 균질화된 집단으로 자신을 상정하고, 그 하나된 자신을 서로 다른 개체들에게 강제하거나 혹은 관철시키려는 그런 폭력적인 개념입니다. IMF 위기 상황에 대한 한국 사회의 반응에서 볼 수 있듯이, 위기 상황일수록 그 폭력성은 더 강화되는 것이 아닌가 합니다. 9·11 이후 미국의 성조기 달기 운동보다는 사실 한국의 태극기 달기 운동이 더 선배지요. 결국 이 논리는 IMF 위기 이후에 한국 시장이 자유화되면서 벌어지는 소득 격차라든가 노동시장의 유연성 등을 민족 문제로 환원시켜 초점을 흐리는 방식으로 작동하는 것이죠. 다른 한편에서는 지구화가 곧 미국화라는 등식을 설정하고, 중국을 축으로 하는 동아시아 경제 블록을 만들어 미국화를 돌파하려는 그런 경향도 나타나고 있습니다. 그것은 어떤 면에서는 동아시아에서 과거의 헤게모니를 재구축하고자 하는 중국의 구상과 부분적으로 일치하는 측면들도 있습니다.

물론 국민국가의 경계를 넘어 동아시아 공동체나 유럽연합과 같은 지역공동체를 결성하는 것이 효과적인 무기가 될 수도 있겠지만, 저는 그것에 대해 부정적입니다. 왜냐하면 그것이 국민국가의 논리를 넘어선 방식이 아니라 국민국가의 논리가 동아시아, 혹은 유럽이라는 더 넓은 지역으로 확장된 것에 불과하기 때문입니다. 그것은 국민국가의 경계가 함축하는 배제와 억압의 논리를 극복하는 방식이 아니라, 배제와 억압의 주체를 단일한 국민국가에서 지역공동체로 그 외연을 넓힌 데 불과합니다. 예컨대 유럽의 공동 역사 교과서에서도 그 한계는 잘 드러납니다. 유럽의 경우에는 유럽연합의 발전과 더불어 동아시아에서보다 내셔널 히스토리를 넘어서려는 움직임이 오래 전부터 있어왔고 또 우리보다 상당히 앞서 있는데, 문제는 그것조차도 내셔널 히스토리의 연장으로서의 유럽사, 혹은 확장된 내셔널 히스토리로서의 유럽사이지, 진정으로 내셔널 히스토리를 넘어선 것인지는 의심스럽습니다. 예컨대 그것은 샤를마뉴를 유럽의 영웅으로 만들고 샤를마뉴의 카롤링거 왕국을 유럽연합의 전사(前史)로 보는 유럽 저널리즘의 논조에서도 다시 한번 확인됩니다. 유럽연합의 이 예는 국민국가 또는 그 표상으로서의 내셔널 히스토리를 넘어선다는 것이 얼마나 어려운가를 우리에게 제기하고 있습니다. 이는 앞으로 우리가 성찰적 동아시아의 역사상을 만든다고 할 때, 염두에 두고 고민해야 할 대목이 아닌가 합니다. 예컨대 공자를 동아시아의 공통된 문화적 영웅으로 만드는 방식—동아시아에서 유교 자본주의론을 주장하는 사람들 사이에서는 이미 그런 모습들이 드러나기도 합니다만—등은 지양해야겠다는 것입니다.

번역, 새로운 커뮤니케이션

사카이 예, 결국 우리는 지금까지 내셔널 히스토리라든가 민족,

서양과 같은 기본적인 연대의 형태나 형식을 비판해온 셈인데요, 하지만 사람들의 연대 자체는 부정할 수 없을 것 같습니다. 지지하지 않을 수 없다는 것이죠. 그렇다면 어떤 방식으로 연대할 수 있는지, 이 문제에 대해 새롭게 사고해볼 필요가 있습니다. 인간이란 뿔뿔이 흩어져서 살아갈 수는 없고 어떤 식으로든 연계(連繫)를 맺는 것이 필요할 텐데요, 이때 우리가 지금까지 생각해온 공동체 개념은 아무래도 민족이나 국민이나 문명, 아니면 방금 얘기 나온 지역공동체라는 형태로 빠져버리게 됩니다. 동아시아인들은 대동아공영권 때문에 가혹한 경험을 한 바 있습니다. 그러한 전철을 답습하지 않기 위해서라도, 그와는 다른 방식의 공동체를 구축하려는 모색이 반드시 필요하다고 생각합니다. 한 지역에서 공동으로 살고 있다든가, 문화를 공유한다든가, 종교가 같다든가, 같은 국가를 지지하고 있다든가 하는, 그런 방식 이외의 방식을 통해 사람들의 공동성을 확보하는 방향을 모색하고 싶습니다.

제가 번역이라는 사고 방식에 관심을 갖게 된 가장 큰 이유도 바로 그런 문제 의식과 관련되어 있습니다. 번역이라는 것은 서로 다르다는 데서부터 출발하여 바로 그 속에서 상대와 관계를 만들어 나가는 작업입니다. 번역은 비공약성(incommeasurability)의 장소에서 요청되는 것이지요. 따라서 번역의 사고 방식을 대폭적으로 변화시키면 민족이나 문화, 언어, 종교 등, 동일하다는 사실에 바탕을 둔 공동체나 국가에 포섭되지 않는, 비공약성의 공동체를 사유할 수 있지 않을까 생각한 것이죠. 지금까지의 번역은 국민국가를 위한 것이었고 국민의 공동의식을 만들어내기 위한 장치로 기능해온 측면이 강합니다. 하지만 그런 번역을 철저히 비판할 수 있다면 어쩌면 비공약성을 배제하는 공동성과는 아주 다른 연대 방

식의 실마리를 찾을지도 모른다고 생각했습니다. 연세대학교의 게스트 하우스라는 이 장소에서 현재 진행되고 있는 우리의 대담이야말로 번역 작업이라고 생각하는데요, 지금 번역되고 있는 내용이 국민국가 비판이어야만 하는 이유가 단지 우리 두 사람이 국민국가를 비판하는 학자이기 때문만은 아니라고 생각합니다. 우리는, 최소한 저는 이런 형태로 대담이나 대화를 함으로써 새로운 형태의 연대를 생각할 수 있지 않을까, 그렇게 모색하고 있으며, 또한 이러한 실천 자체가 국민국가에 대한 간섭이 될 수밖에 없다고 믿습니다.

임지현 번역이라는 작은 바늘구멍을 통해서 세상의 관계들을 다시 읽는 방식……. 굉장히 흥미로운 발상이라고 생각합니다. 사실 우리가 생각하는 번역은 한 텍스트를 다른 텍스트로 올바르게 옮긴다는 것 같습니다. 그것은 마치 일본 역사 교과서가 사실을 왜곡하기 때문에 옳게 고쳐야 한다는 발상과 비슷한 맥락에 서있는 것이 아닌가 생각합니다. 사실 번역이라는 것은 어떻게 보면 자기와 다르게 살아가는 삶의 사유 방식을 나의 사유 방식으로 전유하는 과정이기도 하지요. 그 점에서 선생께서 '번역과 주체(translation and subjectivity)'의 문제에 접근하는 방식도 국민국가의 경계를 비판하는 작업과 맞닿는 것이구요. 사소한 것이지만, 예를 하나 들어보고 싶습니다. 나쓰메 소세키를 연구한 제 친구가 지적한 것인데요, 가령 페닌슐러(peninsular)를 일본에서는 '반도'라고 번역한다고 합니다. 반쪽짜리 섬이라는 뜻이죠. 근데 그 번역어에서는 자연스레 섬이 주체로 되어 있습니다. 사실 대륙의 입장에서 보면, 반도라는 것은 바다를 향해 돌출된 부분이죠. 어떤 맥락에서도 페닌슐러에 섬이라는 뜻은 반이 아니라 반의 반도 없습니다. 그럼에도 불구하고 일본에서 페닌슐러가 언제 반도로 번역이 됐는지는 모르겠습니다만, 이미 반도라는 번역어에는 일본이라는 섬의 시각에서 "우리는 완전한 섬이지만 한국은 반쪽짜리 섬밖에 안 된다"고 내려다보는 우월자의 시선이 담겨 있습니다. 그럼에도 불구하고 우리는 페닌슐러를 반도라고 번역했을 때 맞다고 얘기합니다. 한국인들도 마찬가지지요.

그러니까 사실은 서양의 학문과 사상 체계를 수입하면서 번역이 만들어낸 관계를 드러내고 해체하기 위해서는 오늘날까지도 아무런 의심없이 올바른 번역이라고 사용하고 있는 19세기 번역어들에 대한 총체적인 점검이 필요하지 않나 하는 생각이 들었습니다. 예컨대 네이션을 왜 '민족'이라고 번역해야 하는가? 일본에서는 처음에 '족민(族民)'이라고 번역했다고 들었는데 그것이 왜 민족으로 바뀌었고 다시 또 국민으로 바뀌었는가? 그러다 지금은 왜 네이션이라고 쓰는가 등등의 문제들이 조명되어야 합니다. 그 과정에서 자연히 특정한 번역어를 고집하고 주도했던 집단이 누구이고 또 그들의 정치적 의도는 무엇이었는가가 드러나겠지요. 그것은 오늘날 한국에서 사용하고 있는 모든 사상/학문 용어들, 즉 서양으로부터 일본을 거쳐서 들어온 번역어에 내장된 관계의 정치학, 위계 질서를 드러내고 그에 따라 배치된 번역어를 다시 뒤집는 그런 작업이 되겠지요.

사카이 곰곰이 생각해보면 영어의 네이션이라든가 불어의 나시옹(nation)이라는 말 자체는 원래 라틴어의 나티오(natio)와 관계가 있는데 어쩌면 그 자체가 오역일 수도 있겠습니다. 하지만 그 나티오라는 라틴어가 오역되거나 오해되는 과정을 통해서 네이션이 역사적으로 커다란 힘을 발휘해온 것입니다. 즉 비공약적인 데에 억지로 관계를 맺고 맙니다. 그런 식으로 번역을 한 후에야 비로소 올바른 번역과 잘못된 번역, 좀더 좋은 번역과 좀더 나쁜 번역 같은 구별이 가능해집니다. 그리고 그 네이션이 민족이나 국민이란 말로 번역되는 등, 다양하게 전개되어감으로써 더 막강한 힘을 발휘하게 되었다고 생각합니다. 그걸 역으로 말하면 네이션의 원래 의미가 고정되었기 때문에 확산되어간 게 아니라, 실은 오역됨으로써 원래의 의미도 점점 변화되어갔다고 할 수 있겠습니다.

임지현 예, '해석학적 오류의 생산성'이라고나 할까요.

사카이 (웃음) 하지만 그런 오류를 제거해버리면 번역이라는 것 자체가 성립되지 않습니다. 그 오류라는 것이 존재하지 않는다면 사람과 사람 사이의 관계도 성립되지 않을 것입니다. 그런 의미에서 사람과 사람이 만나기 위해서는 오해를 하거나 잘못을 저지르는 것이 아주 중요하지 않나 싶습니다. 그런데 네이션이라는 사고방식 안에는 그런 오류를 일체 배제해버리고 하나의 균질적인 존재로 만들고 싶다는 욕망이 저 깊은 곳에 숨어 있습니다. 그리고 이러한 균질성은 실제로 존재하는 것이 아니라, 오해할 것이라고 지레 상정해놓은 인간을 자신들의 민족 내부로부터 바깥으로 배제함으로써 비로소 성립되는 공동체라고 생각합니다. 그렇게 되면 네이션이라는 것은 오해를 철저히 적대시하는 공동체인 셈입니다. 하지만 제가 생각해보고 싶은 것은, 그런 오해를 불러들이는, 그리고 오해를 통해 사람과 사람의 관계를 점점 넓혀나가는 그런 공동체입니다. 균질성을 지향하지 않는, 균질성에 강박적으로는 관여하지 않는 공동체가 가능하지 않을까 합니다. 우리가 상식적으로 생각하는 번역은, 어떻게 하면 오해를 없앨 것인가 하는 방향으로만 가고 있습니다. 오해 없는 투명한 커뮤니케이션을 이념으로 하는 번역의 표상이 지배적이 된 것은 바로 그 때문입니다. 그런 의미에서 우리는 이러한 대화 과정에서 언제나 오해의 위험, 오해에 대한 공포와 맞닥뜨리지 않을 수 없습니다만, 우리는 바로 그러한 오해의 가능성으로 인해 서로의 오해를 용서해주며, 또 실제로 끊임없이 서로의 오해를 행동을 통해 어떻게든 바로잡으려고 하기 때문에, 역으로 우리 사이에 관계가 생겨날 수 있다고 생각합니다. 여기에는 번역자를 포함하여, 국민도 민족도 아닌 공동체가 존재하는 것입니다. 지금 후지이 씨가 통역을 해주고 계십니다만, 어떤 의미에서는 후지이 씨야말로 이상적인 공동체를 대표하고 있는 것일지도 모릅니다.

임지현 (웃음) 예, 아주 재미있는 지적을 해주셨습니다. 오류의 입장에서 올바른 번역의 오류를 지적하는 것이 중요하다는 얘기를 하셨는데요, 근데 이런 오류는 사실 한 공간과 다른 공간 사이에서 공시적으로만 일어나는 것은 아닌 것 같습니다. 그러니까 20세기의 일본인과 한국인, 아시아인과 유럽인 사이에만 일어나는 것이 아니라, 역사학에서 보면 천년 전에 한반도에 살았던 주민들과 지금 한반도에 사는 주민들 사이에도 이런 오해, 이런 번역의 오해는 일어난다고 생각합니다. 역사적으로 보면 시대 착오주의가 그 대표적인 예라고 할 수 있습니다. 사카이 선생의 비유를 들어서 이야기한다면 이른바 '국민의 정사', 공식적인 내셔널 히스토리가 천년 전의 사람들을 이해하는 독점권을 주장하고, 정사에 도전하는 나머지 다른 역사들에 대해서, 너희들은 오해한 거다, 즉 너희는 잘못된 번역이고 내 번역만이 올바른 번역이다는 주장을 하는 거죠. 그러니까 번역의 문제는 하나의 외국어를 다른 외국어로 옮긴다는 데서뿐만 아니라, 같은 언어 안에서 천년 전의 언어를 천년 뒤의 언어로 옮기는 데서도 나타나는 현상이 아닌가 생각합니다. 제가 모든 종류의 '정사'를 거부하는 것도, 그것이 국민국가의 관점에서 오류를 범한 자신의 오류를 절대화하고 유일하게 올바른 것으로 만들기 때문입니다. 거기에 게재되어 있는 논리의 폭력, 그리고 그

논리의 폭력이 항상 실천적인 면에서 또 다른 억압과 폭력을 가져올 수 있다는 점을 비판하고자 하는 것입니다.

사카이 동감입니다. 바로 그런 방식으로 공식 역사(official history)라는 것은 다르게 번역될 가능성을 압살해버리는 것이죠. 모든 번역이 다른 새로운 번역에 무한히 열려 있듯이, 역사도 끊임없이 다른 역사의 가능성에 대해서 열려 있어야 한다고 봅니다. 그런 한에서만 우리는 역사라는 것을 정당화할 수 있다고 생각합니다.

임지현 그런 면에서는 천년 전 한반도 사람들과 지금 한반도 사람들의 연대, 뭐 연대라는 말이 너무 거창하다면 관계라는 표현도 괜찮습니다만, 또는 국민국가의 경계를 넘어선 관계도 자기 자신의 오류에 열려 있고 따라서 다른 번역의 가능성에 열려 있는 관계를 지향해야 하는 것이 아닌가 하는 생각입니다. 아무래도 솔리대러티(solidarity)보다는 어소시에이션(association)이 더 오해의 소지가 없을 것 같은데요. 글쎄요, 21세기의 연대 형태는, 일종의 형용모순이겠지만, '무정부주의적 연대'가 특정한 해석에 기초한 자기 폐쇄적인 연대를 대체하는 방식이 되지 않을까요?

사카이 저도 관계라는 말을 사용해도 별 문제는 없다고 생각합니다만, 생판 타인이 우연히 마주치는 식의, 그런 무관계한 관계가 있어도 좋다고 생각합니다. 다만 관계라는 말은 지금까지는 밀접한 관계, 예컨대 가족 관계 등을 의미하는 경우가 많았고, 또 남녀 관계에서는 성적인 관계를 의미했는데요. 그것이 가족 관계의 원형과 같은 발상이라는 점에서 그 단어를 피하고 싶은 정도입니다.

임지현 관계라는 말이 나왔는데, 그래서 영어로 어소시에이션이라고 말했는데 뭐라고 번역해야 할지 모르겠습니다.

사카이 어소시에이트라는 것 자체는 폐쇄적인 의미는 전혀 없고 항상 연결되어 있는 것, 열려 있는 것입니다.

전지구적 연대, 새로운 사유와 실천의 출발점

임지현 이제 대담도 거의 막바지에 이르렀는데, 마지막으로 두세 개 정도의 요점에 대해서 서로의 의견을 개진하고 대담을 마쳤으면 합니다. 어제 대담에서는 역사주의의 문제, 선진과 후진의 차이를 자명한 것으로 전제하는 역사주의의 도식, 그와 연결된 서양적인 것과 비서양적인 것의 차이, 기존의 근대적 국민국가 공동체의 틀을 넘어설 수 있는 연대의 방식, 그리고 서로 다른 공동체 사이의 커뮤니케이션 방법으로서의 번역의 문제 등등에 대해 이야기를 나누었습니다. 오늘은 어제 이야기의 연장선상에서 미국의 헤게모니가 동아시아에서 관철되는 방식, 그리고 그에 대항하는 연대의 가능성, 즉 미국적 헤게모니를 넘어서는 동아시아적 연대 등에 대해서 이야기를 나누었으면 합니다.

사카이 우선 헤게모니 개념을 설명하고자 했는데 충분했는지 모르겠습니다.

임지현 충분하지는 않았다고 생각합니다.

사카이 제 생각은 이렇습니다. 미국의 헤게모니에서 특히 한국이나 일본에게 중요한 것은 첫째, 소비사회나 문화에서의 헤게모니, 둘째, 군사적인 헤게모니라고 생각하는데요, 이 둘은 관련지어서 생각하는 편이 좋을 것 같습니다.

임지현 그 문제를 본격적으로 논하기에 앞서 먼저 일본이나 한국 사회의 일각에서 완강하게 버티고 서 있는 편견이랄까, 오해를 짚고 넘어가야겠습니다. 국민국가에 대한 저희의 비판에 대해 심각한 오해가 있는 것 같습니다. 국민국가에 대한 비판은 자주 탈정치적 포스트모더니즘이라는 등식으로 도식화되면서, 근대를 넘어서려는 비판적 노력은 곧 자본이 주도하는 세계화를 긍정하는 결과를 빚으며, 따라서 결과적으로는 동아시아에서 미국의 헤게모니를 긍정한다는, 혹은 결과적으로 추인한다는 널리 퍼진 오해가 그것입니다. 먼저 그러한 비판에 대한 반비판을 한번쯤 정리하고 넘어가야 하지 않을까 하는 생각이 듭니다. 한마디로 요약한다면, 근대를 넘어서려는 노력의 일환으로서의 국민국가에 대한 비판적 문제 제기는 동아시아에 관철되는 미국적 헤게모니에 대한 비판을 전제로 합니다. 오히려 그것은 국민국가적 틀에 기초한 미국의 헤게모니에 대한 비판이 충분하지 않았다는 문제 의식에서 출발한 것이라고도 하겠습니다. 이 문제에 대한 선생님의 생각을 먼저 들어보고 싶습니다. 현재 미국적 헤게모니가 동아시아에서 관철되고 있는 방식에 대한 고찰이 먼저 이루어져야겠습니다만…….

글로벌리제이션, 미국으로 가는 길

사카이 상당히 중요한 지적이라고 생각합니다. 저희들은 다양한 문맥에서 미국의 헤게모니 혹은 미국화, 그리고 때로는 글로벌리제이션(globalization)은 미국화에 다름아니다는 논의를 해왔습니다만, 이때 이른바 미국이라고 하는 게 무엇인지를 잘 생각해볼 필요가 있습니다. 사실 '아메리카'라는 말은 본래 아메리카 대륙 일반을 포함하고 있어 복수로 사용하지 않을 수 없습니다.[42] 아메리카라고 하면 그 중에서 우선은 미합중국을 지칭하는데, 이것을 보면 아메리카라는 말 속에 이미 헤게모니 문제가 포함되어 있는 것 같습니다. 그러므로 아메리카라고 했을 때에는 우선 미합중국이라는 국가, 그 국가가 가진 지배체제를 가리킨다는 점을 짚어두기로 하지요. 그리고 미합중국에 집중되어 있는 국제자본을 말하는 경우, 그리고 헐리우드 영화나 미국의 소비문화가 합중국의 영토로부터 세계 속으로 확산되어갈 때, 그렇게 확산되어가는 상품이나 유행, 혹은 미디어 기술 등을 막연하게 지칭하는 경우가 있겠습니다. 그리고 이런 것들이 미국의 국가정책과 동시에 진행되기 때문에, 그 세 차원의 미국이 마치 하나처럼 보인다는 점도 지적해두고 싶습니다. 동아시아 문제를 생각할 때 우선 주목해야 할 점은 중국을 제외한 나머지 동아시아는 미국이 관리하고 있는 군사체제에 의해 거의 지배되고 있다는 것입니다. 군사적으로 동아시아는 합중국의 식민지나 마찬가지입니다. 종종 대등한 파트너라든가 동맹국이라는 표현이 사용되기도 합니다만, 빈말이라고 해야겠지요. 군사에 관한 한, 합중국이 일본과 한국과 필리핀을 지배하고 있는 셈이죠. 그렇기 때문에 일본에도 한국에도, 뭐, 필리핀에서는 최근에 일단 없어졌습니다만, 미군 기지가 존재하고 미군이 이른바 치

(42) 일본어에서는 미국을 통상 '아메리카'라고 부르기 때문에 이런 문제가 발생합니다.

외법권적이고 특권적인 권한을 가지고 있으며, 더욱이 일본에서는 자위대가, 한국에서는 한국군이 미군 기지에 종속되는 형태로 군사적인 위계 질서 속에서 지배당하고 있다는 점을 지적할 수 있겠습니다.

그러나 지금은 2차 세계대전 이전이나, 혹은 한창 2차대전이 벌어지고 있던 당시의 식민지와는 달리, 미국이 군사적으로 지배하고 있다는 사실을 날것으로 드러나지 않게 해주는 메커니즘과 정책이 훌륭하게 전개되어왔습니다. 이것은 집단 방위 시스템이라 불리는 것인데요, 대단히 교묘하게 짜인 용병 시스템이라고도 보입니다. 그리고 미국의 군사체제 아래 한국과 일본의 군사체제가 존재하기 때문에, 동아시아에서 지역 분쟁이 일어날 경우 미군이 명령 계통을 장악하고 있지만, 실제로 전투를 하거나 살육 작업을 수행하는 병사들은 기본적으로 한국 병사이거나 일본 병사입니다. 과거에는 남베트남 병사이기도 했습니다만. 하지만 합중국의 이해관계에 따라 일방적으로 한국 병사를 이용할 수는 없는 노릇이지요. 그러므로 해당 지역의 정체(政體)나 운동 상황과 다양한 방식으로 조정을 이루어가면서 체제를 유지해온 것이지요. 냉전이 끝난 이래 최근 10년 간 미국은 군사 정보, 군사 관리, 명령 계통 등을 재편해왔기 때문에 동아시아에서는 지배체제가 무척이나 철저하게 관철되고 있습니다.

지금까지 일본은 헌법 때문에 합중국의 명령이 있어도 일본 외부에 군대를 파견하는 의무로부터 자유로웠지만, 헌법을 고치고 유사(有事)법제[43]가 의회를 통과하면 일본도 한국과 마찬가지 입장에 놓이게 되겠지요. 그런데 합중국이 지배하는 집단방위체제라는 게 순탄하게 진행되지만은 않았습니다. 오키나와(沖繩)나 한국에서 미군에 의해 발생한 강간사건이 보여주듯이, 식민지 권력으로서의 잔학성을 스스로 폭로하는 경우도 있고 해서, 반드시 원활하게 기능하고 있다고는 할 수 없습니다. 물론 이것과 거의 같은 체제가 유럽에도 존재한다는 사실을 잊어서는 안 되겠지요. 미군기지는 영국에도, 독일에도, 스페인에도, 터키에도, 사우디아라비아에도 존재합니다. 그러나 그러한 미국의 군사적인 패권과 문화적/자본적 헤게모니를 곧바로 결부지어서 생각하면 곤란합니다. 적어도 그람시(A. Gramsci)가 헤게모니라는 말을 사용할 때는, 일견 헤게몬(헤게모니를 쥔 존재)이 헤게모니를 지배하고 있다고 보이지만 실은 헤게모니가 헤게몬의 위치를 떠받치고 있는, 이른바 물구나무선 측면이 있다는 의미를 함축하고 있었습니다. 바로 그런 점에서 미국의 헤게모니를 미국의 음모(conspiracy), 말하자면 배후에서 미국이 조작하고 있다는 식으로만 생각해서는, 이른바 미국의 헤게모니라는 것을 분석할 수 없습니다. 왜냐하면 문화적 헤게모니 속에서 미국이라는 헤게모니가 끊임없이 재구성되고 있으며, 일본이나 한국, 혹은 그밖의 아시아 국가들과의 복잡한 유동화(流動化) 속에서 끊임없이 재구성되고 있는 한에서만 미국의 헤

(43) **유사(有事)법제**
일본 정부가 추진하다가 시민단체 등의 강력한 저항을 받고 있는 법안입니다. '유사법제'란 '위기·비상 사태에 대비해 각종 법과 제도를 정한다'는 것인데, '무력공격 사태 법안, 자위대법 개정안, 안전보장회의 설치법 개정안' 등 세 개입니다. 무력공격 사태 법안은 '위기상황이 무엇인지'를 정의하고 있고, 자위대법 개정안은 '위기상황시 자위대가 원활하게 군사 행동을 하는 데 필요한 조치에 관한 내용'을 담고 있습니다. 안전보장회의는 일본 정부의 최고 지도자인 총리가 위기상황에 대처하기 위해 소집하는 국가최고대책회의입니다. 이 법안들이 통과되면 2년 안에 국민보호법 등 세부적인 내용을 만들겠다는 것이 일본 정부의 생각입니다. 이렇게 되면 총리는 위기상황시 자위대의 출동을 명령하거나 국민의 각종 권리를 제한할 수 있게 됩니다. 유사법제는 본격적으로 전쟁을 준비하는 길을 터주기 때문에 평화헌법의 정신에 어긋나는 것입니다.

게모니라는 것이 존재하기 때문입니다.

임지현 예, 미국의 헤게모니라는 것이 고정된 실체가 아니라 관계 속에서 끊임없이 재구성되는 것이라는 말씀에 전적으로 찬성합니다. 그런 면에서 신자유주의라는 것도 미국의 헤게모니를 관철시키고자 하는 새로운 이데올로기적 장치라고 해도 과언이 아니겠습니다. 그런데 흥미로운 점은 지배 헤게모니가 의도한 대로 관철되진 않는다는 거죠. 그러니까 헤게모니가 관철되는 과정에서, 그 헤게모니의 관철 대상이 마냥 단순한 대상으로만 존재하는 것이 아니라, 그 헤게모니에 반작용을 하는 행위 주체의 성격을 아울러 지닌다는 것입니다. 따라서 지배 헤게모니는 지배 대상들의 욕망이나 욕구를 일정하게 반영하지 않을 수 없는 거죠. 물론 그 헤게모니가 관철되는 대상의 욕망을 만들어내고 또 일정한 방향으로 유도하는 게 헤게모니의 무서운 점이기는 합니다만…….

군사적인 측면에서 미국의 군사적 헤게모니가 관철되는 배경에는 물론 미군 기지의 존재라든지, 미국이 작전권을 가지고 있다는 식의 눈에 보이는 유형의, 그리고 누구의 눈에도 명백한 그런 지배 구조가 있지만, 다른 한편으로 그러한 지배 구조를 가능하게 했던 것은 무엇보다도 냉전논리가 아니었나 싶습니다. 일본에도 레드 콤플렉스가 있는지 모르겠지만, 적어도 남한 사회에 국한시켜본다면 레드 콤플렉스는 미국의 군사적 헤게모니가 관철되는 중요한 시민사회적 기반이자 강고한 진지였습니다. 남한의 레드 콤플렉스와는 다르겠지만, 일본의 경우도 북방의 네 개 섬, 북방 영토를 둘러싼 소련과의 갈등이 항상 언론이나 지배집단에 의해서 증폭된 형태로 이용되면서, 그것이 미국의 군사적 헤게모니가 관철될 수

있는 일본의 시민사회적 기반이 아니었을까 하는 생각이 듭니다. 그런 면에서 1989년 베를린 장벽의 붕괴는 미국의 헤게모니를 뒷받침해준 남한의 시민사회적 진지로서의 레드 콤플렉스에 균열을 가져다준 사건으로 주목됩니다. 물론 그 때문에 지금 미국의 군사적 헤게모니가 흔들린다고는 얘기할 수 없겠습니다만, 적어도 미국의 헤게모니가 거침없이 관철될 수 있었던 시민사회의 진지들이 조금씩 무너져가는 모습은 보인다는 거죠. 물론 이 균열을 과장해서는 곤란할 것 같습니다. 왜냐하면 우선 남한과 북한은 여전히 군사적 대치 상황에 놓여 있고, 그런 면에서 한반도는 여전히 냉전체제가 작동하고 있는 지구상의 몇 안 되는 그런 땅이라고 얘기할 수 있겠죠. 그런데 이 냉전체제에 관철된 미국의 헤게모니는 비단 남한뿐만 아니라 북한에도 일정하게 영향을 미친다고 할 수 있습니다. 북한에까지 헤게모니가 관철된다고는 얘기하기 어렵겠지만, 예컨대 멀리 유럽의 상황을 우회해서 보면 그런 상황은 충분히 이해가 됩니다.

적어도 1968년까지의 상황입니다만, 유럽의 냉전체제에서 우리는 아주 역설적인 현상을 발견하게 됩니다. 예컨대 동유럽에서 노동자계급이 노멘클라투라에 대해서 봉기를 일으키면 서유럽에서는 자본가 혹은 보수정권들이 자유를 위한 봉기라며 동유럽의 노동자 봉기를 지지하고, 좌파들은 거기에 대해서 대부분이 침묵으로 일관한다든가 혹은 부분적인 비판에 머물곤 했습니다. 1968년에 바르샤바 조약군이 프라하를 침공했을 때, 레지스 드브레(Regis Debray) 등은 브레즈네프의 제한주권론을 사실상 지지하고 수용합니다. 1970년의 폴란드 노동자 봉기 때도 이들에 대한 지지를 표명하고 폴란드 통합사회당 정권에 항의서한을 보낸 좌익정당은 이탈리아 공산당이 유일했습니다. 이처럼 동유럽의 노동자계급과 서유럽의 보수적인 지배세력 및 우파 이데올로그들이 의식의 연대를 맺을 때, 서유럽에서 노동자들이 봉기하면 동유럽의 노멘클라투라는 서유럽의 노동자계급이 드디어 자본가에 대해서 봉기를 일으켰다고 선전하고 노멘클라투라와 서유럽 노동자계급의 연대가—물론 이데올로기나 선전선동에 국한된 관념적인 것입니다만—이루어집니다. 반면 동유럽의 노동자계급은, 저 친구들은 저렇게 잘 사는데 왜 쓸데없이 봉기를 일으키는가, 왜 이 악한 공산주의자들을 돕는가 하고 냉담한 반응을 보냅니다. 그러니까 실제로 동유럽 노동자계급과 서유럽 노동자계급의 연대는 한번도 시도된 적이 없는 거죠. 단지 1980년 폴란드에서 솔리다르노시치(Solidarnosc), 즉 자유노조운동이 벌어졌을 때에야 비로소 서유럽의 좌파 지식인들과 노동자계급, 또 다양한 운동 조직들이 연대를 표명하게 됩니다. 1980년까지는 동유럽 노동자와 서유럽의 자본가를 한편으로 하고, 서유럽의 노동자와 동유럽의 노멘클라투라를 한편으로 하는 이상한 연대가 형성되는 기형적 상황이 벌어지는 거죠.

사카이 그 연대의 이면에는 무엇이 자리하고 있었는지 궁금하군요.

임지현 이 이상한 연대의 이면에는 얄타 체제가 자리잡고 있었습니다. 그것은 소련과 미국이 세계를 분할해서 서로의 헤게모니 영역을 인정해준 얄타 체제의 작동 방식이라는 맥락에서만 이해할 수 있습니다. 즉 얄타 체제의 가장 기본적인 역학 구도는 미국 헤게모니와 소련 헤게모니의 공생 관계라고 규정할 수 있습니다. 이처럼 상대방의 헤게모니를 인정하고 서로가 서로를 강화시켜왔던 소련의 헤게모니와 미국의 헤게모니의 공생 구조는 동아시아에서도 일정하게 작동하지 않았나 싶습니다. 그러므로 동아시아, 특히 남한과 일본에 작동하는 미국의 헤게모니를 논하기 위해서는 퍼스펙티브를 조금 더 넓혀서 냉전체제하의 소련의 헤게모니와 중국의 헤게모니 그리고 미국의 헤게모니가 서로 결합하고 경쟁하면서, 또는 지역적으로 각자 헤게모니의 영역을 설정하여 공생하는 그런 방식의 구조가 역시 존재하지 않았나 하는 생각이 듭니다. 그러한 관점에서 보면, 현대 한반도의 비극은 미국과 소련이 한반도를 둘로 나누어 각자의 헤게모니 영역으로 설정했다는 데 있습니다.

한반도의 경우에 문제가 더 복잡한 것은, 미국 헤게모니와 소련 헤게모니의 공생 구조가 조금 더 축소된 형태로 남한의 국가권력과 북한의 국가권력의 관계에도 그대로 재현되고 있다는 점입니다. 즉 공식적으로는 남한의 국가권력과 북한의 국가권력이 끊임없이 통일을 이야기하지만, 실제로는 이 좁은 땅에서 서로의 헤게모니를 인정해주고 강화시켜주는, 그러므로 남한의 국가권력과 북한의 국가권력이 공생하는 그런 구도가 자리잡고 있는 것은 아닐까 하는 의문이 들 때가 많습니다.

가장 단적인 예가 북한의 인권 문제를 둘러싼 기묘한 상황입니다. 남한의 이른바 진보세력, 즉 좌파세력은 누구도 북한의 인권 문제를 거론하지 않고 그것을 굉장히 불편해합니다. 반면에 보수언론이나 보수적인 정치세력은 북한의 인권 문제를 끊임없이 거론합니다. 다른 한편으로 북한의 국가권력은 남한의 노동운동이나 남한 민중의 저항운동에 대해서 항상 관용언론을 통해 적극적인 지지를 보냅니다. 그러니까 남한의 민중과 북한의 국가권력을 한편으로 하고, 북한의 인민과 남한의 보수세력을 한편으로 하는 이상한 동맹 관계가 형성되는 것이지요. 어떻게 보면 바로 이 이상한 동맹 관계까지도 미국의 암묵적 동의 아래 지속되는 것이 아닌가 싶습니다. 미국의 헤게모니에 가장 위협적인 시나리오는 남한의 민중과 북한의 인민이 혹은 한반도의 주민들과 일본 열도의 국민들이 공동의 연대를 구축하는 것이겠지요.

끊임없이 재생산되는 미국 헤게모니

사카이 그렇지요. 냉전 논리라는 것이 1950년대 후반에서부터 1980년대까지 안정요인으로 기능했다는 것은 부정할 수 없습니다. 그렇기 때문에 80년대에 냉전체제가 점차 붕괴되어가자 세계 곳곳에서 여러 가지 불안정 요인이 생겨나게 됩니다. 그중에서 아주 흥미로웠던 것은 군사적인 헤게모니와 문화적인 헤게모니 그리고 자본의 헤게모니 사이에 실은 많은 모순이 있다는 사실이 이 단계에서 드러난다는 점입니다. 그러다 보니까 합중국 안에서도 냉전 논리는 합중국의 국민 통합에 상당히 쓸모있는, 혹은 그것을 조성하는 하나의 틀로서 기능해오는데요. 이것은 대단히 기묘하지만 결코 부정할 수 없는 사실입니다. 냉전 논리의 붕괴 후 이전에 적이라고 상정되었던 존재가 없어졌기 때문에 군사적인 체제와 그 체제를 정당화하는 논리가 단숨에 틈이 벌어져버린 거예요. 그래서 미합중국은 군사적인 체제와 그 체제를 정당화하는 논리를 새로이 조립하는 작업을 다시 한번 수행해야만 했습니다. 이른바 '테러리스트' 라는 것은 바로 이러한 논리의 재건 과정에서 출현했다는 점에서, 그것은 일차적으로 합중국의 군사적 지배 방편으로서 도출된 것이지요.

걸프 전쟁이라는 것도 실은 그런 재편 단계 중 하나로서 불가피했던 것입니다. 미국은 세계의 경찰관이라고 불려왔는데요, 냉전체제에서 국제적인 분쟁을 처리하기 위한 수단으로 작동한 것이 바로 합중국의 군사력이었지요. 그러나 걸프 전쟁 뒤 합중국은 자신의 군사력을 경찰력으로 규정하게 됩니다. 흥미로운 것은 그때까지 그런 형태로 군사체제를 구축하고 그 속에서 직접적인 미국의 군사 개입을 은폐하기 위한 체제를 다양한 방식으로 구성했는데(물론 NATO나 일미안보조약도 그렇습니다만), 그렇게 구성된 체제가 그다지 효과적으로 기능하지 않았다는 생각이 듭니다. 물론 장담할 수는 없지만, 지금 부시 정권이 일방적으로 취하고 있는 방식, 즉 직접적인 군사·경찰적 이니셔티브를 쥐고 사태를 진행시켜가려 하는 방식은 헤게모니라는 사고 방식과 충돌할 수밖에 없지 않겠습니까? 그렇다면 그것은 지금까지 50년 간 미국이 만들어온 군사체제에 입각한 헤게모니, 이것은 물론 냉전 논리를 매개로 한 것입니다만, 그런 헤게모니가 바야흐로 붕괴되고 있는 하나의 조짐으로 생각해볼 수도 있습니다.

다양한 장애에도 불구하고 이 체제가 줄곧 유지되고 있다는 사실을 고려해볼 때, 임 선생께서 말씀하셨듯이, 군사적인 딱딱한(hard) 헤게모니가 아니라 욕망체제를 만들어내는 헤게모니, 혹은 자본의 움직임이 만들어내는 헤게모니 쪽이 실은 지금 미국의 지배체제에서 오히려 강력한 지지 기반을 형성하고 있는 게 아닌가, 그런 지점을 치밀하게 분석해야 한다고 생각합니다.

그와 동시에 이런 점도 지적하고 싶습니다. 자본의 움직임이 만들어내는 헤게모니로는 합중국의 우위가 보장되질 못한다는 점, 즉 다른 국민국가와 마찬가지로 미국 또한 내재적인 위기를 배태

하고 있다는 점입니다. 그래서 다시 한번 확인해두고 싶은 것은 미국의 문화적 헤게모니라고 했을 때 헤게모니의 다양한 욕망을 생산하고 있는 사람들이 반드시 미국인은 아니라는 점입니다. 소비재 상품 하나를 보더라도, 그 속에는 미국적 중산계급의 생활이라는 이미지가 투사되어 있습니다. 그렇게 투사됨으로써 욕망은 거대한 규모로 계속해서 조직되는 것입니다. 이런 이미지를 만들려고 하는 사람들은 더 이상 미국에만 존재하는 것이 아니라 동아시아든 유럽이든 세계 어디에도 분포하고 있습니다. 욕망을 관리하는 전문기술은 동아시아나 서유럽 쪽이 더 나아간 측면도 있는데, 그러한 기술을 굳이 미국적이라고 부를 필연성이 있을까요? 그럴 필연성은 점점 줄어들고 있다고 생각합니다.

임지현 맥도날드화(Mcdonaldization), 디즈니화(Disneylandization) 등이 거기에 해당하겠죠.

사카이 맥도날드화, 디즈니화라고 말씀하셨습니다만, 현재의 상황에서 맥도날드를 미국 회사라고 할 수 있는지 의문입니다. 예컨대 일본만 봐도 맥도날드 일본 법인이 대단히 성공한 다음 그걸 바탕으로 일본 맥도날드가 미국에 역으로 파고드는 방식으로 자본 전개가 이루어지고 있습니다. 또 빅터라는 유명한 레코드 회사도 그렇습니다. 이 회사는 1960년대에 전기 기기를 만들어서 세계적인 기업으로 성장했는데 일본 기업이거든요. 원래는 미국에 있던 빅터라는 회사가 일본에 법인을 만들면서 생긴 회사입니다만. 어쨌든 그후 미국에 있던 원래 회사는 망하고 일본의 빅터 법인이 성장하는 상황이 되어버린 겁니다. 빅터 일본 법인이 세계적인 규모로 공장을 짓고 미국이라는 이미지를 팔고 있습니다.

한편 맥도날드의 이미지 그 자체는 지금도 세계적으로나 일본에서나 줄곧 미국을 대표하는 이미지로서 받아들여지고 있습니다. 그런 방식으로 세계 속에서 문화적인 형태로 미국이라는 상징을 조작하면서 이익을 추구하고 있으며, 한국과 일본 소비자의 욕망을 규제하는 그러한 메커니즘이 방대하게 만들어져간다는 사실 또한 무시할 수 없습니다. 동시에 이제는 미국이라는 이미지를 떼어내더라도 이익 추구에는 전혀 지장이 없는 그런 상태 직전까지 왔다고 보입니다. 그러니까 그런 식으로 상징화된 미국, 바로 그 미국이 문화적인 헤게모니를 쥐고 있다는 사실과, 그 안에서 조작하고 있는 사람들이 미국인이라든지, 미국으로부터 명령을 받고 움직이고 있다든지 하는 사실은 분리해서 생각해야 합니다. 미국화(Americanization), 즉 미국적인 규제를 강요한다든가, 혹은 미국의 요구가 다른 나라의 관세 장벽을 없애는 형태로 이루어질 때, 일본에서는 그런 합중국의 압력을 시종일관 '외압'이라 부르면서 국내 정책의 구실로 이용해왔는데요, 미국이라는 상징을 국내적인 투쟁을 다양한 형태로 조작하는 과정에 이용한 것이지요. 이것은 역으로 생각해보면 미국의 헤게모니가 대단히 강력하게 기능하는 상황이라고 할 수 있습니다. 하지만 미국이 이미지로서 강력한 영향력을 갖는 걸 가지고 미국 국민이 영향력을 가지고 있다고 생각하는 미국인이 있다면 그 사람은 태평스럽다고 볼 수밖에 없겠습니다.

임지현 《'No'라고 말할 수 있는 일본》이라는 것이…….

사카이 《'No'라고 말할 수 있는 일본》을 쓴 도쿄 도지사 이시하라 신타로(石原愼太郎)가 그 전형입니다. 그는 미국이라는 이미지를 구사하는 새로운 방식을 찾기 위해 연구했습니다. 가령 반미가 국내적으로 수용될 경우에는 반미 이미지를 이용하는 겁니다. 이시하라 같은 정치가가 반미를 내세우는 것이 결과적으로 미국의 헤게모니를 강화하는 것으로 연결됩니다. 그러니까 합중국의 보수파들은 그런 반미의 몸짓을 오히려 환영하게 되지요. 이시하라는 일종의 파시스트라는 점에서 확실히 합중국의 보수파와 결탁하고 있다고 생각합니다.

미국의 이미지를 이용하는 방식 중 전형적인 예를 들어보죠. 걸프 전쟁이 시작되었을 때 생긴 일인데요, 그 전쟁에 대해 일본은 헌법상 자위대를 파견할 수 없었기 때문에 그 대신 막대한 돈을 미국 정부와 당시 연합군에게 지불했습니다. 하지만 저는 일본 정부나 언론이 퍼뜨린 설명을 새빨간 거짓말이라고 생각했습니다. 임 선생께서도 기억하시겠습니다만, 선전 포고 이전 약 3개월 동안 긴장 관계가 있었지 않습니까? 그 단계에서 이미 일본이 연합국에 참가하지 않는다는 것은 미국 내에서도 승인된 상태였습니다. 헌법 규정에 의해 당연히 파병할 수 없었으니 일본 정부가 정정당당하게 설명하는 편이 나았을 겁니다. '미국이 도입한 헌법에 이렇게 씌어 있다' 고 하면 합중국 국민도 납득할 것이고, 납득하지 못하는 사람들은 무시해버리면 그만이구요. 그런데 기묘하게도 자위대를 페르시아만에 보낼 수 없다는 정부의 결정에 대해서 일본 대사관은 완전히 침묵을 지켰어요. 헌법에 기초한 행동 원리를 찾지 않는 대사관! 자신의 합법성의 근거를 헌법에서 찾지 않는 정부! 국민국가의 주권 자체를 스스로 유린하는 국가가 바로 거기에 있었던 겁니다. 그러던 중 미국 남부의 한 하원 의원이—이 사람은 일본에 대해 아주 무지했는데요—일본은 "무임승차하고 있다"는 식으로 발언을 했어요. 그 발언에 대해서 합중국 법무부 직원들은 일본 헌법에 따르면 파병할 수 없는 것이 당연하다고 해명을 했습니다. 미국 국무부 직원도 텔레비전에 출연하여 일본의 헌법 규정상 일본의 참가는 불가능하다고 설명하였습니다. 그때 미국의 대중매체들은 일본을 비난한 그 하원 의원을 일본에 대해 무지한 주장을 한다며 무시했습니다. 그런 상황에서 일본의 대중매체들이 그 사실을 일제히 보도했지요. 일본의 대중매체가 거론하고 나자 일본 정치가들이 합중국과 '국제 여론'에 양해를 구하기 시작했습니다. 일이 이렇게 되자 미국 정치가들은 일본에게 '만일 참전할 수 없다면 경제적인 부담을 지라'고 요구하기 시작했습니다. 그후 일본에서는 걸프전에 참가하지 않으면 국제적으로 고립된다는 멍청한 발언을 하는 지식인들이 많이 생겼습니다. 일본의 속어로 표현하자면 '매치, 폼프(match, pomp)'[44]의 전형적인 사례입니다. 이 사례는 미국의 헤게모니가 기능하는 전형적인 방식을 잘 보여줍니다. 익찬체제가 바로 그것입니다. 일본의 파시즘이 형성되던 1930년대에 전형적으로 사용된 시스템을 익찬체제라고 하는데요, 헤게모니의 중심적 장소에 놓여 있는 천황은 아무런 말도 하지 않고, 아무런 행동도 하지 않고, 하층에서 천황이라는 중심을 매개로 다양한 정당화와 의견 조작을 행하여 마치 헤게몬이 실제로 힘을 가지고 있는 것처럼 연출합니다. 미국을 받들어줌으로써 미국으로부터 최대한 이익을 탈취하려는 교묘한 시스템인데, 이것이 바로 익찬체제

(44) **매치, 폼프**
자기 쪽에서 폭로하겠다는 불을 당기고 나서, 상대에게 불을 꺼주겠다고 제의하는 방식을 말합니다. 부당한 이익을 추구하는 방식이라 할 수 있습니다.

(총력전체제)입니다. 그게 어떤 것이냐 하면, 지배자로부터 하부로 명령이 내려가는 게 아니라 지배당하고 있다고 생각되는 쪽, 그러니까 이 경우에는 국제 관계의 이야기입니다만 식민지 지배를 당하고 있는 국가 쪽이 식민지 지배자에 대해서 자신들을 지배해달라는 요구를 하는 그런 구조입니다. 놀라운 사실은 걸프 전쟁 이후 10년도 더 지났지만 일본의 대중매체는 이에 대해 일언반구도 하지 않았다는 점입니다(물론 신문들을 실제로 조사해보면 확실히 아시겠지만요).

이미지의 식민화

임지현 예, 아주 흥미롭게 들었습니다. 특히나 의미있는 것은 미국 국가나 자본 혹은 국민이 더 이상 '미국'이라는 이미지로 상징되는 헤게모니의 배타적 소유권자가 아니라는 사실에 대한 날카로운 지적이 아닌가 합니다. 선생님의 지적을 듣고 보니 아주 상식적으로 본다고 해도, 미국이라는 이미지가 함축하는 헤게모니의 소유자는 미국의 몰락하는 중산층이나 위기에 빠진 미국 자본, 혹은 흑인 하층계급이기보다는 전지구화의 자본전략에 동참하는 일본과 한국의 이른바 '민족' 자본, 공기업 민영화를 지지하는 영국의 노동당, 시장경제라는 '만병통치약'에 중독된 동유럽과 러시아의 신흥자본가와 구노멘클라투라 등 그야말로 국민국가의 경계를 넘어 전지구적 주식회사의 주주들입니다. 과거에는 그것을 의식의 식민화라는 키워드로 정리하지 않았나 싶습니다. 눈에 보이는 지배와 직접적인 통치를 넘어서 피식민지인들의 의식이 식민화된다면, 그것만큼 식민주의가 원활하게 작동할 수 있는 경우는 없겠지요. 그러니까 하버마스를 패러디한다면, 미국의 헤게모니가 일본의 정치가들, 일본 인민들의 생활세계를 식민화한 그런 예로 보아도 되지 않을까 합니다. 한국의 경우에도 비슷한 예들이 있는데요, 닉슨이 중국을 방문하고 나서부터 미국에서 주한미군 철수론이 제기되기 시작했는데, 미국이 철수하면 북한이 쳐들어와서 남한은 망한다는 위기의식이 그 당시 남한의 국가권력뿐만 아니라 기층에서도 상당히 공유되지 않았나 싶습니다. 저도 중·고등학생 때 미군 철수를 반대하는 관제시위에 동원되기도 했습니다만, 강제를 느꼈던 것만은 아닙니다. 또 가령 1980년 광주 민주화 시위가 일어나기 전까지만 해도, 미국은 민주주의 국가이기 때문에 한국의 민주화를 도울 것이다는 막연한 환상이 지배적이었습니다. 심지어는 1980년 5월, 미국이 항공모함을 서해바다에 배치했을 때, 미국이 한국의 민주화를 지원하기 위해서 항공모함을 파견했다는 얘기가 돌았습니다. 1980년 민주화 운동의 주체들 대부분의 미국 인식도 —극소수를 제외하면—사실 이처럼 순진한 것이었습니다.

역설적으로 말하면, 광주를 통해서 미국의 실체라고나 할까, 미국 식민주의의 포장이 벗겨지고 그 국가권력의 실체가 한국민들에게 알려지기 시작한 거죠. 의식있는 대학생들이나 반체제 운동권에서 반미 민족주의적인 경향이 나타난 것도 결국은 1980년 광주를 겪고 난 후의 일입니다. 이 지점에서 저희들이 한 가지 고민해봐야 될 대목은 이런 겁니다. 과연 반미 민족주의가 미국의 헤게모니를 극복하는 이론적 혹은 실천적 지렛대가 될 수 있는가 하는 겁니다. 지난번 대담에서 미국의 헤게모니에 기생하는 내셔널리즘의 문제를 제기하셨는데, 한국의 경우 그렇게 극명하게 드러나지는 않지만, 대개 광주를 계기로 나타난 이들 반미 민족주의자들이 반사적으로 북한의 주체사상을 지지하거나, 또는 그것에 대해서 적어도 호의적으로 대하는 현상을 어떻게 볼 것인가 하는 점입니다. 저는 북한의 주체사상이야말로 양키 콤플렉스에 기대어 있는 사상이라고 생각합니다. 말하자면 남한에 레드 콤플렉스가 있었다면, 즉 남한의 국가권력이 반공 규율사회를 만들어나가는 데 소중한 시민사회적 진지로서 레드 콤플렉스가 있었다면, 북한에서는 양키 콤플렉스가 비슷한 역할을 했다는 것입니다. 특히 한국전쟁을 겪으면서 미군의 무차별 융단폭격과 그로부터 고통받은 인민들의 기억에 기생해서, 말하자면 반미-반제라는 호소력 있는 공식을 가지고 북한의 인민들을 동원하고 추동해내는 기제로서 양키 콤플렉스를 주목하지 않을 수 없습니다. 그 양키 콤플렉스에 기초한 주체사상에 남한의 반미 민족주의자들이 호의를 갖는다는 것은, 한반도에 관철되는 미국의 군사적 헤게모니에 대한 날카로운 인식을 전제합니다. 그러나 미국의 군사적 헤게모니에 대한 집요한 관심과 날카로운 인식은 동시에 자본이 주도하는 문화적 헤게모니에 대한 인식을 방해하는 측면이 있습니다. 조금 다른 예가 될지도 모르겠습니다만, 예컨대 이런 것이죠. 미국에 대해 'No'라고 말할 수 있는 일본의 추종자들의 사유와 실천 속에 내장된 욕망이 미국적 삶을 향해 있다면, 그때의 'No'는 사실상 'Yes'를 전제한 'No'라는 것입니다. 동아시아에 관철되는 미국의 헤게모니에 저항하는 전선을 형성한다는 것은, 정치적 구호 등에서 현상적으로 드러나는 반미 민족주의의 차원을 넘어서 '의식의 식민화'라는 고리를 어떻게 풀어갈 것인가 하는 문제와 맞닿아 있다고 생각하고 것도 같은 이유에서입니다.

또 한편에서는 이런 역설도 있을 수 있습니다. 가령 구서독이 대표적인 예가 되겠는데요, 서독은 유럽에서 가장 미국화된 사회라고 할 수 있습니다. 미국의 동유럽 연구자들이 독일은 가장 미국화된 사회이기 때문에 독일의 영향력이 동유럽 쪽으로 확대된다는 것은 곧 미국의 영향력이 확대되는 것을 의미한다고 이야기할 정도입니다. 그런데 독일의 역사가들 중에는 그와 같은 미국화 현상을 미국의 헤게모니가 관철되는 과정으로 이해하면서도, 동시에 사람들의 일상생활 속에 미국으로 상징되는 서유럽 문화가 도입됨으로써 독일이 나치즘적인 집단심성, 즉 폐쇄되고 편협한 나치즘적인 심성에서 벗어나는 계기가 되었다고 평가내리기도 합니다. 예컨대 바바리아 지방 사람들이 짧은 가죽바지를 청바지로 바꾸어 입었을 때, 또 젊은 친구들의 음악 취향이 바그너로부터 락으로 바뀌었을 때, 청춘스타 제임스 딘이 나치의 민족적 우상을 대신하여 젊은이들의 새로운 우상으로 떠올랐을 때, 이런 것들이 나치즘적인 과거와 단절하는 중요한 계기를 제공해주었다는 거죠. 그러니까 미국적 상징의 전세계적 확산이 미국적 헤게모니의 관철 과정임에는 분명하지만, 동시에 지역에 따라, 그 지역에 사는 사람들이 그것을 어떻게 전유하느냐에 따라 그 정치적 의미는 달라질 수 있다는 겁니다.

예컨대 독일의 일상생활사 연구자들은 나치에 대한 저항운동의 대표적인 예로 '스윙 운동'을 들거든요. 1930년대 독일의 부유층 청소년들 사이에 유행한 '스윙 운동'은, 재즈를 퇴폐적인 음악이라고 규정하고 추방하고자 했던 나치의 정책에 정면으로 맞서는 것이었습니다. 물론 스윙 음악을 즐기는 청소년들에게 나치에 저항하는 정치의식이 있었다고 한다면 그것은 과장이겠지만, 재즈를 즐기는 것 자체가 자신의 가치를 청소년들의 신체에 각인시키고 일상생활에 뿌리내리고자 했던 나치에 대한 저항의 반문화로서 기능했다는 거죠. 한국의 경우에도 70년대 박정희의 통치기간에는 장발과 미니스커트를 단속했고, 내용이 퇴폐적이라고 해서 많은 팝송들을 방송 금지시켰습니다. 그리스에서도 쿠데타가 일어난 후 군사정권이 제일 먼저 취한 조치 중의 하나가 장발, 미니스커트, 락, 미국식 재즈 등을 금지시킨 것입니다. 또 동유럽에서도 폴란드 같은 경우 최초의 재즈 바가 생긴 게 1956년입니다. 즉 탈스탈린화가 되면서 비로소 재즈 바가 생길 수 있었던 거죠. 그래서 재즈 뮤지션들은 현실사회주의에 대한 저항의 상징으로 표상됩니다. 또 가령 아담 미흐닉(Adam Michnic) 같은 반체제 인사들은 자신들의 저항의지를 코스튬(costume)으로 보여주는데, 청바지하고 청재킷이 사실상 반체제 인사들의 유니폼이나 다름없었습니다. 그러니까 이것은 미국을 상징하는 기호들이 사회적 맥락에 따라서는 권력, 혹은 체제에 대한 저항의 표상으로 읽힐 수 있다는 것이지요. 물론 어떻게 보면 그것 또한 미국에 의한 의식의 식민화라고도 이야기할 수 있겠습니다만. 참, 한마디로 판단내리기 어려운 그런 복합적인…….

대항의 전선은 어디인가

사카이 동감입니다. 바로 그런 문제를 분석해낼 수 있어야만 현재의 체제에 대한 비판이 가능하다고 생각합니다. 한국이나 일본에서의 내셔널리즘은 이미 미국의 헤게모니 속에서만 가능하게 되었습니다. 국민주의가 새로운 단계에 들어서고 있는 것이 분명해졌습니다. 한국이나 일본의 국민주의는 미제국주의의 바깥에 존재하는 게 아니라 바로 그 기관(器官)으로 존재한다고 할 수밖에 없습니다. 임 선생께서 지적하셨듯이, 동북아시아의 국민주의는 반미든 친미든, 의식이 식민화된 귀결로서 형성되어왔습니다. 진정 의식이 탈식민화되기 위해서는 국민주의에 의존할 수 없습니다.

그렇지만 여기서 꼭 하나 지적하고 싶은 점이 있습니다. 미국의 헤게모니가 이리하여 전세계로 확산되어간다는 것과, 미국 내에서 이 헤게모니가 원활하게 기능한다는 것은 완전히 별개의 문제라는 점입니다. 헤게모니를 '미국의 헤게모니'라는 식으로 이야기할 때, 즉 미국의 소유격으로 헤게모니를 이야기할 때 그 두 가지를 혼동하게 됩니다. 우선 지금까지 말한 방식으로 미국화된 생활이나 부(富)의 이미지가 존재한다는 것은 엄연한 사실입니다만, 다른 한편 거기에 매끄럽게 적응하지 못하고 그로부터 탈락하는 사람들이 엄청나게 많다는 것 또한 사실입니다. 미국 내에서 그렇게 탈락한 사람들이, 미국화된 첨단 패션의 양복을 입고 최고급 카메라와 비디오카메라를 들고 고급 호텔에 숙박하는 일본인이나 한국인들을 어떤 시선으로 바라볼까 하는 점을 생각해보지 않을 수 없습니다. 그들에게 일본이나 한국의 부유한 여행자는 미국인처럼 보일까요?

일반적으로 미국의 헤게모니가 미국 안에서도 밖에서도 보급되어 있다고 간주되는 상황에서, 합중국 내의 몰락해가는 사람들이 볼 때 미국 문화의 중심이 미국 안이 아니라 미국 밖으로 가버린 것처럼 보이는 겁니다. 그러니까 일본이나 한국의 내셔널리스트나 민족주의자들은 민족 문화가 미국 문화에 의해 횡령당하고 오염되어간다는 이미지를 갖겠지만, 미국 내의 가난한 사람들은 미국 문화가 빼앗긴다, 탈취당한다, 혹은 횡령당하고 말았다는 이미지를 갖게 됩니다. 이런 상황에서도 미국의 헤게모니는 '미국 국민'의 헤게모니라는 식으로 말할 수 있을까요? 결국 민족 문화나 국민 문화를 민족이나 국민이라는 실체의 속성이나 소유물로 생각하는 사고 방식이 근본적으로 파탄나는 현장에 우리가 서 있는 것입니다.

이와 관련하여 상당히 재미있는 일이 하나 생각납니다. 2002년 합중국의 PBS(공영방송)에서는 열 시간도 넘는 다큐멘터리를 하나 방송했어요. 〈재즈〉라는 제목이었는데요, 내용을 정리해보면 결국 재즈를 미국의 국민 전통으로 되찾으려는 시도였습니다. 미국만이 만들어낼 수 있던 세계적으로 보급된 새로운 음악 형태인 재즈가 어떻게 만들어졌으며 미국 음악가들이 지금까지 그것을 어떤 식으로 이끌어왔느냐에 대한 이야기였죠. 그런데 재미있는 사실은 현재의 재즈, 특히 1940년대 이후의 이른바 모던 재즈 CD가 팔리고 있는 곳은 합중국보다는 유럽이나 일본이라는 것입니다. 뉴욕의 유명한 재즈 클럽에 가 보면 손님들 절반 이상은 동아시아의 여행자들입니다. 그러니까 그런 사정을 반영해서 도쿄에 뉴욕 시 재즈 클럽의 지점이 있고, 또 실제로 출현하는 재즈 연주자들도 아주 훌륭합니다. 입장료도 비싸구요. 그런 의미에서 중요한 재즈 음악가들은 유럽이나 남미, 혹은 카리브해, 일본, 한국, 대만 등에서 많이 배출되고 있는데, 다큐멘터리 〈재즈〉에서는 그들이 완전히 제외되었습니다. 재즈가 세계화되면서 발생한 현실을 외면하기 위해 이 다큐멘터리가 제작된 셈이죠. 결국 미국의 문화적 헤게모니가 세계적으로 확산된 만큼 중심에서는 일종의 공동화(空洞化) 현상이 일어난 것입니다. 그런 공동화가 역으로 질투(envy), 즉 외국인들이 자신들의 문화를 훔쳐가고 있다는 질투를 낳을 가능성도 있습니다. 그런 사태와 미국의 국민주의가 강렬하게 발생하는 현상 사이에는 뭔가 관계가 있다고 생각합니다. 그렇기 때문에 미국의 헤게모니에 의해 자신들이 언제나 희생양이 되고 있다는 시각으로만—반미 민족주의는 언제나 그런 식입니다만—미국의 헤게모니를 바라보는 것은 대단히 큰 오류라고 생각합니다.

임지현 그런 심리적 박탈감과 상실감, 부러움 등은 사실 2차대전을 겪으면서 영국인들이 미국에 대해서 느꼈던 것과 비슷하지 않나 싶습니다. 세계적 헤게모니에도 불구하고 정작 자기 사회는 공동화되는 것에 대한 위기의식이나 외부에 대한 시기심 같은 것들은 영국인들이 미국인들에 대해 한 50년 전에 느꼈던 감정과 비슷한 게 아닌가 생각합니다. 프랭클린 루즈벨트에 대한 처칠의 상처받은 자존심이 역으로 다시 미국에 대한, 혹은 '미국'이라는 이미지가 상징하는 것에 대한 영국 사회의 집착을 설명해주지 않을까 합니다. 단순히 앵글로-색슨적 연대감은 아니지요. 근래에 이르러서는 포클랜드 전쟁이 제국에 대한 노스탤지어를 증폭시켜주면서 영국의 내셔널리즘을 고양시키는 계기로 작동했습니다. 또는 걸프전 당시 영국군이 참여했을 때 영국 TV에 공군이나 해군의 퇴역장군들이 나와서 군사 작전에 대해 아주 자랑스럽게 브리핑한 바 있는데, 바로 그런 것들이 사실은 점차로 공동화되어가는 자기 사회에 대한 불안감을 잠재우고 제국의 영광을 그런 식으로 회상하거나 그에 대한 노스탤지어를 충족시켜주는 방식으로 작동했던 것 같습니다.

어쨌든 미국에 여행 와서 최고급 호텔에 묵으면서 미국의 부자들과 같은 소비양식을 보여주는 동아시아인들이나 다른 유럽인들을 보는 미국의 가난한 사람들의 시선은, 결국 반미 민족주의든 미국 헤게모니를 주장하는 미국 민족주의든 간에 민족을 단위로 사태를 분석하는 것이 얼마나 위험하고 사실은 리얼리티에서 멀어지는 것인가를 잘 드러내주는 상징이라고 생각합니다. 그런 면에서 자본이 주도하는 세계화, 또는 신자유주의에 대한 저항의 전선, 혹은 미국의 헤게모니에 저항하는 방식은, 정치지리적 단위로서의 미국을 통째로 하나로 묶어 사유하고 실천하는 반미 민족주의의 코드로는 더 이상 작동하기 어렵다라는 것을 잘 보여주는 예라고 생각합니다. 특히 반미 민족주의가 북한의 강성대국론 등의 구호에서 보이듯이, 미국과 같이 부강한 국민국가에 대한 욕망을 안에 감추고 있다면, 그러한 반미 민족주의야말로 우리 안에 진짜 미국을 세워 보겠다는 미국화에 대한 욕망의 다른 표현일 수도 있다는 거죠. 즉 아메리카의 헤게모니에서 벗어날 때만, 우리도 진짜 미국과 같은 부와 풍요를 누릴 수 있다는 욕망이 꿈틀거리고 있는 것이죠.

그렇다면 미국의 헤게모니에 저항하는 전선은, 동아시아나 유럽 등지에서 여행 와서 미국식 부자의 생활양식을 과시하는 사람들을 바라보는 미국 사회의 밑바닥의 시선들, 또 한국이나 일본 등 동아시아나 유럽에서 자본의 세계화에 의해서 고통을 받는다고나 할까, 혹은 노동시장의 유연성 때문에 점점 더 생활의 안정감을 잃어버리고 하루하루의 생계를 걱정해야 하는 사람들 간의 연대, 이러한 것이 기본적인 틀이 되어야 하지 않을까 생각합니다. 그러니까 동아시아의 연대도 전지구적 연대를 구성하는 하나의 고리로서 이야기되어야지, 유럽연합의 경우처럼 국민국가의 외연이 단지 동아시아로 연장된 방식의 연대는 곤란하다는 겁니다. 제가 유럽연합에 대해서 비판적인 것은 그것이 바로 국민국가의 인식틀을 그대로 유지하면서 단지 그 지리적·정치적 외연을 유럽으로 넓힌 데 불과하기 때문입니다. 그것이 전지구적 자본에 저항하는 전지구적 연대의 고리가 될 수는 없는 것이지요. 물론 전지구적 연대에 관한 우리의 생각은 이제 겨우 출발점에 서 있거나 혹은 첫 걸음을 뗐을 뿐입니다. 그 연대가 어떤 식으로 이루어져야 하는지 하는 구체적인 방법론에 대해서는 아직 무지하고 이제 막 고민을 시작한 단계라고 얘기할 수 있습니다. 그럼에도 불구하고 역시 첫 출발은, 국민국가를 자명한 것으로 전제하고 그 틀 안에 사유와 실천을 가두어놓았던 과거의 대안 추구방식을 비판하고, 그것이 지닌 한계를 드러내는 데 있지 않을까 합니다. 그것은 세계화 시대의 새로운 연대 방식에 대한 대안을 모색하기 위한 출발점입니다. 하트와 네그리의 저작 《제국》도 바로 그러한 노력의 일환으로 이해할 수 있습니다.

이제 대담을 마무리해야 할 시점이 아닌가 합니다. 수차례에 걸쳐 한국과 일본을 왔다갔다하면서 선생님하고 많은 이야기를 나누게 되어 아주 기뻤고 많이 배웠습니다. 마지막으로 한두 마디 더 말씀하실 게 있으면 해주십시오.

사카이 우선 임 교수와 이 대담을 하면서 한국과 일본이라는 형태가 아니라 제가 있는 곳, 앞서 포지셔낼리티(positionality)에 관한 부분에서도 말했습니다만, 그곳이 바로 합중국이기 때문에 저 자신은 미국에 있는 건지 일본에 있는 건지, 아니면 서유럽에 있는 건지 잘 모르겠구요, 또 몰라도 된다고 생각합니다만, 바로 그런 의미에서 한일이라는 이항대립(二項對立)의 형태로 대담이 이루어지고 있다고는 별로 느끼지 못했습니다. '한일' 이라는 형태로 생각하는 이유가 있다면, 이론적으로는 일본어와 한국어를 번역하는 방식으로 대담이 성립된다는 지점 때문이겠지요. 실은 우리가 대담과 관련된 이러저러한 일을 조정하면서 영어를 사용했으니까 이 대담이 성립된 이면에는 실질적으로 3개 국어가 사용되었다고 해야겠습니다. 지금까지 저는 쌍-형상화라는 사고 방식 아래 국민국가의 언어가 생겨나는 지점을 사고해왔습니다만, 이 대담은 영어나 그밖의 언어를 끊임없이 매개함으로써 쌍-형상화가 발생하지 않도록 노력해온 결과라는 점을 참고해주셨으면 합니다. 그런 의미에서 이번 시도는, 물론 우리 두 사람 모두 영어로 말할 때에도 외국인이지만, 한국인과 일본인의 대화이기 이전에 외국인끼리의 대화였다고 이해하고 싶습니다.

새로운 사유가 새로운 실천을 부른다

임지현 네, 감사합니다. 아마 국가대표의 멍에로부터 벗어나서 나눈, 이런 방식의 한일 지식인 대담은 거의 처음이 아닌가 싶습니다. 사실은 아무도 한일 지식인 대담에 나가는 저에게 국가나 국민을 대표하라고 위임한 적이 없는데 스스로가 국가대표라고 느꼈다는 것은, 그만큼 지금까지 양국 지식인들이 국가주의적 헤게모니 속에 포섭되었다는 것을 잘 말해주는 게 아닌가 하는 생각도 듭니다. 그런 점에서 최소한 저희는 국가주의, 혹은 국민국가의 지배담론이 행사하는 헤게모니에서 어느 정도 벗어나 있다는 사실을 서로 확인했다는 것만으로도 조그마한 수확이 아닌가 생각합니다.

사카이 커다란 기대를 가지고 있었지요. 처음 제안을 받았을 때에는 긴장한 것도 사실입니다. 기대가 컸기 때문이기도 하겠지만 돌아보면 모두 충족되었다고 할 수는 없겠지요. 하지만 다른 한편으로는 기대하지도 않았는데 얻은 수확도 몇 가지 있었습니다. 뭐

니뭐니해도 가장 재미있었던 것은 제가 한국 상황에 대해 잘 몰랐기 때문에 몇 차례 실언을 했을 것입니다. 반면에 이 대담을 통해서 대단히 많은 것을 배울 수 있었습니다. 임 선생께서 저를 구식 민주의자의 동일성으로부터 끊임없이 해방될 수 있도록 배려해주신 점이 크게 작용했다고 생각합니다. 처음에는 이런 말은 하면 안 된다, 이런 말도 하면 안 되지 하며 몇 가지 제약 조건을 설정해두고 그것을 위배하지 않겠다고 의식하기도 했습니다. 그런데 대담을 진행하면서, 특히 임 선생의 비판을 듣는 과정에서, 이론적으로 제대로 정리하고 난 후 비판한다면 그런 걱정은 할 필요가 없을지도 모른다고 생각하게 되었습니다.

또 한 가지 배운 점은, 철저히 분석하고 발언하면 거의 대부분 서로의 생각이 만나는 접점이 발견된다는 사실입니다. 철저히 사고하는 과정에서, 같은 것을 생각하고 계시구나 하고 깨닫게 된 경험이 몇 차례 있었습니다. 그런 면에서 보편적인 것을 세계의 지식인들이 지금 모두 생각하고 있다는 것을 다시 한번 확인하게 되었습니다. 그런 식의 보편적인 사고는 거의 대부분 국지적인 지점에서부터 생기고 있습니다. 그런 보편적인 사고 방식의 접점이 지구적인 교양을 공유하고 있기 때문이 아니라, 현재의 미합중국의 폭력성과 독선을 어떤 식으로 사유할 것인가 하는, 상당히 현실적이고 구체적인 사안들로부터 생긴다는 것도 확인할 수 있었구요. 달리 표현하면 세계 속의 문제에 대해 많이 알고 있기 때문에 보편적인 문제를 접할 수 있는 게 아니라는 사실도 이해하게 되었습니다.

참으로 소중한 기회였습니다. 임 선생께도 감사드리고 이런 기회를 만들어주신 휴머니스트 출판사에도 감사드립니다. 지금까지 너무너무 애써주신 통역자께도 진심으로 감사드립니다.

임지현 저 개인적으로는 가볍게 시작했다가 무겁게 끝난 것 같습니다. 아마도 사카이 선생은 구제국의 지식인이라는 점에서 처음에는 조심스러운 점이 있었던 것 같고, 저는 식민지 지식인이라는 점에서 오히려 약간 편한 부분이 있었습니다. 어떻게 보면 식민지 출신 지식인이라는 점 때문에 제국과의 관계에서 자연스레 부여받는 역사적 면죄부 같은 것을 무의식 속에서나 잠재의식 속에서 누리지 않았나 하는 자책도 듭니다. 일본에 대해서 참 무지하면서도 용감하게 이야기를 했다는 느낌이 드는 것도, 사실은 구식민지 지식인이라는 그 역사적 면죄부에 기댔다는 증거겠지요. 또 어떻게 보면 일본의 상황을 정확하게 이해한 바탕 위에서라기보다는 단지 제 포지션에서 우리 사회에 대해서 갖고 있는 문제 의식, 또는 제가 전공했던 동유럽에 대한 문제 의식을 가지고 일본을 포함한 동아시아의 문제들을 쿡쿡 찔러본 측면도 많았으리라 생각합니다. 그런 면에서 제가 오해한 부분도 많았을 것이고 또 사카이 선생의 얘기를 오역한 바탕 위에서 답한 부분도 많았으리라 생각합니다. 더 넓게 보면, 이 대담이 끝나는 바로 이 순간 이 대담의 주체로서의 저희는 이미 죽은 것이 아닌가 생각합니다. 독자들은 이 대담을 또 나름대로 읽겠지요. 그저 해석학적 오류의 생산성에 기대를 걸 뿐입니다.

여러 모로 바쁘고 힘든 일정인데, 동아시아 쪽으로 건너와 대화에 응해주셔서 감사드립니다. 저로서는 아주 즐겁고 흔쾌한 만남이었습니다. 다시 한번 감사드립니다.

사카이 나오키 · 임지현 공동 후기

우리는 지금 이타카(Ithaca)에서 이 후기를 쓴다. 나오키 집 식당의 낡은 창으로, 이제는 제법 완연한 이타카의 봄기운이 들어오는 것을 느낀다. 미국 동부의 이번 겨울은 유난히 길고 혹독했다. 우리는 간혹 서로의 안부를 물으면서, 견딜 수 없는 분노를 교환하면서, 이 4월의 만남을 기다렸다. 성큼 다가온 봄의 나른함 속에서 지난 밤 코넬 대학 동료들과의 긴장되면서도 유쾌한 토론의 뒤끝을 느긋하게 즐기겠다는 소박한 바람조차 아직은 감정의 사치임을 우리는 불현듯 다시 느꼈다. 그래서 우리는 서로의 노트북을 들고 공동 후기를 쓰기 위해 다시 앉았다.

미국이 바그다드를 점령한 지 일주일, 지금 우리 앞에는 4월 17일자 〈뉴욕타임스〉가 놓여 있다. 토미 프랑크 장군을 중심으로 7명의 야전사령관들이 바그다드의 아부 구라입 대통령궁에서 이라크 정복을 공식적으로 선포하는 기자회견을 하는 사진이다. 결코 낯선 구도는 아니다. 식민지를 점령한 제국주의 장군들의 모습들……. 우리를 분노케 하는 것은 의기양양한 이 장군들의 모습이 아니다.

이곳의 친구 브렛 드 배리가 언급했듯이, 참담한 것은 승전을 전하는 이 사진에 평범한 미국인들이 느끼는 자부심이다. 같은 날짜 〈뉴욕타임스〉는 엘 파소에 모인 한 레스토랑 체인점 주인들이 인근의 미군기지에 가장 높은 국기봉을 만들기 위해 40만 불 모금운동을 전개하기로 했다는 소식을 전한다. 부시의 호전적 연설이나 미군의 첨단무기, 이 의기양양한 장군들이 무서운 것이 아니다. 정작 무서운 것은 이 작은 기사가 함축하는, 시민적 선량함이 묻어 있는 25센트 동전이나 1달러 지폐를 내미는 평범한 손들이다. 미국 민족주의의 원초적 공격성에 환호를 보내는 이 평범한 손들…….

19세기 말 유럽의 노동계급을 무서운 흡인력으로 빨아들였던 사회제국주의가 이랬을 것이다. 그러나 21세기에 접어든 지금 헤게모니의 작동 방식은 19세기 유럽의 사회제국주의와는 비교가 불가능할 정도로 한층 정교해지고 발전되었다. 이라크 전쟁을 통해 미국의 헤게모니는 무엇보다도 미국인들의 개인적 좌절과 분노 그리고 절망을 효과적으로 마비시킨다는 점을 잘 드러내주었다. 미국의 21세기판 이 사회제국주의는, 몰락하는 백인 중산층이나 이미 프롤레타리아 계급에조차 속할 수 없는 언더클래스(underclass) 흑인이나 유색인, 그리고 경쟁에서 탈락한 백인들의 좌절과 고민을 매우 효과적으로 해소하는 것처럼 보인다. 도처에 펄럭이는 성조기의 물결에서, 잔뜩 고양된 애국주의의 상징들이 유색인들을 통해 재현되는 과정에서, 위계의 사다리를 올라가기 위해 군대를 택할 수밖에 없었던 미국 사회 서벌턴들의 애국주의에서 그것은 잘 드러난다. 이라크의 무너진 독재자의 화려한 궁전의 멋진 장식의 탁자 앞에 앉은 백인 장군들과 사막에서 고투하는 하층계급의 미군 병사들. 럼스펠드식의 표현을 빌면 이들은 '문명세계'를 구출한 영웅이다. 문명세계의 '경계'를 강조하는 그의 연설에서 우리는 다시 한번 경악한다. 분명한 경계를 설정하여 안과 밖을 나누고, 안의 가치를 거부하는 사람들과 밖의 사람들을 배제하고 억압하는 그의 논리는, 물론 새로울 것이 없다. 기독교 세계와 비기독교 세계, 자유민주주의 세계와 공산주의 세계의 전통적 이분법도 그렇거니와 그것이 미국의 인종적 위계 질서를 정당화한다는 점에서도 그러하다.

이미지 전쟁. 미국의 한켠에서 지켜본 이라크 전쟁의 모습은 이미지 전쟁이다. 물론 이미지 자체가 무서운 것은 아니다. 정작 무서운 것은 이 이미지가 평범한 미국인들에게 갖는 호소력의 크기이다. 평범한 미국인들 그리고 애국주의적 좌파를 포함하는 지식인들이 이 이미지를 소비하는 방식과 규모는 동아시아에서 작동하는 민족주의(국민주의)의 헤게모니로서는 그야말로 꿈의 세계이다. 그것은 물론 미디어의 발달이라는 기술적인 차원으로 단순하게 설명될 수 있는 것은 아니다. 미국인들이 제국의 이미지에서 쉽사리 자신을 떼어놓을 수 없는 것은 제국에 대한 향수 때문이다. 향수 그 자체가 몰락하는 자신에 대한 자신감의 근원이기 때문이다. 점차 악화되어가는 자신의 사회적 조건과는 완전히 분리된 이들의 전도된 자신감에서 우리는 미국의 미시정치가 작동하는 메커니즘을 본다.

이 자신감을 구조화하는 것은 제국의 이미지이다. 제국의 이미지가 지속되는 한, 자기 기만적 자신감은 재생산된다. 제국의 이미지가 끊임없이 재구성되고 재생산되어야 하는 이유도 여기에 있다. 리얼리티가 결여된 미국인들의 자신감이 지속되기 위해서는 제국의 이미지가 끊임없이 재생산되어야 한다는 전제가 성립된다. 끊임없이 재생산되는 제국의 이미지는 제국과 식민지, 문명세계와 비문명세계의 경계를 한층 강화하고 확정짓는다.

이렇게 재생산된 제국의 이미지는 주변부에 다시 영향을 미치고, 그에 대한 반동의 형태로 재생산된다. 주변부의 민족주의(국민주의)는 제국주의가 강요한 경계를 자발적으로 더 강화한다. 제국에 의해 '밖'이라고 규정된 자신의 존재를 '안'이라고 재규정함으로써 자신을 지키려는 절박한 시도를 이해 못하는 바는 아니다. 그러나 그것은 주변부의 민족주의가 궁극적으로 제국이 강요한 경계짓기의 논리에 조응한다는 것을 의미한다. 주변부 민족주의와 제국의 정치적 대립이라는 현상에 대해 보다 세밀한 이해가 요구되는 것도 이 때문이다. 그것은 대립하는 것처럼 보이지만, 실은 공범 관계에 있다. 한반도나 일본 열도를 막론하고 동아시아에서 작동되는 민족주의가 기본적으로는 미국의 헤게모니에 기생하고 있고, 결과적으로는 미국의 헤게모니를 강화하는 방식으로 기여하고 있다는 우리의 판단도 바로 이러한 맥락에서 이해할 수 있을 것이다. 무엇보다도 인식론적으로 이들은 자기 존재의 전제조건으로서 서로를 필요로 하는 것이다.

지난 가을 일본인 납치사건을 계기로 강화된 일본 사회의 북한에 대한 민족주의적(국민주의적) 공세는 일차적으로 구제국주의에 대한 향수에서 비롯된다. 그것은 일본 사회가 자신의 식민주의적 죄의식을 적절히 다루는 데 실패했음을 의미한다. 동시에 그것은 반미 민족주의의 자기 정당화를 통해 일본의 민족주의(국민주의)를 정당화한 일본 좌파의 실패를 의미하기도 한다. 미국의 헤게모니에 대한 반작용으로 정당화된 일본 민족주의는 다시 한반도의 민족주의를 정당화하는 기제로 작동한다. 이렇게 해서 강화된 한반도 민족주의는 다시 일본의 민족주의를 정당화한다. 한반도 민족주의와 일본의 민족주의가 적대적 공범 관계를 형성하고 있다는 우리의 판단은 바로 이 지점에 서 있다. 역사적으로 보면, 한반도 민족주의(국민주의)가 식민지의 경험을 국가주의적으로 전유했다면, 일본의 민족주의(국민주의)는 점령의 경험을 국가주의적으로 전유하면서 성립되었다. 그러나 현실정치의 관점에서 보면, 한반도 민족주의와 일본 민족주의의 적대 관계는 미국의 헤게모니를 정점으로 하는 위계 질서 내부의 하부적 모순일 뿐이다.

반미 민족주의의 경우에도 그것은 마찬가지이다. 정치적 반대 구호에도 불구하고, 기본적으로 미국의 헤게모니는 한번도 부정되거나 정면으로 의문시된 적이 없다. 전후 일본의 시민사회론이나 남한의 조국 근대화론, 북한의 강성대국론이 지향하는 궁극적인 지점은 부강한 국민국가를 표상하는 상징으로서의 미국인 것이다. 미국의 헤게모니는 한국과 일본의 민족주의를 억압하기보다는 고무하고 격려한다. 일본 민족주의가 근거하고 있는, 혹은 민족주의(국민주의)의 상징인 천황제가 미군 점령당국에 의해서 재생된 데서도 그것은 잘 드러난다. 식민주의의 역사를 극복하는 데 실패한 일본 사회와 그에 대한 한반도의 반발, 천황제의 존속으로 인해 발생된 정신대 문제를 비롯한 식민지 과거 유산의 처리 문제에 대한 동아시아의 실패는 결국 미국 헤게모니가 관철되는 방식을 잘 드러내준다. 식민주의의 과거 청산에 대한 일본 사회의 실패는 다시 한반도의 민족주의를 강화한다. 이렇게 해서 강화된 한반도의 민족주의(국민주의)는 다시 일본의 민족주의를 강화한다.

동아시아에서 민족주의(국민주의)의 공범 관계는 그러므로 한일 간의 쌍방향적으로만 관철되는 것이 아니라 다방향적으로, 즉 미국의 국민주의적 헤게모니가 개입되는 방식으로 같이 작동된다. 이와 같이 다자 간의 복잡한 민족주의의 공범 관계야말로 미국의 헤게모니, 일본의 민족주의, 한반도의 민족주의가 맺고 있는 공범 관계를 은폐하는 방식이다. 이렇게 본다면 미국의 헤게모니는 미국에서 일방적으로 강요된다기보다는, 한국 민족주의(국민주의)와 일본 민족주의(국민주의)를 통해 은밀하게, 그러나 보다 깊게 작동하고 관철된다. 북한의 양키 콤플렉스도 같은 맥락에서 이해된다. 미국은 북한을 코너로 몰아놓고, 북한은 이에 대한 격렬한 반미 민족주의로 반응함으로써 자기 정당성을 확보한다. 미국 헤게모니 속에 포섭된 일본·한국·북한의 민족주의는 바로 이런 방식으로 얽혀 있다. 미국의 헤게모니가 정점에 있고 북한·남한·일본 그리고 마지막으로는 미국의 민족주의(국민주의)가 서로 경합하는 양상으로 나타나는 것이다.

그러나 미국의 헤게모니가 단순히 국제정치의 영역에서만 관철되는 것은 아니다. 그것은 동아시아의 평범한 한국인·일본인의 일상적 삶 속에 미시정치의 방식으로 침투해 있다. 소비자 자본주의에 대한 미국의 가치 체계, 인종주의적 위계 질서의 자연스러운 침투, 만들어진 서양에 대한 동경이, 반미 민족주의의 구호에도 불구하고 자연스럽게 우리의 삶 속에 뿌리박고 있는 것이다. 그러나 서양은 감지할 수 있는 뚜렷한 실체를 갖고 있다기보다는 파편화된 형태로 분산되어 사회 전체에 퍼져있기 때문에, 반미 민족주의의 구호 아래 묻혀버린다. 이렇게 볼 때, 반미 민족주의는 오히려 동아시아 인민들의 일상에 깊이 뿌리박은 미국 헤게모니를 부인하고 은폐하는 방식으로 작동하는 것이다. 그러므로 미국의 헤게모니는 더 이상 미국 국민의 독점물이 아니다. 일본의 자본주의와 한국의 자본주의도 미국 헤게모니의 큰 주주인 것이다. '미국' 이라는 기호로 상징되는 전지구적 자본주의의 소유권을 국민국가의 경계에 따라 배타적인 것으로 설정하는 사고 방식 자체가 이미 미국 헤게모니가 작동하고 관철되는 방식을 은폐하는 것이다.

미국 헤게모니에 대한 진정한 비판이 한/일 양국 민족주의(국민주의)의 비판에서 시작해야 하는 것도 이러한 이유에서이다. 우리 대담의 의미를 스스로 자리매김한다면, 바로 이 점에 있지 않은가 한다. 생각을 같이하는 혹은 달리하는 많은 독자들의 비판을 바란다.

2003년 4월 19일 이타카에서

사카이 나오키 · 임지현

편집자 주 2001~2003년까지, 약 27개월 간 진행된 임지현 · 사카이 나오키 대담의 기획과 진행 과정을 재구성해 덧붙입니다. 한 권의 책은 무수히 많은 사람들의 손을 거쳐 세상에 나오게 됩니다. 이 기획 일지는 그 사람들의 생각, 몸짓, 숨결을 전하기 위해 선완규 인문편집장의 기획 일지에서 이 책과 관련한 부분만을 재편집했습니다.

1 임지현 · 사카이 나오키 대담 프로젝트가 기획되다(2001년 8~9월)

—임지현 선생에게 휴머니스트의 HIT(대담) 프로젝트를 제안했다. 임지현 선생이 대화를 나누고 싶은 상대는 도쿄대에서 철학, 사상사를 전공했고, 현재 미국 코넬대 비교문화/아시아 연구과의 사카이 나오키 교수였다. 일본의 학자와 한국의 학자가 '민족주의'를 매개로 만나는 기획이었다. 우리 학계의 핫이슈 '민족주의담론'을 비판적으로 성찰하는 두 사람의 대담은, 당위에만 머물렀던 탈근대담론이 구체적인 역사적 사실 속에서 그 속살을 드러낼 것만 같았고, 탈근대 구성에 대한 이론적 논의까지 담아낼 수 있다면 한국의 근대성 연구에 새로운 지평을 열 수 있다고 판단했다. 이 대담이 '민족'이라는 장벽을 뛰어넘을 수 있는 근거를 그들의 이력 속에서 감지할 수 있었다. 그리고 구제국-구식민지라는 역사적 기억 속의 한일 교류에 새로운 전환점을 만들어낼 수 있다고 생각했다.

—사카이 나오키 선생은 대담에서 논의할 테마 8가지를 보내왔고, 임지현 선생은 전체 대담의 마디마디를 짚어주었다. 우리는 이를 바탕삼아 대담 기획안을 작성했다. 대담의 전체 테마는 '경계짓기로서의 근대 비판을 넘어서'로 잡았고, 그 하위 주제로 ① 민족, 국민국가의 경계짓기 ② 동양과 서양의 경계짓기 ③ 남성과 여성의 경계짓기 ④ 부르주아와 노동자라는 계급의 경계짓기 등을 비판적으로 성찰하는 대담을 총 4회(서울에서 두 번, 도쿄에서 두 번) 갖기로 합의했다.

—두 사람의 대담을 영어로 진행할 것인지, 자국어로 진행할지에 대한 의견을 나누었다. 두 개의 언어가 교차하는 대담을 진행하기로 합의했고, 세부 사항(대담 시간, 원고 재구성, 녹취)을 점검했다. 대담의 스태프를 구성해야 했다. 먼저 한국에서 진행될 대담의 통역은 박유하 선생(세종대 일문과 교수), 후지이 다케시 선생, 와타나베 나오키 선생이 맡고, 일본에서 진행될 대담은 이타가키 류타(도쿄대 한국조선문화연구실 조수) 선생으로 확정했다. 어려운 일이었지만, 이번 만남의 의의가 다른 분들의 마음을 움직이고 있는 듯했다.

—대담의 준비는 어느 정도 마무리되었다. 나는 대담을 어떻게 준비하고, 그 과정에서 무엇을 잡아

내야 하는 것일까? 우리의 근대는 100여 년 전에 시작되었다고 할 수 있다. 일본은 더 일찍 근대와 조우했다. 과연 두 나라는 근대(문명)를 어떻게 받아들였을까? 거기에는 어떤 세계사적 맥락이 있었을까? 그리고 '민족' '국가' '성' '인종' 등의 근대 개념이 어떻게 구성되어, 타자들을 배제하고 차별했는가? 두 사람의 이야기 속에서라면 가능하지 않을까?

2 서울에서 첫 대담이 열리다(2001년 10월)

—서울 대담은 10월 25, 26일 이틀 간 한양대학교 인문학연구소와 휴머니스트 회의실에서 열렸다. 해외 필자를 휴머니스트 기획으로 초청하는 일은 처음이었다. 나는 대담의 진행뿐만 아니라 사카이 나오키 선생이 편안하게 지낼 수 있도록 배려하는 일 역시 기획의 한 영역이라고 생각했다. 그러했기에 숙소, 통역, 녹취(최지선·유은정), 사진 동영상(안해룡) 등을 확인 또 확인했다. 쉽지 않은 만남이기에 한 곳에서 '펑크'가 나면 모든 게 수포로 돌아간다는 긴장감 때문이었다. 그리고 대담의 배경이나 의의, 대담자의 면면 등은 기대를 부풀게 했지만, 그것을 '책'으로 어떻게 구현할 것인가 하는 부분에서도 긴장을 놓을 수 없었다.

—역사적인 첫 대담이 시작되었다. 한일의 지식인이 열린 마음으로 자기 고백과 상대방의 맥락을 고려하면서 이야기를 하고, 그것을 '책'이라는 매체를 통해 발표하는 일은 처음이다. 역사적인 만남이었다. 첫 만남이어서 가벼운 이야깃거리로 시작할 것이라는 예상을 비웃듯이, 자신들의 위치를 간단히 언급한 뒤 곧바로 '민족' 담론의 허상을 비판하는 대담을 시작했다. 휴머니스트 회의실에서 열린 두 번째 대담은 '민족국가의 경계짓기'를 테마로 본격적인 대담이 열렸음을 알렸다. 미국 내셔널리즘의 오만함에 대한 사카이 선생의 비판, 그리고 한국의 민족주의, 일본의 국민주의가 제국의 내셔널리즘을 어떤 방식으로 끌어들였는가에 대한 임지현 선생의 역사적 접근이 이어졌다.

—대담에서 주고받는 두 선생의 이야기는 개념뿐만 아니라 논의의 깊이도 만만치 않았다. 대담의 성과를 '책'으로 구현하려면 최소한 논의의 흐름과 배경 등에 대한 이해가 전제되어야 했다. 베네딕트 앤더슨의 《상상의 공동체》를 구입해 읽어본 후 녹취 내용을 들으니 그때야 비로소 논의의 흐름이 잡혔다.

3 시공간을 가로지르는 e-mail 대담을 기획하다(2001년 11~12월)

—2001년 12월 도쿄에서 세 번째, 네 번째 대담을 열기로 합의했다. 나는 사카이 나오키 선생에게 e-mail 대담을 제안했고, 그는 12월 초부터 시작하겠다고 응답했다. 임지현 선생이 먼저 글을 써 사카이 나오키 선생에게 전송. 다음 순서도를 보면 알 수 있다. ① 임지현 → 이타가키 류타(일본어로 번역), 박경희(참조), 선완규(휴머니스트) → 사카이 나오키, 고지마 기요시(이와나미). ② 사카이

→ 박경희(한국어로 번역), 아타가키 류타(참조), 고지마(이와나미) → 임지현, 선완규(휴머니스트)로 진행하기로 합의. 정말 복잡하군!

—이와나미의 인문편집장 고지마 기요시 선생과 일본 출판에 관한 일을 논의하기 위해 편지를 전송했다. 일본어판 출간에 대한 휴머니스트의 의견을 담았고, 이에 대한 논의는 12월 일본 방문 때 구체적으로 논의하고 싶다는 메시지였다. 고지마 편집장은 이와나미신서의 역사와 함께 성장한 지식인이다. 언젠가 꼭 만나고 싶었던 편집자였는데, 그 기회가 생각보다 빨리 왔다. 또한 우리의 기획으로 그와 논의할 수 있어서 더 기뻤다.
나는 김학원 대표와 일본에서의 대담 진행과 고지마 편집장과의 미팅 건을 논의하여, 몇 가지 원칙을 마련했다.
첫째, 휴머니스트는 해외 출판 교류가 타이틀의 수출, 수입이라는 제한된 영역을 벗어나, 편집자를 매개로 양쪽의 저자와 컨텐츠가 교류되기를 원하고, 둘째 완성된 대담집을 일본에서 번역 출간하는 것보다는 가공되지 않는 대담 텍스트를 한국, 일본 양쪽에서 자기 사회의 맥락을 고려해 편집 출간하는 것을 원칙으로 정했다.

4 도쿄에서 두 번째 대담이 시작되다(2001년 12월)

—일본에서 12월 17, 18일 두 차례 대담이 열린다. 3박 4일 동안 일본에서는 어떤 일이 벌어질까? 나에게 두 가지 미션이 주어졌다. 대담을 원활하게 진행하는 것이 첫째이고, 마지막은 고지마 편집장과 일본 출판 건을 논의하는 것이다. 가방 속 서류를 점검한 뒤, 나리타를 향해 날아갔다. 우여곡절 끝에 숙소 YMCA HOTEL에 도착했다. 사진팀의 안해룡 선배는 다른 일정이 있어 그곳에 미리 가 있었다. 반가운 조우를 생각했는데 안 선배는 외출 중이었다.
—대담이 열리는 17일 예기치 않은 일이 일어났다. 오전 9시 45분 이와나미 출판사 로비에 도착했다. 5분 후 임지현 선생이 들어왔고, 곧 고지마 기요시 편집장이 내려왔다. 인사를 나누고 이야기를 주고받는 중 사카이 나오키 선생도 도착. 이제 통역을 맡은 아타가키 류타 선생만 도착하면 된다. 순간 아차! 했다. 일본에 온 뒤 아타가키 류타와 연락을 하지 않았던 것이다. 메일로 일정을 알려주었지만 무척 걱정되었다. 재빨리 자리를 빠져나와 류타 선생과 통화. 그는 10시가 아니라 오후 2시로 알고 있었다. 나도 모르게 "선생님, 12시까지 이와나미로 오셔야 합니다. 그럼 그때 뵙죠." 수화기를 내려놓고 이 일을 어쩌지! 화장실로 달려가 생각했다. 안해룡 선배가 보였다. 그 순간 '아! 사진 찍기가 있지' 하며 일거리를 만들었다. 그리고 임지현, 사카이, 고지마, 안해룡 선생에게 오늘 일정에 대한 수정 제안을 했다. 12시까지 사진 촬영, 식사 후 1시부터 6시까지 대담을 진행하자고 했다.

—오후 1시 30분에 시작된 대담의 테마는 '동양과 서양의 경계짓기' 다. 나는 독자를 염두에

두면서 적극적으로 개입했다. 추가 질문, 좀더 구체적인 언급 등을 요구했다. 이번 대담에서 내가 어떤 역할을 해야 하는지에 대한 실마리를 찾아냈다고 할 수 있다. 5시간의 대담이 진행되는 동안 고지마 기요시 편집장은 자리를 뜨지 않았다. 임지현 선생이 역사적 사실에 대한 구체적인 예를 들 때마다 아! 하는 감탄사를 내뱉었다. 이 분은 임 선생의 이야기를 흥미롭게 지켜보고 있구나? 하는 생각이 들었다. 사실 서울에서의 대담 때 나 역시 사카이 나오키 선생의 이야기에 더 많은 관심을 가지고 있었다. 다음날 '동양과 서양의 경계짓기' 를 마무리하는 대담이 이어졌다. 실체가 없는 상상된 지리적·공간적 개념인 '서양' 과 '동양' 이 어떻게 구체적인 시공간 속에 자리잡게 되었는지를 역사적으로, 그리고 이론적으로 추적하는 시간이었다. 일본에서의 대담은 대담의 내용뿐만 아니라, 책의 전체 윤곽을 잡는 데도 무척 중요한 내용을 담고 있었다.

5 서울에서 마지막 대담을 한 번 더 갖기로 합의하다(2001년 12월)

—애초 계획했던 네 번의 대담이 끝났다. 하지만 아직 토론해야 할 주제가 더 남아 있었다. 대담을 몇 차례 더 진행해야 할 것 같았다. 근대의 문제를 다룰 주제가 남아 있었고, 다양한 시각을 통해 좀더 구체적으로 접근했으면 하는 바람을 강하게 전했다. 두 선생님도 이에 적극적으로 응답해왔다. 그래서 대담을 두세 차례 더 진행하기로 합의했다. 임지현 선생과 사카이 나오키 선생의 2002년 스케줄을 확인해야 했다. 나는 사카이 선생이 서울을 다시 한번 방문해줄 수 있는지를 물었다. 그는 5월경 일본에 잠시 들를 계획이 있으니, 그때 한국에서 마지막 대담을 갖자는 의견을 주었다.

6 두 번째 e-mail 대담을 제안하다(2002년 1월)

—2002년 1월부터 '남성과 여성의 경계짓기' 를 e-mail을 통해 시작하기로 합의했다. 임지현 선생은 보편적 존재가 된 남성은 여성을 어떻게 차별하고 배제해왔는가를 역사적 사실을 중심으로 서술한 메일을 보냈고, 사카이 나오키 선생은 일본과 한국의 민감한 현안인 '위안부' 문제와 연관해, 일본에서 여성성과 남성성이 어떻게 변해왔는지를 근대 이전과 근대 이후의 각종 자료를 근거삼아 이야기했다. 그는 마지막에 "근대 국민국가의 인간은 바로 '남성' 이었다는 점" 을 강조하는 메일을 답신으로 보내왔다.

7 마지막 대담, 서울에서 열리다(2002년 5월)

—사카이 나오키 선생의 한국 방문 일정이 5월 13~15일로 확정되었다. 이제 마지막 대담이 시작된

다. 그간의 대담 내용을 한번 훑어보았다. 두 분 모두 조심스럽게 하나하나의 소재나 주제들에 접근하고 있었다. 나는 먼저 두 대담자의 스케줄을 맞춘 뒤, 많은 도움을 주고 있는 스태프들을 챙겨야 했다. 이번 대담은 대담자, 스태프의 몸과 마음 구석구석까지 챙겨야 하는 기획이라는 생각이 들었다. 사카이 나오키 선생은 5월 12일 오후 11시경에 인천공항에 도착했다. 김학원 대표와 함께 영접을 나갔다. 사카이 선생의 이번 한국 방문은 부인과 함께였다. 두 분을 차에 태우고 숙소까지 달리면서, 차 안에서 담소를 나누었다. 김학원 대표의 영어가 꽤 통하는 듯하다. 사카이 나오키 선생의 부인은 영국인이었다. 직업은 언어치료사. 사카이 선생이 도쿄대 철학과를 졸업하고 영국 주재 상사원으로 일하면서 눈이 맞은 사이. 아들이 둘 있는데 지금은 대학에 다닌다고 한다. 요즘 두 아들 때문에 고민이 많다나. 아이구! 어딜 가나 자식 걱정이다.

—서울에서의 마지막 대담이 시작되었다. 지금까지 진행된 대담에 대한 나의 소견을 짧게 이야기했다. 이를 염두에 두면서 대담을 진행하자고 제안했다. 마지막 만남에서는 '남성과 여성의 경계 짓기'를 마무리하고, 전체 대담의 결론을 맺게 된다. 첫날은 '한국 할머니들의 기억과 내셔널리즘' '종속된 내셔널리즘의 슬픔' 등 한국과 일본에서 진행된 남성과 여성의 차별과 배제의 구체적인 사실들이 속속 드러났고, 다음날은 미국의 오만함과 미국 중심의 세계화 전략에 대해 어떻게 대응할 것인가를 중심으로 근대를 넘어서는 탐색이 시작되었다. 사카이 나오키 선생은 "세상의 관계들을 다시 읽어야 한다"며 '번역'이라는 새로운 커뮤니케이션 방식을, 임지현 선생은 근대를 해체하는 새로운 역사 서술로 우리 속의 편견을 넘어서는 자신의 기획을 제안했다. 역사학자와 비교문화, 사상사를 연구하는 학자의 특이성이 드러나는 대목이었다.
마지막 날! 대담의 대미를 장식하는 날이다. 결론은 '위기의 현대 사회'였다. 끊임없이 재생산되는 미국 헤게모니 속에서 근대적 구성물을 해체하는 방향을 찾아보았는데, 구체적인 방식은 제안되지 않았다. 아쉬운 대목이었지만 두 사람은 '새로운 사유'와 '새로운 실천'을 강조했고, 이번 대담이 그 가능성이 찾아가는 출발이 되었으면 하는 바람을 숨기지 않았다.

8 대담에서 책의 배치로(2002년 5~2002년 12월)

—나의 사고는 이제 대담의 연출에서 '책'이라는 새로운 공간으로 이동해야 했다. 대담의 연출자에서 《오만과 편견》이라는 책을 구성하는 편집자가 되어야 했다. 태평양과 현해탄을 넘나들며 진행된 두 선생의 대담은 새로운 국면을 맞게 되었다. 한국어와 일본어 텍스트를 만드는 게 첫 번째 과제였다. 여기서 책의 윤곽이 결정되기 때문이다. 한 달 동안의 작업 끝에 한국어와 일본어 대담 녹취원고가 만들어졌다. 최지선, 유은정, 이연희, 유스케 씨의 노력이 깃든 원고였다. 약 1,300여매의 기초원고가 만들어졌다.

—임지현 선생과 사카이 나오키 선생은 각각 자신의 말을 기록한 원고를 수정하는 일을 해야 했다.

이 시간도 만만치 않았다. 한 달 정도 시간을 할애하여 2002년 8월까지 수정원고를 건네받기로 했다. 1장과 2장의 수정원고는 약속된 날짜에 들어왔으나, 3장·4장·5장의 원고는 2003년으로 넘어가고 말았다. 사카이 선생에게 무척 많은 편지를 보냈다. "Mr. Sakai. When I received 4, 5 chapter? I expect that your work(4, 5 chapter) finishing at 30. November. September, December……"

9 《오만과 편견》 구성과 편집 작업이 시작되다(2003년 2~4월)

—우여곡절 끝에 사카이 나오키 선생의 수정원고가 2003년 3월 중순에 도착했고, 2003년 4월초 전체 원고가 세팅되었다. 《오만과 편견》 1차 구성안 중 임지현·사카이 나오키를 소개하는 글을 기획했다. ① 취재해서 재구성하는 방안 ② 20~30매의 글을 청탁하는 방안이 있다. ①안만을 생각했는데, 다르게 접근해보는 아이디어가 없을까 생각해보니 ②안이 떠올랐다. 나는 ②안이 좋다고 생각했다. 관건은 누가 쓰는가였다. 그리고 두 분은 해외에 있었다. 임지현 선생은 영국 글래모건 대학의 외래교수 겸 하버드 대학 옌칭연구소의 초청학자로 외유 중이고, 사카이 나오키 선생은 미국 코넬 대학에 있다. 꽤 복잡한 과정을 거쳐야 하는데, 모두들 밖에 있으니…….

—임지현·사카이 나오키의 소개글은 취재 후 재구성하기로 결정되었다. 대담의 기획에서부터 책의 완성까지를 총괄하는 편집자가 정리하는 게 합리적이라는 판단이었다. 그리고 두 사람의 서문을 게재하기로 했다. 임지현 선생에게는 일본의 독자를 염두에 둔 서문, 사카이 선생에게는 한국의 독자들에게 보내는 서문을 청탁했다. 편집은 두 가지 문제를 해결해야 했다. ① 다양한 용어 개념을 어떻게 할 것인가 ② 한 사람의 말이 너무 긴 경우, 이를 적절히 나누어 재구성해야 하는가였다. 편집자가 직접 설명주를 만들고 대화를 재구성하기로 했다. 책의 꼴을 갖추고 나왔을 때 그 흔적이 제대로 나타나기를 바랄 뿐이다.

—1차 구성안이 마무리되고 제목 논의를 시작했다. 제목 만들기의 포인트는 ① 근대가 만들어놓은 왜곡된 경계를 허무는 대담 ② 민족·국가·남성으로 상징되는 근대를 어떻게 극복해야 하는가 ③ 새로운 내용을 담은 미래 지향적인 대담 ④ 지금의 세계사적 현실 등을 반영해야 했다. 수차례의 논의 끝에 대담집 제목을 《오만과 편견》으로 확정했다.

10 오만과 편견, 친숙함과 낯섦의 끝없는 변주

2001~2003년까지 근 27개월 동안 이어온 임지현과 사카이 나오키의 대담집 《오만과 편견》을 세상에 내놓습니다. 두 사람의 대담은 중심부 제국주의와 주변부 민족주의의

적대적 공존 관계가 형성되어온 세계사적 인식을 바탕으로, 한국과 일본의 근대가 어떻게 상호 작용을 주고받으며 형성되어왔는가를 동아시아의 맥락과 관계 속에서 하나 둘 파고들어갔습니다. 사상사 연구자의 날카로운 성찰과 역사학 연구자의 사실적 예증이 잘 섞인 대담집이라고 할 수 있습니다. 그것이 어떻게 가능했을까요?

나는 이 책을 '차이가 낳은 우정의 커뮤니케이션' 이라 말하고 싶습니다. 과거로부터 우리를 질질 끌고 있는 역사적 현실의 굳어버린 맥락을 하나하나 풀어가는 두 사람의 소통 방식은 '우정의 기획' 이 아니면 도저히 불가능했을 것입니다. 민족적 혹은 국민적 동일성의 대비로서 표상되는 한국인 대 일본인이라는 관계에서 친구 관계로 옮겨가지 못했다면, 과거로부터의 해방은커녕 '국가의 기억' 속에서 서로를 배제하는 억압의 굴레만을 남겨놓았을 것이 분명하기 때문입니다. "나의 충성 대상은 국민도, 민족도 아닙니다. 내가 동포가 아닌 친구를 택한다고 말하게 해주십시오, 왜냐하면 이 길만이 과거로부터 우리를 해방시켜줄 단 하나의 길이며, 나는 그 길을 걸어가지 않으면 안 된다고 생각하기 때문"이라는 사카이 나오키 선생의 말은, 근대국가의 민족적 이념으로 무장한 나의 신체를 허물어뜨리고, 나의 무의식을 해체시키기에 충분했다고 생각합니다.

3년 간 이어진 두 사람의 대담은 친숙함과 낯섦의 끝없는 변주였습니다. 나의 신체에 무의식적으로 각인된 근대의 습속들이, 두 사람이 주고받는 이야기 속에서 하나둘 그 실체를 드러내고 말았습니다. 민족·인종·국가·성·계급 등 오만과 편견을 낳은 경계짓기의 선을 벗어나, 새로운 관계의 선을 찾아 낯선 시공간 속으로 질주하는 두 사람의 사유는 우리에게 새로운 리듬을 타야 한다고 힘주어 말하고 있는 듯합니다. 그리고 낯선 리듬의 변주는 우리에게 말을 걸고 있었습니다. "국가와 민족이라는 우상을 조심하라고!"

—선완규(휴머니스트 인문 편집장)

오만과 편견

지은이 | 임지현 · 사카이 나오키

1판 1쇄 발행일 2003년 5월 12일
1판 2쇄 발행일 2003년 5월 20일
1판 2쇄 발행부수 3,000부, 총 6,000부 발행

발행인 | 김학원
기획 | 이재민 선완규 한상준 박재호
디자인 | 이준용 김준희
마케팅 | 이상용
저자 · 독자 서비스 | 인현주(ihj2001@hmcv.com)
조판 | 홍영사
표지 · 본문 출력 | 희수 com.
용지 | 화인페이퍼
인쇄 | 청아문화사
제본 | 정민제본

발행처 | 휴머니스트
출판등록 제10-2135호(2001년 4월 18일)
주소 | 서울시 마포구 동교동 201-10 석진빌딩 3층 121-819
전화 | 02-335-4422 팩스 | 02-334-3427
홈페이지 | www.hmcv.com

ISBN 89-89899-50-8 03900

만든 사람들

통역 | 박유하(세종대 일문과 교수) 와타나베 나오키(고려대 국제어학원 강사)
후지이 다케시(성대 사학과 박사과정, 한국현대사 전공)
이타가키 류타(도쿄대 한국조선문화연구실 조수)
책임 기획 | 선완규(swk2001@hmcv.com)
책임 디자인 | 이준용 / 책임 그래픽 | 김준희 / 책임 편집 | 박지홍 / 사진 | 안해룡
일본어 녹취원고 | 유스케, 최지선, 유은정
한국어 녹취원고 | 이연희, 최지선, 유은정
한국어 번역 | 후지이 다케시(성대 사학과 박사과정, 한국현대사 전공)
박성관(수유연구실+연구공간 '너머' 연구원)
박경희(일본고문서연구자, 서울여대 강사)

· 3년 동안 진행된 대담을 책으로 펴내는 데 많은 분들의 도움을 받았습니다. 특히 통역과 번역에 애써주신 후지이 다케시 선생님, 흔쾌히 통역을 맡아주신 박유하 선생님, 일본에서 열린 대담을 적극적으로 지원해주신 이와나미 출판사의 고지마 기요시 편집장, 그리고 두 대담자의 취재에 시간을 아끼지 않으신 박환무 선생님께 감사의 말을 올립니다.